LAS TRES EDADES

Y DIJO LA ESFINGE:

SE MUEVE A CUATRO PATAS POR LA MAÑANA,

CAMINA ERGUIDO AL MEDIODÍA

Y UTILIZA TRES PIES AL ATARDECER.

¿QUÉ COSA ES?

Y EDIPO RESPONDIÓ: EL HOMBRE.

Jostein Gaarder (Oslo, 1952) fue profesor de Filosofía y de Historia de las Ideas en un liceo de Bergen durante once años. En 1986 publica *El diagnóstico,* una colección de relatos al que siguieron dos libros para jóvenes: *Los chicos de Sukhavati* (1987) y *El palacio de la rana* (1988). En 1990 recibió el Premio Nacional de Crítica Literaria en Noruega y el Premio Literario del Ministerio de Asuntos Sociales y Científicos por *El misterio del solitario.* Pero es *El mundo de Sofía* (1991) el libro que le convierte en uno de los autores de más éxito en Europa, en donde la novela se ha convertido en un auténtico *best-seller* en varios países, habiéndose traducido a más de quince idiomas. En 1992 publica *El misterio de Navidad,* y en ese mismo año recibe el Premio Europeo de Literatura Juvenil.

EL MUNDO DE SOFÍA

NOVELA SOBRE
LA HISTORIA
DE LA FILOSOFÍA

JOSTEIN GAARDER

Traducción:

Kirsti Baggethun y Asunción Lorenzo

Editorial Patria

Ediciones Siruela

Título original de la obra:
SOFIES VERDEN

Colección dirigida por Michi Strausfeld
Diseño gráfico: J.S. & G.G.

Traducción:
Kirsti Baggerthun y Asunción Lorenzo

El mundo de Sofía
© 1991, H. Aschehoug & Co. (W. Nygaaerd), Oslo
© 1994, Ediciones Siruela, S.A.
Plaza de Manuel Becerra, 15. El pabellón
28028, Madrid

Por la presente edición, derechos exclusivos reservados para
México y Centroamérica
©1995, EDITORIAL PATRIA, S.A. DE C.V.
Renacimiento 180, Colonia San Juan Tlihuaca
Delegación Azcapotzalco. Código Postal 02400, México, D.F.

Miembro de la Cámara Nacional de la Industria Editorial.
Registro núm. 046

ISBN 968-39-1231-1

Impreso en México/*Printed in Mexico*

Primera edición: 1995
Novena reimpresión: 1996
Décima reimpresión: 1996

Índice

EL MUNDO DE SOFÍA

Índice onomástico

EL MUNDO DE SOFÍA

Este libro no habría nacido sin el alentador apoyo de Siri Dannevig. También quiero agradecer a Maiken Ims su revisión del manuscrito y sus valiosos comentarios.
Mi gran agradecimiento también a Trond Berg Eriksen por sus cariñosas observaciones y sólido apoyo profesional durante muchos años.

El que no sabe llevar su contabilidad
Por espacio de tres mil años
Se queda como un ignorante en la oscuridad
Y sólo vive al día.

Goethe

El jardín del Edén

...al fin y al cabo, algo tuvo que surgir en algún momento de donde no había nada de nada...

Sofía Amundsen volvía a casa después del instituto. La primera parte del camino la había hecho en compañía de Jorunn. Habían hablado de robots. Jorunn opinaba que el cerebro humano era como un sofisticado ordenador. Sofía no estaba muy segura de estar de acuerdo. Un ser humano tenía que ser algo más que una máquina.

Se habían despedido junto al hipermercado. Sofía vivía al final de una gran urbanización de chalets, y su camino al instituto era casi el doble que el de Jorunn. Era como si su casa se encontrara en el fin del mundo, pues más allá de su jardín no había ninguna casa más. Allí comenzaba el espeso bosque.

Giró para meterse por el Camino del Trébol. Al final hacía una brusca curva que solían llamar «Curva del Capitán». Aquí sólo había gente los sábados y los domingos.

Era uno de los primeros días de mayo. En algunos jardines se veían tupidas coronas de narcisos bajo los árboles frutales. Los abedules tenían ya una fina capa de encaje verde.

¡Era curioso ver cómo todo empezaba a crecer y brotar en esta época del año! ¿Cuál era la causa de que kilos y kilos de esa materia vegetal verde saliera a chorros de la tierra inanimada en cuanto las temperaturas subían y desaparecían los últimos restos de nieve?

Sofía miró el buzón al abrir la verja de su jardín. Solía haber un montón de cartas de propaganda, además de unos sobres grandes para su madre. Tenía la costumbre de dejarlo todo en un montón sobre la mesa de la cocina, antes de subir a su habitación para hacer los deberes.

1

A su padre le llegaba únicamente alguna que otra carta del banco, pero no era un padre normal y corriente. El padre de Sofía era capitán de un gran petrolero y estaba ausente gran parte del año. Cuando pasaba en casa unas semanas seguidas, se paseaba por ella haciendo la casa más acogedora para Sofía y su madre. Por otra parte, cuando estaba navegando resultaba a menudo muy distante.

Ese día sólo había una pequeña carta en el buzón, y era para Sofía.

«Sofía Amundsen», ponía en el pequeño sobre. «Camino del Trébol 3.» Eso era todo, no ponía quién la enviaba. Ni siquiera tenía sello.

En cuanto hubo cerrado la puerta de la verja, Sofía abrió el sobre. Lo único que encontró fue una notita, tan pequeña como el sobre que la contenía. En la notita ponía: *¿Quién eres?*

No ponía nada más. No traía ni saludos ni remitente, sólo esas dos palabras escritas a mano con grandes interrogaciones.

Volvió a mirar el sobre. Pues sí, la carta era para ella. ¿Pero quién la había dejado en el buzón?

Sofía se apresuró a sacar la llave y abrir la puerta de la casa pintada de rojo. Como de costumbre, al gato Sherekan le dio tiempo a salir de entre los arbustos, dar un salto hasta la escalera y meterse por la puerta antes de que Sofía tuviera tiempo de cerrarla.

—¡Misi, misi, misi!

Cuando la madre de Sofía estaba de mal humor por alguna razón, decía a veces que su hogar era como una casa de fieras, en otras palabras, una colección de animales de distintas clases. Y por cierto, Sofía estaba muy contenta con la suya. Primero le habían regalado una pecera con los peces dorados Flequillo de Oro, Caperucita Roja y Pedro el Negro. Luego tuvo los periquitos Cada y Pizca, la tortuga Govinda y finalmente el gato atigrado Sherekan. Había recibido todos estos animales como una especie de compensación por parte de su madre, que volvía tarde del trabajo, y de su padre, que tanto navegaba por el mundo.

Sofía se quitó la mochila y puso un plato con comida para Sherekan. Luego se dejó caer sobre una banqueta de la cocina con la misteriosa carta en la mano.

¿Quién eres?

En realidad no lo sabía. Era Sofía Amundsen, naturalmente, pero ¿quién era eso? Aún no lo había averiguado del todo.

¿Y si se hubiera llamado algo completamente distinto? Anne Knutsen, por ejemplo. ¿En ese caso, habría sido otra?

De pronto se acordó de que su padre había querido que se llamara Synnøve. Sofía intentaba imaginarse que extendía la mano presentándose como Synnøve Amundsen, pero no, no servía. Todo el tiempo era otra chica la que se presentaba.

Se puso de pie de un salto y entró en el cuarto de baño con la extraña carta en la mano. Se colocó delante del espejo, y se miró fijamente a sí misma.

—Soy Sofía Amundsen —dijo.

La chica del espejo no contestó ni con el más leve gesto. Hiciera lo que hiciera Sofía, la otra hacía exactamente lo mismo. Sofía intentaba anticiparse al espejo con un rapidísimo movimiento, pero la otra era igual de rápida.

—¿Quién eres? —preguntó.

No obtuvo respuesta tampoco ahora, pero durante un breve instante llegó a dudar de si era ella o la del espejo la que había hecho la pregunta.

Sofía apretó el dedo índice contra la nariz del espejo y dijo:

—Tú eres yo.

Al no recibir ninguna respuesta, dio la vuelta a la pregunta y dijo:

—Yo soy tú.

Sofía Amundsen no había estado nunca muy contenta con su aspecto. Le decían a menudo que tenía bonitos ojos almendrados, pero seguramente se lo dirían porque su nariz era demasiado pequeña y la boca un poco grande. Además, tenía las orejas demasiado cerca de los ojos. Lo peor de todo era ese pelo liso que resultaba imposible de arreglar. A veces su padre le acariciaba el pelo llamándola «la muchacha de los cabellos de lino», como la pieza de música de Claude Debussy. Era fácil para él, que no estaba condenado a tener ese pelo negro colgando durante toda su vida. En el pelo de Sofía no servían ni el gel ni el spray.

A veces pensaba que le había tocado un aspecto tan extraño que se preguntaba si no estaría mal hecha. Por lo menos había oído hablar a su madre de un parto difícil. ¿Era realmente el parto lo que decidía el aspecto que uno iba a tener?

¿No resultaba extraño el no saber quién era? ¿No era también injusto no haber podido decidir su propio aspecto? Simplemente había surgido así como así. A lo mejor podría elegir a sus amigos, pero no se había elegido a sí misma. Ni siquiera había elegido ser un ser humano.

¿Qué era un ser humano?

Sofía volvió a mirar a la chica del espejo.

—Creo que me subo para hacer los deberes de naturales —dijo, como si quisiera disculparse. Un instante después, se encontraba en la entrada.

No, prefiero salir al jardín, pensó.

—¡Misi, misi, misi, misi!

Sofía cogió al gato, lo sacó fuera y cerró la puerta tras ella.

Cuando se encontró en el caminito de gravilla con la misteriosa carta en la mano, tuvo de repente una extraña sensación. Era como si fuese una muñeca que por arte de magia hubiera cobrado vida.

¿No era extraño estar en el mundo en este momento, poder caminar como por un maravilloso cuento?

Sherekan saltó ágilmente por la gravilla y se metió entre unos tupidos arbustos de grosellas. Un gato vivo, desde los bigotes blancos hasta el rabo juguetón en el extremo de su cuerpo liso. También él estaba en el jardín, pero seguramente no era consciente de ello de la misma manera que Sofía.

Conforme Sofía iba pensando en que existía, también le daba por pensar en el hecho de que no se quedaría aquí eternamente.

Estoy en el mundo ahora, pensó. Pero un día habré desaparecido del todo.

¿Habría alguna vida mas allá de la muerte? El gato ignoraría también esa cuestión por completo.

La abuela de Sofía había muerto hacía poco. Casi a diario durante medio año había pensado cuánto la echaba de menos. ¿No era injusto que la vida tuviera que acabarse alguna vez?

En el camino de gravilla Sofía se quedó pensando. Intentó pensar intensamente en que existía para de esa forma olvidarse de que no se quedaría aquí para siempre. Pero resultó imposible. En cuanto se concentraba en el hecho de que existía, inmediatamente surgía la idea del fin de la vida. Lo mismo pasaba a la inversa: cuando había conseguido tener una fuerte sensación de que un día desaparecería del todo, entendía realmente lo enormemente valiosa que es la vida. Era como la cara y cruz de una moneda, una moneda a la que daba vueltas constantemente. Cuanto más grande y nítida se veía una de las caras, mayor y más nítida se veía también la otra. La vida y la muerte eran como dos caras del mismo asunto.

No se puede tener la sensación de existir sin tener también la sensación de tener que morir, pensó. De la misma manera, resulta igualmente imposible pensar que uno va a morir, sin pensar al mismo tiempo en lo fantástico que es vivir.

Sofía se acordó de que su abuela había dicho algo parecido el día en que el médico le había dicho que estaba enferma. «Hasta ahora no he entendido lo valiosa que es la vida», había dicho.

¿No era triste que la mayoría de la gente tuviera que ponerse enferma para darse cuenta de lo agradable que es vivir? ¿Necesitarían acaso una carta misteriosa en el buzón?

Quizás debiera mirar si había algo más en el buzón. Sofía corrió hacia la verja y levantó la tapa verde. Se sobresaltó al descubrir un sobre idéntico al primero. ¿Se había asegurado de mirar si el buzón se había quedado vacío del todo la primera vez?

También en este sobre ponía su nombre. Abrió el sobre y sacó una nota igual que la primera.

¿De dónde viene el mundo?, ponía.

No tengo la más remota idea, pensó Sofía. Nadie sabe esas cosas, supongo. Y sin embargo, Sofía pensó que era una pregunta justificada. Por primera vez en su vida pensó que casi no tenía justificación vivir en un mundo sin *preguntarse* siquiera de dónde venía ese mundo.

Las cartas misteriosas la habían dejado tan aturdida que decidió ir a sentarse al Callejón.

El Callejón era el escondite secreto de Sofía. Sólo iba allí cuando estaba muy enfadada, muy triste o muy contenta. Ese día sólo estaba confundida.

La casa roja estaba dentro de un gran jardín. Y en el jardín había muchos parterres, arbustos de bayas, diferentes frutales, un gran césped con mecedora e incluso un pequeño cenador que el abuelo le había construido a la abuela cuando perdió a su primer hijo, a las pocas semanas de nacer. La pobre pequeña se llamaba Marie. En la lápida ponía: «La pequeña Marie llegó, nos saludó y se dio la vuelta».

En un rincón del jardín, detrás de todos los frambuesos, había una maleza tupida donde no crecían ni flores ni frutales. En realidad, era un viejo seto que servía de frontera con el gran bosque, pero nadie lo había cuidado en los últimos veinte años, y se había convertido en una maleza impenetrable. La abuela había contado que el seto había dificultado el paso a las zorras que durante la guerra venían a la caza de las gallinas que andaban sueltas por el jardín.

Para todos menos para Sofía, el viejo seto resultaba tan inútil como las jaulas de conejos dentro del jardín. Pero eso era porque no conocían el secreto de Sofía.

Desde que Sofía podía recordar, había conocido la existencia del seto. Al atravesarlo encogida, llegaba a un espacio grande y abierto entre los arbustos. Era como una pequeña cabaña. Podía estar segura de que nadie la encontraría allí.

Sofía se fue corriendo por el jardín con las dos cartas en la mano. Se tumbó para meterse por el seto. El Callejón era tan grande que casi podía estar de pie, pero ahora se sentó sobre unas gruesas raíces. Desde allí podía mirar hacia fuera a través de un par de minúsculos agujeros entre las ramas y las hojas. Aunque ninguno de los agujeros era mayor que una moneda de cinco coronas, tenía una especie de vista panorámica de todo el jardín. De pequeña, le gustaba observar a sus padres cuando andaban buscándola entre los árboles.

A Sofía el jardín siempre le había parecido un mundo en sí. Cada vez que oía hablar del jardín del Edén en el Génesis, se imaginaba sentada en su Callejón contemplando su propio paraíso.

«¿De dónde viene el mundo?»

Pues no lo sabía. Sofía sabía que la Tierra no era sino un

pequeño planeta en el inmenso universo. ¿Pero de dónde venía el universo?

Podría ser, naturalmente, que el universo hubiera existido siempre; en ese caso, no sería preciso buscar una respuesta sobre su procedencia. ¿Pero podía existir algo desde siempre? Había algo dentro de ella que protestaba contra eso. Todo lo que es, tiene que haber tenido un principio, ¿no? De modo que el universo tuvo que haber nacido en algún momento de algo distinto.

Pero si el universo hubiera nacido de repente de otra cosa, entonces esa otra cosa tendría a su vez que haber nacido de otra cosa. Sofía entendió que simplemente había aplazado el problema. Al fin y al cabo, algo tuvo que surgir en algún momento de donde no había nada de nada. ¿Pero era eso posible? ¿No resultaba eso tan imposible como pensar que el mundo había existido siempre?

En el colegio aprendían que Dios había creado el mundo, y ahora Sofía intentó aceptar esa solución al problema como la mejor. Pero volvió a pensar en lo mismo. Podía aceptar que Dios había creado el universo, ¿pero y el propio Dios, qué? ¿Se creó él a sí mismo partiendo de la nada? De nuevo había algo dentro de ella que se rebelaba. Aunque Dios seguramente pudo haber creado esto y aquello, no habría sabido crearse a sí mismo sin tener antes un «sí mismo» con lo que crear. En ese caso, sólo quedaba una posibilidad: Dios había existido siempre. ¡Pero si ella ya había rechazado esa posibilidad! Todo lo que existe tiene que haber tenido un principio.

—¡Caray!

Vuelve a abrir los dos sobres.

«¿Quién eres?»

«¿De dónde viene el mundo?»

¡Qué preguntas tan maliciosas! ¿Y de dónde venían las dos cartas? Eso era casi igual de misterioso.

¿Quién había arrancado a Sofía de lo cotidiano para de repente ponerla ante los grandes enigmas del universo?

Por tercera vez Sofía se fue al buzón.

El cartero acababa de dejar el correo del día. Sofía recogió un grueso montón de publicidad, periódicos y un par de cartas para su madre. También había una postal con la foto de una playa del sur. Dio la vuelta a la postal. Tenía sellos noruegos y un sello en el que ponía «Batallón de las Naciones Unidas». ¿Sería de su padre? ¿Pero no estaba en otro sitio? Además, no era su letra.

Sofía notó que se le aceleraba el pulso al leer el nombre del destinatario: «Hilde Møller Knag c/o Sofía Amundsen, Camino del Trébol 3...». La dirección era la correcta. La postal decía:

Querida Hilde. Te felicito de todo corazón en tu decimoquinto cumpleaños. Como puedes ver, quiero hacerte un regalo con el que podrás crecer. Perdóname por enviar la postal a Sofía. Resulta más fácil así.

Con todo cariño, papá.

Sofía volvió corriendo a la cocina. Sentía como un huracán dentro de ella.

¿Quién era esa «Hilde» que cumplía quince años poco más de un mes antes del día en que también ella cumplía quince años?

Sofía cogió la guía telefónica de la entrada. Había muchos Møller, también algunos Knag. Pero en toda esa gruesa guía telefónica no había nadie que se llamara Møller Knag.

Volvió a estudiar la misteriosa postal. Sí, era auténtica, con sello y matasellos.

¿Por qué un padre iba a enviar una felicitación a la dirección de Sofía cuando estaba clarísimo que iba destinada a otra persona? ¿Qué padre privaría a su hija de la ilusión de recibir una tarjeta de cumpleaños enviándola a otras señas? ¿Por qué resultaba «más fácil así»? Y ante todo: ¿cómo encontraría a Hilde?

De esta manera Sofía tuvo otro problema más en que meditar. Intentó ordenar sus pensamientos de nuevo:

Esa tarde, en el transcurso de un par de horas, se había encontrado con tres enigmas. Uno era quién había metido los dos sobres blancos en su buzón. El segundo era aquellas difíciles preguntas que presentaban esas cartas. El tercer enigma era quién era Hilde Møller Knag y por qué Sofía había recibido una felicitación de cumpleaños para aquella chica desconocida.

Estaba segura de que los tres enigmas estaban, de alguna manera, relacionados entre sí, porque justo hasta ese día había tenido una vida completamente normal.

El sombrero de copa

...lo único que necesitamos para convertirnos en buenos filósofos es la capacidad de asombro...

Sofía dio por sentado que la persona que había escrito las cartas anónimas volvería a ponerse en contacto con ella. Mientras tanto, optó por no decir nada a nadie sobre este asunto.

En el instituto le resultaba difícil concentrarse en lo que decía el profesor; le parecía que sólo hablaba de cosas sin importancia. ¿Por qué no hablaba de lo que es el ser humano, o de lo que es el mundo y de cuál fue su origen?

Tuvo una sensación que jamás había tenido antes: en el instituto y en todas partes la gente se interesaba sólo por cosas más o menos fortuitas. Pero también había algunas cuestiones grandes y difíciles cuyo estudio era mucho más importante que las asignaturas corrientes del colegio.

¿Conocía alguien las respuestas a preguntas de ese tipo? A Sofía, al menos, le parecía más importante pensar en ellas que estudiarse de memoria los verbos irregulares.

Cuando sonó la campana al terminar la última clase, salió tan deprisa del patio que Jorunn tuvo que correr para alcanzarla.

Al cabo de un rato Jorunn dijo:

—¿Vamos a jugar a las cartas esta tarde?

Sofía se encogió de hombros.

—Creo que ya no me interesa mucho jugar a las cartas.

Jorunn puso una cara como si se hubiese caído la luna.

—¿Ah, no? ¿Quieres que juguemos al badmington?

Sofía mira fijamente al asfalto y luego a su amiga.

—Creo que tampoco me interesa mucho el badmington.

—¡Pues vale!

Sofía detectó una sombra de amargura en la voz de Jorunn.

—¿Me podrías decir entonces qué es lo que tan de repente es mucho más importante?

Sofía negó con la cabeza.

—Es... es un secreto.

—¡Bah! ¡Seguro que te has enamorado!

Anduvieron un buen rato sin decir nada. Cuando llegaron al campo de fútbol, Jorunn dijo:

—Cruzo por el campo.

«Por el campo.» Ése era el camino más rápido para Jorunn, el que tomaba sólo cuando tenía que irse rápidamente a casa para llegar a alguna reunión o al dentista.

Sofía se sentía triste por haber herido a su amiga. ¿Pero qué podría haberle contestado? ¿Que de repente le interesaba tanto quién era y de dónde surge el mundo que no tenía tiempo de jugar al badmington? ¿Lo habría entendido su amiga?

¿Por qué tenía que ser tan difícil interesarse por las cuestiones más importantes y, de alguna manera, más corrientes de todas?

Al abrir el buzón notó que el corazón le latía más deprisa. Al principio, sólo encontró una carta del banco y unos grandes sobres amarillos para su madre. ¡Qué pena! Sofía había esperado ansiosa una nueva carta del remitente desconocido.

Al cerrar la puerta de la verja, descubrió su nombre en uno de los sobres grandes. Al dorso, por donde se abría, ponía: *Curso de filosofía. Trátese con mucho cuidado.*

Sofía corrió por el camino de gravilla y dejó su mochila en la escalera. Metió las demás cartas bajo el felpudo, salió corriendo al jardín y buscó refugio en el Callejón. Ahí tenía que abrir el sobre grande.

Sherekan vino corriendo detrás, pero no importaba. Sofía estaba segura de que el gato no se chivaría.

En el sobre había tres hojas grandes escritas a máquina y unidas con un clip. Sofía empezó a leer.

¿Qué es la filosofía?

Querida Sofía. Muchas personas tienen distintos hobbies. Unas coleccionan monedas antiguas o sellos, a otras les gustan las labores, y otras emplean la mayor parte de su tiempo libre en la práctica de algún deporte.

A muchas les gusta también la lectura. Pero lo que leemos es muy variado. Unos leen sólo periódicos o cómics, a algunos les gustan las novelas, y otros prefieren libros sobre distintos temas, tales como la astronomía, la fauna o los inventos tecnológicos.

Aunque a mí me interesen los caballos o las piedras preciosas, no puedo exigir que todos los demás tengan los mismos intereses que yo. Si sigo con gran interés todas las emisiones deportivas en la televisión, tengo que tolerar que otros opinen que el deporte es aburrido.

¿Hay, no obstante, algo que debería interesar a todo el mundo? ¿Existe algo que concierna a todos los seres humanos, independientemente de quiénes sean o de en qué parte del mundo vivan? Sí, querida Sofía, hay algunas cuestiones que deberían interesar a todo el mundo. Sobre esas cuestiones trata este curso.

¿Qué es lo más importante en la vida? Si preguntamos a una persona que se encuentra en el límite del hambre, la respuesta será comida. Si dirigimos la misma pregunta a alguien que tiene frío, la respuesta será calor. Y si preguntamos a una persona que se siente sola, la respuesta seguramente será estar con otras personas.

Pero con todas esas necesidades cubiertas, ¿hay todavía algo que todo el mundo necesite? Los filósofos opinan que sí. Opinan que el ser humano no vive sólo de pan. Es evidente que todo el mundo necesita comer. Todo el mundo necesita también amor y cuidados. Pero aún hay algo más que todo el mundo necesita. Necesitamos encontrar una respuesta a quién somos y por qué vivimos.

Interesarse por el por qué vivimos no es, por lo tanto, un interés tan fortuito o tan casual como, por ejemplo, coleccionar sellos. Quien se interesa por cuestiones de ese tipo está preocupado por algo que ha interesado a los seres humanos desde que viven en este planeta. El cómo ha nacido el universo, el planeta y la vida aquí, son preguntas más grandes y más importantes que quién ganó más medallas de oro en los últimos juegos olímpicos de invierno.

La mejor manera de aproximarse a la filosofía es plantear algunas preguntas filosóficas:

¿Cómo se creó el mundo? ¿Existe alguna voluntad o intención detrás de lo que sucede? ¿Hay otra vida después de la muerte? ¿Cómo podemos solucionar problemas de ese tipo? Y, ante todo: ¿cómo debemos vivir?

En todas las épocas, los seres humanos se han hecho preguntas de este tipo. No se conoce ninguna cultura que no se haya preocupado por saber quiénes son los seres humanos y de dónde procede el mundo.

En realidad, no son tantas las preguntas filosóficas que podemos hacernos. Ya hemos formulado algunas de las más importantes. No obstante, la historia nos muestra muchas respuestas diferentes a cada una de las preguntas que nos hemos hecho.

Vemos, pues, que resulta más fácil hacerse preguntas filosóficas que contestarlas.

También hoy en día cada uno tiene que buscar sus

propias respuestas a esas mismas preguntas. No se puede consultar una enciclopedia para ver si existe Dios o si hay otra vida después de la muerte. La enciclopedia tampoco nos proporciona una respuesta a cómo debemos vivir. No obstante, a la hora de formar nuestra propia opinión sobre la vida, puede resultar de gran ayuda leer lo que otros han pensado.

La búsqueda de la verdad que emprenden los filósofos podría compararse, quizás, con una historia policiaca. Unos opinan que Andersen es el asesino, otros creen que es Nielsen o Jepsen. Cuando se trata de un verdadero misterio policiaco, puede que la policía llegue a descubrirlo algún día. Por otra parte, también puede ocurrir que nunca lleguen a desvelar el misterio. No obstante, el misterio sí tiene una solución.

Aunque una pregunta resulte difícil de contestar puede, sin embargo, pensarse que tiene una, y sólo una respuesta correcta. O existe una especie de vida después de la muerte, o no existe.

A través de los tiempos, la ciencia ha solucionado muchos antiguos enigmas. Hace mucho era un gran misterio saber cómo era la otra cara de la luna. Cuestiones como ésas eran difícilmente discutibles; la respuesta dependía de la imaginación de cada uno. Pero, hoy en día, sabemos con exactitud cómo es la otra cara de la luna. Ya no se puede *creer* que hay un hombre en la luna, o que la luna es un queso.

Uno de los viejos filósofos griegos que vivió hace más de dos mil años pensaba que la filosofía surgió debido al asombro de los seres humanos. Al ser humano le parece tan extraño existir que las preguntas filosóficas surgen por sí solas, opinaba él.

15

Es como cuando contemplamos juegos de magia: no entendemos cómo puede haber ocurrido lo que hemos visto. Y entonces nos preguntamos justamente eso: ¿cómo ha podido convertir el prestidigitador un par de pañuelos de seda blanca en un conejo vivo?

A muchas personas, el mundo les resulta tan inconcebible como cuando el prestidigitador saca un conejo de ese sombrero de copa que hace un momento estaba completamente vacío.

En cuanto al conejo, entendemos que el prestidigitador tiene que habernos engañado. Lo que nos gustaría desvelar es cómo ha conseguido engañarnos. Tratándose del mundo, todo es un poco diferente. Sabemos que el mundo no es trampa ni engaño, pues nosotros mismos andamos por la Tierra formando una parte del mismo. En realidad, nosotros somos el conejo blanco que se saca del sombrero de copa. La diferencia entre nosotros y el conejo blanco es simplemente que el conejo no tiene sensación de participar en un juego de magia. Nosotros somos distintos. Pensamos que participamos en algo misterioso y nos gustaría desvelar ese misterio.

P. D. En cuanto al conejo blanco, quizás convenga compararlo con el universo entero. Los que vivimos aquí somos unos bichos minúsculos que vivimos muy dentro de la piel del conejo. Pero los filósofos intentan subirse por encima de uno de esos finos pelillos para mirar a los ojos al gran prestidigitador.

¿Me sigues, Sofía? Continúa.

Sofía estaba agotada. ¿Si le seguía? No recordaba haber respirado durante toda la lectura.

¿Quién había traído la carta? ¿Quién, quién?

No podía ser la misma persona que había enviado la postal a Hilde Møller Knag, pues la postal llevaba sello y matasellos. El sobre amarillo había sido metido directamente en el buzón, igual que los dos sobres blancos.

Sofía miró el reloj. Sólo eran las tres menos cuarto. Faltaban casi dos horas para que su madre volviera del trabajo.

Sofía salió de nuevo al jardín y se fue corriendo hacia el buzón. ¿Y si había algo más?

Encontró otro sobre amarillo con su nombre. Miró a su alrededor, pero no vio a nadie. Se fue corriendo hacia donde empezaba el bosque y miró fijamente al sendero.

Tampoco ahí se veía un alma.

De repente, le pareció oír el crujido de alguna rama en el interior del bosque. No estaba totalmente segura, sería imposible, de todos modos, correr detrás si alguien intentaba escapar.

Sofía se metió en casa de nuevo y dejó la mochila y el correo para su madre. Subió deprisa a su habitación, sacó la caja grande donde guardaba las piedras bonitas, las echó al suelo y metió los dos sobres grandes en la caja. Luego volvió al jardín con la caja en los brazos. Antes de irse, sacó comida para Sherekan.

—¡Misi, misi, misi!

De vuelta en el Callejón, abrió el sobre y sacó varias nuevas hojas escritas a máquina. Empezó a leer.

Un ser extraño

Aquí estoy de nuevo. Como ves, este curso de filosofía llegará en pequeñas dosis. He aquí unos comentarios más de introducción.

¿Dije ya que lo único que necesitamos para ser buenos filósofos es la capacidad de asombro? Si no lo dije, lo digo ahora: LO ÚNICO QUE NECESITAMOS PARA SER BUENOS FILÓSOFOS ES LA CAPACIDAD DE ASOMBRO.

Todos los niños pequeños tienen esa capacidad. No faltaría más. Tras unos cuantos meses, salen a una realidad totalmente nueva. Pero conforme van creciendo, esa capacidad de asombro parece ir disminuyendo. ¿A qué se debe? ¿Conoce Sofía Amundsen la respuesta a esta pregunta?

Veamos: si un recién nacido pudiera hablar, seguramente diría algo de ese extraño mundo al que ha llegado. Porque, aunque el niño no sabe hablar, vemos cómo señala las cosas de su alrededor y cómo intenta agarrar con curiosidad las cosas de la habitación.

Cuando empieza a hablar, el niño se para y grita «guau, guau» cada vez que ve un perro. Vemos cómo da saltos en su cochecito, agitando los brazos y gritando «guau, guau, guau, guau». Los que ya tenemos algunos años a lo mejor nos sentimos un poco agobiados por el entusiasmo del niño. «Sí, sí, es un guau, guau», decimos, muy conocedores del mundo, «tienes que estarte quietecito en el coche». No sentimos el mismo entusiasmo. Hemos visto perros antes.

Quizás se repita este episodio de gran entusiasmo unas doscientas veces, antes de que el niño pueda ver pasar un perro sin perder los estribos. O un elefante o un hipopótamo. Pero antes de que el niño haya aprendido a hablar bien, y mucho antes de que aprenda a pensar filosóficamente, el mundo se ha convertido para él en algo habitual.

¡Una pena, digo yo!

Lo que a mí me preocupa es que tú seas de los que toman el mundo como algo asentado, querida Sofía. Para asegurarnos, vamos a hacer un par de experimentos mentales, antes de iniciar el curso de filosofía propiamente.

Imagínate que un día estás de paseo por el bosque. De pronto descubres una pequeña nave espacial en el sendero delante de ti. De la nave espacial sale un pequeño marciano que se queda parado, mirándote fijamente.

¿Qué habrías pensado tú en un caso así? Bueno, eso no importa, ¿pero se te ha ocurrido alguna vez pensar que tú misma eres una marciana?

Es cierto que no es muy probable que te vayas a topar con un ser de otro planeta. Ni siquiera sabemos si hay vida en otros planetas. Pero puede ocurrir que te topes contigo misma. Puede que de pronto un día te detengas, y te veas de una manera completamente nueva. Quizás ocurra precisamente durante un paseo por el bosque.

Soy un ser extraño, pensarás. Soy un animal misterioso.

Es como si te despertaras de un larguísimo sueño, como la Bella Durmiente. ¿Quién soy?, te preguntarás. Sabes que gateas por un planeta en el universo. ¿Pero qué es el universo?

Si llegas a descubrirte a ti misma de ese modo, habrás descubierto algo igual de misterioso que aquel marciano que mencionamos hace un momento. No sólo has visto un ser del espacio, sino que sientes desde dentro que tú misma eres un ser tan misterioso como aquél.

¿Me sigues todavía, Sofía? Hagamos otro experimento mental.

Una mañana, la madre, el padre y el pequeño Tomás, de dos o tres años, están sentados en la cocina desayunando. La madre se levanta de la mesa y va hacia la encimera, y entonces el padre empieza, de repente, a flotar bajo el techo, mientras Tomás se le queda mirando.

¿Qué crees que dice Tomás en ese momento? Quizás señale a su papá y diga: «¡Papá está flotando!».

Tomás se sorprendería, naturalmente, pero se sorprende muy a menudo. Papá hace tantas cosas curiosas que un pequeño vuelo por encima de la mesa del desayuno no cambia mucho las cosas para Tomás. Su papá se afeita cada día con una extraña maquinilla, otras veces trepa hasta el tejado para girar la antena de la tele, o mete la cabeza en el motor de un coche y la saca negra.

Ahora le toca a mamá. Ha oído lo que acaba de decir Tomás y se vuelve decididamente. ¿Cómo reaccionará ella ante el espectáculo del padre volando libremente por encima de la mesa de la cocina?

Se le cae instantáneamente el frasco de mermelada al suelo y grita de espanto. Puede que necesite tratamiento médico cuando papá haya descendido nuevamente a su silla. (¡Debería saber que hay que estar sentado cuando se desayuna!)

¿Por qué crees que son tan distintas las reacciones de Tomás y las de su madre?

Tiene que ver con el hábito. (¡Toma nota de esto!) La madre ha aprendido que los seres humanos no saben volar. Tomás no lo ha aprendido. Él sigue dudando de lo que se puede y no se puede hacer en este mundo.

¿Pero y el propio mundo, Sofía? ¿Crees que este mundo puede flotar? ¡También este mundo está volando libremente!

Lo triste es que no sólo nos habituamos a la ley de la gravedad conforme vamos haciéndonos mayores. Al mismo tiempo, nos habituamos al mundo tal y como es.

Es como si durante el crecimiento perdiéramos la capacidad de dejarnos sorprender por el mundo. En ese caso, perdemos algo esencial, algo que los filósofos intentan volver a despertar en nosotros. Porque hay algo dentro de nosotros mismos que nos dice que la vida en sí es un gran enigma. Es algo que hemos sentido incluso mucho antes de aprender a pensarlo.

Puntualizo: aunque las cuestiones filosóficas conciernen a todo el mundo, no todo el mundo se convierte en filósofo. Por diversas razones, la mayoría se aferra tanto a lo cotidiano que el propio asombro por la vida queda relegado a un segundo plano. (Se adentran en la piel del conejo, se acomodan y se quedan allí para el resto de su vida.)

Para los niños, el mundo —y todo lo que hay en él— es algo nuevo, algo que provoca su asombro. No es así para todos los adultos. La mayor parte de los adultos ve el mundo como algo muy normal.

Precisamente en este punto los filósofos constituyen una honrosa excepción. Un filósofo jamás ha sabido habituarse del todo al mundo. Para él o ella, el mundo sigue siendo algo desmesurado, incluso algo enigmático y misterioso. Por lo tanto, los filósofos y los niños pequeños tienen en común esa importante capacidad. Se podría decir que un filósofo sigue siendo tan susceptible como un niño pequeño durante toda la vida.

De modo que puedes elegir, querida Sofía. ¿Eres una niña pequeña que aún no ha llegado a ser la perfecta conocedora del mundo? ¿O eres una filósofa que puede jurar que jamás lo llegará a conocer?

Si simplemente niegas con la cabeza y no te reconoces ni en el niño ni en el filósofo, es porque tú también te has habituado tanto al mundo que te ha dejado de asombrar. En ese caso corres peligro. Por esa razón recibes este curso de filosofía, es decir, para asegurarnos. No quiero que tú justamente estés entre los indolentes e indiferentes. Quiero que vivas una vida despierta.

Recibirás el curso totalmente gratis. Por eso no se te

devolverá ningún dinero si no lo terminas. No obstante, si quieres interrumpirlo, tienes todo tu derecho a hacerlo. En ese caso, tendrás que dejarme una señal en el buzón. Una rana viva estaría bien. Tiene que ser algo verde también; de lo contrario, el cartero se asustaría demasiado.

Un breve resumen: se puede sacar un conejo blanco de un sombrero de copa vacío. Dado que se trata de un conejo muy grande, este truco dura muchos miles de millones de años. En el extremo de los finos pelillos de su piel nacen todas las criaturas humanas. De esa manera son capaces de asombrarse por el imposible arte de la magia. Pero conforme se van haciendo mayores, se adentran cada vez más en la piel del conejo, y allí se quedan. Están tan a gusto y tan cómodos que no se atreven a volver a los finos pelillos de la piel. Sólo los filósofos emprenden ese peligroso viaje hacia los límites extremos del idioma y de la existencia. Algunos de ellos se quedan en el camino, pero otros se agarran fuertemente a los pelillos de la piel del conejo y gritan a todos los seres sentados cómodamente muy dentro de la suave piel del conejo, comiendo y bebiendo estupendamente:

—Damas y caballeros —dicen—. Flotamos en el vacío.

Pero esos seres de dentro de la piel no escuchan a los filósofos.

—¡Ah, qué pesados! —dicen.

Y continúan charlando como antes:

—Dame la mantequilla. ¿Cómo va la bolsa hoy? ¿A cómo están los tomates? ¿Has oído que Lady Di espera otro hijo?

Cuando la madre de Sofía volvió a casa más tarde, Sofía se encontraba en un estado de shock. La caja con las cartas del misterioso filósofo se encontraban bien guardadas en el Callejón. Sofía había intentado empezar a hacer los deberes, pero se quedó pensando y meditando sobre lo que había leído.

¡Había tantas cosas en las que nunca había pensado antes! Ya no era una niña, pero tampoco era del todo adulta. Sofía entendió que ya había empezado a adentrarse en la espesa piel de ese conejo que se había sacado del negro sombrero de copa del universo. Pero el filósofo la había detenido.

Él —¿o sería *ella*?— la había agarrado fuertemente y la había sacado hasta el pelillo de la piel donde había jugado cuando era niña. Y ahí, en el extremo del pelillo, había vuelto a ver el mundo como si lo viera por primera vez.

El filósofo la había rescatado; de eso no cabía duda. El desconocido remitente de cartas la había salvado de la indiferencia de la vida cotidiana.

Cuando su madre llegó a casa, sobre las cinco de la tarde, Sofía la llevó al salón y la obligó a sentarse en un sillón.

—¿Mamá, no te parece extraño vivir? —empezó.

La madre se quedó tan aturdida que no supo qué contestar. Sofía solía estar haciendo los deberes cuando ella volvía del trabajo.

—Bueno —dijo—. A veces sí.

—¿A veces? Lo que quiero decir es si no te parece extraño que *exista* un mundo.

—Pero, Sofía, no debes hablar así.

—¿Por qué no? ¿Entonces, acaso te parece el mundo algo completamente normal?

—Pues claro que lo es. Por regla general, al menos.

Sofía entendió que el filósofo tenía razón. Para los adultos, el mundo era algo asentado. Se habían metido de una vez por todas en el sueño cotidiano de la Bella Durmiente.

—¡Bah! Simplemente estás tan habituada al mundo que te ha dejado de asombrar —dijo.

—¿*Qué* dices?

—Digo que estás demasiado habituada al mundo. Completamente atrofiada, vamos.

—Sofía, no te permito que me hables así.

—Entonces, lo diré de otra manera. Te has acomodado bien dentro de la piel de ese conejo que acaba de ser sacado del negro sombrero de copa del universo. Y ahora pondrás las patatas a cocer, y luego leerás el periódico, y después de media hora de siesta verás el telediario.

El rostro de la madre adquirió un aire de preocupación. Como estaba previsto, se fue a la cocina a poner las patatas a hervir. Al cabo de un rato, volvió a la sala de estar y ahora fue ella la que empujó a Sofía hacia un sillón.

—Tengo que hablar contigo sobre un asunto —empezó a decir.

Por el tono de su voz, Sofía entendió que se trataba de algo serio.

—¿No te habrás metido en algo de drogas, hija mía?

Sofía se echó a reír, pero entendió por qué esta pregunta había surgido exactamente en esta situación.

—¿Estás loca? —dijo—. Las drogas te atrofian aún más.

Y no se dijo nada más aquella tarde, ni sobre drogas, ni sobre el conejo blanco.

Los mitos

...un delicado equilibrio de poder entre las
fuerzas del bien y del mal...

A la mañana siguiente, no había ninguna carta para Sofía en el buzón. Pasó aburrida el largo día en el instituto, procurando ser muy amable con Jorunn en los recreos. En el camino hacia casa, comenzaron a hacer planes para una excursión con tienda de campaña en cuanto se secara el bosque.

De nuevo se encontró delante del buzón. Primero abrió una carta que llevaba un matasellos de México. Era una postal de su padre en la que decía que tenía muchas ganas de ir a casa, y que había ganado al piloto jefe al ajedrez por primera vez. Y también que casi había terminado los veinte kilos de libros que se había llevado a bordo después de las vacaciones de invierno.

Y había, además, un sobre amarillo con el nombre de Sofía escrito. Abrió la puerta de la casa y dejó dentro la cartera y el correo, antes de irse corriendo al Callejón. Sacó nuevas hojas escritas a máquina y comenzó a leer.

La visión mítica del mundo

¡Hola, Sofía! Tenemos mucho que hacer, de modo que empecemos ya.

Por filosofía entendemos una manera de pensar totalmente nueva que surgió en Grecia alrededor del año 600 antes de Cristo. Hasta entonces, habían sido las distintas religiones las que habían dado a la gente las respuestas a todas esas preguntas que se hacían. Estas explicaciones religiosas se transmitieron de generación en generación a través de los mitos. Un mito es un relato sobre dioses, un relato que pretende explicar el principio de la vida.

Por todo el mundo ha surgido, en el transcurso de los milenios, una enorme flora de explicaciones míticas a las cuestiones filosóficas. Los filósofos griegos intentaron enseñar a los seres humanos que no debían fiarse de tales explicaciones.

Para poder entender la manera de pensar de los primeros filósofos, necesitamos comprender lo que quiere decir tener una visión mítica del mundo. Utilizaremos como ejemplos algunas ideas de la mitología nórdica; no hace falta cruzar el río para coger agua.

Seguramente habrás oído hablar de *Tor* y su martillo. Antes de que el cristianismo llegara a Noruega, la gente creía que Tor viajaba por el cielo en un carro tirado por dos machos cabríos. Cuando agitaba su martillo, había truenos y rayos. La palabra noruega «torden» (truenos) significa precisamente eso, «ruidos de Tor».

Cuando hay rayos y truenos, también suele llover. La lluvia tenía una importancia vital para los agricultores en la época vikinga; por eso Tor fue adorado como el dios de la fertilidad.

Es decir: la respuesta mítica a por qué llueve, era que Tor agitaba su martillo; y, cuando llovía, todo crecía bien en el campo.

Resultaba en sí incomprensible cómo las plantas en el campo crecían y daban frutos, pero los agricultores intuían que tenía que ver con la lluvia. Y, además, todos creían que la lluvia tenía algo que ver con Tor, lo que le convirtió en uno de los dioses más importantes del Norte.

Tor también era importante en otro contexto, en un contexto que tenía que ver con todo el concepto del mundo.

Los vikingos se imaginaban que el mundo habitado era una isla constantemente amenazada por peligros externos. A esa parte del mundo la llamaban Midgard («el patio en el medio»), es decir, el reino situado en el medio. En Midgard se encontraba además Åsgard («el patio de los dioses»), que era el hogar de los dioses. Fuera de Midgard estaba Utgard («el patio de fuera»), es decir, el reino que se encontraba fuera. Aquí vivían los peligrosos trolls (los «gigantes»), que constantemente intentaban destruir el mundo mediante astutos trucos. A esos monstruos malvados se les suele llamar «fuerzas del caos». Tanto en la religión nórdica como en la mayor parte de otras culturas, los seres humanos tenían la sensación de que había un delicado equilibrio de poder entre las fuerzas del bien y del mal.

Los trolls podían destruir Midgard raptando a la diosa de la fertilidad, *Freya*. Si lo lograban, en los campos no crecería nada y las mujeres no darían a luz. Por eso era tan importante que los dioses buenos pudieran mantenerlos en jaque.

También en este sentido Tor jugaba un papel importante. Su martillo no sólo traía la lluvia, sino que también era un arma importante en la lucha contra las fuerzas peligrosas. El martillo le daba un poder casi ilimitado. Por ejemplo, podía echarlo tras los trolls y matarlos. Y además, no tenía que tener miedo de perderlo, porque funcionaba como un bumerán, y siempre volvía a él.

He aquí la explicación mítica de cómo se mantiene la naturaleza, y cómo se libra una constante lucha entre el bien y el mal. Y esas explicaciones míticas eran precisamente las que los filósofos rechazaban.

Pero no se trataba únicamente de explicaciones.

La gente no podía quedarse sentada de brazos cruzados esperando a que interviniesen los dioses cuando amenazaban las desgracias —tales como sequías o epidemias—. Las personas tenían que tomar parte activa en la lucha contra el mal. Esta participación se llevaba a cabo mediante distintos actos religiosos o *ritos*.

El acto religioso más importante en la época de la antigua Noruega era el sacrificio, que se hacía con el fin de aumentar el poder del dios. Los seres humanos tenían que hacer sacrificios a los dioses para que éstos reuniesen fuerzas suficientes para combatir a las fuerzas del caos. Esto se conseguía, por ejemplo, mediante el sacrificio de un animal al dios en cuestión. Era bastante corriente sacrificar machos cabríos a Tor. En lo que se refiere a *Odín*, también se sacrificaban seres humanos.

El mito más conocido en Noruega lo conocemos por el poema «Trymskvida» (La canción sobre Trym). En él se cuenta que Tor se quedó dormido y que, cuando se despertó, su martillo había desaparecido. Se enfureció tanto que las manos le temblaban y la barba le vibraba. Acompañado por su amigo Loke fue a preguntar a Freya si le dejaba sus alas para que éste pudiera volar hasta Jotunheimen (el hogar de los gigantes), con el fin de averiguar si eran los trolls los que le habían robado el martillo. Allí Loke se encuentra con Trym, el rey de los gigantes, que, en efecto, empieza a presumir de haber robado el martillo y de haberlo escondido a ocho millas bajo tierra. Y añade que no devolverá el martillo hasta que no logre casarse con Freya.

¿Me sigues, Sofía? Los dioses buenos se encuentran de repente ante un dramático secuestro: los trolls se han apoderado de su arma defensiva más importante, lo que da lugar a una situación insostenible. Mientras los trolls tengan en su poder el martillo de Tor, tienen el poder total sobre el mundo de los dioses y de los humanos. Y a cambio del martillo exigen a Freya. Pero tal intercambio resulta igual de imposible: si los dioses tienen que desprenderse de su diosa de la fertilidad, la que vela por todo lo que es vida, la hierba en el campo se marchitará y los dioses y los humanos morirán. Es decir, la situación no tiene salida. Si te imaginas un grupo de terroristas amenazando con hacer explotar una bomba atómica en el centro de París o de Londres, si no se cumplen sus peligrosísimas exigencias, entiendes muy bien esta historia.

El mito cuenta que Loke vuelve a Åsgard, donde pide a Freya que se vista de novia, porque hay que casarla con los trolls. Desgraciadamente, Freya se enfada y dice que la gente pensará que está loca por los hombres si accede a casarse con un troll.

Entonces al dios *Heimdal* se le ocurre una excelente idea. Sugiere que disfracen a Tor de novia. Podrán atarle el pelo y ponerle piedras en el pecho para que parezca una mujer. Evidentemente a Tor no le hace muy feliz esta propuesta, pero entiende finalmente que la única posibilidad que tienen los dioses de recuperar el martillo es seguir el consejo de Heimdal.

Al final, Tor se viste de novia. Loke le va a acompañar como dama de honor. «Vayamos las dos mujeres a Jotunheimen», dice Loke.

Si prefieres un idioma más moderno, diríamos que Tor y Loke son los «policías antiterroristas» de los dioses. Disfrazados de mujeres deben meterse en el baluarte de los trolls para recuperar el martillo de Tor.

En cuanto llegan a Jotunheimen, los trolls empiezan los preparativos de la boda. Pero, durante la fiesta nupcial, la novia —es decir Tor—, se come un buey entero y ocho salmones. También se bebe tres barriles de cerveza. A Trym le extraña, y los «soldados del comando» disfrazados están a punto de ser descubiertos. Pero Loke consigue escapar de la peligrosa situación. Dice que Freya no ha comido en ocho noches por la enorme ilusión que le hacía ir a Jotunheimen.

Trym levanta el velo para besar a la novia, pero da un salto del susto, al mirar dentro de los agudos ojos de Tor. También esta vez es Loke el que salva la situación. Dice que la novia no ha dormido en ocho noches por la enorme ilusión que le hacía la boda. Entonces Trym ordena que se traiga el martillo y que se ponga sobre las piernas de la novia, durante la ceremonia de la boda.

Se cuenta que Tor se echó a reír cuando le llevaron su martillo. Primero mató con él a Trym, y luego a toda la estirpe de los gigantes. Y así el siniestro secuestro tuvo un final feliz. Una vez más, Tor —el Batman o el James Bond de los dioses— había vencido a las fuerzas del mal.

Hasta ahí el propio mito, Sofía. ¿Pero qué significa en realidad? No creo que se haya inventado sólo por gusto. Con este mito se pretende *dar una explicación* a algo. Ese algo podría ser lo siguiente: cuando había sequías en el país, la gente necesitaba una explicación de por qué no llovía. ¿Sería acaso porque los dioses habían robado el martillo de Tor?

El mito puede querer dar también una explicación a los cambios de estación del año: en invierno, la naturaleza muere porque el martillo de Tor está en Jotunheimen. Pero, en primavera, consigue recuperarlo. Así pues, el mito intenta dar a los seres humanos respuestas a algo que no entienden.

Pero habría algo que explicar además del mito. A menudo, los seres humanos realizaron distintos actos religiosos relacionados con el mito. Podemos imaginarnos que la respuesta de los humanos a sequías o a malos años sería representar el drama que describía el mito. Quizá disfrazaban de novia a algún hombre del pueblo —con piedras en lugar de pechos— para recuperar el martillo que los trolls habían robado. De esta manera, los seres humanos podían contribuir a que lloviera y a que el grano creciera en el campo.

Conocemos muchos ejemplos de otras partes del mundo en los que los seres humanos dramatizaban un «mito de estaciones», con el fin de acelerar los procesos de la naturaleza.

Sólo hemos echado un brevísimo vistazo al mundo de la mitología nórdica. Existe un sinfín de mitos sobre Tor y Odín, Frey y Freya, Hoder y Balder, y muchísimos otros dioses. Ideas mitológicas de este tipo florecían por el mundo entero antes de que los filósofos comenzaran a hurgar en ellas. También los griegos tenían su visión mítica del mundo cuando surgió la primera filosofía. Durante siglos, habían hablado de los dioses de generación en generación. En Grecia los dioses se llamaban Zeus y Apolo, Hera y Atenea, Dionisio y Asclepio, Heracles y Hefesto, por nombrar algunos.

Alrededor del año 700 a. de C., gran parte de los mitos griegos fueron plasmados por escrito por Homero y Hesíodo. Con esto se creó una nueva situación. Al tener escritos los mitos, se hizo posible discutirlos.

Los primeros filósofos griegos criticaron la mitología de Homero sólo porque los dioses se parecían mucho a los seres humanos y porque eran igual de egoístas y de poco fiar que nosotros. Por primera vez se dijo que quizás los mitos no fueran más que imaginaciones humanas.

Encontramos un ejemplo de esta crítica de los mitos en el filósofo *Jenófanes*, que nació en el 570 a. de C. «Los seres humanos se han creado dioses a su propia imagen», decía. «Creen que los dioses han nacido y que tienen cuerpo, vestidos e idioma como nosotros. Los negros piensan que los dioses son negros y chatos, los tracios los imaginan rubios y con ojos azules. ¡Incluso si los bueyes, caballos y leones hubiesen sabido pintar, habrían representado dioses con aspecto de bueyes, caballos y leones!»

Precisamente en esa época, los griegos fundaron una serie de ciudades-estado en Grecia y en las colonias griegas del sur de Italia y en Eurasia. En estos lugares los esclavos hacían todo el trabajo físico, y los ciudadanos libres podían dedicar su tiempo a la política y a la vida cultural.

En estos ambientes urbanos evolucionó la manera de pensar de la gente. Un solo individuo podía, por cuenta propia, plantear cuestiones sobre cómo debería organizarse la sociedad. De esta manera, el individuo también podía hacer preguntas filosóficas sin tener que recurrir a los mitos heredados. Decimos que tuvo lugar una evolución de una manera de pensar mítica a un razonamiento basado en la experiencia y la razón. El objetivo de los primeros filósofos era buscar *explicaciones naturales* a los procesos de la naturaleza.

Sofía dio vueltas por el amplio jardín. Intentó olvidarse de todo lo que había aprendido en el instituto. Especialmente importante era olvidarse de lo que había leído en los libros de ciencias naturales.

Si se hubiera criado en ese jardín, sin saber nada sobre la naturaleza, ¿cómo habría vivido ella entonces la primavera?

¿Habría intentado inventar una especie de explicación a por qué de pronto un día comenzaba a llover? ¿Habría imaginado una especie de razonamiento de cómo desaparecía la nieve y el sol iba subiendo en el horizonte?

Sí, de eso estaba totalmente segura, y empezó a inventar e imaginar.

El invierno había sido como una garra congelada sobre el país debido a que el malvado Muriat se había llevado presa a una fría cárcel a la hermosa princesa Sikita. Pero, una mañana, llegó el apuesto príncipe Bravato a rescatarla. Entonces Sikita se puso tan contenta que comenzó a bailar por los campos, cantando una canción que había compuesto mientras estaba en la fría cárcel. Entonces la tierra y los árboles se emocionaron tanto que la nieve se convirtió en lágrimas. Pero luego salió el sol y secó todas las lágrimas. Los pájaros imitaron la canción de Sikita y, cuando la hermosa princesa soltó su pelo dorado, algunos rizos cayeron al suelo, donde se convirtieron en lirios del campo.

A Sofía le pareció que acababa de inventarse una hermosa historia. Si no hubiera tenido conocimiento de otra explicación para el cambio de las estaciones, habría acabado por creerse la historia que se había inventado.

Comprendió que los seres humanos quizás hubieran necesitado siempre encontrar explicaciones a los procesos de la naturaleza. A lo mejor la gente no podía vivir sin tales explicaciones. Y entonces inventaron todos los mitos en aquellos tiempos en que no había ninguna ciencia.

Los filósofos de la naturaleza

...nada puede surgir de la nada...

Cuando su madre volvió del trabajo aquella tarde, Sofía estaba sentada en el balancín del jardín, meditando sobre la posible relación entre el curso de filosofía y esa Hilde Møller Knag que no recibiría ninguna felicitación de su padre en el día de su cumpleaños.

—¡Sofía! —la llamó su madre desde lejos—. ¡Ha llegado una carta para ti!

El corazón le dio un vuelco. Ella misma había recogido el correo, de modo que esa carta tenía que ser del filósofo. ¿Qué le podía decir a su madre?

Se levantó lentamente del balancín y se acercó a ella.

—No lleva sello. A lo mejor es una carta de amor.

Sofía cogió la carta.

—¿No la vas a abrir?

¿Qué podía decir?

—¿Has visto alguna vez a alguien abrir sus cartas de amor delante de su madre?

Mejor que pensara que ésa era la explicación. Le daba muchísima vergüenza, porque era muy joven para recibir cartas de amor, pero le daría aún más vergüenza que se supiera que estaba recibiendo un curso completo de filosofía por correspondencia, de un filósofo totalmente desconocido y que incluso jugaba con ella al escondite.

Era uno de esos pequeños sobres blancos. En su habitación, Sofía leyó tres nuevas preguntas escritas en la nota dentro del sobre:

¿Existe una materia primaria de la que todo lo demás está hecho?
¿El agua puede convertirse en vino?
¿Cómo pueden la tierra y el agua convertirse en una rana?

A Sofía estas preguntas le parecieron bastante chifladas, pero las estuvo dando vueltas durante toda la tarde. También al día siguiente, en el instituto, volvió a meditar sobre ellas, una por una.

¿Existiría una «materia primaria» de la que estaba hecho todo lo demás? Pero si existiera una «materia» de la que estaba hecho todo el mundo, ¿cómo podía esta materia única convertirse de pronto en una flor o, por qué no, en un elefante?

La misma objeción era válida para la pregunta de si el agua podía convertirse en vino. Sofía había oído el relato de Jesús, que convirtió el agua en vino, pero nunca lo había entendido literalmente. Y si Jesús verdaderamente hubiese hecho vino del agua se trataría más bien de un milagro y no de algo que fuera realmente posible. Sofía era consciente de que tanto el vino como casi todo el resto de la naturaleza contiene mucha agua. Pero aunque un pepino contuviera un 95 % de agua, tendría que contener también alguna otra cosa para ser precisamente un pepino y no sólo agua.

Luego estaba lo de la rana. Le llamaba la atención que su profesor de filosofía se interesara tanto por las ranas. Sofía podía estar de acuerdo en que una rana estuviese compuesta de tierra y agua, pero la tierra no podía estar compuesta entonces por una sola sustancia. Si la tierra estuviera compuesta por muchas materias distintas, podría evidentemente pensarse que tierra y agua conjugadas pudieran convertirse en rana; siempre y cuando la tierra y el agua pasaran por el proceso del huevo de rana y del renacuajo, porque una rana no puede crecer así como así en una huerta, por mucho esmero que ponga el horticultor al regarla.

Al volver del instituto aquel día, Sofía se encontró con otro sobre para ella en el buzón. Se refugió en el Callejón, como lo había hecho los días anteriores.

El proyecto de los filósofos

¡Ahí estás de nuevo! Pasemos directamente a la lección de hoy, sin pasar por conejos blancos y cosas así.

Te contaré a grandes rasgos cómo han meditado los seres humanos sobre las preguntas filosóficas desde la antigüedad griega hasta hoy. Pero todo llegará a su debido tiempo.

Debido a que esos filósofos vivieron en otros tiempos —y quizás en una cultura totalmente diferente a la nuestra— resulta a menudo práctico averiguar cuál fue el *proyecto* de cada uno. Con ello quiero decir que debemos intentar captar qué es lo que precisamente ese filósofo tiene tanto interés en solucionar. Un filósofo puede interesarse por el origen de las plantas y los animales. Otro puede querer averiguar si existe un dios o si el ser humano tiene un alma inmortal.

Cuando logremos extraer cuál es el «proyecto» de un determinado filósofo, resultará más fácil seguir su manera de pensar. Pues un solo filósofo no está obsesionado por todas las preguntas filosóficas.

Siempre digo «él», cuando hablo de los filósofos, y eso se debe a que la historia de la filosofía está marcada por los hombres, ya que a la mujer se la ha reprimido como ser pensante debido a su sexo. Es una pena porque, con ello, se ha perdido una serie de experiencias importantes. Hasta nuestro propio siglo, la mujer no ha entrado de lleno en la historia de la filosofía.

No te pondré deberes, al menos no complicados ejercicios de matemáticas. En este momento, la conjugación de los verbos ingleses está totalmente fuera del ámbito de mi interés. Pero de vez en cuando, te pondré un pequeño ejercicio de alumno.

Si aceptas estas condiciones, podemos ponernos en marcha.

Los filósofos de la naturaleza

A los primeros filósofos de Grecia se les suele llamar «filósofos de la naturaleza» porque, ante todo, se interesaban por la naturaleza y por sus procesos.

Ya nos hemos preguntado de dónde procedemos. Muchas personas hoy en día se imaginan más o menos que algo habrá surgido, en algún momento, de la nada. Esta idea no era tan corriente entre los griegos. Por alguna razón daban por sentado que ese «algo» había existido siempre.

Vemos, pues, que la gran pregunta no era cómo todo pudo surgir de la nada. Los griegos se preguntaban, más bien, cómo era posible que el agua se convirtiera en peces vivos y la tierra inerte en grandes árboles o en flores de colores encendidos. ¡Por no hablar de cómo un niño puede ser concebido en el seno de su madre!

Los filósofos veían con sus propios ojos cómo constantemente ocurrían *cambios* en la naturaleza. ¿Pero cómo podían ser posibles tales cambios? ¿Cómo podía algo pasar de ser una sustancia para convertirse en algo completamente distinto, en vida, por ejemplo?

Los primeros filósofos tenían en común la creencia de que existía una materia primaria, que era el origen de todos los cambios. No resulta fácil saber cómo llegaron a esa conclusión, sólo sabemos que iba surgiendo la idea de que tenía que haber una sola materia primaria que, más o menos, fuese el origen de todos los cambios sucedidos en la naturaleza. Tenía que haber «algo» de lo que todo procedía y a lo que todo volvía.

Lo más interesante para nosotros no es saber cuáles fueron las respuestas a las que llegaron esos primeros filósofos, sino qué preguntas se hacían y qué tipo de respuestas buscaban. Nos interesa más el *cómo* pensaban que precisamente *lo que* pensaban.

Podemos constatar que hacían preguntas sobre cambios visibles en la naturaleza. Intentaron buscar algunas leyes naturales constantes. Querían entender los sucesos de la naturaleza sin tener que recurrir a los mitos tradicionales. Ante todo, intentaron entender los procesos de la naturaleza estudiando la misma naturaleza. ¡Es algo muy distinto a explicar los relámpagos y los truenos, el invierno y la primavera con referencias a sucesos mitológicos!

De esta manera, la filosofía se independizó de la religión. Podemos decir que los filósofos de la naturaleza dieron los primeros pasos hacia una manera *científica* de pensar, desencadenando todas las ciencias naturales posteriores.

La mayor parte de lo que dijeron y escribieron los filósofos de la naturaleza se perdió para la posteridad. Lo poco que conocemos lo encontramos en los escritos de Aristóteles, que vivió un par de siglos después de los primeros filósofos. Aristóteles sólo se refiere a los resultados a que llegaron los filósofos que le precedieron, lo que significa que no podemos saber siempre cómo llegaron a sus conclusiones. Pero sabemos suficiente como para constatar que el proyecto de los primeros filósofos griegos abarcaba preguntas en torno a la materia primaria y a los cambios en la naturaleza.

Tres filósofos de Mileto

El primer filósofo del que oímos hablar es *Tales*, de la colonia de Mileto, en Asia Menor. Viajó mucho por el mundo. Se cuenta de él que midió la altura de una pirámide en Egipto, teniendo en cuenta la sombra de la misma, en el momento en que su propia sombra medía exactamente lo mismo que él. También se dice que supo predecir mediante cálculos matemáticos un eclipse solar en el año 585 antes de Cristo.

Tales opinaba que el *agua* era el origen de todas las cosas. No sabemos exactamente lo que quería decir con eso. Quizás opinara que toda clase de vida tiene su origen en el agua, y que toda clase de vida vuelve a convertirse en agua cuando se disuelve.

Estando en Egipto, es muy probable que viera cómo todo crecía en cuanto las aguas del Nilo se retiraban de las regiones de su delta. Quizás también viera cómo, tras la lluvia, iban apareciendo ranas y gusanos.

Además, es probable que Tales se preguntara cómo el agua puede convertirse en hielo y vapor, y luego volver a ser agua de nuevo.

Al parecer, Tales también dijo que «todo está lleno de dioses». También sobre este particular sólo podemos hacer conjeturas en cuanto a lo que quiso decir. Quizás se refiriese a cómo la tierra negra pudiera ser el origen de todo, desde flores y cereales hasta cucarachas y otros insectos, y se imaginase que la tierra estaba llena de pequeños e invisibles «gérmenes» de vida. De lo que sí podemos estar seguros, al menos, es de que no estaba pensando en los dioses de Homero.

El siguiente filósofo del que se nos habla es de *Anaximandro*, que también vivió en Mileto. Pensaba que nuestro mundo simplemente es uno de los muchos mundos que nacen y perecen en algo que él llamó «lo Indefinido». No es fácil saber lo que él entendía por «lo Indefinido», pero parece claro que no se imaginaba una sustancia conocida, como Tales. Quizás fuera de la opinión de que aquello de lo que se ha creado todo, precisamente tiene que ser distinto a lo creado. En ese caso, la materia primaria no podía ser algo tan normal como el agua, sino algo «indefinido».

Un tercer filósofo de Mileto fue *Anaxímenes* (aprox. 570-526 a. de C.) que opinaba que el origen de todo era *el aire* o *la niebla*.

Es evidente que Anaxímenes había conocido la teoría de Tales sobre el agua. ¿Pero de dónde viene el agua? Anaxímenes opinaba que el agua tenía que ser aire condensado, pues vemos cómo el agua surge del aire cuando llueve. Y cuando el agua se condensa aún más, se convierte en tierra, pensaba él. Quizás había observado cómo la tierra y la arena provenían del hielo que se derretía. Asimismo pensaba que el fuego tenía que ser aire diluido. Según Anaxímenes, tanto la tierra como el agua y el fuego, tenían como origen el aire.

No es largo el camino desde la tierra y el agua hasta las plantas en el campo. Quizás pensaba Anaxímenes que para que surgiera vida, tendría que haber tierra, aire, fuego y agua. Pero el punto de partida en sí eran «el aire» o «la niebla». Esto significa que compartía con Tales la idea de que tiene que haber una materia primaria, que constituye la base de todos los cambios que suceden en la naturaleza.

Nada puede surgir de la nada

Los tres filósofos de Mileto pensaban que tenía que haber una —y quizás sólo una— materia primaria de la que estaba hecho todo lo demás. ¿Pero cómo era posible que una materia se alterara de repente para convertirse en algo completamente distinto? A este problema lo podemos llamar *problema del cambio.*

Desde aproximadamente el año 500 a. de C. vivieron unos filósofos en la colonia griega de Elea en el sur de Italia, y estos eleatos se preocuparon por cuestiones de ese tipo. El más conocido era *Parménides* (aprox. 510-470 a. de C).

Parménides pensaba que todo lo que hay ha existido siempre, lo que era una idea muy corriente entre los griegos. Daban más o menos por sentado que todo lo que existe en el mundo es eterno. Nada puede surgir de la nada, pensaba Parménides. Y algo que existe, tampoco se puede convertir en nada.

Pero Parménides fue más lejos que la mayoría. Pensaba que ningún verdadero cambio era posible. No hay nada que se pueda convertir en algo diferente a lo que es exactamente.

Desde luego que Parménides sabía que precisamente la naturaleza muestra cambios constantes. Con *los sentidos* observaba cómo cambiaban las cosas, pero esto no concordaba con lo que le decía *la razón*. No obstante, cuando se vio forzado a elegir entre fiarse de sus sentidos o de su razón, optó por la razón.

Conocemos la expresión: «Si no lo veo, no lo creo». Pero Parménides no lo creía ni siquiera cuando lo veía. Pensaba que los sentidos nos ofrecen una imagen errónea del mundo, una imagen que no concuerda con la razón de los seres humanos. Como filósofo, consideraba que era su obligación descubrir toda clase de «ilusiones».

Esta fuerte fe en la razón humana se llama *racionalismo*. Un racionalista es el que tiene una gran fe en la razón de las personas como fuente de sus conocimientos sobre el mundo.

Todo fluye

Al mismo tiempo que Parménides, vivió *Heráclito* (aprox. 540-480 a. de C.) de Éfeso en Asia Menor. Él pensaba que precisamente los cambios constantes eran los rasgos más básicos de la naturaleza. Podríamos decir que Heráclito tenía más fe en lo que le decían sus sentidos que Parménides.

«Todo fluye», dijo Heráclito. Todo está en movimiento y nada dura eternamente. Por eso no podemos «descender dos veces al mismo río», pues cuando desciendo al río por segunda vez, ni yo ni el río somos los mismos.

Heráclito también señaló el hecho de que el mundo está caracterizado por constantes contradicciones. Si no estuviéramos nunca enfermos, no entenderíamos lo que significa estar sano. Si no tuviéramos nunca hambre, no sabríamos apreciar estar saciados. Si no hubiera nunca guerra, no sabríamos valorar la paz, y si no hubiera nunca invierno, no nos daríamos cuenta de la primavera.

Tanto el bien como el mal tienen un lugar necesario en el Todo, decía Heráclito. Y si no hubiera un constante juego entre los contrastes, el mundo dejaría de existir.

«Dios es día y noche, invierno y verano, guerra y paz, hambre y saciedad», decía. Emplea la palabra «Dios», pero es evidente que se refiere a algo muy distinto a los dioses de los que hablaban los mitos. Para Heráclito, Dios —o lo divino— es algo que abarca a todo el mundo. Dios se muestra precisamente en esa naturaleza llena de contradicciones y en constante cambio.

En lugar de la palabra «Dios», emplea a menudo la palabra griega *logos,* que significa razón. Aunque las personas no hemos pensado siempre del mismo modo, ni hemos tenido la misma razón, Heráclito opinaba que tiene que haber una especie de «razón universal» que dirige todo lo que sucede en la naturaleza. Esta «razón universal» —o «ley natural»— es algo común para todos y por la cual todos tienen que guiarse. Y, sin embargo, la mayoría vive según su propia razón, decía Heráclito. No tenía, en general, muy buena opinión de su prójimo. «Las opiniones de la mayor parte de la gente pueden compararse con los juegos infantiles», decía.

En medio de todos esos cambios y contradicciones en la naturaleza, Heráclito veía, pues, una unidad o un todo. Este «algo», que era la base de todo, él lo llamaba «Dios» o «logos».

Cuatro elementos

En cierto modo, las ideas de Parménides y Heráclito eran totalmente contrarias. *La razón* de Parménides le decía que nada puede cambiar. Pero *los sentidos* de Heráclito decían, con la misma convicción, que en la naturaleza suceden constantemente cambios. ¿Quién de ellos tenía razón? ¿Debemos fiarnos de *la razón* o de *los sentidos*?

Tanto Parménides como Heráclito dicen dos cosas.

Parménides dice:

a) que nada puede cambiar y

b) que las sensaciones, por lo tanto, no son de fiar.

Por el contrario, Heráclito dice:

a) que todo cambia («todo fluye») y

b) que las sensaciones son de fiar.

¡Difícilmente dos filósofos pueden llegar a estar en mayor desacuerdo! ¿Pero cuál de ellos tenía razón? *Empédocles* (494-434 a. de C.) de Sicilia sería el que lograra salir de los enredos en los que se había metido la filosofía. Opinaba que, tanto Parménides como Heráclito, tenían razón en una de sus afirmaciones, pero que los dos se equivocaban en una cosa.

Empédocles pensaba que el gran desacuerdo se debía a que los filósofos habían dado por sentado que había un solo elemento. De ser así, la diferencia entre lo que dice la razón y lo que «vemos con nuestros propios ojos» sería insuperable.

Es evidente que el agua no puede convertirse en un pez o en una mariposa. El agua no puede cambiar. El agua pura sigue siendo agua pura para siempre. De modo que Parménides tenía razón en decir que «nada cambia».

Al mismo tiempo, Empédocles le daba la razón a Heráclito en que debemos fiarnos de lo que nos dicen nuestros sentidos. Debemos creer lo que vemos, y vemos, precisamente, cambios constantes en la naturaleza.

Empédocles llegó a la conclusión de que lo que había que rechazar era la idea de que hay un solo elemento. Ni el agua ni el aire son capaces, por sí solos, de convertirse en un rosal o en una mariposa, razón por la cual resulta imposible que la naturaleza sólo tenga un elemento.

Empédocles pensaba que la naturaleza tiene en total cuatro elementos o «raíces», como él los llama. Llamó a esas cuatro raíces *tierra*, *aire*, *fuego* y *agua*.

Todos los cambios de la naturaleza se deben a que estos cuatro elementos se mezclan y se vuelven a separar, pues todo está compuesto de tierra, aire, fuego y agua, pero en distintas proporciones de mezcla. Cuando muere una flor o un animal, los cuatro elementos vuelven a separarse. Éste es un cambio que podemos observar con los ojos. Pero la tierra y el aire, el fuego y el agua quedan completamente inalterados o intactos con todos esos cambios en los que participan. Es decir, que no es cierto que *todo* cambia. En realidad, no hay nada que cambie. Lo que ocurre es, simplemente, que cuatro elementos diferentes se mezclan y se separan, para luego volver a mezclarse.

Podríamos compararlo con un pintor artístico: si tiene sólo un color —por ejemplo el rojo— no puede pintar árboles verdes. Pero si tiene amarillo, rojo, azul y negro, puede obtener hasta cientos de colores, mezclándolos en distintas proporciones.

Un ejemplo de cocina demuestra lo mismo. Si sólo tuviera harina, tendría que ser un mago para poder hacer un bizcocho. Pero si tengo huevos y harina, leche y azúcar, entonces puedo hacer un montón de tartas y bizcochos diferentes, con esas cuatro materias primas.

No fue por casualidad el que Empédocles pensara que las «raíces» de la naturaleza tuvieran que ser precisamente tierra, aire, fuego y agua. Antes que él, otros filósofos habían intentado mostrar por qué el elemento básico tendría que ser agua, aire o fuego. Tales y Anaxímenes ya habían señalado el agua y el aire como elementos importantes de la naturaleza. Los griegos también pensaban que el fuego era muy importante. Observaban, por ejemplo, la importancia del sol para todo lo vivo de la naturaleza, y, evidentemente, conocían el calor del cuerpo humano y animal.

Quizás Empédocles vio cómo ardía un trozo de madera; lo que sucede entonces, es que algo se disuelve. Oímos cómo la madera cruje y gorgotea. Es el agua. Algo se convierte en humo. Es el aire. Vemos ese aire. Algo queda cuando el fuego se apaga. Es la ceniza, o la tierra.

Empédocles señala, como hemos visto, que los cambios en la naturaleza se deben a que las cuatro raíces se mezclan y se vuelven a separar. Pero queda algo por explicar. ¿Cuál es la causa por la que los elementos se unen para dar lugar a una nueva vida? ¿Y por qué vuelve a disolverse «la mezcla», por ejemplo, una flor?

Empédocles pensaba que tenía que haber dos *fuerzas* que actuasen en la naturaleza. Las llamó «amor» y «odio». Lo que une las cosas es «el amor», y lo que las separa, es «el odio».

Tomemos nota de que el filósofo distingue aquí entre «elemento» y «fuerza». Incluso, hoy en día, la ciencia distingue entre «los elementos» y «las fuerzas de la naturaleza». La ciencia moderna dice que todos los procesos de la naturaleza pueden explicarse como una interacción de los distintos *elementos*, y unas cuantas *fuerzas de la naturaleza*.

Empédocles también estudió la cuestión de qué es lo que pasa cuando observamos algo con nuestros sentidos. ¿Cómo puedo *ver* una flor, por ejemplo? ¿Qué sucede entonces? ¿Has pensado en eso, Sofía? ¡Si no, ahora tienes la ocasión!

Empédocles pensaba que nuestros ojos estaban formados de tierra, aire, fuego y agua, como todo lo demás en la naturaleza. Y «la tierra» que tengo en mi ojo capta lo que hay de tierra en lo que veo, «el aire» capta lo que es de aire, «el fuego» de los ojos capta lo que es de fuego y «el agua» lo que es de agua. Si el ojo hubiera carecido de uno de los cuatro elementos, yo tampoco hubiera podido ver la naturaleza en su totalidad.

Algo de todo en todo

Otro filósofo que no se contentaba con la teoría de que un solo elemento —por ejemplo el agua— pudiera convertirse en todo lo que vemos en la naturaleza, fue *Anaxágoras* (500-428 a. de C). Tampoco aceptó la idea de que tierra, aire, fuego o agua pudieran convertirse en sangre y hueso.

Anaxágoras opinaba que la naturaleza está hecha de muchas piezas minúsculas, invisibles para el ojo. Todo puede dividirse en algo todavía más pequeño, pero incluso en las piezas más pequeñas, hay algo de todo. Si la piel y el pelo no se han convertido en otra cosa, tiene que haber piel y pelo también en la leche que bebemos, y en la comida que comemos, opinaba él.

A lo mejor, un par de ejemplos modernos puedan ilustrar lo que se imaginaba Anaxágoras. Mediante la técnica de láser se pueden, hoy en día, hacer los llamados hologramas. Si el holograma muestra un coche, y este holograma se rompe, veremos una imagen de todo el coche, aunque conservemos solamente la parte del holograma que muestra el parachoques. Eso es porque todo el motivo está presente en cada piececita.

De alguna manera, también se puede decir que es así como está hecho nuestro cuerpo. Si separo una célula de la piel de un dedo, el núcleo de esa célula contiene no sólo la receta de cómo es mi piel, sino que en la misma célula también está la receta de mis ojos, del color de mi pelo, de cuántos dedos tengo y de qué aspecto, etc. En cada célula del cuerpo hay una descripción detallada de la composición de todas las demás células del cuerpo. Es decir, que hay «algo de todo» en cada una de las células. El todo está en la parte más minúscula.

A esas «partes mínimas» que contienen «algo de todo», Anaxágoras las llamaba «gérmenes» o «semillas».

Recordemos que para Empédocles era «el amor» lo que unía las partes en cuerpos enteros. También Anaxágoras se imaginaba una especie de fuerza que «pone orden» y crea animales y humanos, flores y árboles. A esta fuerza la llamó *espíritu* o *entendimiento* (nous).

Anaxágoras también es interesante por ser el primer filósofo de los de Atenas. Vino de Asia Menor, pero se trasladó a Atenas cuando tenía unos 40 años. En Atenas lo acusaron de ateo y, al final, tuvo que marcharse de la ciudad. Entre otras cosas, había dicho que el sol no era un dios, sino una masa ardiente más grande que la península del Peloponeso.

Anaxágoras se interesaba en general por la astronomía. Opinaba que todos los astros estaban hechos de la misma materia que la Tierra. A esta teoría llegó después de haber estudiado un meteorito. Puede ser, decía, que haya personas en otros planetas. También señaló que la luna no lucía por propia fuerza sino que recibe su luz de la Tierra. Explicó, además, el porqué de los eclipses de sol.

P. D. Gracias por tu atención, Sofía. Puede ser que tengas que leer y releer este capítulo antes de que lo entiendas todo. Pero la comprensión tiene necesariamente que costar algún esfuerzo. Seguramente no admirarías mucho a una amiga que entendiera de todo sin que le hubiera costado ningún esfuerzo.

La mejor solución a la cuestión de la materia primaria y los cambios de la naturaleza tendrá que esperar hasta mañana. Entonces conocerás a Demócrito. ¡No digo nada más!

Sofía estaba sentada en el Callejón mirando por un pequeño hueco en la maleza. Tenía que poner orden en sus pensamientos, después de todo lo que acababa de leer.

Era evidente que el agua normal y corriente no podía convertirse en otra cosa que hielo y vapor. El agua ni siquiera podía convertirse en una pera de agua, porque incluso una pera de agua estaba formada por algo más que agua sola. Pero, si estaba tan segura de ello, sería porque lo había aprendido. ¿Habría podido estar tan segura de que el hielo sólo estaba compuesto de agua si no lo hubiera aprendido? Al menos habría tenido que estudiar muy de cerca cómo el agua se congelaba y el hielo se derretía.

Sofía intentó volver a pensar de nuevo con su propia inteligencia, sin utilizar lo que había aprendido de otros.

Parménides se había negado a aceptar cualquier forma de cambio. Cuanto más pensaba en ello Sofía, más convencida estaba de que él, de alguna manera, tenía razón. Con su inteligencia, el filósofo no podía aceptar que «algo» de repente se convirtiera en «algo completamente distinto». Había sido muy valiente porque a la vez había tenido que negar todos aquellos cambios en la naturaleza que cualquier ser humano podía observar. Muchos se habrían reído de él.

También Empédocles había sido muy hábil utilizando su inteligencia al afirmar que el mundo necesariamente tenía que estar formado por algo más que por un solo elemento originario. De ese modo, se hacían posibles todos los cambios de la naturaleza sin cambiar realmente.

Aquel viejo filósofo griego había descubierto todo esto utilizando simplemente su razón. Naturalmente, habría estudiado la naturaleza, pero no tuvo posibilidad de realizar análisis químicos como hace la ciencia hoy en día.

Sofía no sabía si tenía mucha fe en que fueran precisamente la tierra, el aire, el fuego y el agua las materias de las que todo estaba hecho. Pero eso no tenía importancia. En principio Empédocles tenía razón. La única posibilidad que tenemos de aceptar todos aquellos cambios que registran nuestros ojos, es introducir más de un solo elemento.

A Sofía la filosofía le parecía aún más interesante porque podía seguir los argumentos con su propia razón, sin tener que acordarse de todo lo que había aprendido en el instituto. Llegó a la conclusión de que, en realidad, la filosofía no es algo que se puede aprender, sino que quizás uno pueda aprender a *pensar* filosóficamente.

Demócrito

...el juguete más genial del mundo...

Sofía cerró la caja de galletas que contenía todas las hojas escritas a máquina que había recibido del desconocido profesor de filosofía. Salió a hurtadillas del Callejón y se quedó un instante mirando al jardín. De repente, se acordó de lo que había pasado la mañana anterior. Su madre había bromeado con la «carta de amor» durante el desayuno. Ahora se apresuró hasta el buzón para evitar que aquello volviera a suceder. Recibir una carta de amor dos días seguidos, daría exactamente el doble de corte que recibir una.

¡De nuevo había allí un pequeño sobre blanco! Sofía comenzó a vislumbrar una especie de sistema en las entregas: cada tarde había encontrado un sobre grande y amarillo en el buzón. Mientras leía la carta grande, el filósofo solía deslizarse hasta el buzón con un sobrecito blanco.

Esto significaba que no le resultaría difícil descubrirlo. ¿O descubrir*la*? Si se colocaba ante la ventana de su cuarto, tendría buena vista sobre el buzón y seguro que llegaría a ver al misterioso filósofo. Porque sobrecitos blancos no surgen por sí mismos así como así.

Sofía decidió estar muy atenta al día siguiente. Era viernes y tenía todo el fin de semana por delante.

Subió a su habitación y abrió allí el sobre. Esta vez sólo había una pregunta en la nota, pero la pregunta era, si cabe, más loca que aquellas tres que habían venido en la carta de amor.

¿Por qué el lego es el juguete más genial del mundo?

En primer lugar, Sofía no estaba segura de estar de acuerdo con que el lego fuese el juguete más genial del mundo, al menos había dejado de jugar con él hacía muchos años. En segundo lugar, no era capaz de entender qué podía tener que ver el lego con la filosofía.

Pero era una alumna obediente, y empezó a buscar en el estante superior de su armario. Allí encontró una bolsa de plástico llena de piezas del lego de muchos tamaños y colores.

Por primera vez en mucho tiempo, se puso a construir con las pequeñas piezas. Mientras lo hacía, le venían a la mente pensamientos sobre el lego.

Resulta fácil construir con las piezas del lego, pensó. Aunque tengan distinta forma y color, todas las piezas pueden ensamblarse con otras. Además son indestructibles. Sofía no recordaba haber visto nunca una pieza del lego rota. De hecho, todas las piezas parecían tan frescas y nuevas como el día, hacía ya muchos años, en que se lo habían regalado. Y sobre todo: con las piezas del lego podía construir cualquier cosa. Y luego podía desmontarlas y construir algo completamente distinto.

¿Qué más se puede pedir? Sofía llegó a la conclusión de que el lego, efectivamente, muy bien podía llamarse el juguete más genial del mundo. Pero seguía sin entender qué tenía que ver con la filosofía.

Pronto Sofía construyó una gran casa de muñecas. Apenas se atrevió a confesarse a sí misma que hacía mucho tiempo que no lo había pasado tan bien como ahora. ¿Por qué dejaban las personas de jugar?

Cuando la madre llegó a casa y vio lo que Sofía había hecho, se le escapó:

—¡Qué bien que todavía seas capaz de jugar como una niña!

—¡Bah! Estoy trabajando en una complicada investigación filosófica.

Su madre dejó escapar un profundo suspiro. Seguramente estaba pensando en el conejo y en el sombrero de copa.

Al volver del instituto al día siguiente, Sofía se encontró con un montón de nuevas hojas en un gran sobre amarillo. Se llevó el sobre a su habitación, y se puso enseguida a leer, aunque al mismo tiempo vigilaría el buzón.

La teoría atómica

Aquí estoy de nuevo, Sofía. Hoy conocerás al último gran filósofo de la naturaleza. Se llamaba *Demócrito* (aprox. 460-370 a. de C.) y venía de la ciudad costera de Abdera, al norte del mar Egeo. Si has podido contestar a la pregunta sobre el lego, no te costará mucho esfuerzo entender lo que fue el proyecto de este filósofo.

Demócrito estaba de acuerdo con sus predecesores en que los cambios en la naturaleza no se debían a que las cosas realmente «cambiaran». Suponía, por lo tanto, que todo tenía que estar construido por unas piececitas pequeñas e invisibles, cada una de ellas eterna e inalterable. A estas piezas más pequeñas Demócrito las llamó *átomos*.

La palabra «átomo» significa «indivisible». Era importante para Demócrito poder afirmar que eso de lo que todo está hecho no podía dividirse en partes más pequeñas. Si hubiera sido así, no habrían podido servir de ladrillos de construcción. Pues, si los átomos hubieran podido ser limados y partidos en partes cada vez más pequeñas, la naturaleza habría empezado a flotar en una pasta cada vez más líquida.

Además, los ladrillos de la naturaleza tenían que ser eternos, pues nada puede surgir de la nada. En este punto,

Demócrito estaba de acuerdo con Parménides y los eleáticos. Pensaba, además, que los átomos tenían que ser fijos y macizos, pero no podían ser idénticos entre sí. Si los átomos fueran idénticos, no habríamos podido encontrar ninguna explicación satisfactoria de cómo podían estar compuestos, pudiendo formar de todo, desde amapolas y olivos, hasta piel de cabra y pelo humano.

Existe un sinfín de diferentes átomos en la naturaleza, decía Demócrito. Algunos son redondos y lisos, otros son irregulares y torcidos. Precisamente por tener formas diferentes, podían usarse para componer diferentes cuerpos. Pero aunque sean muchísimos y muy diferentes entre sí, son todos eternos, inalterables e indivisibles.

Cuando un cuerpo —por ejemplo un árbol o un animal— muere y se desintegra, los átomos se dispersan y pueden utilizarse de nuevo en otro cuerpo. Pues los átomos se mueven en el espacio, pero como tienen entrantes y salientes se acoplan para configurar las cosas que vemos en nuestro entorno.

¿Ya has entendido lo que quise decir con las piezas del lego, verdad? Tienen más o menos las mismas cualidades que Demócrito atribuía a los átomos, y, precisamente por ello, resultan tan buenas para construir. Ante todo son indivisibles. Tienen formas y tamaños diferentes, son macizas e impenetrables. Además, las piezas del lego tienen entrantes y salientes que hacen que las puedas unir para poder formar todas las figuras posibles.

Estas conexiones pueden deshacerse para poder dar lugar a nuevos objetos con las mismas piezas.

Lo bueno de las piezas del lego es precisamente que se pueden volver a usar una y otra vez. Una pieza del lego puede formar parte de un coche un día, y de un castillo al día siguiente. Además podemos decir que las piezas del lego son «eternas». Niños de hoy en día pueden jugar con las mismas piezas con las que jugaban sus padres.

También podemos formar cosas de barro, pero el barro no puede usarse una y otra vez, precisamente porque se puede romper en trozos cada vez más pequeños, y porque esos pequeñísimos trocitos de barro no pueden unirse para formar nuevos objetos.

Hoy podemos más o menos afirmar que la teoría atómica de Demócrito era correcta. La naturaleza está, efectivamente, compuesta por diferentes átomos que se unen y que vuelven a separarse. Un átomo de hidrógeno que está asentado dentro de una célula en la punta de mi nariz, perteneció, en alguna ocasión, a la trompa de un elefante. Un átomo de carbono dentro del músculo de mi corazón estuvo una vez en el rabo de un dinosaurio.

En nuestros días, la ciencia ha descubierto que los átomos pueden dividirse en «partículas elementales». A estas partículas elementales las llamamos protones, neutrones y electrones. Quizás esas partículas puedan dividirse en partes aún más pequeñas. No obstante, los físicos están de acuerdo en que tiene que haber un límite. Tiene que haber unas *partes mínimas* de las que esté hecho el mundo.

Demócrito no tuvo acceso a los aparatos electrónicos de nuestra época. Su único instrumento de verdad fue su inteligencia. Y su inteligencia no le ofreció ninguna elección. Si de entrada aceptamos que nada cambia, que nada surge de la nada y que nada desaparece, entonces la naturaleza ha de estar compuesta necesariamente por unos minúsculos ladrillos que se juntan, y que se vuelven a separar.

Demócrito no contaba con ninguna «fuerza» o «espíritu» que interviniera en los procesos de la naturaleza. Lo único que existe son los átomos y el espacio vacío, pensaba. Ya que no creía en nada más que en lo material, le llamamos *materialista*.

No existe ninguna «intención» determinada detrás de los movimientos de los átomos. En la naturaleza todo ocurre *mecánicamente*. Eso no significa que todo lo que ocurre sea «casual», pues todo sigue las leyes inquebrantables de la naturaleza. Demócrito pensaba que había una causa natural en todo lo que ocurre, una causa que se encuentra en las cosas mismas. En una ocasión dijo que preferiría descubrir una ley de la naturaleza a convertirse en rey de Persia.

La teoría atómica también explica nuestras *sensaciones*, pensaba Demócrito. Cuando captamos algo con nuestros sentidos, se debe a los movimientos de los átomos en el espacio vacío. Cuando vemos la luna, es porque los «átomos de la luna» alcanzan mi ojo.

¿Y qué pasa con la *conciencia*? ¿No podrá estar formada por átomos, es decir, por «cosas» materiales? Pues sí, Demócrito se imaginaba que el alma estaba formada por unos «átomos del alma» especialmente redondos y lisos. Al morir una persona, los átomos del alma se dispersan hacia todas partes. Luego, pueden entrar en otra alma en proceso de creación.

Eso significa que el ser humano no tiene un alma inmortal. Mucha gente comparte también, hoy en día, este pensamiento. Opinan, como Demócrito, que «el alma» está conectada al cerebro y que no podemos tener ninguna especie de conciencia cuando el cerebro se haya desintegrado.

Demócrito puso temporalmente fin a la filosofía griega de la naturaleza. Estaba de acuerdo con Heráclito en que todo en la naturaleza «fluye». Las formas van y vienen. Pero detrás de todo lo que fluye, se encuentran algunas cosas eternas e inalterables que no fluyen. A estas cosas es a lo que Demócrito llamó *átomos*.

Mientras leía, Sofía miraba por la ventana para ver si aparecía junto al buzón el misterioso autor de las cartas. Se quedó mirando a la calle fijamente, pensando en lo que acababa de leer. Le pareció que Demócrito había razonado de un modo muy sencillo y, sin embargo, muy astuto. Había encontrado la solución al problema de la «materia primaria» y del «cambio».

Este problema era tan complicado que los filósofos lo habían meditado durante varias generaciones. Pero al final, Demócrito había solucionado todo el problema utilizando simplemente su inteligencia.

Sofía estaba a punto de echarse a reír. Tenía que ser verdad que la naturaleza estaba hecha de piececitas que nunca cambian. Al mismo tiempo, Heráclito había tenido razón al afirmar que todas las formas de la naturaleza «fluyen», pues todos los humanos y todos los animales mueren, e incluso una cordillera de montañas se va desintegrando lentísimamente, y lo cierto es que también la cordillera está compuesta por unas cositas indivisibles que nunca se rompen.

Al mismo tiempo, Demócrito se había hecho nuevas preguntas. Había dicho, por ejemplo, que todo sucede mecánicamente. No aceptó ninguna fuerza espiritual en la naturaleza, como Empédocles y Anaxágoras. Además, Demócrito pensaba que el ser humano carece de alma inmortal.

¿Podía estar totalmente segura de que esto era correcto?

No estaba del todo segura. Pero, claro, se encontraba muy al principio del curso de filosofía.

El destino

*...el adivino intenta interpretar algo que en
realidad no está nada claro...*

Sofía había estado vigilando la puerta de la verja del jardín, mientras leía sobre Demócrito. Para asegurarse, decidió, no obstante, darse una vuelta por la puerta.

Al abrir la puerta exterior descubrió un sobrecito blanco fuera en la escalera. Y en el sobre ponía «Sofía Amundsen».

¡De modo que la había engañado! Justo ese día, cuando con tanto celo había vigilado el buzón, el filósofo misterioso se había acercado a la casa a escondidas desde otro lado y simplemente había puesto la carta sobre la escalera, antes de darse a la fuga otra vez. ¡Demonios!

¿Cómo podía saber que Sofía iba a estar vigilando el buzón justamente ese día? ¿La habrían visto él, o ella, en la ventana? Al menos se alegraba de haber salvado el sobre antes de que su madre llegara a casa.

Sofía volvió a su cuarto y abrió allí la carta. El sobre blanco estaba un poco mojado por los bordes; además, tenía un par de profundos cortes. ¿Por qué? No había llovido en varios días.

En la notita ponía:

¿Crees en el destino?
¿Son las enfermedades un castigo divino?
¿Cuáles son las fuerzas que dirigen la marcha de la historia?

¿Que si creía en el destino? No estaba muy segura. Pero conocía a mucha gente que sí creía. Varias amigas de clase, por ejemplo, leían sus horóscopos en las revistas. Si creían en la astrología, también creerían en el destino, ya que los astrólogos pensaban que la situación de las estrellas en el firmamento podía decir algo sobre la vida de las personas en la Tierra.

Si se creía que un gato negro que cruzaba el camino significaba mala suerte, entonces también se creería en el destino, pensaba Sofía. Cuanto más pensaba en ello, más ejemplos le salían de la fe en el destino. ¿Por qué se decía «toca madera» por ejemplo? ¿Y por qué martes trece era una día de mala suerte? Sofía había oído decir que muchos hoteles se saltaban el número trece para las habitaciones. Se debería a que, a fin de cuentas, había muchas personas supersticiosas.

«Superstición», por cierto, ¿no era una palabra extraña? Si creías en el cristianismo o en el islam se llamaba «fe», pero si creías en astrología o en martes y trece, entonces se convertía en seguida en «superstición».

¿Quién tenía derecho a llamar «superstición» a la fe de otras personas?

Por lo menos, Sofía estaba segura de una cosa: Demócrito *no* había creído en el destino. Era materialista. Sólo había creído en los átomos y en el espacio vacío.

Sofía intentó pensar en las otras preguntas de la notita.

«¿Son las enfermedades un castigo divino?» Nadie creería eso hoy en día. Pero de repente se acordó de que mucha gente pensaba que rezar a Dios ayudaba a curarse, así que creerían que Dios tenía algo que ver en la cuestión de quién estaba sano y quién estaba enfermo.

La última pregunta le resultaba más difícil. Sofía jamás había pensado en qué era lo que dirigía el curso de la historia. ¿Serían las personas, no? Si fuera Dios o el destino, las personas no podrían tener libre albedrío.

El tema del libre albedrío le hizo pensar en otra cosa. ¿Por qué iba a tolerar que ese misterioso filósofo jugara con ella al escondite? ¿Por qué no podía *ella* escribirle una carta al filósofo? Seguro que él, o ella, dejaría un nuevo sobre grande en el buzón en el transcurso de la noche, o en algún momento de la mañana siguiente. Entonces, ella dejaría una carta para el profesor de filosofía.

Sofía se puso en marcha. Le resultaba muy difícil escribir a alguien a quien jamás había visto. Ni siquiera sabía si era un hombre o una mujer. Tampoco si era joven o viejo. Por lo que sabía, incluso podría tratarse de una persona a la que ella conocía.

En poco tiempo había redactado una pequeña carta:

Muy respetado filósofo: En esta casa se aprecia con sumo agrado su generoso curso de filosofía por correspondencia. Pero molesta no saber quién es usted. Le rogamos por tanto presentarse con nombre completo. A cambio será invitado a entrar a tomar una taza de café con nosotros, pero, si puede ser, cuando mi madre no esté en casa. Ella trabaja todos los días de 7.30 a 17.00 horas de lunes a viernes. Yo soy estudiante, y tengo el mismo horario, pero, excepto los jueves, siempre estoy en casa a partir de las dos y cuarto. Además, el café me sale muy bueno. Le doy las gracias por anticipado. Saludos de su atenta alumna, Sofía Amundsen, 14 años.

En la parte inferior de la hoja escribió: «Se ruega contestación».

A Sofía le pareció que la carta era demasiado formal. Pero no era fácil elegir las palabras cuando se escribía a una persona sin rostro.

Metió la hoja en un sobre de color rosa y lo cerró. Por fuera escribió: «Al filósofo».

El problema era cómo sacarlo fuera sin que su madre lo viera. Al mismo tiempo, tendría que mirar el buzón temprano a la mañana siguiente, antes de que llegara el periódico. Si no llegaba ningún envío durante la noche, tendría que volver a recoger el sobre de color rosa.

¿Por qué tenía que ser todo tan complicado?

Aquella noche, Sofía subió pronto a su habitación a pesar de que era viernes. Su madre intentó tentarla con una pizza y una película policiaca, pero dijo que estaba cansada y que quería leer en la cama. Mientras su madre estaba sentada mirando fijamente a la pantalla del televisor, Sofía bajó a hurtadillas a llevar la carta al buzón.

Al parecer, su madre estaba un poco preocupada. Desde que surgió aquello del conejo grande y el sombrero de copa, hablaba con Sofía de una manera completamente distinta a la de antes. Sofía no quería preocuparla, pero ahora tenía que subir a la habitación para vigilar el buzón.

Cuando su madre subió, sobre las once, estaba sentada delante de la ventana mirando a la calle.

—¿No estarás sentada mirando al buzón? —preguntó.

—Miro lo que me da la gana.

—Creo que estás enamorada de verdad, Sofía. Pero si llega con una nueva carta, no lo hará en medio de la noche.

¡Qué asco! Sofía no aguantaba esa tontería del enamoramiento. Pero habría que dejar que su madre creyera que su estado de ánimo se debía a algo así.

Su madre prosiguió:

—¿Él fue el que dijo aquello del conejo y el sombrero de copa?

Sofía asintió con la cabeza.

—¿No es... no consume droga, verdad?

Ahora Sofía sentía verdadera lástima por su madre. No podía permitir que se preocupara tanto por una cosa así. Por otra parte, era bastante tonto pensar que las ideas divertidas tuvieran que ver con las drogas. Los mayores son un poco tontos a veces.

Se volvió y dijo:

—Mamá, te prometo aquí y ahora que jamás probaré algo así... y *él* tampoco consume drogas. Pero le interesa bastante la filosofía.

—¿Es mayor que tú?

Sofía dijo que no con la cabeza.

—¿De la misma edad?

Dijo que sí.

—¿Y le interesa la filosofía?

Volvió a decir que sí.

—Seguro que es majísimo, cariño. Y ahora, creo que debes dormir.

Pero Sofía se quedó durante horas mirando al camino. Sobre la una, tenía tanto sueño que los ojos se le iban cerrando. Estuvo a punto de acostarse, pero de repente vislumbró una sombra que salía del bosque.

La oscuridad era casi total, pero había luz suficiente para poder distinguir la silueta de una persona. Era un hombre, y a Sofía le parecía bastante mayor. ¡Por lo menos, no era de su misma edad! En la cabeza llevaba una boina o algo parecido.

Miró una vez hacia la casa, pero Sofía no tenía ninguna luz encendida. El hombre se fue derecho al buzón y dejó caer dentro un sobre grande. En el momento de soltar el sobre, descubrió la carta de Sofía. Metió la mano en el buzón y sacó la carta. Al cabo de un instante, estaba ya otra vez en el bosque. Se fue corriendo hacia el sendero y desapareció.

Sofía notaba cómo le latía el corazón. Lo que más hubiera deseado era salir corriendo tras él. Aunque pensándolo bien, no podía hacer eso, no se atrevía a ir corriendo tras una persona desconocida en plena noche. Pero *tenía que* salir a recoger el sobre, eso sí que no lo dudaba.

Al cabo de un rato, bajó la escalera a hurtadillas, abrió cuidadosamente la puerta de la calle con la llave y se fue hasta el buzón. Pronto estaba de vuelta en su habitación, con el gran sobre en la mano. Se sentó sobre la cama conteniendo el aliento. Pasaron un par de minutos y no se oía ningún ruido en toda la casa. Entonces abrió la carta y comenzó a leer.

Era evidente que no recibiría ninguna contestación a su carta hasta el día siguiente.

El destino

¡Buenos días de nuevo, querida Sofía! Déjame decirte, de una vez por todas, que jamás debes intentar espiarme. Ya nos conoceremos en persona algún día, pero seré yo quien decida la hora y el lugar. ¿No vas a desobedecerme, verdad?

Volvamos a los filósofos. Hemos visto cómo buscan explicaciones naturales a los cambios que tienen lugar en la naturaleza. Anteriormente, esas cuestiones se explicaban mediante los mitos.

Pero también en otros campos hubo que despejar el camino de viejas supersticiones. Lo vemos en lo que se refiere a estar *enfermo* y estar *sano*, y en lo que se refiere a los *acontecimientos políticos*. En ambos campos, los griegos tuvieron una gran fe en *el destino*.

Por fe en el destino se entiende la fe en que está determinado, de antemano, todo lo que va a suceder. Esta idea la podemos encontrar en todo el mundo, en el momento presente, y a través de toda la historia. En los países nórdicos existe una gran fe en «el destino», tal como aparece en las antiguas sagas islandesas.

Tanto entre los griegos como en otras partes del mundo, nos encontramos con la idea de que los seres humanos pueden llegar a conocer el destino a través de diferentes formas de *oráculo*, lo que significa que el destino de una persona, o de un estado, puede ser interpretado de varios modos.

Todavía hay muchas personas que creen en leer las cartas, leer las manos o interpretar las estrellas.

Una variante típicamente noruega es la adivinación mediante los posos del café. Al vaciarse la taza de café, suelen quedar algunos posos en el fondo. Esos posos pueden formar un determinado dibujo o imagen —sobre todo, si añadimos un poco de imaginación—. Si los posos tienen la forma de un coche, significa que la persona que haya bebido de la taza quizás vaya a hacer un viaje en coche.

Vemos que el «adivino» intenta interpretar algo que en realidad no está nada claro. Esto es muy típico de todo arte adivinatorio. Y precisamente porque aquello que se «adivina» es tan poco claro, no resulta tampoco muy fácil contradecir al adivino.

Cuando miramos el cielo estrellado, vemos un verdadero caos de puntitos brillantes. Y, sin embargo, ha habido muchas personas, a través de los tiempos, que han creído que las estrellas pueden decirnos algo sobre nuestra vida en la Tierra. Incluso hoy en día, hay dirigentes políticos que consultan a un astrólogo antes de tomar una decisión importante.

El oráculo de Delfos

Los griegos pensaban que los seres humanos podían enterarse de su destino a través del famoso oráculo de Delfos. El dios *Apolo* era el dios del oráculo. Hablaba a través de la sacerdotisa Pitia, que estaba sentada en una silla sobre una grieta de la Tierra. De esta grieta subían unos gases narcóticos que la embriagaban, circunstancia indispensable para que pudiera ser la voz de Apolo.

Al llegar a Delfos, uno entregaba primero su pregunta a los sacerdotes, quienes, a su vez, se la daban a Pitia. Ella emitía una contestación tan incomprensible o ambigua que hacía falta que los sacerdotes interpretaran la respuesta a la persona que había entregado la pregunta. Así los griegos podían aprovecharse de la sabiduría de Apolo, ya que creían que Apolo sabía todo sobre el pasado y el futuro.

Muchos jefes de Estado no se atrevían a declarar la guerra, o a tomar otras decisiones importantes, antes de haber consultado el oráculo de Delfos. Así pues, los sacerdotes de Apolo funcionaban prácticamente como una especie de diplomáticos y asesores, con muy amplios conocimientos sobre gentes y países.

Encima del templo de Delfos había una famosa inscripción: ¡CONÓCETE A TI MISMO!, que significaba que el ser humano nunca debe pensar que es algo más que un ser humano, y que ningún ser humano puede escapar a su destino.

Entre los griegos se contaban muchas historias sobre personas que habían sido alcanzadas por su destino. Con el tiempo, se escribieron una serie de obras de teatro, tragedias, sobre esas personas «trágicas». El ejemplo más famoso es la historia del rey Edipo.

Ciencia de la historia y ciencia de la medicina

El destino no sólo determinaba la vida del individuo. Los griegos también creían que el curso mismo del mundo estaba dirigido por el destino. Opinaban que el resultado de una guerra podía deberse a la intervención de los dioses. También hoy en día hay muchos que creen que Dios u otras fuerzas misteriosas dirigen el curso de la historia.

Pero justo a la vez que los filósofos griegos intentaban buscar explicaciones naturales a los procesos de la naturaleza, iba formándose una ciencia de la historia que intentaba encontrar causas naturales a su desarrollo. El que un Estado perdiera una guerra, no se explicaba ya como una venganza de los dioses. Los historiadores griegos más famosos fueron *Heródoto* (484-424 a. de C.) y *Tucídides* (460-400).

Los griegos también creían que las enfermedades podían deberse a la intervención divina. Las enfermedades contagiosas se interpretaban, a menudo, como un castigo de los dioses. Por otra parte, los dioses podían volver a curar a las personas, si se les ofrecían sacrificios.

Esto no es, en modo alguno, exclusivo de los griegos. Antes del nacimiento de la moderna ciencia de la medicina, en tiempos recientes, lo más normal era pensar que las enfermedades tenían causas sobrenaturales. Por ejemplo, la palabra «influenza» [1] significa en realidad que uno se encuentra bajo una mala «influencia» de las estrellas.

Incluso hoy en día, hay muchas personas en el mundo entero que creen que algunas enfermedades —el SIDA, por ejemplo— son un castigo de Dios. Muchos piensan, además, que un enfermo puede ser curado de un modo sobrenatural.

Precisamente en la época en que los filósofos griegos iniciaron una nueva manera de pensar, surgió una ciencia griega de la medicina que intentaba encontrar explicaciones naturales a las enfermedades y al estado de salud. Se dice que *Hipócrates*, que nació en Cos hacia el año 460 a. de C., fue el fundador de la ciencia griega de la medicina.

La protección más importante contra la enfermedad era, según la tradición médica hipocrática, la moderación y una vida sana. Lo natural en una persona es estar sana. Cuando surge una enfermedad, es porque la naturaleza ha

---

[1] Juego de palabras. «Influenza» es la palabra noruega para «gripe». *(N. de las T.)*

«descarrilado» a causa de un desequilibrio físico o psíquico. La receta para estar sano era la moderación, la armonía y «una mente sana en un cuerpo sano».

Hoy en día se habla constantemente de la «ética médica», con lo que se quiere decir que, el médico, está obligado a ejercer su profesión médica según ciertas reglas éticas. Un médico no puede, por ejemplo, extender recetas de estupefacientes a personas sanas. Un médico tiene también que guardar el secreto profesional. Esto significa que no tiene derecho a contar a otras personas algo que un paciente le haya dicho sobre su enfermedad. Estas reglas tienen sus raíces en Hipócrates, que exigió a sus discípulos que prestasen el siguiente juramento:

Utilizaré el tratamiento para ayudar a los enfermos según mi capacidad y juicio, pero nunca con la intención de causar daño o dolor. A nadie daré veneno aunque me lo pida o me lo sugiera, tampoco daré abortivos a ninguna mujer con el fin de evitar un embarazo. Consideraré sagrados mi vida y mi arte.

No utilizaré el cuchillo, ni siquiera en aquellos que sufren indescriptiblemente, dejándoselo hacer a los que se ocupan de ello.

Cuando entre en la morada de un enfermo, lo haré siempre en beneficio suyo; me abstendré de toda acción injusta y de abusar del cuerpo de hombres o mujeres, libres o esclavos.

De todo cuanto vea y oiga en el ejercicio de mi profesión y aun fuera de ella callaré cuantas cosas sea necesario que no se divulguen, considerando la discreción como un deber.

Si cumplo fielmente este juramento, que me sea otorgado gozar felizmente de la vida y de mi arte y ser honrado

siempre entre los hombres. Si lo violo y me hago perjuro,
que me ocurra lo contrario.

Sofía se sentó en la cama de un salto, cuando se despertó el sábado por la mañana. ¿Había sido un sueño o había *visto* de verdad al filósofo?

Tocó con el brazo el suelo bajo la cama. Pues sí, allí estaba la carta que había llegado por la noche. Sofía se acordó de todo lo que había leído sobre la fe de los griegos en el destino. Entonces, no había sido sólo un sueño.

¡Claro que había visto al filósofo! Y más que eso, había visto con sus propios ojos que se había llevado la carta que ella le había escrito.

Sofía salió de la cama y miró debajo. Sacó de allí todas las hojas escritas a máquina. ¿Pero qué era aquello? Al fondo del todo, junto a la pared, había algo rojo. ¿Podía ser una bufanda?

Sofía se deslizó debajo de la cama y recogió un pañuelo rojo de seda. Sólo estaba segura de una cosa: nunca había sido suyo.

Empezó a examinar el pañuelo minuciosamente y dio un pequeño grito cuando vio unas letras escritas con una pluma negra a lo largo de la costura. «HILDE», ponía.

¡Hilde! ¿Pero *quién* era Hilde? ¿Cómo podía ser que sus caminos se hubieran cruzado de esa manera?

Sócrates

...más sabia es la que sabe
lo que no sabe...

Sofía se puso un vestido de verano y bajó a la cocina. Su madre estaba inclinada sobre la encimera. Decidió no decirle nada sobre el pañuelo de seda.

—¿Has recogido el periódico? —se le escapó a Sofía.

La madre se volvió hacia ella.

—¿Me haces el favor de recogerlo tú?

Sofía se fue corriendo al jardín y se inclinó sobre el buzón verde.

Solamente un periódico. Era pronto para esperar respuesta a su carta. En la portada del periódico leyó unas líneas sobre los cascos azules de las Naciones Unidas en el Líbano.

Los cascos azules... ¿No era lo que ponía en el sello de la postal del padre de Hilde? Pero llevaba sellos noruegos. A lo mejor los cascos azules de las Naciones Unidas llevaban consigo su propia oficina de correos.

Cuando su madre hubo terminado en la cocina, le dijo a Sofía medio en broma:

—Vaya, sí que te interesa el periódico.

Afortunadamente no dijo nada más sobre buzones y cosas por el estilo, ni durante el desayuno ni más tarde, en el transcurso del día. Cuando se fue a hacer la compra, Sofía cogió la carta sobre la fe en el destino y se la llevó al Callejón.

El corazón le dio un vuelco cuando de repente vio un sobrecito blanco junto a la caja que contenía las cartas del profesor de filosofía. Sofía estaba segura de que no la había dejado allí.

También este sobre estaba como mojado por los bordes,

y tenía, exactamente como el anterior, un par de profundas incisiones.

¿Había estado ahí el profesor de filosofía? ¿Conocía su escondite más secreto? ¿Pero por qué estaban mojados los sobres?

Sofía daba vueltas a todas esas preguntas. Abrió el sobre y leyó la nota.

Querida Sofía. He leído tu carta con gran interés, y también con un poco de pesar, ya que tendré que desilusionarte respecto a lo de las visitas para tomar café y esas cosas. Un día nos conoceremos, pero pasará bastante tiempo hasta que pueda aparecer por tu calle.

Además, debo añadir que a partir de ahora no podré llevarte las cartas personalmente. A la larga, sería demasiado arriesgado. A partir de ahora, mi pequeño mensajero te las llevará, y las depositará directamente en el lugar secreto del jardín.

Puedes seguir poniéndote en contacto conmigo cuando sientas necesidad de ello. En ese caso, tendrás que poner un sobre de color rosa con una galletita dulce o un terrón de azúcar dentro. Cuando mi mensajero descubra una carta así, me traerá el correo.

P. D. No es muy agradable tener que rechazar tu invitación a tomar café, pero a veces resulta totalmente necesario.

P. D. P. S. Si encontraras un pañuelo rojo de seda, ruego lo guardes bien. De vez en cuando, objetos de este tipo se cambian por error en colegios y lugares así, y ésta es una escuela de filosofía.

Saludos, Alberto Knox.

Sofía tenía catorce años y en el transcurso de su vida había recibido unas cuantas cartas, por Navidad, su cumpleaños y fechas parecidas. Pero esta carta era la más curiosa que había recibido jamás.

No llevaba ningún sello. Ni siquiera había sido metida en el buzón. Esta carta había sido llevada directamente al lugar secretísimo de Sofía dentro del viejo seto. También resultaba curioso que la carta se hubiera mojado en ese día primaveral tan seco.

Lo más raro de todo era, desde luego, el pañuelo de seda. El profesor de filosofía también tenía otro alumno. ¡Vale! Y ese otro alumno había perdido un pañuelo rojo de seda. ¡Vale! ¿Pero cómo había podido perder el pañuelo debajo de la cama de Sofía?

Y Alberto Knox... ¿No era ése un nombre muy extraño?

Con esta carta se confirmaba, al menos, que existía una conexión entre el profesor de filosofía y Hilde Møller Knag. Pero lo que resultaba completamente incomprensible era que también el padre de Hilde hubiera confundido las direcciones.

Sofía se quedó sentada un largo rato meditando sobre la relación que pudiese haber entre Hilde y ella. Al final, suspiró resignada. El profesor de filosofía había escrito que un día le conocería. ¿Conocería a Hilde también?

Dio la vuelta a la hoja y descubrió que había también algunas frases escritas al dorso:

> *¿Existe un pudor natural?*
> *Más sabia es la que sabe lo que no sabe.*
> *La verdadera comprensión viene de dentro.*
> *Quien sabe lo que es correcto también hará lo correcto.*

Sofía comprendió que las frases cortas que venían en el sobre blanco la iban a preparar para el próximo sobre grande que llegaría muy poco tiempo después. Se le ocurrió una cosa: si «el mensajero» iba a depositar el sobre ahí, en el Callejón, podía simplemente ponerse a esperarle. ¿O sería «ella»? ¡En ese caso se agarraría a esa persona hasta que él o ella le contara algo más del filósofo! En la carta ponía, además, que el mensajero era pequeño. ¿Se trataría de un niño?

«¿Existe un pudor natural?»

Sofía sabía que «pudor» era una palabra anticuada que significaba «timidez»; por ejemplo, sentir pudor por que alguien te vea desnudo. ¿Pero era en realidad natural sentirse intimidado por ello? Decir que algo es natural, significa que es algo aplicable a la mayoría de las personas. Pero en muchas partes del mundo, era natural ir desnudo. ¿Entonces, era la *sociedad* la que decidía lo que se podía y lo que no se podía hacer? Cuando la abuela era joven, por ejemplo, no se podía tomar el sol en top less. Pero, hoy en día, la mayoría opinaba que era algo natural; aunque en muchos países sigue estando terminantemente prohibido. Sofía se rascó la cabeza. ¿Era esto filosofía?

Y luego la siguiente frase: «Más sabia es la que sabe lo que no sabe».

¿Más sabia que quién? Si lo que quería decir el filósofo era que, una que era consciente de que no sabía todo, era más sabia que una que sabía igual de poco, pero que, sin embargo, se imaginaba saber un montón, entonces no resultaba difícil estar de acuerdo. Sofía nunca había pensado en esto antes. Pero cuanto más pensaba en ello, más claro le parecía que el saber lo que uno no sabe, también es, en realidad, una forma de saber. No aguantaba a esa gente tan segura de saber un montón de cosas de las que no tenía ni idea.

Y luego eso de que los verdaderos conocimientos vienen de dentro. ¿Pero no vienen en algún momento todos los conocimientos desde fuera, antes de entrar en la cabeza de la gente? Por otra parte, Sofía se acordaba de situaciones en las que su madre o los profesores le habían intentado enseñar algo que ella había sido reacia a aprender. Cuando verdaderamente había *aprendido* algo, de alguna manera, ella había contribuido con algo. Cuando de repente había entendido algo, eso era quizás a lo que se llamaba «comprensión».

Pues sí, Sofía opinaba que se había defendido bastante bien en los primeros ejercicios. Pero la siguiente afirmación era tan extraña que simplemente se echó a reír: «Quien sepa lo que es correcto también hará lo correcto».

¿Significaba eso que cuando un ladrón robaba un banco lo hacía porque no sabía que no era correcto? Sofía no lo creía. Al contrario, pensaba que niños y adultos eran capaces de hacer muchas tonterías, de las que a lo mejor se arrepentían más tarde, y que precisamente lo hacían a pesar de saber que no estaba bien lo que hacían.

Mientras meditaba sobre esto, oyó crujir unas hojas secas al otro lado del seto que daba al gran bosque. ¿Sería acaso el mensajero? Sofía tuvo la sensación de que su corazón daba un salto. Pero aún tuvo más miedo al oír que lo que se acercaba respiraba como un animal.

De repente vio un gran perro que había conseguido meterse en el Callejón desde el bosque. Tenía que ser un labrador. En la boca llevaba un sobre amarillo grande, que soltó justamente delante de las rodillas de Sofía. Todo sucedió con tanta rapidez que Sofía no tuvo tiempo de reaccionar. En unos instantes tuvo el sobre en la mano, pero el perro se había esfumado. Cuando todo hubo pasado, reaccionó. Puso las manos sobre las piernas y empezó a llorar.

No sabía cuánto tiempo había permanecido así, pero al cabo de un rato volvió a levantar la vista.

¡Conque ése era el mensajero! Sofía respiró aliviada. Ésa era la razón por la que los sobres blancos siempre estaban mojados por los bordes. Y ahora resultaba evidente por qué tenían como incisiones en el papel. ¿Cómo no se le había ocurrido? Además, ahora tenía cierta lógica la orden de meter una galleta dulce o un terrón de azúcar en el sobre que ella mandara al filósofo.

No pensaba siempre tan rápidamente como le hubiera

gustado. No obstante, era indiscutible que tener a un perro bien enseñado como «mensajero» era algo bastante insólito. Al menos podía abandonar la idea de obligar al mensajero a revelar dónde se encontraba Alberto Knox.

Sofía abrió el voluminoso sobre y se puso a leer.

La filosofía en Atenas

Querida Sofía: Cuando leas esto, ya habrás conocido probablemente a *Hermes*. Para que no quepa ninguna duda, debo añadir que es un perro. Pero eso no te debe preocupar. Él es muy bueno, y además mucho más inteligente que muchas personas. O, por lo menos, no pretende ser más inteligente de lo que es.

También debes tomar nota de que su nombre no ha sido elegido totalmente al azar. Hermes era el mensajero de los dioses griegos. También era el dios de los navegantes, pero eso no nos concierne a nosotros, al menos no por ahora. Lo que es más importante es que Hermes también ha dado nombre a la palabra «hermético», que significa oculto o inaccesible. Va muy bien con la manera en que Hermes nos mantiene a los dos, ocultos el uno al otro.

Con esto he presentado al mensajero. Obedece, como es natural, a su nombre, y es, en general, bastante bien educado.

Volvamos a la filosofía. Ya hemos concluido la primera parte; es decir, la filosofía de la naturaleza, la ruptura con la concepción mítica del mundo. Ahora vamos a conocer a los tres filósofos más grandes de la Antigüedad. Se llaman Sócrates, Platón y Aristóteles. Estos tres filósofos dejaron, cada uno a su manera, sus huellas en la civilización europea.

A los filósofos de la naturaleza se les llama a menudo

«presocráticos», porque vivieron antes de Sócrates. Es verdad que Demócrito murió un par de años después que Sócrates, pero su manera de pensar pertenece a la filosofía de la naturaleza presocrática. Además no marcamos únicamente una separación temporal con Sócrates, también nos vamos a trasladar un poco geográficamente, ya que Sócrates es el primer filósofo nacido en Atenas, y tanto él como sus dos sucesores vivieron y actuaron en Atenas. Quizás recuerdes que también Anaxágoras vivió durante algún tiempo en esa ciudad, pero fue expulsado por decir que el sol era una esfera de fuego. (Tampoco le fue mejor a Sócrates.)

Desde los tiempos de Sócrates, la vida cultural griega se concentró en Atenas. Pero aún es más importante tener en cuenta que el mismo proyecto filosófico cambia de características al pasar de los filósofos de la naturaleza a Sócrates.

¡Se levanta el telón, Sofía! La historia del pensamiento es como un drama en muchos actos.

El hombre en el centro

Desde aproximadamente el año 450 a. de C., Atenas se convirtió en el centro cultural del mundo griego. Y también la filosofía tomó un nuevo rumbo.

Los filósofos de la naturaleza fueron ante todo investigadores de la naturaleza. Por ello ocupan también un importante lugar en la historia de la ciencia. En Atenas, el interés comenzó a centrarse en el ser humano y en el lugar de éste en la sociedad.

En Atenas se iba desarrollando una democracia con asamblea popular y tribunales de justicia. Una condición previa de la democracia era que el pueblo recibiera la enseñanza necesaria para poder participar en el proceso de democratización. También en nuestros días sabemos que una joven democracia requiere que el pueblo reciba una buena enseñanza. En Atenas, por lo tanto, era muy importante dominar, sobre todo, el arte de la retórica.

Desde las colonias griegas, pronto acudió a Atenas un gran grupo de profesores y filósofos errantes. Éstos se llamaban a sí mismos *sofistas*. La palabra «sofista» significa persona sabia o hábil. En Atenas los sofistas vivían de enseñar a los ciudadanos.

Los sofistas tenían un importante rasgo en común con los filósofos de la naturaleza: el adoptar una postura crítica ante los mitos tradicionales. Pero, al mismo tiempo, los sofistas rechazaron lo que entendían como especulaciones filosóficas inútiles. Opinaban que, aunque quizás existiera una respuesta a las preguntas filosóficas, los seres humanos no serían capaces de encontrar respuestas seguras a los misterios de la naturaleza y del universo. Ese punto de vista se llama *escepticismo* en filosofía.

Pero aunque no seamos capaces de encontrar la respuesta a todos los enigmas de la naturaleza, sabemos que somos seres humanos obligados a convivir en sociedad. Los sofistas optaron por interesarse por el ser humano y por su lugar en la sociedad.

«El hombre es la medida de todas las cosas», decía el sofista *Protágoras* (aprox. 487-420 a. de C.), con lo que quería decir que siempre hay que valorar lo que es bueno o malo, correcto o equivocado, en relación con las necesidades del hombre. Cuando le preguntaron si creía en los dioses griegos, contestó que «el asunto es complicado y la vida humana es breve». A los que, como él, no saben pronunciarse con seguridad sobre la pregunta de si existe o no un dios, los llamamos *agnósticos*.

Los sofistas viajaron mucho por el mundo, y habían visto muchos regímenes distintos. Podían variar mucho, de un lugar a otro, las costumbres y las leyes de los Estados. De ese modo, los sofistas crearon un debate en Atenas sobre qué era lo que estaba *determinado por la naturaleza* y qué *creado por la sociedad*. Así pusieron los cimientos de una crítica social en la ciudad-estado de Atenas.

Señalaron, por ejemplo, que expresiones tales como «pudor natural» no siempre concordaban con la realidad. Porque si es natural tener pudor, tiene que ser algo innato. ¿Pero es innato, Sofía, o es un sentimiento creado por la sociedad? A una persona que ha viajado por el mundo, la respuesta le resulta fácil: no es natural o innato tener miedo a mostrarse desnudo. El pudor, o la falta de pudor, está relacionado con las costumbres de la sociedad.

Como podrás entender, los sofistas errantes crearon amargos debates en la sociedad ateniense, señalando que no había «normas absolutas» sobre lo que es correcto o erróneo. Sócrates, por otra parte, intentó mostrar que sí existen algunas normas absolutas y universales.

¿Quién era Sócrates?

Sócrates (470-399 a. de C.) es quizás el personaje más enigmático de toda la historia de la filosofía. No escribió nada en absoluto. Y sin embargo, es uno de los filósofos que más influencia ha ejercido sobre el pensamiento europeo. Esto se debe en parte a su dramática muerte.

Sabemos que nació en Atenas y que pasó la mayor parte de su vida por calles y plazas conversando con la gente con la que se topaba. Los árboles en el campo no me pueden enseñar nada, decía. A menudo se quedaba inmóvil, de pie, en profunda meditación durante horas.

Ya en vida fue considerado una persona enigmática y, al poco tiempo de morir, como el artífice de una serie de distintas corrientes filosóficas. Precisamente porque era tan enigmático y ambiguo, podía ser utilizado en provecho de corrientes completamente diferentes.

Lo que es seguro es que era feo de remate. Era bajito y gordo, con ojos saltones y nariz respingona. Pero interiormente era, se decía, «maravilloso». También se decía de él: «Se puede buscar y rebuscar en su propia época, se puede buscar y rebuscar en el pasado, pero nunca se encontrará a nadie como él». Y, sin embargo, fue condenado a muerte por su actividad filosófica.

La vida de Sócrates se conoce sobre todo a través de Platón, que fue su alumno y que, por otra parte, sería uno de los filósofos más grandes de la historia. Platón escribió muchos *diálogos* —o conversaciones filosóficas— en los que utilizaba a Sócrates como portavoz.

No podemos estar completamente seguros de que las palabras que Platón pone en boca de Sócrates fueran verdaderamente pronunciadas por Sócrates, y, por ello, resulta un poco difícil separar entre lo que era la doctrina de Sócrates y las palabras del propio Platón. Este problema también surge con otros personajes históricos que no dejaron ninguna fuente escrita. El ejemplo más conocido de esto es, sin duda, Jesucristo. No podemos estar seguros de que el «Jesús histórico» dijera verdaderamente lo que ponen en su boca Mateo o Lucas. Lo mismo pasa también con lo que dijo el «Sócrates histórico».

Sin embargo, no es tan importante saber quién era Sócrates verdaderamente. Es, ante todo, la imagen que nos proporciona Platón de Sócrates la que ha inspirado a los pensadores de Occidente durante casi 2.500 años.

El arte de conversar

La propia esencia de la actividad de Sócrates es que su objetivo no era enseñar a la gente. Daba más bien la impresión de que aprendía de las personas con las que hablaba. De modo que no enseñaba como cualquier maestro de escuela. No, no, él *conversaba*.

Está claro que no se habría convertido en un famoso filósofo si sólo hubiera escuchado a los demás. Y tampoco le habrían condenado a muerte, claro está. Pero, sobre todo, al principio solía simplemente hacer preguntas, dando a entender que no sabía nada. En el transcurso de la conversación, solía conseguir que su interlocutor viera los fallos de su propio razonamiento. Y entonces, podía suceder que el otro se viera acorralado y, al final, tuviera que darse cuenta de lo que era bueno y lo que era malo.

Se dice que la madre de Sócrates era comadrona, y Sócrates comparaba su propia actividad con la del «arte de parir» de la comadrona. No es la comadrona la que *pare* al niño. Simplemente está presente para ayudar durante el parto. Así, Sócrates consideraba su misión ayudar a las personas a «parir» la debida comprensión. Porque el verdadero conocimiento tiene que salir del interior de cada uno. No puede ser impuesto por otros. Sólo el conocimiento que llega desde dentro es el verdadero conocimiento.

Puntualizo: la capacidad de parir hijos es una facultad natural. De la misma manera, todas las personas pueden llegar a entender las verdades filosóficas cuando utilizan su razón. Cuando una persona «entra en juicio», recoge algo de ella misma.

Precisamente haciéndose el ignorante, Sócrates obligaba a la gente con la que se topaba a utilizar su sentido común. Sócrates se hacía el ignorante, es decir, aparentaba ser más tonto de lo que era. Esto lo llamamos *ironía socrática*. De esa manera, podía constantemente señalar los puntos débiles de la manera de pensar de los atenienses. Esto solía suceder en plazas públicas. Un encuentro con Sócrates podía significar quedar en ridículo ante un gran público.

Por lo tanto, no es de extrañar que Sócrates, a la larga, pudiera resultar molesto e irritante, sobre todo para los que sostenían los poderes de la sociedad. «Atenas es como un caballo apático», decía Sócrates, «y yo soy un moscardón que intenta despertarlo y mantenerlo vivo». (¿Qué se hace con un moscardón, Sofía? ¿Me lo puedes decir?)

Una voz divina

No era con intención de torturar a su prójimo por lo que Sócrates les incordiaba continuamente. Había algo dentro de él que no le dejaba elección. Él solía decir que tenía una «voz divina» en su interior. Sócrates protestaba, por ejemplo, contra tener que participar en condenar a alguien a muerte. Además, se negaba a delatar a adversarios políticos. Esto le costaría, al final, la vida.

En 399 a. de C. fue acusado de «introducir nuevos dioses» y de «llevar a la juventud por caminos equivocados». Por una escasa mayoría, fue declarado culpable por un jurado de 500 miembros.

Seguramente podría haber suplicado clemencia. Al menos, podría haber salvado el pellejo si hubiera accedido a abandonar Atenas. Pero si lo hubiera hecho, no habría sido Sócrates. El caso es que valoraba su propia conciencia —y la verdad— más que su propia vida. Aseguró que había actuado por el bien del Estado. Y, sin embargo, lo condenaron a muerte. Poco tiempo después, vació la copa de veneno en presencia de sus amigos más íntimos. Luego cayó muerto al suelo.

¿Por qué, Sofía? ¿Por qué tuvo que morir Sócrates? Esta pregunta ha sido planteada por los seres humanos durante 2.400 años. Pero él no es la única persona en la historia que ha ido hasta el final, muriendo por su convicción. Ya mencioné a Jesús, y en realidad existen más puntos comunes entre Jesús y Sócrates. Mencionaré algunos.

Tanto Jesús como Sócrates eran considerados personas enigmáticas por sus contemporáneos. Ninguno de los dos escribió su mensaje, lo que significa que dependemos totalmente de la imagen que de ellos dejaron sus discípulos. Lo que está por encima de cualquier duda, es que los dos eran maestros en el arte de conversar. Además, hablaban con una autosuficiencia que fascinaba e irritaba. Y los dos pensaban que hablaban en nombre de algo mucho mayor que ellos mismos. Desafiaron a los poderosos de la sociedad, criticando toda clase de injusticia y abuso de poder. Y finalmente: esta actividad les costaría la vida.

También en lo que se refiere a los juicios contra Jesús y Sócrates, vemos varios puntos comunes. Los dos podrían haber suplicado clemencia y haber salvado, así, la vida. Pero pensaban que tenían una vocación que habrían traicionado si no hubieran ido hasta el final. Precisamente yendo a la muerte con la cabeza erguida, reunirían a miles de partidarios también después de su muerte.

Aunque hago esta comparación entre Jesús y Sócrates, no digo que fueran iguales. Lo que he querido decir, ante todo, es que los dos tenían un mensaje que no puede ser separado de su coraje personal.

Un comodín en Atenas

¡Sócrates, Sofía! No hemos acabado del todo con él, ¿sabes? Hemos dicho algo sobre su método. ¿Pero cuál fue su proyecto filosófico?

Sócrates vivió en el mismo tiempo que los sofistas. Como ellos, se interesó más por el ser humano y por su vida que por los problemas de los filósofos de la naturaleza. Un filósofo romano —Cicerón— diría, unos siglos más tarde, que Sócrates «hizo que la filosofía bajara del cielo a la tierra, y la dejó morar en las ciudades y la introdujo en las casas, obligando a los seres humanos a pensar en la vida, en las costumbres, en el bien y en el mal».

Pero Sócrates también se distinguía de los sofistas en un punto importante. Él no se consideraba sofista, es decir, una persona sabia o instruida. Al contrario que los sofistas, no cobraba dinero por su enseñanza. Sócrates se llamaba «filósofo», en el verdadero sentido de la palabra. «Filósofo» significa en realidad «uno que busca conseguir sabiduría».

¿Estás cómoda, Sofía? Para el resto del curso de filosofía, es muy importante que entiendas la diferencia entre un «sofista» y un «filósofo». Los sofistas cobraban por sus explicaciones más o menos sutiles, y esos sofistas han ido apareciendo y desapareciendo a través de toda la historia. Me refiero a todos esos maestros de escuela y sabelotodos que, o están muy contentos con lo poco que saben, o presumen de saber un montón de cosas de las que en realidad no tienen ni idea. Seguramente habrás conocido a algunos de esos sofistas en tu corta vida. Un *verdadero filósofo*, Sofía, es algo muy distinto, más bien lo contrario. Un filósofo sabe que en realidad sabe muy poco, y, precisamente por eso, intenta una y otra vez conseguir verdaderos conocimientos. Sócrates fue un ser así, un ser raro. Se daba cuenta de que no sabía nada de la vida ni del mundo, o más que eso: le molestaba seriamente saber tan poco.

Un filósofo es, pues, una persona que reconoce que hay un montón de cosas que no entiende. Y eso le molesta. De esa manera es, al fin y al cabo, más sabio que todos aquellos que presumen de saber cosas de las que no saben nada. «La más sabia es la que sabe lo que no sabe», dije. Y Sócrates dijo que sólo sabía una cosa: que no sabía nada. Toma nota de esta afirmación, porque ese reconocimiento es una cosa rara, incluso entre filósofos. Además, puede resultar tan peligroso si lo predicas públicamente que te puede costar la vida. Los que *preguntan*, son siempre los más peligrosos. No resulta igual de peligroso contestar. Una sola pregunta puede contener más pólvora que mil respuestas.

¿Has oído hablar del nuevo traje del emperador? En realidad, el emperador estaba totalmente desnudo, pero ninguno de sus súbditos se atrevió a decírselo. De pronto, hubo un niño que exclamó que el emperador estaba desnudo. Ése era un niño *valiente*, Sofía. De la misma manera, Sócrates se atrevió a decir lo poco que sabemos los seres humanos. Ya señalamos antes el parecido que hay entre niños y filósofos.

Puntualizo: la humanidad se encuentra ante una serie de preguntas importantes a las que no encontramos fácilmente buenas respuestas. Ahora se ofrecen dos posibilidades: podemos engañarnos a nosotros mismos y al resto del mundo, fingiendo que sabemos todo lo que merece la pena saber, o podemos cerrar los ojos a las preguntas primordiales y renunciar, de una vez por todas, a conseguir más conocimientos. De esta manera, la humanidad se divide en dos partes. Por regla general, las personas, o están segurísimas de todo, o se muestran indiferentes. (¡Las dos clases gatean muy abajo en la piel del conejo!) Es como cuando divides una baraja en dos, mi querida Sofía. Se meten las cartas rojas en un montón, y las negras en otro. Pero, de vez en cuando, sale de la baraja un comodín, una carta que no es ni trébol, ni corazón, ni rombo, ni pica. Sócrates fue un comodín de esas características en Atenas. No estaba ni segurísimo, ni se mostraba indiferente. Solamente sabía que no sabía nada, y eso le inquietaba. De modo que se hace filósofo el que incansablemente busca conseguir conocimientos ciertos.

Se cuenta que un ateniense preguntó al oráculo de Delfos quién era el ser más sabio de Atenas. El oráculo contestó que era Sócrates. Cuando Sócrates se enteró, se extrañó muchísimo. (¡Creo que se echó a reír, Sofía!) Se fue en seguida a la ciudad a ver a uno que, en opinión propia, y en la de muchos otros, era muy sabio. Pero cuando resultó que ese hombre no era capaz de dar ninguna respuesta cierta a las preguntas que Sócrates le hacía, éste entendió al final que el oráculo tenía razón.

Para Sócrates era muy importante encontrar una base segura para nuestro conocimiento. Él pensaba que esta base se encontraba en la razón del hombre. Con su fuerte fe en la razón del ser humano, era un típico *racionalista*.

Un conocimiento correcto conduce a acciones correctas

Ya mencioné que Sócrates pensaba que tenía por dentro una voz divina y que esa «conciencia» le decía lo que estaba bien. «Quien sepa lo que es bueno, también hará el bien», decía. Quería decir que conocimientos correctos conducen a acciones correctas. Y sólo el que hace esto se convierte en un «ser correcto». Cuando actuamos mal es porque desconocemos otra cosa. Por eso es tan importante que aumentemos nuestros conocimientos. Sócrates estaba precisamente buscando definiciones claras y universales de lo que estaba bien y de lo que estaba mal. Al contrario que los sofistas, él pensaba que la capacidad de distinguir entre lo que está bien y lo que está mal se encuentra en la razón, y no en la sociedad.

Quizás esto último te resulte un poco difícil de digerir, Sofía. Empiezo de nuevo: Sócrates pensaba que era imposible ser feliz si uno actúa en contra de sus convicciones. Y el que sepa cómo se llega a ser un hombre feliz, intentará serlo. Por ello, quien sabe lo que está bien, también hará el bien, pues ninguna persona querrá ser infeliz, ¿no?

¿Tú qué crees, Sofía? ¿Podrás vivir feliz si constantemente haces cosas que en el fondo sabes que no están bien? Hay muchos que constantemente mienten, y roban, y hablan mal de los demás. ¡De acuerdo! Seguramente saben que eso no está bien, o que no es justo, si prefieres. ¿Pero crees que eso les hace felices?

Sócrates no pensaba así.

Cuando Sofía hubo leído la carta sobre Sócrates, la metió en la caja y salió al jardín. Quería meterse en casa antes de que su madre volviera de la compra, para evitar un montón de preguntas sobre dónde había estado. Además, había prometido fregar los platos.

Estaba llenando de agua la pila cuando entró su madre con dos bolsas de compra. Quizás por eso dijo:

—Pareces estar un poco en la luna últimamente, Sofía.

Sofía no sabía por qué lo decía, simplemente se le escapó:

—Sócrates también lo estaba.

—¿Sócrates?

La madre abrió los ojos de par en par.

—Es una pena que tuviera que pagar con su vida por ello —prosiguió Sofía muy pensativa.

—¡Pero Sofía! ¡Ya no sé qué decir!

—Tampoco lo sabía Sócrates. Lo único que sabía era que no sabía nada en absoluto. Y, sin embargo, era la persona más sabia de Atenas.

La madre estaba atónita. Al final dijo:

—¿Es algo que has aprendido en el instituto?

Sofía negó enérgicamente con la cabeza.

—Allí no aprendemos nada... La gran diferencia entre un maestro de escuela y un auténtico filósofo es que el maestro cree que sabe un montón e intenta obligar a los alumnos a aprender. Un filósofo intenta averiguar las cosas junto con los alumnos.

—De modo que estamos hablando de conejos blancos... Sabes una cosa, pronto exigiré que me digas quién es ese novio tuyo. Si no, empezaré a pensar que está un poco tocado.

Sofía se volvió y señaló a su madre con el cepillo de fregar.

—No es él el que está tocado. Pero es un moscardón que estorba a los demás. Lo hace para sacarles de su manera rutinaria de pensar.

—Bueno, déjalo ya. A mí me parece que debe de ser un poco respondón.

—No es ni respondón ni sabio. Pero intenta conseguir verdadera sabiduría. Ésa es la diferencia entre un auténtico comodín y todas las demás cartas de la baraja.

—¿Comodín, has dicho?

Sofía asintió.

—¿Se te ha ocurrido que hay muchos corazones y muchos rombos en una baraja? También hay muchos tréboles y picas. Pero sólo hay un comodín.

—Cómo contestas, hija mía.

—Y tú, cómo preguntas.

La madre había colocado toda la compra. Cogió el periódico y se fue a la sala de estar. A Sofía le pareció que había cerrado la puerta dando un portazo.

Cuando hubo terminado de fregar los cacharros, subió a su habitación. Había metido el pañuelo de seda roja en la parte de arriba de su armario, junto al lego. Ahora lo volvió a bajar y lo miró detenidamente.

Atenas

...de las ruinas se levantaron varios edificios...

Aquella tarde, la madre de Sofía se fue a visitar a una amiga. En cuanto hubo salido de la casa, Sofía bajó al jardín y se metió en el Callejón, dentro del viejo seto. Allí encontró un paquete grande junto a la caja de galletas. Se apresuró a quitar el papel. ¡En el paquete había una cinta de vídeo!

Entró corriendo en casa. ¡Una cinta de vídeo! Eso sí que era algo nuevo. ¿Pero cómo podía saber el filósofo que tenían un vídeo? ¿Y qué habría en esa cinta?

Sofía metió la cinta en el aparato, y pronto apareció en la pantalla una gran ciudad. No tardó mucho en comprender que se trataba de Atenas, porque la imagen pronto se centró en la Acrópolis. Sofía había visto muchas fotos de las viejas ruinas.

Era una imagen viva. Entre las ruinas de los templos se movían montones de turistas con ropa ligera y cámaras colgadas del cuello. ¿Y no había alguien con un cartel? ¡Allí volvía a aparecer! ¿No ponía «Hilde»?

Al cabo de un rato, apareció un primer plano de un señor de mediana edad. Era bastante bajito, tenía una barba bien cuidada, y llevaba una boina azul. Miró a la cámara y dijo:

—Bienvenida a Atenas, Sofía. Seguramente te habrás dado cuenta de que soy Alberto Knox. Si no ha sido así, sólo repito que se sigue sacando al gran conejo blanco del negro sombrero de copa del universo. Nos encontramos en la Acrópolis. La palabra significa «el castillo de la ciudad» o, en realidad, «la ciudad sobre la colina». En esta colina ha vivido gente desde la Edad de Piedra. La razón es, naturalmente, su ubicación tan especial. Era fácil defender este lugar en alto del enemigo. Desde la Acrópolis se tenía, además, buena vista sobre uno de los mejores puertos del Mediterráneo. Conforme Atenas iba creciendo abajo, sobre la llanura, la Acrópolis se iba utilizando como castillo y recinto de templos. En la primera mitad del siglo V a. de C., se libró una cruenta guerra contra los persas, y en el año 480, el rey persa, Jerjes, saqueó Atenas y quemó todos los viejos edificios de madera de la Acrópolis. Al año siguiente, los persas fueron vencidos, y comenzó la Edad de Oro de Atenas, Sofía. La Acrópolis volvió a construirse, más soberbia y más hermosa que nunca, y ya desde entonces únicamente como recinto de templos. Fue justamente en esa época cuando Sócrates anduvo por calles y plazas, conversando con los atenienses. Así, pudo seguir la reconstrucción de la Acrópolis y la construcción de todos esos maravillosos edificios que vemos aquí. ¡Fíjate qué lugar de obras tuvo que ser! Detrás de mí puedes ver el templo más grande. Se llama Partenón, o «Morada de la Virgen», y fue levantado en honor a Atenea, que era la diosa patrona de Atenas. Este gran edificio de mármol no tiene una sola línea recta, pues los cuatro lados tienen todos una suave curvatura. Se hizo así para dar más vida al edificio. Aunque tiene unas dimensiones enormes, no resulta pesado a la vista, debido, como puedes ver, a un engaño óptico. También las columnas se inclinan suavemente hacia dentro, y habrían formado una pirámide de mil quinientos metros si hubieran sido tan altas como para encontrarse en un punto muy por encima del templo. Lo único que había dentro del templo era una estatua de Atenea de doce metros de altura. Debo añadir que el mármol blanco, que estaba pintado de varios colores vivos, se transportaba desde una montaña a dieciséis kilómetros de distancia...

Sofía tenía el corazón en la boca. ¿De verdad era su profesor de filosofía el que le hablaba desde la cinta de vídeo? Sólo había podido vislumbrar su silueta una vez en la oscuridad, pero podía muy bien tratarse del mismo hombre que ahora estaba en la Acrópolis.

El hombre comenzó a andar por el lateral del templo y la cámara le seguía. Finalmente se acercó al borde de la roca y señaló hacia el paisaje. La cámara enfocó un viejo anfiteatro situado por debajo de la propia meseta de la Acrópolis.

—Aquí ves el antiguo teatro de Dionisos —prosiguió el hombre de la boina—. Se trata probablemente del teatro más antiguo de Europa. Aquí se representaron las obras de los grandes autores de tragedias Esquilo, Sófocles y Eurípides, precisamente en la época de Sócrates. Ya mencioné la tragedia sobre el desdichado rey Edipo. Pues esa tragedia se representó por primera vez aquí. También hacían comedias. El autor de comedias más famoso fue Aristófanes, que, entre otras cosas, escribió una comedia maliciosa sobre el estrafalario Sócrates. En la parte de atrás puedes ver la pared de piedra que servía de fondo a los actores. Esa pared se llamaba *skené* y ha prestado su nombre a nuestra palabra «escena». Por cierto, la palabra *teatro* proviene de una antigua palabra griega que significaba «mirar». Pero pronto volveremos a los filósofos, Sofía. Demos la vuelta al Partenón y bajemos por la parte de la fachada.

El hombrecillo rodeó el gran templo y a su derecha se veían algunos templos más pequeños. Luego bajó unas escaleras entre altas columnas. Desde la meseta de la Acrópolis subió a un pequeño monte y señaló hacia Atenas.

—El monte sobre el que nos encontramos se llama Areópago. Aquí era donde el tribunal supremo de Atenas pronunciaba sus sentencias en casos de asesinato. Muchos siglos más tarde, el apóstol Pablo estuvo aquí hablando de Jesucristo y del cristianismo a los atenienses. Pero a ese discurso ya volveremos más adelante. Abajo, a la izquierda, puedes ver las ruinas de la antigua plaza de Atenas. Excepto el gran templo del dios herrero, Hefesto, sólo quedan ya bloques de mármol. Bajemos...

Al instante, volvió a aparecer entre las viejas ruinas. Arriba, en la parte superior de la pantalla de Sofía, se erguía el templo de Atenea sobre la Acrópolis. El profesor de filosofía se había sentado sobre un bloque de mármol. Miró a la cámara y dijo:

—Estamos sentados en las afueras de la antigua plaza de Atenas. ¿Triste, verdad? Me refiero a cómo está hoy. Pero aquí hubo, en alguna época, maravillosos templos, palacios de justicia y otros edificios públicos, comercios, una sala de conciertos e incluso un gran gimnasio. Todo, alrededor de la propia plaza, que era un gran rectángulo... En este pequeño recinto, se pusieron los cimientos de toda la civilización europea. Palabras como «política» y «democracia», «economía» e «historia», «biología» y «física», «matemáticas» y «lógica», «teología» y «filosofía», «ética» y «psicología», «teoría» y «método», «idea» y «sistema», y muchas, muchas más, proceden de un pequeño pueblo que vivía en torno a esta plaza. Por aquí anduvo Sócrates hablando con la gente. Quizás agarrara a algún esclavo que llevaba un cuenco de aceitunas para hacerle, al pobre hombre, preguntas filosóficas. Porque Sócrates opinaba que un esclavo tenía la misma capacidad de razonar que un noble. Tal vez se encontrara en una vehemente disputa con algún ciudadano, o conversara, en voz baja, con su discípulo Platón. Resulta curioso, ¿verdad? Hablamos todavía de filosofía «socrática» o filosofía «platónica», pero es muy distinto ser Platón o Sócrates.

Claro que le resultaba curioso a Sofía. Pero le parecía, no obstante, igual de curioso que el filósofo le hablara así, de repente, a través de una cinta de vídeo que había sido llevada a su lugar secreto del jardín por un misterioso perro.

El filósofo se levantó del bloque de mármol y dijo en voz muy baja:

—Inicialmente, había pensado dejarlo aquí, Sofía. Quise mostrarte la Acrópolis y las ruinas de la antigua plaza de

Atenas. Pero aún no sé si has entendido lo grandiosos que fueron en la Antigüedad los alrededores de este lugar... de modo que siento la tentación... de continuar un poco más. Naturalmente, es del todo inédito, pero confío en que esto quede entre tú y yo. Bueno, de todas formas, bastará con un rápido vistazo.

No dijo nada más, y se quedó mirando fijamente a la cámara durante un buen rato. A continuación, apareció en la pantalla una imagen totalmente distinta. De las ruinas se levantaron varios edificios altos. Como por arte de magia, se habían vuelto a reconstruir todas las ruinas. Sobre el horizonte se veía todavía la Acrópolis, pero ahora, tanto la Acrópolis como los edificios de abajo, en la plaza, eran completamente nuevos. Estaban cubiertos de oro, y pintados con colores fuertes. Por la gran plaza se paseaban personas vestidas con túnicas pintorescas. Algunos llevaban espadas, otros llevaban jarras en la cabeza, y uno de ellos llevaba un rollo de papiro bajo el brazo.

Ahora Sofía reconoció al profesor de filosofía. Seguía con su boina azul, pero en estos momentos vestía una túnica amarilla, como las demás personas de la imagen. Fue hacia Sofía, miró a la cámara y dijo:

—Ya ves, Sofía. Estamos en la Atenas de la Antigüedad. Quería que tú también vinieras, ¿sabes? Estamos en el año 402 a. de C., solamente tres años antes de la muerte de Sócrates. Espero que aprecies esta visita tan exclusiva, pues no creas que fue fácil alquilar una videocámara.

Sofía se sentía aturdida. ¿Cómo podía ese hombre misterioso estar, de repente, en la Atenas de hace 2.400 años? ¿Cómo era posible ver una grabación en vídeo de otra época? Naturalmente, Sofía sabía que no había vídeo en la Antigüedad. ¿Podría estar viendo un largometraje? Pero todos los edificios de mármol parecían tan auténticos... Tener que reconstruir toda la antigua plaza de Atenas y toda la Acrópolis sólo para una película resultaría carísimo. Y sería un precio demasiado alto sólo para que Sofía aprendiera algo sobre Atenas.

El hombre de la boina la volvió a mirar.

—¿Ves a aquellos dos hombres bajo las arcadas?

Sofía vio a un hombre mayor, con una túnica algo andrajosa. Tenía una barba larga y desarreglada, nariz chata, un par de penetrantes ojos azules y mofletes. A su lado, había un hombre joven y hermoso.

—Son Sócrates y su joven discípulo Platón. ¿Lo entiendes, Sofía? Verás, ahora los conocerás personalmente.

El profesor de filosofía se acercó a los dos hombres que estaban de pie bajo un alto tejado. Levantó la boina y dijo algo que Sofía no entendió. Seguramente era en griego. Pero, al cabo de un instante, miró directamente a la cámara de nuevo y dijo:

—Les he contado que eres noruega y que tienes muchas ganas de conocerlos. Ahora Platón te hará algunas preguntas para que las medites. Pero tenemos que hacerlo antes de que los vigilantes nos descubran.

Sofía notó una presión en las sienes, pues ahora se acercaba el joven y miraba directamente a la cámara.

—Bienvenida a Atenas, Sofía —dijo con voz suave. Hablaba con mucho acento—. Me llamo Platón, y te voy a proponer cuatro ejercicios: lo primero, debes pensar en cómo un pastelero puede hacer cincuenta pastas completamente iguales. Luego, puedes preguntarte a ti misma por qué todos los caballos son iguales. Y también debes pensar en si el alma de los seres humanos es inmortal. Finalmente, tendrás que decir si los hombres y las mujeres tienen la misma capacidad de razonar. ¡Suerte!

De repente, había desaparecido la imagen de la pantalla. Sofía intentó adelantar y rebobinar la cinta, pero había visto todo lo que contenía.

Sofía procuraba concentrarse y pensar. Pero en cuanto empezaba a pensar en una cosa, le daba por pensar en otra totalmente diferente, mucho antes de haber acabado de desarrollar el primer pensamiento.

Hacía tiempo que sabía que el profesor de filosofía era un hombre muy original. Pero a Sofía le parecía que se pasaba con esos métodos de enseñanza que infringían incluso las leyes de la naturaleza.

¿Eran verdaderamente Sócrates y Platón los que había visto en la pantalla? Claro que no, eso era completamente imposible. Pero tampoco habían sido dibujos animados lo que había visto.

Sofía sacó la cinta del aparato y se la llevó arriba, a su habitación. Allí la metió en el armario, con todas las piezas del lego. Pronto se tumbó rendida en la cama, y se durmió.

Unas horas más tarde, su madre entró en la habitación. La sacudió suavemente y dijo:

—Pero Sofía, ¿qué te pasa?

—¿Eh...?

—¿Te has acostado vestida?

Sofía abrió los ojos a duras penas.

—He estado en Atenas —dijo.

Y no dijo nada más; se dio la vuelta y continuó durmiendo.

Platón

...una añoranza de regresar a la verdadera morada del alma...

A la mañana siguiente, Sofía se despertó de golpe. Sólo eran poco más de las cinco, pero se sentía tan despejada que se sentó en la cama.

¿Por qué llevaba el vestido puesto? De repente, recordó todo. Sofía se subió a un escabel y miró el estante superior del armario. Pues sí, allí estaba la cinta de vídeo. Entonces, no había sido un sueño; al menos, no todo.

¡Pero no podía haber visto a Platón y a Sócrates! Bah, ya no tenía ganas de pensar más en ello. Quizás su madre tuviera razón en que estaba un poco ida últimamente.

No consiguió volverse a dormir. Quizás debería bajar al Callejón, a ver si el perro había dejado otra carta.

Sofía bajó la escalera de puntillas, se puso las zapatillas de deporte, y salió al jardín.

Todo estaba maravillosamente luminoso y tranquilo. Los pajarillos cantaban con tanta energía que Sofía estuvo a punto de echarse a reír. Por la hierba se deslizaban las minúsculas gotas de cristal del rocío de la mañana.

Un vez más se le ocurrió pensar que el mundo era un increíble milagro.

Se notaba humedad dentro del viejo seto. Sofía no vio ningún sobre nuevo del filósofo, pero, de todos modos, secó un tocón muy grande y se sentó.

Se acordó de que el Platón del vídeo le había dado unos ejercicios. Primero, algo sobre cómo un pastelero era capaz de hacer cincuenta pastas totalmente iguales.

Sofía tuvo que pensarlo mucho, porque le parecía una

verdadera hazaña poder hacer cincuenta pastas iguales. Cuando su madre, alguna que otra vez, hacía una bandeja de rosquillas berlinesas, ninguna salía completamente idéntica a otra. Claro, que no era una pastelera profesional, pues a veces lo hacía sin mucha dedicación. Pero tampoco las pastas que compraban en la tienda eran totalmente iguales entre sí. Cada pasta había sido formada por las manos del pastelero, ¿no?

De pronto, se dibujó en la cara de Sofía una astuta sonrisa. Se acordó de una vez en que ella y su padre habían ido al centro, mientras la madre se había quedado en casa, haciendo pastas de navidad. Cuando volvieron, se encontraron con un montón de pastas a la pimienta, con forma de hombrecitos, extendidas por toda la mesa de la cocina. Aunque no eran todas igual de perfectas, sí que eran de alguna manera, totalmente iguales. ¿Y por qué? Naturalmente, porque la madre había utilizado el mismo «molde» para todas las pastas.

Tan satisfecha se sintió Sofía de haberse acordado de las pastas a la pimienta que dio por acabado el primer ejercicio. Cuando un pastelero hace cincuenta pastas completamente iguales es porque utiliza el mismo molde para todas. ¡Y ya está!

Luego, el Platón del vídeo había mirado directamente a la cámara, y había preguntado por qué todos los caballos son iguales. Pero eso no era verdad. Sofía diría más bien lo contrario, que no había ningún caballo totalmente idéntico a otro, de la misma manera que no había dos personas completamente iguales.

Estuvo a punto de renunciar a solucionar ese ejercicio, pero, de pronto, se acordó de cómo había razonado con las pastas a la pimienta. Al fin y al cabo, tampoco las pastas eran totalmente iguales, algunas eran más gorditas que otras, otras estaban rotas. Y, sin embargo, para todo el mundo estaba claro que, de alguna manera, eran «totalmente iguales».

Quizás la intención de Platón era preguntar por qué un

caballo era un caballo, y no algo entre caballo y cerdo. Porque aunque algunos caballos fueran pardos como los osos, y otros blancos como los corderos, todos tenían algo en común. Sofía no había visto jamás, por ejemplo, un caballo con seis u ocho patas.

¿Pero no habría querido decir Platón que lo que hace a todos los caballos idénticos es que han sido formados con el mismo molde?

Luego, Platón había hecho una pregunta muy importante y muy difícil. ¿Tiene el ser humano un alma inmortal? Sofía no se sentía capacitada para contestar a esa pregunta. Sólo sabía que el cuerpo muerto era incinerado o enterrado, y que así no podía tener ningún futuro. Si uno opinaba que el ser humano tenía un alma inmortal, también tenía que pensar que el ser humano está compuesto por dos partes totalmente distintas: un cuerpo, que al cabo de algunos años se agota y se destruye, y un alma, que opera más o menos independientemente del cuerpo. La abuela había dicho una vez que era sólo el cuerpo el que envejecía. Interiormente, había sido siempre la misma muchacha.

Lo de «muchacha» condujo a Sofía a la última pregunta. ¿Los hombres y las mujeres tienen la misma capacidad de razonar? No estaba ella muy segura. Dependía de lo que Platón quisiera decir con «razonar».

De pronto, se acordó de algo que había dicho el profesor de filosofía sobre Sócrates. Sócrates había señalado que todos los seres humanos pueden llegar a entender las verdades filosóficas si utilizan su razón. Pensaba, además, que un esclavo tenía la misma capacidad de razonar que un noble para poder solucionar preguntas filosóficas. Sofía estaba convencida de que Sócrates habría dicho que mujeres y hombres tienen la misma capacidad de razonar.

Sentada meditando, oyó de repente ruidos en el seto y alguien que respiraba como una máquina de vapor. Al instante, apareció en el Callejón el perro amarillo. Llevaba un sobre grande en la boca.

—¡Hermes! —exclamó Sofía—. ¡Muchas gracias!

El perro dejó caer el sobre en las rodillas de Sofía, que estiró la mano para acariciarle.

—Hermes, buen perro —dijo.

El perro se tumbó delante de ella y se dejó acariciar. Pero al cabo de unos minutos, se levantó y se dispuso a desaparecer entre el seto, por el mismo camino por el que había llegado. Sofía le siguió con el sobre amarillo en la mano. El perro se giró un par de veces gruñendo, pero Sofía no se dio por vencida. Encontraría al filósofo aunque tuviera que correr hasta Atenas.

El perro apresuró el paso, y pronto se metió por un estrecho sendero. También Sofía aumentó la velocidad, pero cuando había corrido durante un par de minutos, el perro se paró y se puso a ladrar como un perro guardián. Sofía no se dio por vencida todavía y aprovechó la oportunidad para acercarse aún más.

Hermes siguió a toda prisa por el sendero. Sofía tuvo que reconocer finalmente que no era capaz de alcanzarlo. Durante un largo rato se quedó parada escuchando cómo se alejaba. Al final, todo quedó en silencio.

Sofía se sentó sobre un tocón delante de un pequeño claro en el bosque. En la mano tenía un sobre grande. Lo abrió, sacó varias hojas escritas a máquina, y empezó a leer.

La Academia de Platón

¡Qué bien lo pasamos juntos, Sofía! En Atenas, quiero decir. De esa forma, al menos, me he presentado. Como también te presenté a Platón, podemos ir directamente al grano.

Platón (427-347 a. de C.) tenía 29 años cuando a Sócrates le obligaron a vaciar la copa de veneno. Era discípulo de Sócrates desde hacía mucho tiempo, y siguió el proceso contra éste muy de cerca. El hecho de que Atenas fuera capaz de condenar a muerte a su ciudadano más noble, no sólo le causó una hondísima impresión, sino que decidiría la dirección que tomaría toda su actividad filosófica.

Para Platón, la muerte de Sócrates constituía una clara expresión del contraste que puede haber entre la situación *fáctica* de la sociedad y lo que es *verdadero* o *ideal*. La primera acción de Platón como filósofo fue publicar el discurso de defensa de Sócrates. En el discurso se refiere a lo que Sócrates dijo al gran jurado.

Te acordarás de que el propio Sócrates no escribió nada. Muchos de los filósofos presocráticos sí habían escrito, el problema es que la mayoría de esos escritos se ha perdido. En lo que se refiere a Platón, se cree que se han conservado todas sus obras principales. (Aparte del discurso de defensa de Sócrates, Platón escribió una colección entera de cartas, y treinta y cinco diálogos filosóficos.) El hecho de que estos escritos hayan sido conservados se debe, en gran parte, a que Platón fundó su propia escuela de filosofía fuera de Atenas. La escuela estaba situada en una arboleda que debía su nombre al héroe mitológico griego Academo. Por lo tanto, la escuela de filosofía de Platón adquirió el nombre de Academia. (Desde entonces se han fundado miles de «academias» por todo el mundo. Incluso hoy hablamos de los «académicos» y de «materias académicas».)

En la Academia de Platón se enseñaba filosofía, matemáticas y gimnasia. Aunque «enseñar» no sea, quizás, la palabra adecuada, ya que también en la Academia de

Platón la conversación viva era lo más importante. Por lo tanto, no es una casualidad que el *diálogo* llegara a ser la forma escrita de Platón.

Lo eternamente verdadero, lo eternamente hermoso y lo eternamente bueno

Al principio de este curso de filosofía te dije que, a menudo, resulta muy útil preguntarse a uno mismo cuál es el proyecto de un determinado filósofo. De modo que ahora pregunto: ¿qué era lo que a Platón le interesaba averiguar ante todo?

Resumiendo mucho, podemos decir que a Platón le interesaba la relación entre lo eterno y lo inalterable, por un lado, y lo que fluye, por el otro. (¡Es decir, exactamente igual que a los presocráticos!) Luego dijimos que los sofistas y Sócrates abandonaron las cuestiones de la filosofía de la naturaleza, para interesarse más por el ser humano y la sociedad. Sí, eso es verdad, pero también los sofistas y Sócrates se interesaban, en cierto modo, por la relación entre lo eterno y lo permanente, por un lado, y lo que fluye, por el otro. Se interesaron por esta cuestión en lo que se refiere a la *moral* de los seres humanos, y a los *ideales* o *virtudes* de la sociedad. Muy resumidamente, se puede decir que los sofistas pensaban que la cuestión de lo que es bueno o malo, es algo que cambia de ciudad en ciudad, de generación en generación, es decir que la cuestión sobre lo bueno y lo malo es algo que «fluye». Sócrates no podía aceptar este punto de vista, y opinaba que había unas reglas totalmente básicas y eternas para lo que es bueno y lo que es malo. Mediante nuestra razón podemos, todos los seres humanos, llegar a conocer esas *normas* inmutables, pues precisamente la razón de los seres humanos es algo eterno e inmutable.

¿Me sigues, Sofía? Estamos llegando a Platón. A él le interesa lo que es eterno e inmutable en la naturaleza y lo que es eterno e inmutable en cuanto a la moral y la sociedad. De hecho, para Platón, éstas son una misma cosa. Intenta captar una propia «realidad» eterna e inmutable. Y, a decir verdad, precisamente para eso tenemos a los filósofos. No están para elegir a la chica más guapa del año, ni los tomates más baratos del jueves (razón por la cual no son siempre tan famosos).

Los filósofos suelen fruncir el ceño ante asuntos tan vanos y tan «de actualidad». Intentan señalar lo que es eternamente «verdadero», eternamente «hermoso», y eternamente «bueno».

Con esto tenemos, al menos, una vaga idea del proyecto filosófico de Platón. A partir de ahora, miraremos las cosas una por una. Intentaremos entender un razonamiento que dejó profundas huellas en toda la filosofía europea posterior.

El mundo de las Ideas

Tanto Empédocles como Demócrito habían señalado que todos los fenómenos de la naturaleza fluyen, pero que, sin embargo, tiene que haber «algo» que nunca cambie («las cuatro raíces» o «los átomos»). Platón sigue este planteamiento, pero de una manera muy distinta.

Platón opinaba que *todo* lo que podemos tocar y sentir en la naturaleza fluye. Es decir, según él, no existen unas pocas «materias primarias» que no se disuelven. Absolutamente todo lo que pertenece al *mundo de los sentidos* está formado por una materia que se desgasta con el tiempo. Pero, a la vez, todo está hecho con un «molde» eterno e inmutable.

¿Lo entiendes? Ah, ¿no...?

¿Por qué todos los caballos son iguales, Sofía? A lo mejor piensas que no lo son en absoluto. Pero hay algo que todos los caballos tienen en común, algo que hace que nunca tengamos problemas para distinguir un caballo de cualquier otro animal. El caballo individual «fluye», claro está. Puede ser viejo, cojo, y, con el tiempo, se pondrá enfermo y morirá. Pero el «molde de caballo» es eterno e inmutable.

Esto quiere decir que, para Platón, lo eterno y lo inmutable no es una «materia primaria» física. Lo que es eterno e inmutable son los modelos espirituales o abstractos, a cuya imagen todo está moldeado.

Déjame precisar: los presocráticos habían dado una explicación, más o menos razonable, de los cambios en la naturaleza, sin tener que presumir que algo «cambia» de verdad. En medio del ciclo de la naturaleza, hay algunas partes mínimas que son eternas e inmutables y que no se disuelven, pensaban ellos. ¡Muy bien, Sofía! Digo *muy bien*, pero no podían explicar cómo estas «partes mínimas», que alguna vez habían sido las piezas para construir un caballo, de pronto pueden juntarse para formar un «caballo» completamente nuevo, unos tres o cuatrocientos años más tarde. O formar un elefante, por usar otro ejemplo, o un cocodrilo. Lo que quiere decir Platón es que los átomos de Demócrito nunca pueden llegar a convertirse en un «cocofante» o un «eledrilo». Precisamente, esto fue lo que puso en marcha su reflexión filosófica.

Si ya estás entendiendo lo que quiero decir, puedes saltarte este apartado. Para estar seguro, voy a precisar: tienes una serie de piezas del lego y construyes con ellas un caballo. Luego lo deshaces y vuelves a meter las piezas en una caja. No puedes esperar que surja un caballo completamente nuevo con sólo sacudir la caja que contiene las piezas. ¡Cómo iban a poder las piezas arreglárselas por su cuenta para volver a convertirse en caballo! No, eres *tú* la que tienes que volver a construir el caballo, Sofía. Y lo logras gracias a una imagen que tienes en tu cabeza del aspecto del caballo. Es decir: el caballo de lego está moldeado según un modelo que queda inalterado de caballo en caballo.

¿Solucionaste lo de las cincuenta pastas idénticas? Supongamos que caes al mundo desde el espacio y que jamás has visto una pastelería. De repente, te topas con una de aspecto tentador, y ves, sobre un mostrador, cincuenta pastas idénticas. Supongo que te habrías roto la cabeza, preguntándote cómo era posible que fueran todas idénticas. Sin embargo puede ser que alguna de ellas careciera de algo que tuvieran las demás. Si eran figuras, puede que a una le faltara un brazo y a otra un trozo de cabeza, y que una tercera tuviera, a lo mejor, un bulto en la tripa. Tras pensarlo detenidamente, llegarías, no obstante, a la conclusión de que todas las pastas tenían un denominador común. Aunque ninguna fuera totalmente perfecta, se te ocurriría pensar que deben de tener un *origen común*. Te darías cuenta de que todas las pastas están hechas con el mismo molde. Y hay más Sofía, hay algo más: ahora tendrás un fuerte deseo de *ver* ese molde. Pues es evidente que el propio molde tiene que ser muchísimo más perfecto y, en cierto modo, más hermoso que ninguna de esas frágiles copias.

Si lograste solucionar este problema por tu cuenta, entonces solucionaste un problema filosófico exactamente de la misma manera que Platón. Como la mayoría de los filósofos, él «aterrizó desde el espacio». (Se sentó en el último extremo de uno de los finos pelos de la piel del conejo.) Le extrañó cómo todos los fenómenos de la naturaleza podían ser tan iguales entre ellos, y llegó a la conclusión de que debía de haber un reducido número de moldes que se encuentran «detrás de» todo lo que vemos a nuestro alrededor. A estos moldes Platón los llamó *Ideas*. Detrás de todos los caballos, cerdos y seres humanos, se encuentra la «idea de caballo», la «idea de cerdo» y la «idea de ser humano». (De la misma manera que el pastelero antes mencionado puede tener pastas con forma de hombres, de cerdos y de caballos; pues un buen pastelero tendrá más de un molde. No obstante, basta con un solo molde para cada clase de pastas.)

Conclusión: Platón pensaba que tenía que haber una realidad detrás «del mundo de los sentidos», y a esta realidad la llamó *el mundo de las Ideas*. Aquí se encuentran las eternas e inmutables «imágenes modelo», detrás de los distintos fenómenos con los que nos topamos en la naturaleza. A este espectacular concepto lo llamamos *la teoría de las Ideas* de Platón.

El conocimiento seguro

Hasta aquí me habrás seguido, querida Sofía. Pero a lo mejor te preguntas si Platón pensaba así de verdad. ¿Pensaba verdaderamente que tales moldes *existen* en una realidad completamente diferente?

No lo opinó tan literalmente durante toda su vida, pero, al menos en algunos de sus diálogos hay que entenderlo así. Intentaremos seguir su argumentación.

Como ya he dicho, el filósofo intenta captar algo que sea eterno e inmutable. No resultaría muy útil escribir una tesis filosófica sobre, digamos, la existencia de una determinada pompa de jabón. En primer lugar, no habría tiempo

103

para estudiarla bien antes de que desapareciera de pronto, y, en segundo lugar, sería difícil vender una tesis filosófica sobre algo que nadie ha visto, y que, además, sólo ha existido durante cinco segundos.

Platón pensaba que todo lo que vemos a nuestro alrededor en la naturaleza, es decir, todo lo que podemos sentir y tocar, puede compararse con una pompa de jabón. Porque nada de lo que existe en el mundo de los sentidos permanece. Evidentemente, sabes que todos los seres humanos y todos los animales se disuelven y mueren, antes o después. Pero incluso un bloque de mármol se altera y se desintegra lentamente. (¡La Acrópolis está en ruinas, Sofía! Escandaloso, digo yo, pero ésa es la realidad.) Lo que dice Platón es que no podemos saber nada con seguridad sobre algo que cambia constantemente. Sobre lo que pertenece al mundo de los sentidos, es decir, lo que podemos sentir y tocar, sólo podemos tener ideas o *hipótesis* poco seguras. Sólo podemos tener *conocimientos seguros* de aquello que vemos con la razón.

De acuerdo, Sofía, me explicaré mejor. Una sola pasta con figura de hombre puede resultar tan imperfecta, después de todos los procesos de elaboración, que resulte difícil ver lo que pretende ser. Pero después de haber visto veinte o treinta pastas de ese tipo, que pueden ser más o menos perfectas, sabré con mucha certeza cómo es el molde, incluso aunque nunca lo haya visto. Ni siquiera es seguro que conviniera ver el propio molde con los ojos, pues no podemos fiarnos siempre de nuestros sentidos. La propia facultad visual puede variar de una persona a otra. Sin embargo, podemos fiarnos de lo que nos dice la razón, porque la razón es la misma para todas las personas.

Si te encuentras en un aula del colegio en compañía

de otros treinta alumnos, y el profesor pregunta cuál es el color más bonito del arco iris, seguramente obtendrá muchas respuestas diferentes. Pero si os pregunta cuánto es 8 por 3, entonces la clase entera debe llegar al mismo resultado, pues, en este caso, se trata de un juicio emitido por la razón, y, de alguna manera, la razón es lo contrario de las opiniones y los pareceres. Podríamos decir que la razón es eterna y universal precisamente porque sólo se pronuncia sobre asuntos eternos y universales.

A Platón le interesaban mucho las matemáticas, porque las relaciones matemáticas jamás cambian. Por lo tanto, es algo sobre lo que tenemos que tener conocimientos ciertos. Veamos un ejemplo: imagínate que te encuentras en la naturaleza con una piña completamente redonda. A lo mejor dices que te «parece» redonda, mientras que tu amiga Jorunn dice que está un poco aplastada por un extremo. (¡Y empezáis a pelearos!) Pero no podéis tener conocimientos seguros sobre algo que veis con los ojos. Por otra parte, podéis estar totalmente seguras de que la suma angular de un círculo es 360°. En este caso, os pronunciáis sobre un círculo *ideal*, que a lo mejor no se encuentra en la naturaleza, pero que, en cambio, es fácil de visualizar en la cabeza. (Estáis diciendo algo sobre el molde de las pastas, y no sobre una pasta cualquiera de la mesa de la cocina.)

Hagamos un breve resumen: sólo podemos tener ideas vagas sobre lo que *sentimos*, pero sí podemos conseguir conocimientos ciertos sobre aquello que *reconocemos* con la razón. La suma de los ángulos de un triángulo es 180° siempre. De la misma manera, la «idea» de caballo tendrá cuatro patas, aunque todos los caballos del mundo de los sentidos se volviesen cojos.

Un alma inmortal

Acabamos de ver que Platón pensaba que la realidad está dividida en dos.

Una parte es *el mundo de los sentidos*, sobre el que sólo podemos conseguir conocimientos imperfectos utilizando nuestros cinco sentidos (aproximados e imperfectos). De todo lo que hay en el mundo de los sentidos, podemos decir que «todo fluye» y que nada permanece. No hay nada que *sea* en el mundo de los sentidos, solamente se trata de un montón de cosas que surgen y perecen.

La otra parte es *el mundo de las Ideas*, sobre el cual podemos conseguir conocimientos ciertos, mediante la utilización de la razón. Por consiguiente, este mundo de las Ideas no puede reconocerse mediante los sentidos. Por otra parte, las Ideas son eternas e inmutables.

Según Platón, el ser humano también está dividido en dos partes. Tenemos un *cuerpo* que «fluye», y que, por lo tanto, está indisolublemente ligado al mundo de los sentidos, y acaba de la misma manera que todas las demás cosas pertenecientes al mundo de los sentidos (como por ejemplo una pompa de jabón). Todos nuestros sentidos están ligados a nuestro cuerpo y son, por tanto, de poco fiar. Pero también tenemos un *alma* inmortal, la morada de la razón. Precisamente porque el alma no es material puede ver el mundo de las Ideas.

Ya he dicho casi todo. Pero hay algo más, Sofía. ¡Te digo que HAY ALGO MÁS!

Platón pensaba, además, que el alma ya existía antes de meterse en un cuerpo. Érase una vez cuando el alma se encontraba en el mundo de las Ideas. (Estaba en la parte de arriba del armario, junto con todos los moldes para las pastas.) Pero en el momento en que el alma se despierta dentro de un cuerpo humano, se ha olvidado ya de las Ideas perfectas. Entonces, algo comienza a suceder, se inicia un proceso maravilloso. Conforme el ser humano va sintiendo las formas en la naturaleza, va teniendo un vago recuerdo en su alma. El ser humano ve un caballo, un caballo imperfecto, pero eso es suficiente para despertar en el alma un vago recuerdo del «caballo» perfecto que el alma vio en el mundo de las Ideas. Con esto, se despierta también una añoranza de regresar a la verdadera morada del alma. A esa añoranza Platón la llama *eros*, que significa «amor». Es decir, el alma siente una «añoranza amorosa» por su verdadero origen. A partir de ahora, se vive el cuerpo y todo lo sensible como algo imperfecto e insignificante. Sobre las alas del amor volará el alma «a casa», al mundo de las Ideas, donde será librada de la «cárcel del cuerpo».

Me apresuro a recalcar que lo que Platón describe aquí es un ciclo humano ideal, pues no todos los seres humanos dan rienda suelta al alma y permiten que inicie el viaje de retorno al mundo de las Ideas. La mayoría de las personas se aferra a los «reflejos» de las Ideas en el mundo de los sentidos. Ven un caballo y otro caballo, pero no ven aquello de lo que todos los caballos son solamente malas copias. (Entran corriendo en la cocina y se lanzan sobre todas las pastas, sin preguntarse siquiera de dónde proceden esas pastas.) Lo que describe Platón es el «camino de los filósofos». Su filosofía puede entenderse como una descripción de la actividad filosófica.

Cuando ves una sombra, Sofía, también tú pensarás que tiene que haber algo que la origina. Ves la sombra de un animal. Quizás sea un caballo, piensas, sin estar del todo segura. Luego te giras y ves el verdadero caballo, que es infinitamente más hermoso y su silueta mucho más nítida que la inestable «sombra del caballo». PLATÓN OPINABA QUE, DE LA MISMA MANERA, TODOS LOS FENÓMENOS DE LA NATURALEZA SON SOLAMENTE SOMBRAS DE LOS MOLDES O IDEAS ETERNAS. No obstante, la gran mayoría de los seres humanos está satisfecha con su vida entre las sombras. No piensan en que tiene que haber algo que origina las sombras. Creen que las sombras son todo, no viven las sombras como sombras. Con ello, también se olvidan de la inmortalidad de su propia alma.

El camino que sube de la oscuridad de la caverna

Platón cuenta una parábola que ilustra precisamente lo que acabamos de describir. La solemos llamar *el mito de la caverna*.

La contaré con mis propias palabras.

Imagínate a unas personas que habitan una caverna subterránea. Están sentadas de espaldas a la entrada, atadas de pies y manos, de modo que sólo pueden mirar hacia la pared de la caverna. Detrás de ellas, hay un muro alto, y por detrás del muro caminan unos seres que se asemejan a las personas. Levantan diversas figuras por encima del borde del muro. Detrás de estas figuras, arde una hoguera, por lo que se dibujan sombras llameantes contra la pared de la caverna. Lo único que pueden ver esos moradores de la caverna es, por tanto, ese «teatro de sombras». Han estado sentados en la misma postura desde que nacieron, y creen, por ello, que las sombras son lo único que existe.

Imagínate ahora que uno de los habitantes de la caverna empieza a preguntarse de dónde vienen todas esas sombras de la pared de la caverna y, al final, consigue soltarse. ¿Qué crees que sucede cuando se vuelve hacia las figuras que son sostenidas por detrás del muro? Evidentemente, lo primero que ocurrirá es que la fuerte luz le cegará. También le cegarán las figuras nítidas, ya que, hasta ese momento, sólo había visto las sombras de las mismas. Si consiguiera atravesar el muro y el fuego, y salir a la naturaleza, fuera de la caverna, la luz le cegaría aún más. Pero después de haberse restregado los ojos, se habría dado cuenta de la belleza de todo. Por primera vez, vería colores y siluetas nítidas. Vería verdaderos animales y flores, de los que las figuras de la caverna sólo eran malas copias. Pero, también entonces, se preguntaría a sí mismo de dónde vienen todos los animales y las flores. Entonces vería el sol en el cielo, y comprendería que es el sol el que da vida a todas las flores y animales de la naturaleza, de la misma manera que podía ver las sombras en la caverna gracias a la hoguera.

Ahora, el feliz morador de la caverna podría haberse ido corriendo a la naturaleza, celebrando su libertad recién conquistada. Pero se acuerda de los que quedan abajo en la caverna. Por eso vuelve a bajar. De nuevo abajo, intenta convencer a los demás moradores de la caverna de que las imágenes de la pared son sólo copias centelleantes de las cosas *reales*. Pero nadie le cree. Señalan a la pared de la caverna, diciendo que lo que allí ven es todo lo que hay. Al final lo matan.

Lo que Platón describe en el mito de la caverna es el camino que recorre el filósofo desde los conceptos vagos hasta las verdaderas ideas que se encuentran tras los fenómenos de la naturaleza. Seguramente también piensa en Sócrates, a quien mataron los «moradores de la caverna» porque hurgaba en sus ideas habituales, queriendo enseñarles el camino hacia la verdadera sabiduría. De ese modo, el mito de la caverna se convierte en una imagen del valor y de la responsabilidad pedagógica del filósofo.

Lo que quiere señalar Platón es que la relación entre la oscuridad de la caverna y la naturaleza del exterior corresponde a la relación entre los moldes de la naturaleza y el mundo de las Ideas. No quiere decir que la naturaleza sea triste y oscura, sino que es triste y oscura *comparada* con la claridad de las Ideas. Una foto de una muchacha hermosa no tiene por qué resultar oscura y triste, más bien al contrario, pero sigue siendo sólo una imagen.

El Estado filosófico

El mito de la caverna de Platón lo encontramos en el diálogo *La República*, en el que Platón nos proporciona una imagen del «Estado ideal». Es decir, un Estado modelo imaginario, o, lo que se suele llamar, un Estado «utópico». Brevemente, podemos decir que Platón piensa que el Estado debe ser gobernado por los filósofos. Al explicar el por qué, toma como punto de partida la composición del ser humano.

Según Platón, el cuerpo humano está dividido en tres partes: *cabeza*, *pecho* y *vientre*. A cada una de estas partes le corresponde una habilidad del alma. A la cabeza pertenece *la razón*, al pecho *la voluntad*, y al vientre, *el deseo*. Pertenece, además, a cada una de las tres habilidades del alma un ideal o una «virtud». La razón debe aspirar a *la sabiduría*, la voluntad debe mostrar *valor*, y al deseo hay que frenarlo para que el ser humano muestre *moderación*. Cuando las tres partes del ser humano funcionan a la vez como un conjunto completo, obtenemos un ser humano armonioso u honrado. En la escuela, lo primero que tiene que aprender el niño es a frenar el deseo, luego hay que desarrollar el valor, y finalmente, la razón obtendrá sabiduría.

Platón se imagina un Estado construido exactamente de la misma manera que un ser humano. Igual que el cuerpo tiene cabeza, pecho y vientre, el Estado tiene gobernantes, soldados y productores (granjeros, por ejemplo). Es evidente que Platón emplea la ciencia médica griega como ideal. De la misma manera que una persona sana y armoniosa muestra equilibrio y moderación, un Estado «justo» se caracteriza por que cada uno conoce su lugar en el conjunto.

Como el resto de la filosofía de Platón, también su filosofía del Estado se caracteriza por su *racionalismo*. Es decisivo para crear un buen Estado que sea gobernado por la *razón*. De la misma manera que la cabeza dirige el cuerpo, tiene que haber filósofos que dirijan la sociedad.

Intentemos una sencilla exposición de la relación entre las tres partes del ser humano y del Estado:

Cuerpo	Alma	Virtud	Estado
cabeza	razón	sabiduría	gobernantes
pecho	voluntad	valor	soldados
vientre	deseo	moderación	productores

El Estado ideal de Platón puede recordar al antiguo sistema hindú de las castas, en el que cada uno tiene su función determinada para el bien del conjunto. Desde los tiempos de Platón, y desde más antiguo aún, el sistema hindú de castas ha tenido la misma división en tres: la clase dominante (o la clase de los sacerdotes), la casta de los guerreros y la de los productores.

Hoy en día, es probable que llamáramos al Estado de Platón *Estado totalitario*. Pero merece la pena señalar que él opinaba que las mujeres podían ser gobernantes del Estado, igual que los hombres, precisamente porque los gobernantes gobernarán el Estado en virtud de su *razón*. Él pensaba que las mujeres tienen exactamente la misma capacidad para razonar que los hombres, si reciben la misma enseñanza y son liberadas de cuidar a los niños y de las tareas domésticas. Platón quería suprimir la familia y la propiedad privada para los gobernantes y soldados del Estado. Y la educación de los niños era algo tan importante que no podía ser confiada a cualquiera. Tendría que ser responsabilidad del Estado educar a los niños. (Fue el primer filósofo que habló en favor de un sistema público de guarderías y colegios.)

Tras haber vivido unas grandes desilusiones políticas, Platón escribió el diálogo *Las leyes*, en el que describe «el Estado legal» como el segundo mejor Estado. Ahora se muestra partidario de la propiedad privada y las ataduras familiares. De esa manera, se reduce la libertad de la mujer. Pero dice que un Estado que no educa ni entrena a sus mujeres es como un ser humano que sólo hace ejercicio con el brazo derecho.

Por regla general, podemos decir que Platón tenía una visión positiva de las mujeres, al menos si tenemos en cuenta la época en la que vivió. En el diálogo *El banquete*, es una mujer, Diótima, la que proporciona conocimientos filosóficos.

Ése fue Platón, Sofía. Durante más de dos mil años, la gente ha discutido y criticado su extraña teoría de las Ideas. El primero fue su propio alumno en la Academia. Su nombre era Aristóteles, el tercer gran filósofo de Atenas. ¡No digo nada más!

Mientras Sofía había permanecido sentada en un tocón leyendo sobre Platón, el sol se había levantado por el este, tras las colinas cubiertas de árboles. La esfera solar se había asomado por el horizonte, precisamente cuando estaba leyendo que Sócrates subía de la caverna y que se le arrugaba la frente por la intensa luz, al aire libre.

Sofía casi tenía la sensación de haber ascendido, ella misma, de una gruta subterránea. Al menos, le pareció ver la naturaleza de un modo totalmente nuevo, tras haber leído sobre Platón. Se sentía como si hubiera sido daltónica. Había visto sombras, pero no las ideas claras.

No estaba muy segura de que Platón tuviera razón en todo lo que había dicho sobre las eternas imágenes modelo, pero le parecía un pensamiento muy hermoso el que todo lo vivo fuera una copia imperfecta de los moldes eternos del mundo de las Ideas. Porque ¿no era cierto que todas las flores y árboles, seres humanos y animales eran imperfectos?

Todo lo que veía a su alrededor era tan bonito y estaba tan vivo que tuvo que restregarse los ojos. Pero nada de lo que veía *permanecería*. Y, sin embargo, dentro de cien años estarían aquí de nuevo las mismas flores y animales. Aunque cada flor y cada animal fueran en cierto modo borrados y olvidados, alguien se «acordaría» de qué aspecto tenía todo.

Sofía miró fijamente la obra de la creación. De repente, una ardilla saltó sobre el tronco de un pino. Dio un par de vueltas, antes de desaparecer entre las ramas.

¡A ti te he visto antes!, pensó Sofía. Naturalmente sabía que no era la misma ardilla que había visto en la otra ocasión, pero sí el mismo «molde». A lo mejor Platón tenía razón en que ella había visto una vez la «ardilla eterna» en el mundo de las Ideas, antes de que su alma se fuese a morar a un cuerpo.

¿Podría ser que hubiera vivido antes? ¿Había existido su

alma antes de tener que llevar un cuerpo a rastras? ¿Sería verdad que llevaba dentro un lingote de oro, una joya por la que no pasaba el tiempo, es decir, un alma que seguiría viviendo cuando su cuerpo un día envejeciera y muriera?

La Cabaña del Mayor

...la muchacha del espejo guiñó los dos ojos...

Sólo eran las siete y cuarto. No había que darse prisa para llegar a casa. La madre de Sofía dormiría aún un par de horas; los domingos se hacía siempre la remolona.

¿Debería internarse más en el bosque para ver si encontraba a Alberto Knox? ¿Pero por qué el perro le había gruñido así?

Sofía se levantó del tocón y comenzó a andar por el sendero por el que Hermes se había alejado. En la mano llevaba el sobre amarillo con todas las hojas sobre Platón. Por un par de sitios el sendero se dividía en dos, y en esos casos, seguía por el más ancho.

Por todas partes piaban los pájaros, en los árboles y en el aire, en arbustos y matas, muy ocupados en el aseo matinal. Ellos no distinguían entre días laborables y días festivos, ¿pero quién había enseñado a los pájaros a hacer todo lo que hacían? ¿Tenían un pequeño ordenador por dentro, un «programa de ordenador» que les iba diciendo lo que tenían que hacer?

Una piedra rodó por un montículo y bajó a mucha velocidad por la vertiente entre los pinos. El bosque era tan tupido en ese lugar que Sofía apenas veía un par de metros entre los árboles.

De repente, vio algo que brillaba entre los troncos de los pinos. Tenía que ser una laguna. El sendero iba en dirección contraria, pero Sofía se metió entre los árboles. No sabía exactamente por qué, pero sus pies la llevaban.

La laguna no era mucho mayor que un estadio de fútbol. Enfrente, al otro lado, descubrió una cabaña pintada de rojo en un pequeño claro del bosque, enmarcado por troncos blancos de abedul. Por la chimenea subía un humo fino.

Sofía se acercó hasta el borde del agua. Todo estaba muy mojado, pero pronto vio una barca de remos, que estaba medio varada en la orilla. Dentro de la barca había un par de remos.

Sofía miró a su alrededor. De todos modos, sería imposible rodear la laguna y llegar a la cabaña roja con los pies secos. Se acercó decidida a la barca y la empujó al agua. Luego se metió dentro, colocó los remos en las horquillas y empezó a remar. Pronto alcanzó la otra orilla. Atracó e intentó llevarse la barca. Este terreno era mucho más accidentado que la orilla que acababa de dejar.

Miró hacia atrás una sola vez, y se acercó a la cabaña.

Estaba escandalizada de sí misma. ¿Cómo se atrevía? No lo sabía, era como si hubiese «algo» que la empujase.

Sofía fue hasta la puerta y llamó. Se quedó un rato esperando, pero nadie fue a abrir. Cuando giró cuidadosamente el picaporte de la puerta, ésta se abrió.

—¡Hola! —dijo—. ¿Hay alguien?

Sofía entró en una sala grande. No se atrevió a cerrar la puerta tras ella.

Era evidente que alguien vivía allí. Sofía oía arder la leña en una vieja estufa. De modo que tampoco hacía mucho tiempo que alguien había estado ahí.

En una mesa grande de comedor había una máquina de escribir, algunos libros, un par de bolígrafos y un montón de papel. Delante de la ventana que daba a la laguna había una mesa y dos sillas. Por lo demás, no había muchos muebles, pero una pared estaba totalmente cubierta de estanterías con libros. Encima de una cómoda blanca colgaba un espejo redondo con un marco macizo de latón. Parecía muy antiguo.

En una de las paredes había dos cuadros colgados. Uno, era una pintura al óleo de una casa blanca junto a una pequeña bahía con casetas rojas para barcas. Entre éstas y la casa había un empinado jardín con un manzano, unos arbustos tupidos y piedras salientes. El jardín tenía como un marco de abedules. El título del cuadro era «Bjerkely».

Junto a ese cuadro, colgaba un viejo retrato de un señor sentado en un sillón, delante de la ventana, con un libro sobre las rodillas. También aquí había una pequeña bahía con árboles y piedras al fondo. Seguro que el cuadro había sido pintado hacía varios centenares de años, y el título del cuadro era «Berkeley». El que había pintado el cuadro se llamaba Smibert.

Berkeley y Bjerkely[2]. ¿Curioso, no?

Sofía seguía mirando. En la sala había una puerta que daba a una pequeña cocina. Los cacharros acababan de ser fregados. Platos y vasos estaban amontonados sobre un trapo de lino, y en un par de platos se veían aún restos de jabón. En el suelo había una fuente de hojalata con restos de comida. Eso quería decir que allí vivía algún animal, un perro o un gato.

Sofía volvió a la sala. Otra puerta daba a una pequeña alcoba. Delante de la cama había un par de mantas formando un gran bulto. Sofía descubrió algunos pelos amarillos en las mantas. Ya tenía una prueba de verdad. Sofía estaba segura de que aquí vivían Alberto Knox y Hermes.

De vuelta en la sala, Sofía se colocó delante del espejo encima de la cómoda. El vidrio era mate y rugoso, de modo que la imagen que reflejaba tampoco era nítida. Sofía comenzó a hacer muecas, como solía hacer algunas veces en casa, delante del espejo del baño. El espejo hacía exactamente lo mismo que ella, no se podía esperar otra cosa.

De repente, sucedió algo extraño. Durante un brevísimo instante, Sofía vio con toda claridad que la muchacha del espe-

---

[2] La palabra noruega para abedul es «bjerk», y «Bjerkely» significa «al abrigo de los abedules». De ahí el juego de palabras entre «Berkeley» y «Bjerkely». (*N. de las T.*)

jo guiñó los dos ojos. Sofía se alejó asustada. Si ella misma había guiñado los dos ojos, ¿cómo podía entonces *haber visto* guiñar los ojos a la otra? Y había algo más: parecía como si la muchacha del espejo se los estuviera guiñando a Sofía. Era como si quisiera decir: te veo, Sofía. Estoy aquí, al otro lado.

Sofía notó cómo le latía el corazón. Al mismo tiempo, oyó ladrar a un perro a lo lejos. ¡Seguro que era Hermes! Tendría que marcharse corriendo.

Entonces se dio cuenta de que había un billetero verde sobre la cómoda. Sofía lo cogió y lo abrió con cuidado. Contenía un billete de cien, otro de cincuenta... y un carnet escolar. En el carnet había una foto de una muchacha de pelo rubio, y debajo de la foto ponía «Hilde Møller Knag» e «Instituto Público de Lillesand [3]».

Sofía notó cómo su cara se enfriaba. Entonces oyó de nuevo los ladridos del perro. Tenía que salir de allí.

Al pasar, vio en la mesa un sobre blanco entre todos los libros y papeles. En el sobre ponía «SOFÍA».

Sin pensárselo dos veces, lo cogió y lo metió a toda prisa en el sobre amarillo con todas las hojas sobre Platón. Luego salió corriendo de la cabaña, cerrando tras de sí la puerta.

En el exterior, oyó ladrar al perro aún más fuerte. Pero lo peor de todo era que la barca había desaparecido. Tardó un par de instantes en descubrir que estaba flotando en medio de la laguna. Junto a ella, flotaba uno de los remos.

Se había olvidado de subir la barca a la orilla. Oyó de nuevo ladrar al perro, y también oyó que algo se movía entre los árboles al otro lado de la laguna.

Sofía dejó de pensar. Con el gran sobre en la mano se metió corriendo entre las matas detrás de la cabaña. Tuvo que cruzar un pequeño pantano, varias veces pisó mal y metió la

---

[3] Lillesand es una pequeña ciudad costera en el sur de Noruega. *(N. de las T.)*

pierna hasta la rodilla en el fango. Pero sólo podía pensar en correr, tenía que ir a casa, a casa.

Al cabo de un rato llegó a un sendero. ¿Se había traído el sobre? Sofía se paró y escurrió el vestido, el agua caía a chorros sobre el sendero. Finalmente, se puso a llorar.

¿Cómo podía ser tan estúpida? Lo peor de todo era la barca. No fue capaz de librarse de la imagen de la barca y del remo flotando en medio de aquella laguna. Qué vergüenza, qué horrible...

A lo mejor el profesor de filosofía había llegado ya a la laguna. Necesitaría la barca para llegar a su casa. Sofía se sentía como un verdadero delincuente. Pero ésa no había sido su intención.

¡El sobre! Eso era aún peor. ¿Por qué se había traído el sobre? Porque llevaba su nombre, claro; en cierta manera, también le pertenecía. Y sin embargo se sentía como una ladrona. De esa manera también había dejado bien claro que era *ella* la que había estado allí.

Sofía sacó una hojita del sobre. La nota decía:

¿Qué fue primero? ¿La gallina o la «idea de gallina»?
¿Nace el ser humano ya con alguna idea?
¿Cuál es la diferencia entre una planta, un animal y un ser humano?
¿Por qué llueve?
¿Qué hace falta para que un ser humano viva feliz?

Sofía era incapaz de pensar en estas preguntas justamente ahora, pero supuso que tenían algo que ver con el próximo filósofo que iba a estudiar. ¿No era el que se llamaba Aristóteles?

Cuando vio el viejo seto, tras haber corrido un largo tramo a través del bosque, fue como haber llegado nadando hasta donde el agua llega a la rodilla, después de un naufragio. Resultó curioso ver el seto desde el otro lado. Cuando se metió dentro del Callejón, miró finalmente el reloj. Eran las diez y media. Metió el sobre grande en la caja de galletas junto con los demás papeles y escondió la nota con las preguntas nuevas dentro de los leotardos.

Su madre estaba hablando por teléfono cuando Sofía entró. Colgó inmediatamente. Sofía se quedó en la puerta.

—¿Dónde has estado, Sofía?

—Me di un... paseo... por el bosque —balbució.

—Sí, eso puedo verlo.

Sofía no contestó, se dio cuenta de que su vestido estaba goteando.

—Tuve que llamar a Jorunn...

—¿A Jorunn?

La madre sacó ropa seca. Sofía pudo a duras penas esconder la nota con las preguntas del profesor de filosofía. Se sentaron en la cocina, la madre hizo chocolate caliente.

—¿Has estado con él? —preguntó.

—¿Con él?

Sofía sólo pensaba en el profesor de filosofía.

—Con *él*, sí. Con ese... «conejo» tuyo.

Sofía negó con la cabeza.

—¿Qué hacéis cuando estáis juntos, Sofía? ¿Por qué estás tan mojada?

Sofía estaba muy seria, mirando fijamente a la mesa, pero en algún lugar secreto dentro de ella había algo que se reía. Pobre mamá, ahora tenía *esa* clase de preocupaciones.

Volvió a negar con la cabeza. Luego llegaron un montón de preguntas seguidas.

—Ahora quiero toda la verdad. ¿Has estado fuera esta noche? ¿Por qué te acostaste con el vestido puesto? ¿Volviste a salir a escondidas en cuanto me acosté? Sólo tienes catorce años, Sofía. Exijo saber con quién andas.

Sofía empezó a llorar. Y confesó. Seguía teniendo miedo, y cuando uno tiene miedo, se suele contar la verdad.

Dijo que se había despertado temprano y que había ido a pasear por el bosque. Contó lo de la cabaña y también lo de la barca, y habló del extraño espejo, pero consiguió callarse todo lo que tenía que ver con el secreto curso por correspondencia. Tampoco mencionó el billetero verde. No sabía exactamente por qué, pero no tenía que decir nada sobre Hilde.

La madre la abrazó, y Sofía se dio cuenta de que la había creído.

—No tengo ningún novio —dijo lloriqueando—. Es algo que inventé porque tú te preocupaste mucho por lo del conejo blanco.

—Y luego te fuiste hasta la Cabaña del Mayor... —dijo la madre pensativa.

—¿La Cabaña del Mayor? —Sofía abrió los ojos de par en par.

—Esa cabaña que visitaste en el bosque solía llamarse «Cabaña del Mayor», porque hace muchísimos años vivió allí un viejo mayor. Estaba algo chiflado, Sofía. Pero no pensemos en eso ahora. Desde entonces, la cabaña ha estado vacía.

—Eso es lo que tú te crees. Ahora vive un filósofo en ella.

—Oye, no empieces otra vez con tus cuentos.

Sofía se quedó sentada en su cuarto pensando en lo que le había pasado. Su cabeza era como un circo ruidoso de pesados elefantes, divertidos payasos, osados trapecistas y monos amaestrados. No obstante, siempre había una imagen que volvía incesantemente: una pequeña barca y un remo flotando sobre el agua en medio de una laguna del bosque; y alguien necesita la barca para llegar a su casa...

Estaba segura de que el profesor de filosofía no le haría ningún daño, y si averiguaba que era ella la que había estado en la cabaña, seguro que la perdonaría. Pero ella había roto un pacto. ¿Ésa había sido su manera de agradecer a ese desconocido que se hubiera responsabilizado de su educación filosófica? ¿Cómo podría reparar el mal que había hecho?

Sofía sacó el papel de cartas de color rosa y escribió:

Querido filósofo. Fui yo quien estuvo en la cabaña el domingo por la mañana. Tenía muchas ganas de conocerte para discutir más a fondo cuestiones filosóficas. Por ahora soy una entusiasta de Platón, pero no estoy tan segura de que las ideas o las imágenes modelo existan en otra realidad. Naturalmente, existen en nuestra alma, pero por ahora opino que ésa es otra cosa. También lamento admitir que no estoy totalmente convencida de que nuestra alma sea de verdad inmortal. Yo, por lo menos, no tengo ningún recuerdo de mis vidas anteriores. Si pudieras convencerme de que mi abuela, que ya falleció, está bien en el mundo de las ideas, te lo agradecería de veras.

En realidad no empecé esta carta por lo de los filósofos. (La meto en un sobre color rosa junto con un terrón de azúcar.) Quería pedir perdón por haber sido tan desobediente. Intenté arrastrar la barca hasta la orilla pero, al parecer, no tuve fuerzas suficientes. Por otra parte, puede ser que fuera una ola grande la que se llevara la barca al agua.

Espero que lograras llegar a tu casa sin mojarte los pies. Si te sirve de consuelo, te diré que yo me empapé y que seguramente cogeré un terrible catarro. Pero es por mi culpa.

No toqué nada en la cabaña, pero desgraciadamente caí en la tentación de coger un sobre que llevaba mi nombre, no porque tuviera la intención de robar nada, pero como el sobre llevaba mi nombre pensé durante unos segundos de locura que me pertenecía. Te pido sinceramente que me perdones, y prometo no volver a hacerlo.

P. D. Voy a pensar ya detenidamente en todas las preguntas de la nota.

P. D. P. D. ¿El espejo de latón que hay encima de la cómoda es un espejo normal y corriente, o es un espejo mágico? Lo pregunto porque no estoy acostumbrada a que mi propio reflejo me guiñe los dos ojos.

Atentamente, tu alumna sinceramente interesada, SOFÍA.

Sofía releyó la carta dos veces, antes de meterla en el sobre. Por lo menos no era tan formal como la que había escrito anteriormente. Antes de bajar a la cocina a coger un terrón de azúcar, sacó la hoja con las tareas filosóficas del día.

«¿Qué fue primero? ¿La gallina o la "idea de gallina"?» Esta pregunta era casi tan difícil como aquella vieja adivinanza sobre la gallina y el huevo. Sin huevo no hay gallina, pero sin gallina tampoco hay huevo. ¿Sería igual de complicado encontrar qué fue antes: la gallina o la «idea de gallina»? Sofía se daba cuenta de lo que Platón quería decir. Quería decir que la «idea de gallina» existió en el mundo de las Ideas muchísimo antes de que hubiera gallinas en el mundo de los sentidos. Según Platón, el alma había «visto» la propia «idea de gallina» antes de meterse en un cuerpo. ¿Pero no fue sobre este punto sobre el que Sofía había llegado a la conclusión de que Platón se había equivocado? Una persona que ni ha visto una gallina viva, ni ninguna imagen de una gallina, no podrá tener ninguna «idea de gallina». Estaba lista para la segunda pregunta:

«¿Nace el ser humano ya con alguna idea?» Lo dudo mucho, pensó Sofía. Tenía poca fe en que un bebé recién nacido tuviera alguna idea sobre algo. Pero, claro, no podía estar totalmente segura, porque aunque el bebé no tuviera aún lenguaje, no significaba necesariamente que tuviera la cabeza vacía de ideas. Pero, ¿para saber algo sobre las cosas del mundo, no tendríamos que haberlas visto antes?

«¿Cuál es la diferencia entre una planta, un animal y un ser humano?» Sofía entendió inmediatamente que había diferencias muy claras. No pensaba, por ejemplo, que una planta tuviera un alma muy complicada. ¿Se había oído hablar alguna

123

vez de una flor con mal de amor? Una planta crece, se alimenta y produce unas semillas pequeñas que posibilitan su procreación. Y eso es más o menos lo que se podría decir sobre las plantas. Sofía pensó que todo lo que había dicho de las plantas a lo mejor también podría decirse de los animales y de los seres humanos. Pero los animales tenían, además, otras cualidades. Se movían, por ejemplo. (¡Cuándo se había visto a una rosa correr los 60 metros!) Resultaba un poco más difícil señalar la diferencia entre un ser humano y un animal. Los seres humanos piensan, ¿piensan los animales también? Sofía estaba convencida de que el gato Sherekan era capaz de pensar. Por lo menos, se comportaba muy astutamente. ¿Pero sería capaz de pensar cuestiones filosóficas? ¿Era capaz el gato de pensar en la diferencia entre una planta, un animal y un ser humano? ¡Más bien no! Un gato puede ponerse contento o triste, pero nunca se preguntará si Dios existe, o si tiene un alma inmortal. Pero, claro, pasaba como con la pregunta sobre el bebé con ideas innatas. Resultaba igual de difícil hablar con un gato sobre este tipo de asuntos que con un bebé.

«¿Por qué llueve?» Sofía se encogió de hombros. Suponía que llovía porque el mar se evapora y porque las nubes se condensan. ¿No había aprendido ya eso en tercero? También se podría decir que llueve para que las plantas y los animales crezcan. ¿Pero era ésa la razón? Un chaparrón, ¿tenía en realidad algún objetivo?

La última pregunta tenía que ver al menos con objetivos. «¿Qué hace falta para que un ser humano viva feliz?» Sobre eso, el profesor de filosofía había escrito ya algo al principio del curso. Todos los seres humanos precisan comida, calor, amor y cuidados. Todo eso era, al menos, una especie de condición previa para poder alcanzar la felicidad. Luego había señalado que todo el mundo necesita encontrar respuestas a ciertas preguntas filosóficas. Además, sería bastante importante tener una profesión que le guste a uno. Por ejemplo, uno que odie el tráfico, no sería muy feliz siendo taxista. Y si uno odia hacer deberes, no sería muy bueno ser maestro. A Sofía le gustaban mucho los animales, así que de mayor le gustaría ser veterinaria. Pensaba que no hacía falta que te tocaran veinte millones en la bonoloto para vivir feliz. Más bien al contrario. Hay un refrán que dice: «La ociosidad es la madre de todos los vicios».

Sofía se quedó sentada en su cuarto, hasta que su madre la llamó para comer. Había hecho solomillo y patatas asadas. ¡Delicioso! En la mesa había una vela encendida. Y para postre tenían frambuesas con nata.

Hablaron de todo. Su madre le preguntó que cómo quería celebrar su decimoquinto cumpleaños, para el que sólo faltaban algunas semanas.

Sofía se encogió de hombros.

—¿No quieres invitar a alguien? Dar una fiesta, quiero decir.

—Quizás...

—Podríamos invitar a Marte y a Anne Marie... y a Hege. Y a Jorunn, naturalmente. Y a Jorgen, tal vez... Bueno, es mejor que lo decidas tú. ¿Sabes?, me acuerdo muy bien de cuando yo cumplí quince años. Y no me parece que haga tanto tiempo. Me sentía ya muy adulta, Sofía. ¿Curioso, verdad? Me parece como si no hubiera cambiado desde entonces.

—Y así es. No has cambiado. Nada «cambia». Solamente te has desarrollado, te has hecho mayor...

—Hmm... ¡hablas como un adulto! ¡Me parece que todo ha pasado muy deprisa!

Aristóteles

*...un hombre meticuloso que quiso poner orden
en los conceptos de los seres humanos...*

Mientras su madre dormía la siesta, Sofía se fue al
Callejón. Había metido un terrón de azúcar en el sobre rosa y
había escrito «Para Alberto» fuera.

No había llegado ninguna carta nueva, pero un par de
minutos más tarde Sofía oyó que el perro se acercaba.

—¡Hermes! —llamó Sofía, y al instante el perro se metió
de un salto en el Callejón, llevando un gran sobre amarillo en
la boca—. ¡Buen perro!

Sofía puso un brazo alrededor de Hermes, que respiraba
jadeante. Ella sacó el sobre rosa con el terrón de azúcar y se lo
metió en la boca. Hermes salió del Callejón y se dirigió de
nuevo al bosque.

Sofía estaba un poco nerviosa cuando abrió el sobre. ¿Diría algo sobre la cabaña y la barca?

El sobre contenía las hojas de siempre, que iban unidas
con un clip. Pero también había una notita suelta, en la que
ponía:

*¡Querida señorita detective! O señorita ladrona, para ser más
exacto. El asunto ya ha sido denunciado a la policía.*

*No, no es tan grave. No estoy tan enfadado. Si eres igual de cu-
riosa para buscar respuestas a los enigmas de los filósofos, resulta muy
prometedor. Lo malo es que ahora tendré que cambiarme de casa.
Bueno, bueno, la culpa es mía, debería haber comprendido que tú eres
de la clase de personas que quiere llegar al fondo de las cosas.*

Saludos, Alberto.

Sofía dio un suspiro de alivio. Entonces, ¿no estaba enfadado? ¿Pero por qué tenía que cambiarse de casa?

Se llevó corriendo las grandes hojas a su cuarto. Era mejor estar en casa cuando su madre se despertara. Se acomodó en la cama y empezó a leer sobre Aristóteles.

Filósofo y científico

Querida Sofía. Seguramente estarás asombrada por la teoría de las Ideas de Platón. No eres la primera. No sé si te lo has creído todo, o si también has hecho algunas objeciones críticas. En ese caso, puedes estar segura de que las mismas objeciones fueron hechas por *Aristóteles* (384-322 a. de C.), que fue alumno de la Academia de Platón durante 20 años.

Aristóteles no era ateniense. Provenía de Macedonia y llegó a la Academia de Platón cuando éste tenía 61 años. Era hijo de un reconocido médico y, por consiguiente, científico. Este hecho dice ya algo del proyecto filosófico de Aristóteles. Lo que más le preocupaba era la naturaleza viva. No sólo fue el último gran filósofo griego; también fue el primer gran biólogo de Europa.

Podríamos decir que Platón estuvo tan ocupado con «los moldes» o «Ideas eternas», que no había reparado en los cambios en la naturaleza. Aristóteles, en cambio, se interesaba precisamente por esos cambios, o lo que hoy en día llamamos «procesos de la naturaleza».

Si quisiéramos llevarlo al último extremo, podríamos incluso decir que Platón dio la espalda al mundo de los sentidos, volviendo la cabeza ante todo lo que vemos a nuestro alrededor. (¡Quería salir de la caverna, quería contemplar el mundo eterno de las Ideas!) Aristóteles hizo lo contrario. Se puso de rodillas en la tierra para estudiar peces y ranas, amapolas y anémonas.

Podríamos decir que Platón sólo usaba su inteligencia; Aristóteles también usaba sus sentidos.

También en la forma en la que escriben, se encuentra una gran diferencia entre ellos. Platón era un poeta, un creador de mitos; los escritos de Aristóteles son áridos y minuciosos como una enciclopedia. No obstante, se nota en mucho de lo que escribe que él se basa en su estudio de la naturaleza.

En la Antigüedad se habla de hasta 170 títulos escritos por Aristóteles, de los que se han conservado 47. No se trata de libros acabados. Los escritos de Aristóteles son en general apuntes para lecciones. También en la época de Aristóteles la filosofía era ante todo una actividad oral.

La gran importancia de Aristóteles en la cultura europea se debe también, en buena medida, al hecho de que fuera él quien creara el lenguaje profesional que las distintas ciencias emplean hasta hoy en día. Fue el gran sistematizador que fundó y ordenó las distintas ciencias.

Aristóteles escribió sobre todas las ciencias, de modo que sólo mencionaré algunos de los campos más importantes. Ya que te he hablado tanto de Platón, empezaré por contarte cómo rechaza Aristóteles la teoría de las Ideas de Platón. A continuación, veremos cómo elabora su propia filosofía de la naturaleza, pues fue Aristóteles quien resumió todo lo que habían dicho los filósofos de la naturaleza anteriores a él. Veremos cómo pone orden en nuestros conceptos y funda la lógica como una ciencia. Finalmente hablaré un poco de la visión que tenía Aristóteles de los seres humanos y de la sociedad.

Si aceptas estas condiciones, podemos poner manos a la obra.

No hay ideas innatas

Como los filósofos anteriores a él, Platón deseaba encontrar algo eterno e inmutable, en medio de todos los cambios. Encontró las Ideas perfectas, que estaban muy por encima del mundo de los sentidos. Platón opinaba, además, que las Ideas eran más reales que todos los fenómenos de la naturaleza. Primero estaba la «idea de caballo», luego llegaban todos los caballos del mundo de los sentidos galopando en forma de sombras en la pared de una caverna. Esto quiere decir que la «idea de gallina» estaba antes que la gallina y que el huevo.

Aristóteles pensaba que Platón había dado la vuelta a todo. Estaba de acuerdo con su profesor en que el caballo individual «fluye», y que ningún caballo vive eternamente. También estaba de acuerdo en que el «molde de caballo» es eterno e inmutable. Pero la «idea de caballo» no es más que un concepto que los seres humanos nos hemos formado *después de* ver un cierto número de caballos. Eso quiere decir que la «idea» o la «forma» de caballo no existen en sí. «Forma» del caballo es, para Aristóteles, las cualidades del caballo o lo que hoy en día llamamos *especie*.

Para ser más preciso: con «forma» del caballo, Aristóteles quiere designar lo que es común para todos los caballos. Y aquí no nos basta el ejemplo de las pastas, pues los moldes de pastelería existen independientemente de esas determinadas pastas. Aristóteles no pensaba que existieran tales moldes, que, por así decirlo, estaban colocados en estantes fuera de la naturaleza. Para Aristóteles las formas de las cosas son como las cualidades específicas de las cosas.

Esto quiere decir que Aristóteles está en desacuerdo con Platón en que la Idea de «gallina» sea anterior a la gallina. Lo que Aristóteles llama «forma de gallina», está presente en cada gallina, como las cualidades específicas de la gallina; por ejemplo, el hecho de que ponga huevos. De ese modo la propia gallina y la «forma» de gallina son tan inseparables como el cuerpo y el alma.

Con esto hemos dicho lo esencial sobre la crítica de Aristóteles a la teoría de las Ideas de Platón. No obstante, debes darte cuenta de que nos encontramos ante un cambio radical en la manera de pensar. Para Platón, el mayor grado de realidad es lo que *pensamos* con la razón. Para Aristóteles era igual de evidente que el mayor grado de realidad es lo que *sentimos* con los sentidos. Platón opina que todo lo que vemos a nuestro alrededor en la naturaleza, son meros reflejos de algo que existe de un modo más real en el mundo de las Ideas, y con eso también en el alma del ser humano. Aristóteles opina exactamente lo contrario. Lo que hay en el alma del ser humano, son meros reflejos de los objetos de la naturaleza; es decir, la naturaleza es el verdadero mundo. Según Aristóteles, Platón quedó «anclado» en una visión mítica del mundo, en la que los conceptos del hombre se confunden con el mundo real.

Aristóteles señaló que no existe nada en la mente que no haya estado antes en los sentidos, y Platón podría haber dicho que no hay nada en la naturaleza que no haya estado antes en el mundo de las Ideas. En ese sentido, opinaba Aristóteles, Platón «duplicaba el número de las cosas». Explicaba cada caballo haciendo referencia a «la idea» de caballo. ¿Pero qué explicación era esa, Sofía? Quiero decir, ¿de dónde viene la «idea de caballo»? ¿Existe acaso también un tercer caballo, del que la «idea de caballo» es un mero reflejo?

Aristóteles pensó que todo lo que tenemos dentro de pensamientos e ideas ha entrado en nuestra conciencia a través de lo que hemos visto y oído. Pero también tenemos una razón innata con la que nacemos. Tenemos una capacidad innata para ordenar todas nuestras sensaciones en distintos grupos y clases. Así surgen los conceptos «piedra», «planta», «animal» y «hombre». Así surgen los conceptos «caballo», «cangrejo» y «canario».

Aristóteles no negó que el hombre tuviera una inteligencia innata. Al contrario, según Aristóteles es precisamente *la razón* la que constituye la característica más destacada del ser humano. Pero nuestra inteligencia está totalmente *vacía* antes de que sintamos algo. Por lo tanto el ser humano no puede nacer con idea alguna.

Las formas son las cualidades de las cosas

Tras haber aclarado su relación con la teoría de las Ideas de Platón, Aristóteles constata que la realidad está compuesta de una serie de cosas individuales que constituyen un conjunto de *materia* y *forma*. La «materia» es el material del que está hecha una cosa, y la «forma» son las cualidades específicas de la cosa.

Delante de ti aletea una gallina, Sofía. La «forma» de la gallina es precisamente aletear, y también cacarear y poner huevos. Así pues, la «forma» de la gallina son las propiedades específicas de la especie «gallina» o, dicho de otra manera, lo que hace la gallina. Cuando la gallina muere, y con ello deja de cacarear, la «forma» de la gallina deja de existir. Lo único que queda es la «materia» de la gallina (¡qué triste, verdad, Sofía!), pero entonces, ya no es una gallina.

Como ya he indicado, Aristóteles se interesaba por los cambios que tienen lugar en la naturaleza. En la «materia» siempre hay una posibilidad de conseguir una determinada «forma». Podemos decir que la «materia» se esfuerza por hacer realidad una posibilidad inherente. Cada cambio que tiene lugar en la naturaleza es, según Aristóteles, una transformación de la materia de *posibilidad* a *realidad*.

No te preocupes, Sofía, te lo explicaré. Intentaré hacerlo con una historia divertida. Érase una vez un escultor que estaba agachado sobre un enorme bloque de granito. Todos los días daba martillazos y picaba la piedra informe, y un día recibió la visita de un niño. «¿Qué estás buscando?», preguntó el niño. «Espera y verás», dijo el escultor. Al cabo de unos días el niño volvió. Para entonces el escultor había esculpido un hermoso caballo del bloque de granito. El niño lo miró asombrado, y luego se volvió al escultor y dijo: «¿Cómo podías saber que el caballo estaba ahí dentro?».

Pues eso, ¿cómo podía saberlo? De alguna manera el escultor había visto la «forma» del caballo en el bloque de granito. Porque precisamente ese bloque de granito tenía una posibilidad inherente de transformarse en caballo. De esa manera, pensaba Aristóteles, todas las cosas de la naturaleza tienen una posibilidad inherente de realizar o concluir una determinada «forma».

Volvamos a la gallina y al huevo. Un huevo de gallina tiene una posibilidad inherente de convertirse en gallina, lo cual no significa que todos los huevos de gallina acaben convirtiéndose en gallinas, pues algunos acaban en la mesa del desayuno como huevo pasado por agua, tortilla o huevos revueltos, sin que la «forma» inherente del huevo llegue a hacerse realidad. Pero también resulta evidente que el huevo de gallina no puede convertirse en un ganso. Esa posibilidad no está en el huevo de gallina. Así vemos que la «forma» de una cosa nos dice algo sobre la «posibilidad» de la cosa, así como sobre las limitaciones de la misma.

Al hablar Aristóteles de la «forma» y de la «materia» de las cosas, no se refería únicamente a los organismos vivos. De la misma manera que la «forma» de la gallina es aletear, poner huevos y cacarear, la «forma» de la piedra es caer al suelo. Naturalmente, puedes levantar una piedra y tirarla muy alto al aire, pero no puedes tirarla hasta la luna porque la naturaleza de la piedra es caer al suelo. (En realidad debes tener cuidado al realizar este experimento, pues la piedra podría fácilmente llegar a vengarse, ya que busca el retorno más rápido posible a la tierra, ¡y pobre de aquel que le impida su camino!)

La causa final

Antes de dejar el tema de la «forma» de todas las cosas vivas y muertas, y que nos dice algo sobre las posibles *actividades* de las cosas, debo añadir que Aristóteles tenía una visión muy particular de las relaciones causa-efecto en la naturaleza.

Cuando hoy en día hablamos de la «causa» de esto y de lo otro, nos referimos a *cómo* algo sucede. El cristal se rompió porque Petter le tiró una piedra; un zapato se hace porque el zapatero junta unos trozos de piel cosiéndolos. Pero Aristóteles pensaba que hay varias clases de *causas* en la naturaleza: menciona en total cuatro causas diferentes. Lo más importante es entender qué quiere decir con lo que él llamaba «causa final».

En cuanto a la rotura del cristal, cabe preguntar el *por qué* Petter tiró la piedra al cristal. En otras palabras: preguntamos qué finalidad tenía. No cabe duda de que la intención o el «fin» también juega un importante papel en el proceso de fabricación de un zapato. Pero Aristóteles contaba con una «causa final» también en lo que se refiere a procesos de la naturaleza completamente inanimados. Nos bastará con un ejemplo.

¿Por qué llueve, Sofía? Seguramente habrás aprendido en el colegio que llueve porque el vapor de agua de las nubes se enfría y se condensa formando gotas de agua que caen al suelo debido a la acción de la gravedad. Aristóteles estaría de acuerdo con este ejemplo. Pero añadiría que sólo has señalado tres de las causas. La *causa material* es que el vapor de agua en cuestión (las nubes) se encontraban justo allí en el momento en el que se enfrió el aire. La *causa eficiente* (o agente) es que se enfría el vapor del agua, y la *causa formal* es que la «forma» o la naturaleza del agua es caer al suelo. Si no dijeras nada más, Aristóteles añadiría que llueve *porque* las plantas y los animales necesitan el agua de la lluvia para poder crecer. Ésta era la que él llamaba *causa final*. Como ves, Aristóteles atribuye a las gotas de agua una tarea o una *intención*.

Supongo que nosotros daríamos la vuelta a todo esto y diríamos que las plantas crecen porque hay humedad, y que crecen naranjas y uvas para que los seres humanos las coman.

La ciencia hoy en día no piensa así. Decimos que la comida y la humedad son condiciones para que puedan vivir los animales y las personas. Si no fuera por estas condiciones, nosotros no habríamos existido. Pero no es *intención* del agua ni de las naranjas darnos de comer.

En lo que se refiere a las causas, estamos tentados a decir que Aristóteles se equivocó. Pero no hay que apresurarse. Mucha gente piensa que Dios creó el mundo tal como es, precisamente para que las personas y los animales pudiesen vivir en él. Sobre esta base es evidente que se

134

puede decir que el agua va a los ríos porque los animales y los seres humanos necesitan agua para vivir. Pero en este caso estamos hablando de la intención o el propósito de Dios, no son las gotas de la lluvia o el agua de los ríos los que desean nuestro bien.

Lógica

La distinción entre «forma» y «materia» juega también un importante papel cuando Aristóteles se dispone a describir cómo los seres humanos reconocen las cosas en el mundo.

Al reconocer algo, ordenamos las cosas en distintos grupos o categorías. Veo un caballo, luego veo otro caballo, y otro más. Los caballos no son completamente idénticos, pero tienen *algo* en común, algo que es igual para todos los caballos, y precisamente eso que es igual para todos los caballos, es lo que constituye la «forma» del caballo. Lo que es diferente o individual, pertenece a la «materia» del caballo.

De esta manera los seres humanos andamos por el mundo clasificando las cosas en distintas casillas. Colocamos a las vacas en los establos, a los caballos en la cuadra, a los cerdos en la pocilga y a las gallinas en el gallinero. Lo mismo ocurre cuando Sofía Amundsen ordena su habitación. Coloca los libros en las estanterías, los libros del colegio en la cartera, las revistas en el cajón de la cómoda. La ropa se dobla ordenadamente y se mete en el armario, las braguitas en un estante, los jerseys en otro, y los calcetines en un cajón aparte. Date cuenta de que hacemos lo mismo en nuestra mente: distinguimos entre cosas hechas de piedra, cosas hechas de lana y cosas hechas de caucho. Distinguimos entre cosas vivas y muertas, y también entre plantas, animales y seres humanos.

¿Me sigues, Sofía? Como ves, Aristóteles se propuso hacer una buena limpieza en el cuarto de la naturaleza. Intentó mostrar que todas las cosas de la naturaleza pertenecen a determinados grupos y subgrupos. (Hermes es un ser vivo, más concretamente un animal, más concretamente un vertebrado, más concretamente un mamífero, más concretamente un perro, más concretamente un labrador, más concretamente un labrador macho.)

Vete ahora a tu cuarto, Sofía, y recoge del suelo cualquier objeto. Sea cual sea el objeto que levantes, descubrirás que lo que estás tocando pertenece a uno de los órdenes superiores. El día que veas algo que no sepas clasificar, te llevarás un gran susto; por ejemplo si descubrieras una cosa de la que no supieras decir con seguridad si pertenece al reino animal, al reino vegetal o al reino mineral. Apuesto a que ni siquiera te atreverías a tocarla.

Acabo de decir el reino vegetal, el reino animal y el reino mineral. Me estoy acordando ahora de ese juego que consiste en que uno se va fuera, mientras el resto de los participantes en la fiesta deben pensar en algo que el pobre de fuera tiene que adivinar al entrar.

Los demás invitados han decidido pensar en el gato llamado Mons, que en ese momento se encuentra en el jardín del vecino. El que estaba fuera vuelve a entrar y comienza a adivinar. Los demás sólo pueden contestar «sí» o «no». Si el pobrecito es un buen aristotélico, y en ese caso no es ningún pobrecito, la conversación podría transcurrir aproximadamente como sigue: ¿Es algo concreto? (Sí.) ¿Pertenece al reino mineral? (No.) ¿Es algo vivo? (Sí.) ¿Pertenece al reino vegetal? (No.) ¿Es un animal? (Sí.) ¿Es un ave? (No.) ¿Es un mamífero? (Sí.) ¿Es un gato? (Sí.) ¿Es Mons? (¡Síííííííí! Risas...)

De manera que fue Aristóteles quien inventó este

juego. Y a Platón le podemos atribuir el invento del «escondite en la oscuridad». A Demócrito ya le concedimos el honor de haber inventado las piezas de lego.

Aristóteles fue un hombre meticuloso que quiso poner orden en los conceptos de los seres humanos. De esa manera sería él quien creara la *lógica* como ciencia. Señaló varias reglas estrictas para saber qué reglas o pruebas son lógicamente válidas. Bastará con un ejemplo: si primero constato que «todos los seres vivos son mortales» (primera premisa) y luego constato que «Hermes es un ser vivo» (segunda premisa), entonces puedo sacar la elegante conclusión de que «Hermes es mortal».

El ejemplo muestra que la lógica de Aristóteles trata de la relación entre conceptos, en este caso «ser vivo» y «mortal». Aunque tengamos que darle la razón a Aristóteles en que la conclusión arriba citada es válida cien por cien, a lo mejor tendríamos que admitir también que no dice nada nuevo. Sabíamos de antemano que Hermes es «mortal». (Es «un perro» y todos los perros son «seres vivos», que a su vez son «mortales», a diferencia de las piedras del Monte Everest.) Sí, sí, Sofía, lo sabíamos ya. Pero no siempre la relación entre grupos de cosas parece tan evidente. De vez en cuando puede resultar útil ordenar nuestros conceptos.

Me limito a poner un solo ejemplo: ¿es posible que esas crías minúsculas de ratón chupen leche de su mamá exactamente igual que los corderos y cerditos? Pensémoslo: lo que sí sabemos, por lo menos, es que los ratones no ponen huevos. (¿Cuándo he visto un huevo de ratón?) De manera que paren hijos vivos, igual que los cerdos y las ovejas. A los animales que paren los llamamos «mamíferos», y los mamíferos son precisamente animales que chupan leche de su madre. Y ya está. Teníamos la respuesta ya en nuestra mente, pero tuvimos que meditar un poco. Nos habíamos olvidado de que los ratones realmente beben la leche de su madre. Quizás se debió a que nunca habíamos visto ratoncitos mamando. La razón es, evidentemente, que los ratones se inhiben un poco cuando se trata de cuidar a sus hijos en presencia de los seres humanos.

La escala de la naturaleza

Cuando Aristóteles se pone a «ordenar» la existencia, señala primero que las cosas de la naturaleza pueden dividirse en dos grupos principales. Por un lado tenemos las cosas *inanimadas*, tales como piedras, gotas de agua y granos de tierra. Estas cosas no tienen ninguna posibilidad inmanente de cambiar. Esas cosas «no vivas», sólo pueden cambiar, según Aristóteles, bajo una influencia externa. Por otro lado tenemos las *cosas vivas*, que tienen una posibilidad inmanente de cambiar.

En lo que se refiere a las cosas vivas, Aristóteles señala que hay que dividirlas en dos grupos principales. Por un lado tenemos las *plantas*, por otro lado tenemos los *seres vivos*. También los seres vivos pueden dividirse en dos subgrupos, es decir, en *animales* y *seres humanos*.

Tienes que admitir que esta división parece clara y bien dispuesta. Hay una diferencia esencial entre las cosas vivas y las no vivas, por ejemplo, entre una rosa y una piedra. Del mismo modo también hay una diferencia esencial entre plantas y animales, por ejemplo, entre una rosa y un caballo. Y también me atrevo a decir que hay bastante diferencia entre un caballo y un ser humano. ¿Pero en qué consisten exactamente esas diferencias? ¿Me lo puedes decir?

Desgraciadamente no tengo tiempo para esperar a que anotes tu respuesta y la metas en un sobre rosa junto con un

138

terroncito de azúcar, de modo que yo mismo contestaré a la pregunta: al dividir Aristóteles los fenómenos de la naturaleza en varios grupos, parte de las cualidades de las cosas; más concretamente de lo que *saben* o de lo que *hacen*.

Todas las cosas vivas (plantas, animales y seres humanos) saben tomar alimento, crecer y procrear. Todos los seres vivos también tienen la capacidad de sentir el mundo de su entorno y de moverse en la naturaleza. Todos los seres humanos tienen además la capacidad de pensar, o, en otras palabras, de ordenar sus sensaciones en varios grupos y clases.

Así resulta que no hay verdaderos límites muy definidos en la naturaleza. Registramos una transición más bien difusa de plantas simples a animales más complicados. En la parte superior de esta escala está el ser humano, que, según Aristóteles, vive toda la vida de la naturaleza. El ser humano crece y toma alimento como las plantas, tiene sentimientos y la capacidad de moverse como los animales, pero tiene además una capacidad, que solamente la tiene el ser humano, y es la de pensar racionalmente.

Por ello el ser humano tiene una chispa de la razón divina, Sofía. Sí, sí, acabo de decir divina. En algunos momentos Aristóteles señala que tiene que haber un dios que haya puesto en marcha todos los movimientos de la naturaleza. En ese caso, ese dios se convierte en la cima absoluta de la escala de la naturaleza.

Aristóteles se imaginaba que los movimientos de las estrellas y de los planetas dirigen los movimientos en la Tierra. Pero también tiene que haber algo que ponga en marcha los movimientos de los astros. A ese «algo» Aristóteles lo llama *primer motor* o *dios*. El «primer motor» no se mueve en sí, pero es la «causa primera» de los movimientos de los astros y, con ello, de todos los movimientos de la Tierra.

Ética

Volvamos a los seres humanos, Sofía. La «forma» del ser humano es, según Aristóteles, que tiene un alma vegetal, un alma animal, así como un alma racional. Y entonces se pregunta: ¿cómo debe vivir el ser humano? ¿Qué hace falta para que un ser humano pueda vivir feliz? Contestaré brevemente: el ser humano solamente será feliz si utiliza todas sus capacidades y posibilidades.

Aristóteles pensaba que hay tres clases de felicidad. La primera clase de felicidad es una vida de placeres y diversiones. La segunda, vivir como un ciudadano libre y responsable. La tercera, una vida en la que uno es filósofo e investigador.

Aristóteles también subraya que las tres condiciones tienen que existir simultáneamente para que el ser humano pueda vivir feliz. Rechazó, pues, cualquier forma de «vías únicas». Si hubiera vivido hoy en día a lo mejor habría dicho que alguien que sólo cultiva su cuerpo vive tan parcial y tan defectuosamente como aquel que sólo usa la cabeza. Ambos extremos expresan una vida desviada.

También en lo que se refiere a la relación con otros seres humanos, Aristóteles señala un «justo medio»: no debemos ser ni cobardes ni temerarios, sino *valientes*. (Demasiado poco valor es cobardía, y demasiado valor es temeridad.) Del mismo modo no debemos ser ni tacaños ni pródigos, sino *generosos*. (Ser muy poco generoso es ser tacaño, ser demasiado generoso es ser pródigo.)

Pasa como con la comida. Es peligroso comer demasiado poco, pero también es peligroso comer en exceso. Tanto la ética de Platón como la de Aristóteles se remiten a la ciencia médica griega: únicamente mediante el equilibrio y la moderación seré una persona feliz o en armonía.

Política

La idea de que el ser humano no debe cultivar tan sólo una cosa también se desprende de la visión que presenta Aristóteles de la sociedad. Dijo que el ser humano es un «animal político». Sin la sociedad que nos rodea no somos seres verdaderos, opinaba él. Señaló que la familia y el pueblo cubren necesidades vitales inferiores, tales como comida y calor, matrimonio y educación de los hijos. Pero sólo el Estado puede cubrir la mejor organización de comunidad humana.

Ahora llegamos a la pregunta de cómo debe estar organizado el Estado. (¿Te acordarás del «Estado filosófico» de Platón, verdad?) Aristóteles menciona varias buenas formas de Estado. Una es la *monarquía*, que significa que sólo hay un jefe superior en el Estado. Para que esta forma de Estado sea buena tiene que evitar evolucionar hacia una «tiranía», es decir que un único jefe gobierne el Estado para su propio beneficio. Otra buena forma de Estado es la *aristocracia*. En una aristocracia hay un grupo mayor o menor de jefes de Estado. Esta forma tiene que cuidarse de no caer en una *oligarquía*, lo que hoy en día llamaríamos *Junta*. A la tercera buena forma de Estado Aristóteles la llamó *democracia*. Pero también esta forma de Estado tiene su revés. Una democracia puede rápidamente caer en una «demagogia». (Aunque el tirano Hitler no hubiese sido jefe del Estado alemán, todos los pequeños nazis podrían haber creado una terrible *demagogia*.)

La mujer

Por último, debemos decir algo sobre la opinión que tenía Aristóteles de la mujer. Desgraciadamente no era tan positiva como la de Platón. Aristóteles pensaba más bien que a la mujer le faltaba algo. Era un «hombre incompleto». En la procreación la mujer sería pasiva y receptora, mientras que el hombre sería el activo y el que da. Aristóteles pensaba que un niño sólo hereda las cualidades del hombre, y que las cualidades del propio niño estaban contenidas en el esperma del hombre. La mujer era como la Tierra, que no hace más que recibir y gestar la semilla, mientras que el hombre es el que siembra. O, dicho de una manera genuinamente aristotélica: el hombre da la «forma» y la mujer contribuye con la «materia».

Naturalmente, resulta sorprendente y también lamentable que un hombre tan razonable en otros asuntos se pudiera equivocar tanto en lo que se refería a la relación entre los sexos. No obstante, nos muestra dos cosas: en primer lugar que Aristóteles seguramente no tuvo mucha experiencia práctica con mujeres ni con niños. En segundo lugar muestra lo negativo que puede resultar que los hombres hayan imperado siempre en la filosofía y las ciencias.

Y particularmente negativo resulta el error de Aristóteles en cuanto a su visión de la mujer, porque su visión, y no la de Platón, llegaría a dominar durante la Edad Media. De esta manera, la Iglesia heredó una visión de la mujer que en realidad no tenía ninguna base en la Biblia. ¡Pues Jesús no era anti-mujer!

¡No digo más! ¡Volverás a saber de mí!

Cuando Sofía hubo leído el capítulo sobre Aristóteles una vez y media, volvió a meter las hojas en el sobre amarillo y se quedó mirando fijamente su cuarto. De pronto vio lo desordenado que estaba todo. En el suelo había un montón de libros y carpetas. Por la puerta del armario asomaban en un caos total calcetines y blusas, medias y pantalones vaqueros. En la silla delante del escritorio había ropa sucia en un desorden total.

A Sofía le entraron unas ganas irresistibles de *ordenar*. Primero vació los estantes del armario ropero, y empujó todo al suelo. Era importante comenzar desde el principio. Se puso a doblar muy concienzudamente todas las prendas y a colocarlas en el armario. El armario tenía siete estantes. Sofía reservó un estante para bragas y camisetas, otro para calcetines y leotardos y otro para pantalones largos. De esa manera llenó de nuevo todos los estantes del armario. No tuvo en ningún momento duda ninguna respecto a dónde colocar las prendas. Luego puso la ropa sucia en una bolsa de plástico que había encontrado en el estante de abajo.

Sólo tuvo problemas con una prenda. Era un único calcetín blanco y largo, y el problema no era solamente que faltase su pareja, sino que además nunca había sido suyo.

Se quedó de pie, investigando el calcetín durante varios minutos. No llevaba ningún nombre, pero Sofía tenía una fuerte sospecha sobre quién podía ser la dueña. Lo tiró al estante de arriba, junto a una bolsa con piezas de lego, una cinta de vídeo y un pañuelo rojo de seda.

Ahora le tocaba el turno al suelo. Sofía clasificó libros y carpetas, revistas y posters, exactamente de la misma manera que había descrito el profesor de filosofía en el capítulo sobre Aristóteles. Cuando hubo terminado con el suelo, hizo primero la cama y luego se puso con el escritorio.

Por último reunió todas las hojas sobre Aristóteles en un bonito montón. Encontró una carpeta con anillas y una perforadora, perforó las hojas y las colocó en la carpeta. Finalmente la colocó en el último estante del armario, junto al calcetín blanco. Más tarde recogería la caja de galletas del Callejón.

A partir de ahora sería muy ordenada, y no se refería únicamente a las cosas de su habitación. Después de haber leído sobre Aristóteles entendió que era igual de importante tener orden en los conceptos e ideas. Había reservado un estante en la parte superior del armario para ese fin. Era el único sitio de la habitación que no dominaba completamente.

No había oído a su madre en varias horas. Sofía bajó a la planta baja. Antes de despertar a su madre tendría que dar de comer a sus animales.

En la cocina se inclinó sobre la pecera de los peces dorados. Uno de ellos era negro, el otro era de color naranja y el tercero blanco y rojo. Por ello los había llamado Negrito, Dorado y Caperucita Roja. Echó en el agua comida para peces y dijo:

—Pertenecéis a la parte viva de la naturaleza, por lo tanto podéis tomar alimento, podéis crecer y podéis procrear. Más concretamente pertenecéis al reino animal, lo que significa que sabéis moveros y mirar la habitación. Para ser del todo exacta, sois peces, y por eso podéis respirar con branquias y nadar por las aguas de la vida.

Sofía volvió a enroscar la tapa del bote de cristal que contenía comida para peces. Estaba satisfecha con la colocación de los peces dorados en el orden de la naturaleza, y muy especialmente satisfecha con su expresión «las aguas de la vida». Luego les tocó a los periquitos. Sofía puso algunas semillas para pájaros en el comedero y dijo:

—Queridos Cada y Pizca. Os habéis convertido en unos periquitos muy monos porque os habéis desarrollado de unos huevecitos muy monos de periquitos, y porque «la forma» de estos huevos consistía en la posibilidad de convertirse en periquitos, afortunadamente no os habéis convertido en unos loros charlatanes.

Sofía entró en el cuarto de baño grande, donde estaba en una caja la perezosa tortuga. Cada tres o cuatro duchas que se daba, la madre solía gritar que un día mataría a la tortuga. Pero hasta ahora había sido una amenaza vacía de contenido. Sofía sacó una hoja de lechuga de un frasco de cristal y la metió en la caja.

—Querida Govinda —dijo—. No perteneces exactamente a la especie de los animales más rápidos. Pero al menos eres un animal capaz de participar en una pequeñísima fracción de ese gran mundo en el que vivimos. Si te sirve de consuelo, te diré que no eres la única incapaz de superarte a ti misma.

El gato Sherekan estaría probablemente fuera cazando ratones, pues ésa era la naturaleza de los gatos. Sofía atravesó la sala para ir al dormitorio de su madre. En la mesa del sofá había un florero con un ramo de narcisos. Sofía tuvo la sensación de que esas flores amarillas la saludaban solemnemente al pasar a su lado. Sofía se detuvo un momento y tocó con dos dedos las cabecitas lisas.

—También vosotras pertenecéis a la parte viva de la naturaleza —dijo—. En ese sentido le lleváis cierta ventaja al florero en el que estáis. Pero desgraciadamente no sois capaces de daros cuenta de ello.

Sofía entró de puntillas al cuarto de su madre. La madre dormía profundamente, pero Sofía le puso una mano sobre la cabeza.

—Tú eres de los más afortunados en este conjunto —dijo—. No solamente estás viva como los lirios en el campo. Y no eres sólo un ser vivo como Sherekan o Govinda. Eres un ser humano, es decir, que estás equipada con una rara capacidad para pensar.

—¿Qué dices, Sofía?

Se despertó un poco más deprisa que de costumbre.

—Sólo digo que pareces una tortuga perezosa. Por otra parte, te puedo informar de que he ordenado mi cuarto. Me puse a trabajar con meticulosidad filosófica.

La madre se incorporó a medias en la cama.

—Ahora voy —dijo—. ¿Puedes poner el café?

Sofía hizo lo que le pidió y poco rato después estaban sentadas en la cocina con café y chocolate. Finalmente, Sofía dijo:

—¿Has pensado alguna vez en por qué vivimos, mamá?

—Vaya, no paras, por lo que veo.

—Ahora sí, que ya sé la respuesta. En este planeta vive gente para que algunos anden por ahí poniendo nombres a todas las cosas.

—¿De verdad? No se me había ocurrido nunca.

—Entonces tienes un problema serio, porque el ser humano es un ser pensante. Si no piensas no eres un ser humano.

—¡Sofía!

—¡Figúrate que en la Tierra sólo viviesen plantas y animales. Entonces no habría habido nadie capaz de distinguir entre «gatos» y «perros», «lirios» y «frambuesas». También son seres vivos las plantas y los animales, pero solamente nosotros sabemos ordenar la naturaleza en diferentes grupos y clases.

—De verdad que eres la chica más rara que conozco —dijo la madre.

—No faltaría más —dijo Sofía—. Todos los seres humanos son más o menos raros. Yo soy un ser humano, por lo tanto soy más o menos rara. Tú sólo tienes una hija, por lo tanto soy la más rara.

—Lo que quería decir es que me asustas con todos estos... discursos últimamente.

—En ese caso, eres muy fácil de asustar.

Más avanzada la tarde Sofía volvió al Callejón. Logró meter la gran caja de galletas en su habitación sin que la madre se diera cuenta de nada.

Primero ordenó todas las hojas, luego las perforó y finalmente las colocó en la carpeta de anillas antes del capítulo sobre Aristóteles. Por último, esribió el número de las páginas en la esquina de arriba, a la derecha de cada hoja. Tenía ya más de 50 hojas. Sofía estaba en vías de hacer su propio libro de filosofía. No era ella la que lo estaba escribiendo, pero había sido escrito especialmente para ella.

Aún no había tenido tiempo de pensar en los deberes para el lunes. A lo mejor habría control de religión, pero el profesor siempre decía que valoraba el interés personal y las reflexiones propias. Sofía tenía cierta sensación de que estaba adquiriendo una buena base para ambas cosas.

El helenismo

...una «chispa de la hoguera»...

El profesor de filosofía había empezado a enviar las cartas directamente al viejo seto, pero por costumbre Sofía echó un vistazo al buzón el lunes por la mañana.

Estaba vacío. No podía esperar otra cosa. Empezó a bajar el Camino del Trébol.

De pronto descubrió una fotografía en el suelo. Era una foto de un jeep blanco con una bandera azul. En la bandera ponía «ONU». ¿No era la bandera de las Naciones Unidas?

Sofía miró el dorso de la foto y descubrió por fin que era una postal. A «Hilde Møller Knag c/o Sofía Amundsen...». Llevaba un sello noruego y un matasellos del batallón de Naciones Unidas, viernes 15 de junio 1990.

¡15 de junio! ¡Ese día era el cumpleaños de Sofía!

En la postal ponía:

Querida Hilde. Supongo que piensas celebrar tu decimoquinto cumpleaños. ¿O lo harás al día siguiente? Bueno, la duración del regalo no tiene ninguna importancia. De alguna manera durará toda la vida. Te vuelvo a felicitar. Ahora habrás entendido por qué envío las postales a Sofía. Estoy seguro de que ella te las enviará a ti.

P. D. Mamá me dijo que habías perdido tu cartera. Prometo pagar las 150 coronas que perdiste. En el colegio te darán otro carnet escolar, supongo, antes de que cierre por vacaciones.

Mucho cariño de tu papá.

Sofía se quedó como pegada al asfalto. ¿Qué fecha tenía

el matasellos de la postal anterior? Algo en su subconsciente le estaba diciendo que también la postal con la foto de una playa tenía fecha del mes de junio, aunque faltaba todavía un mes entero. No había mirado bien...

Miró el reloj y volvió a toda prisa a casa. Hoy tendría que llegar un poco tarde al colegio, no tenía otro remedio.

Abrió con la llave y subió corriendo a su cuarto, donde buscó la primera postal para Hilde debajo del pañuelo rojo de seda. Pues sí, también esta postal llevaba el matasellos de 15 de junio. ¡El día del cumpleaños de Sofía y el día antes de la llegada de las vacaciones de verano!

Pensaba intensamente mientras corría hacia el Centro Comercial, donde se encontraría con Jorunn.

¿Quién era Hilde? ¿Cómo era posible que el padre de esa chica diera más o menos por sentado que Sofía conocería a Hilde? En todo caso no parecía lógico que enviara las postales a Sofía, en lugar de enviarlas directamente a su hija. ¿Se trataba de una broma? ¿Quería sorprender a su hija en el día de su cumpleaños utilizando a una chica totalmente desconocida como detective y cartero? ¿Por eso le había dado un mes de ventaja? ¿La razón de utilizarla a ella como intermediaria podría ser que deseaba regalarle a su hija una nueva amiga? ¿Sería ése el regalo que «duraría toda la vida»?

Si ese extraño hombre se encontraba de verdad en el Líbano, ¿cómo había podido localizar las señas de Sofía? Y había algo más: Sofía y Hilde tenían al menos dos cosas en común. Si también Hilde cumplía años el 15 de junio significaba que las dos habían nacido el mismo día, y las dos tenían un padre que viajaba por el mundo.

Sofía se sintió transportada hacia un mundo mágico. Quizás debería uno creer en el destino a pesar de todo. Bueno, bueno, no debía sacar conclusiones así de rápidamente, todo podía tener una explicación natural. ¿Pero cómo podía Alberto Knox haber encontrado la cartera de Hilde cuando Hilde vivía en Lillesand, que estaba a más de 300 km de Oslo? ¿Y por qué había encontrado esa postal en el suelo? ¿Se le habría caído al cartero justo antes de llegar al buzón de Sofía? ¿Pero por qué había perdido justamente esa postal?

—¡Estás loca! —exclamó Jorunn al ver a Sofía junto al Centro Comercial.

—Lo siento.

Jorunn la miró con severidad, como si fuera ella misma una profesora.

—Espero que tengas una buena explicación.

—Tiene algo que ver con la ONU —dijo Sofía—. He sido retenida por una milicia hostil en el Líbano.

—¡Ya! Lo que pasa es que te has enamorado.

Se fueron corriendo al colegio.

El control de religión, para el que Sofía no había tenido tiempo de prepararse, se hizo a tercera hora. En la hoja ponía:

Concepto de la vida y tolerancia

1. *Haz una lista de lo que puede saber una persona. Haz a continuación una lista de lo que solamente podemos creer.*
2. *Señala algunos factores que contribuyan a formar el concepto de la vida de una persona.*
3. *¿Qué se pretende decir con «conciencia»? ¿Crees que todos los seres humanos tienen la misma conciencia?*
4. *¿Qué significa dar prioridad a determinados valores?*

Sofía se quedó mucho rato pensando antes de empezar a escribir. ¿Podría utilizar algo de lo que había aprendido de Alberto Knox? Tendría que hacerlo, porque hacía bastantes días que no había abierto ni siquiera el libro de religión. Cuando por fin se puso a escribir, las frases le venían como a chorros.

Sofía escribió que podemos saber que la luna no es un queso y también que hay cráteres en la cara posterior de la luna, que tanto Sócrates como Jesús fueron condenados a muerte, y que todos los seres humanos van a morir antes o después, que los grandes templos de la Acrópolis fueron construidos después de las guerras persas, unos 400 años antes de Jesucristo, y que el oráculo más importante de los griegos fue el de Delfos. Como ejemplo de la pregunta sobre lo que sólo podemos creer mencionó lo de si hay o no hay vida en otros planetas, y si existe o no existe Dios, si hay una vida después de la muerte y si Jesús era el hijo de Dios o simplemente un hombre muy sabio. «Lo que es seguro es que no podemos saber de dónde viene el mundo», escribió al final. «El universo puede compararse con un gran conejo que se saca de un gran sombrero de copa. Los filósofos intentan subirse a uno de los pelos finos de la piel del conejo con el fin de mirar al Gran Mago a los ojos. Aún no sabemos si alguna vez lograrán su propósito. Pero si un filósofo se sube a la espalda de otro, y así sucesivamente, saldrán cada vez más de la suave piel del conejo y entonces, y ésta es mi opinión personal, lograrán su propósito.

»P. D. En la Biblia oímos hablar de algo que puede haber sido uno de los pelos finos de la piel del conejo. Ese pelo se llama Torre de Babel y fue arrasada porque al Mago no le gustó que esos pequeños piojos humanos comenzaran a buscar el camino para salir de ese conejo blanco que acababa de crear.»

Luego empezó con la segunda pregunta: «Señala algunos factores que contribuyan a formar el concepto de la vida de una persona». En este tema la educación y el entorno eran, sin duda, factores muy importantes. Las personas que vivieron en la época de Platón tenían un concepto de la vida diferente al de muchas personas de hoy en día simplemente porque vivieron en otra época y en otro ambiente. También eran decisivas las experiencias que uno había optado por buscar. Y la razón no dependía del entorno, era común para todas las personas. A lo mejor se podrían comparar el entorno y las condiciones sociales con la situación que reinaba en el fondo de la caverna de Platón. Mediante su razón cada individuo puede empezar a salir de la oscuridad de la caverna, pero ese camino requiere una considerable cantidad de valor personal. Sócrates es un buen ejemplo de alguien que logró librarse de las ideas imperantes en su propia época mediante su razón. Finalmente escribió: «Hoy en día se estrechan cada vez más las relaciones entre personas de muchos países y culturas diferentes. Pueden cohabitar en el mismo bloque cristianos, musulmanes y budistas. Entonces es más importante tolerar la fe de los otros que preguntar por qué no todos creen en lo mismo».

Pues sí, a Sofía le pareció que podía utilizar bastante de lo que había aprendido del profesor de filosofía. Luego añadió un poco de sus propios razonamientos, además de cosas que había leído y oído en otros contextos.

Se puso con la tercera pregunta: «¿Qué se pretende decir con "conciencia"? ¿Crees que todos los seres humanos tienen la misma conciencia?». De este tema se había hablado mucho en clase. Sofía escribió: «Por "conciencia" se entiende la capacidad de los seres humanos de reaccionar ante lo que es bueno y lo que es malo. Yo opino que todas las personas estamos provistas de esta capacidad, es decir que la conciencia es algo con lo que se nace. Sócrates habría dicho lo mismo. Pero exactamente lo que dice la conciencia es algo que puede variar mucho de una persona a otra. Sobre este tema puede ser que los sofistas pusieran el dedo en la llaga. Ellos pensaron que lo que es bueno y lo que es malo es, en primer lugar, algo que se decide en el ambiente en el que se cría cada uno. Sócrates, en cambio, pensó que la conciencia es igual en todos los seres humanos. Quizás ambas partes tuvieran razón. Aunque no todas las personas sienten vergüenza al mostrarse desnudas, casi todas tienen mala conciencia si se comportan mal con otra persona. Además hay que señalar que tener conciencia no es lo mismo que utilizarla. En algunas situaciones puede parecer que las personas actúan sin escrúpulo alguno, pero, en mi opinión, existe también en esa gente una conciencia, aunque esté muy escondida. De ese modo puede parecer que algunos seres humanos también carecen totalmente de razón, pero sólo es porque no la utilizan.

»P. D. Tanto la razón como la conciencia pueden compararse con un músculo. Si un músculo no se usa, se irá atrofiando cada vez más.»

Ya sólo quedaba una pregunta: «¿Qué significa dar prioridad a determinados valores?». También sobre ese tema habían hablado mucho últimamente. Puede resultar valioso, por ejemplo, saber conducir, para poder desplazarse rápidamente de un sitio a otro. Pero si el automovilismo causara la muerte de los bosques y el envenenamiento de la naturaleza, uno se encontraría ante una «elección de valores». Tras pensarlo mucho tiempo, Sofía llegó a la conclusión de que serían más valiosos los bosques sanos y la naturaleza limpia que el llegar rápidamente al trabajo. También puso algunos ejemplos más. Al final escribió: «Mi opinión personal es que la filosofía es una asignatura más importante que la gramática inglesa. Sería por lo tanto sensato dar prioridad a la incorporación de la filosofía en el programa lectivo y a cambio reducir un poco las clases de inglés».

En el último recreo el profesor llamó aparte a Sofía.

—Ya he leído tu examen de religión —dijo—. Estaba el primero del montón.

—Espero que te diera que pensar.

—Precisamente de eso quería hablarte. En cierto modo eran unas contestaciones muy maduras. Sorprendentemente maduras, Sofía. E independientes y personales. ¿Pero habías estudiado la lección?

Sofía no supo qué contestar.

—Has dicho antes que valoras las reflexiones personales.

—Bueno... sí... Pero hay límites.

Sofía miró al profesor a los ojos. Le pareció que se lo podía permitir después de todo lo que había vivido estos días.

—He empezado a leer filosofía —dijo—. Da una buena base para formar opiniones personales.

—Pero a mí no me resultará fácil calificar tu examen. Tendré que ponerte o un sobresaliente o un suspenso.

—Porque o he contestado del todo correctamente, o del todo mal. ¿Es eso lo que quieres decir?

—Digamos un sobresaliente —dijo el profesor—. Pero la próxima vez te estudias también la lección.

Cuando Sofía llegó a casa aquella tarde dejó tirada la cartera en la escalera y se fue corriendo al Callejón. Sobre las gruesas raíces había un sobre amarillo. Estaba totalmente seco por los bordes, de modo que haría tiempo que Hermes lo habría dejado.

Se llevó consigo el sobre y abrió la casa con la llave. Primero dio de comer a los animales y luego subió a su cuarto. Se echó sobre la cama, abrió la carta de Alberto y leyó.

El helenismo

¡Hola de nuevo, Sofía! Ya has oído hablar de los filósofos de la naturaleza y de Sócrates, Platón y Aristóteles, con lo cual ya conoces los mismísimos cimientos de la filosofía europea. A partir de ahora dejaremos ya de lado aquellos ejercicios iniciales que te solía dejar en un sobre blanco. Supongo que con los ejercicios, pruebas y controles del colegio tienes de sobra.

Te hablaré de ese largo período de tiempo que abarca desde Aristóteles, a finales del siglo IV a. de C., hasta los principios de la Edad Media, alrededor del año 400 d. de C. Toma nota de que ponemos «antes» y «después» de Jesucristo, porque algo de lo más importante, y también más singular de este período, fue precisamente el cristianismo.

Aristóteles murió en el año 322 a. de C. Para entonces Atenas ya había perdido su papel protagonista. Esto se debía, entre otras cosas, a los grandes cambios políticos ocasionados por las conquistas de *Alejandro Magno* (356-323).

Alejandro Magno fue rey de Macedonia. Aristóteles también era de Macedonia y, de hecho, durante algún tiempo fue profesor del joven Alejandro. Éste ganó la última y decisiva batalla a los persas. Y más que eso, Sofía: con sus muchas batallas unió la civilización griega con Egipto y todo el Oriente hasta la India. Se inicia una nueva época en la historia de la humanidad. Emergió una sociedad universal en la que la cultura y la lengua griegas jugaron un papel dominante. Este período, que duró unos 300 años, se suele llamar *helenismo*. Con «helenismo» se entiende tanto la época como la cultura predominantemente griega que dominaba en los tres reinos helenísticos: Macedonia, Siria y Egipto.

A partir del año 50 a. de C. aproximadamente, Roma llevó la ventaja militar y política. Esta nueva potencia fue conquistando uno por uno todos los reinos helenos, y comenzó a imponerse la cultura romana y la lengua latina desde España por el oeste, adentrándose mucho en Asia por el este. Comienza la época romana, o la Antigüedad tardía. Debes tomar nota de una cosa: antes de que Roma tuviera tiempo de conquistar el mundo helénico, la misma Roma se había convertido en una provincia de cultura griega. De esta forma, la cultura y filosofía griegas jugarían un importante papel mucho tiempo después de que la importancia política de los griegos fuera cosa del pasado.

Religión, filosofía y ciencia

El helenismo se caracterizó por el hecho de que se borraron las fronteras entre los distintos países y culturas. Anteriormente los griegos, romanos, egipcios, babilonios, sirios y persas habían adorado a sus dioses dentro de lo que se suele llamar «religión de un Estado nacional». Ahora las distintas culturas se mezclan en un crisol de ideas religiosas, filosóficas y científicas.

Podríamos decir que la plaza se cambió por la arena mundial. También en la vieja plaza habían resonado voces que llevaban diferentes mercancías al mercado así como diferentes ideas y pensamientos. Lo nuevo fue que las plazas de las ciudades ahora se llenaban de mercancías e ideas del mundo entero, y que se oían muchas lenguas distintas.

Ya hemos mencionado que las ideas griegas se sembraron mucho más allá de las antiguas zonas de cultura griega. Pero, a la vez, por toda la región mediterránea también se rendía culto a dioses orientales. Surgieron varias nuevas religiones que recogían dioses e ideas de algunas de las antiguas naciones. Esto se llama *sincretismo*, o mezcla de religiones.

Anteriormente la gente se había sentido muy unida a su pueblo y a su ciudad-estado. Pero conforme esas separaciones y líneas divisorias se fueron borrando, mucha gente tenía dudas y se sentía insegura ante las visiones y conceptos de la vida. Esa parte de la Antigüedad estaba, en términos generales, caracterizada por la duda religiosa, la desintegración religiosa y el pesimismo. «El mundo está viejo», se decía.

Una característica común de las nuevas religiones del helenismo era que solían tener una teoría, a menudo secreta, sobre cómo las personas podían salvarse de la muerte. Aprendiendo esas teorías secretas y realizando, además, una serie de ritos, las personas podían tener esperanza de obtener un alma inmortal y una vida eterna. El adquirir unos determinados *conocimientos* sobre la verdadera naturaleza del universo podía ser tan importante como los ritos religiosos para salvar el alma.

Éstas fueron las religiones, Sofía, pero también la *filosofía* se movía cada vez más hacia la salvación y el consuelo. Los conocimientos filosóficos no sólo tenían un valor en sí mismos, también debían librar a los seres humanos de su angustia vital, de su miedo a la muerte y de su pesimismo. De esta manera se borraron los límites entre religión y filosofía.

En general podemos decir que la filosofía helenística era poco original. No surgió ningún Platón ni ningún Aristóteles. Pero por otra parte los tres grandes filósofos de Atenas fueron una importante fuente de inspiración para varias corrientes filosóficas, de cuyos rasgos principales te haré un pequeño resumen.

También en la *ciencia* del helenismo se notaba la mezcla de ingredientes de diferentes culturas. La ciudad de Alejandría en Egipto jugó en este contexto un papel clave como lugar de encuentro entre Oriente y Occidente. Atenas continuó siendo la capital de la filosofía con las escuelas filosóficas heredadas de Platón y Aristóteles, y Alejandría se convirtió en el centro de la ciencia. Con su gran biblioteca, esta ciudad fue la capital de las matemáticas, la astronomía, biología y medicina.

Se podría muy bien comparar el helenismo con la cultura del mundo actual. También el siglo XX se ha caracterizado por una sociedad mundial cada vez más abierta. También en nuestro tiempo esto ha llevado a grandes cambios en cuanto a religión y conceptos sobre la vida. De la misma manera que se podían encontrar ideas de divinidades griegas, egipcias y orientales en Roma a principios de nuestra era, podemos ahora, hacia finales del siglo XX, encontrar ideas religiosas de todas partes del mundo en todas las ciudades europeas de cierto tamaño.

También en nuestro tiempo vemos cómo una mezcolanza de religiones viejas y nuevas, de filosofías y ciencias, puede formar la base para nuevas ofertas en el «mercado de las grandes ideas sobre la vida». Gran parte de esos «nuevos conocimientos» son en realidad productos viejos del pensamiento, con algunas raíces en el helenismo.

Como ya he mencionado, la filosofía helenística continuó trabajando en ideas y planteamientos tratados por Sócrates, Platón y Aristóteles. Los tres intentaban buscar la manera más digna y mejor de vivir y de morir para los seres humanos. Es decir, se trataba de la *ética*. En la nueva sociedad mundial ése fue el proyecto filosófico más importante: ¿en qué consiste la verdadera felicidad y cómo la podemos conseguir? Ahora vamos a ver cuatro corrientes filosóficas que se ocuparon de esta cuestión.

Los cínicos

De Sócrates se cuenta que una vez se quedó parado delante de un puesto donde había un montón de artículos expuestos. Al final exclamó: «¡Cuántas cosas que no me hacen falta!».

Esta exclamación puede servir de titular para la *filosofía cínica*, fundada por *Antístenes* en Atenas alrededor del año 400 a. de C. Había sido alumno de Sócrates y se había fijado ante todo en la modestia de su maestro.

Los cínicos enseñaron que la verdadera felicidad no

depende de cosas externas tales como el lujo, el poder político o la buena salud. La verdadera felicidad no consiste en depender de esas cosas tan fortuitas y vulnerables, y precisamente porque no depende de esas cosas puede ser lograda por todo el mundo. Además no puede perderse cuando ya se ha conseguido.

El más famoso de los cínicos fue *Diógenes*, que era discípulo de Antístenes. Se dice de él que habitaba en un tonel y que no poseía más bienes que una capa, un bastón y una bolsa de pan. (¡Así no resultaba fácil quitarle la felicidad!) Una vez en que estaba sentado tomando el sol delante de su tonel, le visitó Alejandro Magno, el cual se colocó delante del sabio y le dijo que si deseaba alguna cosa, él se la daba. Diógenes contestó: «Sí, que te apartes un poco y no me tapes el sol». De esa manera mostró Diógenes que era más rico y más feliz que el gran general, pues tenía todo lo que deseaba.

Los cínicos opinaban que el ser humano no tenía que preocuparse por su salud. Ni siquiera el sufrimiento y la muerte debían dar lugar a la preocupación. De la misma manera tampoco debían preocuparse por el sufrimiento de los demás.

Hoy en día las palabras «cínico» y «cinismo» se utilizan en el sentido de falta de sensibilidad ante el sufrimiento de los demás.

Los estoicos

Los cínicos tuvieron importancia para la *filosofía estoica*, que nació en Atenas alrededor del año 300 a. de C. Su fundador fue *Zenón,* que era originario de Chipre pero que se unió a los cínicos después de un naufragio. Solía reunir a sus alumnos bajo un pórtico. El nombre «estoico» viene de la palabra griega para pórtico (*stoa*). El estoicismo tendría más adelante gran importancia para la cultura romana.

Como Heráclito, los estoicos opinaban que todos los seres humanos formaban parte de la misma razón universal o «logos». Pensaban que cada ser humano es como un mundo en miniatura, un «microcosmos», que a su vez es reflejo del «macrocosmos».

Esto condujo a la idea de que existe un derecho universal, el llamado «derecho natural». Debido a que el derecho natural se basa en la eterna razón del ser humano y del universo, no cambia según el lugar o el tiempo. En este punto tomaron partido por Sócrates y contra los sofistas.

El derecho natural es aplicable a todo el mundo, también a los esclavos. Los estoicos consideraron los libros de leyes de los distintos Estados como imitaciones incompletas de un derecho que es inherente a la naturaleza misma.

De la misma manera que los estoicos borraron la diferencia entre el individuo y el universo, también rechazaron la idea de un antagonismo entre *espíritu y materia*. Según ellos sólo hay una naturaleza. Esto se llama *monismo* (contrario, por ejemplo, al claro «dualismo» o bipartición de la realidad de Platón).

De acuerdo con el tiempo en el que vivieron, los estoicos eran «cosmopolitas», y por consiguiente más abiertos a la cultura contemporánea que los «filósofos del tonel» (los cínicos). Señalaban como muy importante la comunidad de la humanidad, se interesaron por la política y varios de ellos fueron hombres de Estado en activo, por ejemplo el emperador romano *Marco Aurelio* (121-180 d. de C.). Contribuyeron a promocionar la cultura y filosofía griegas en Roma y, en particular, lo hizo el orador, filósofo y político *Cicerón* (106-43 a. de C.). Él fue quien formuló el concepto de *humanismo,* es decir esa idea que coloca al individuo en el centro. El estoico *Séneca* (4 a. de C.-65 d. de C.) dijo unos años más tarde que «el ser humano es para el ser humano algo sagrado». Esta frase ha quedado como una consigna para todo el humanismo posterior.

Los estoicos subrayaron además que todos los procesos naturales, tales como la enfermedad y la muerte, siguen las inquebrantables leyes de la naturaleza. Por tanto, el ser humano ha de conciliarse con su destino. Nada ocurre fortuitamente, decían. Todo ocurre por necesidad y entonces sirve de poco quejarse cuando el destino llama a la puerta. El ser humano también debe reaccionar con tranquilidad ante las circunstancias felices de la vida; en esta idea se nota el parentesco con los cínicos, que decían que todas las cosas externas les eran indiferentes. Incluso hoy en día hablamos de una «tranquilidad estoica» cuando una persona no se deja llevar por sus sentimientos.

Los epicúreos

Como ya hemos visto, a Sócrates le interesaba ver cómo los seres humanos podían vivir una vida feliz. Tanto los cínicos como los estoicos le interpretaron en el sentido de que el ser humano debería librarse de todo lujo material. Pero Sócrates también tenía un alumno, que se llamaba *Aristipo*, que pensaba que la meta de la vida debería ser conseguir el máximo placer sensual.«El mayor bien es el deseo», dijo, «el mayor mal es el dolor». De esta manera, quiso desarrollar un arte de vivir que consistía en evitar toda clase de dolor. (La meta de los cínicos y estoicos era *aguantar* toda clase de dolor, lo cual es muy diferente a centrar todos los esfuerzos en *evitar* el dolor.)

Epicuro (341-270 a. de C.) fundó alrededor del año

300 una escuela filosófica en Atenas (la escuela de los epicúreos). Desarrolló la ética del placer de Aristipo y la combinó con la teoría atomista de Demócrito.

Se dice que los epicúreos se reunían en un jardín, razón por la cual se les llamaba «los filósofos del jardín». Se dice que sobre la entrada al jardín colgaba una inscripción con las palabras «Forastero, aquí estarás bien. Aquí el placer es el bien primero».

Epicuro decía que era importante que el resultado placentero de una acción fuera evaluado siempre con sus posibles efectos secundarios. Si alguna vez te has puesto mala por haber comido demasiado chocolate, entenderás lo que quiero decir. Si no, te propongo el siguiente ejercicio: coge tus ahorros y compra chocolate por valor de 200 coronas [4] (suponiendo que te guste el chocolate). Es muy importante para el ejercicio que te comas todo el chocolate de una sola vez. Aproximadamente media hora más tarde entenderás lo que Epicuro quería decir con «efectos secundarios».

Epicuro también decía que un resultado placentero a corto plazo tiene que evaluarse frente a la posibilidad de un placer mayor, más duradero o más intenso a más largo plazo. (Por ejemplo si decides no comer chocolate durante un año entero porque eliges ahorrar todo tu dinero para comprar una bici nueva o para unas carísimas vacaciones en el extranjero.) Al contrario que los animales, los seres humanos tienen la posibilidad de planificar su vida. Tienen la capacidad de realizar un «cálculo de placeres». Un chocolate delicioso es, evidentemente, un valor en sí, pero también lo son la bicicleta y el viaje a Inglaterra.

No obstante, Epicuro señaló que el «placer» no tenía

---

[4] Unas cuatro mil pesetas. *(N. de las T.)*

que ser necesariamente un placer sensual, como, por ejemplo, comer chocolate. También pertenecen a esta categoría valores tales como la amistad y la contemplación del arte. Condiciones previas para poder disfrutar de la vida eran los viejos ideales griegos tales como el autodominio, la moderación y el sosiego, pues hay que frenar el deseo. De esta manera también la calma nos ayudará a soportar el dolor.

Personas con angustia religiosa buscaban a menudo ayuda en el jardín de Epicuro. En este aspecto, la teoría atomista de Demócrito fue un recurso contra la religión y la superstición. Para vivir una vida feliz es muy importante superar el miedo a la muerte. Para esta cuestión, Epicuro se apoyó en la formulación de Demócrito de los «átomos del alma». A lo mejor te acuerdas de que él pensaba que no había ninguna vida después de la muerte, porque todos los átomos del alma vuelan hacia todas partes cuando morimos.

«La muerte no nos concierne», dijo Epicuro, así de simple. «Pues, mientras existimos, la muerte no está presente. Y cuando llega la muerte nosotros ya no existimos.» (Mirado así, nadie se ha puesto nunca triste por estar muerto.)

El mismo Epicuro resumió su filosofía liberadora en lo que llamó las «cuatro hierbas curativas»:

A los dioses no hay que temerlos. La muerte no es algo de lo que haya que preocuparse. Es fácil conseguir lo bueno. Lo terrible es fácil de soportar.

No constituía ninguna novedad en la cultura griega comparar la misión de la filosofía con el arte médico. Aquí nos encontramos con la idea de que el ser humano se tiene que equipar con un «botiquín de filosofía» que contenga cuatro medicinas importantes.

Al contrario que los estoicos, los epicúreos muestran poco interés por la política y la vida social. «¡Vive en secreto!», aconsejaba Epicuro. Quizás pudiéramos comparar su «jardín» con las comunas de nuestro tiempo. También en estos días hay mucha gente que ha buscado un refugio dentro de la gran sociedad.

Después de Epicuro muchos epicúreos evolucionan en dirección a una obsesión por el placer. La consigna fue: «Vive el momento». La palabra «epicúreo» se utiliza hoy en el sentido despectivo de vividor.

El neoplatonismo

Hemos visto cómo tanto los cínicos, como los estoicos y los epicúreos tenían sus raíces en Sócrates. También recurrieron a presocráticos como Héraclito y Demócrito. La corriente filosófica más destacable de la Antigüedad estaba inspirada, sobre todo, en la teoría de las Ideas. A esta corriente la llamamos *neoplatonismo*.

El neoplatónico más importante fue *Plotino* (205-270 d. de C.), que estudió filosofía en Alejandría, pero que luego se fue a vivir a Roma. Merece la pena tener en cuenta que venía de Alejandría, ciudad que ya durante cien años había sido el gran lugar de encuentro entre la filosofía griega y la mística orientalista. Plotino se llevó a Roma una teoría sobre la salvación que se convertiría en una seria competidora del cristianismo, cuando éste empezara a dejarse notar. Sin embargo, el neoplatonismo también ejercería una fuerte influencia sobre la teología cristiana.

Te acordarás de la teoría de las Ideas de Platón, Sofía. Recuerda que él distinguía entre el mundo de los sentidos y el mundo de las Ideas, introduciendo así una clara distinción entre el alma y el cuerpo del ser humano. El ser humano es, según él, un ser dual. Nuestro cuerpo consta de tierra y polvo como todo lo demás perteneciente al mundo de los sentidos, pero también tenemos un alma inmortal. Esta idea había sido muy conocida y extendida entre muchos griegos bastante antes de Platón. Plotino, por su parte, conocía ideas parecidas provenientes de Asia.

Plotino pensaba que el mundo está en tensión entre dos polos. En un extremo se encuentra la luz divina, que él llama «Uno». Otras veces la llama «Dios». En el otro extremo está la oscuridad total, a donde no llega nada de la luz del Uno. Ahora bien, el punto clave de Plotino es que esta oscuridad, en realidad, no tiene existencia alguna. Se trata simplemente de una ausencia de luz, es algo que no es. Lo único que existe es Dios o el Uno; y de la misma manera que una fuente de luz se va perdiendo gradualmente en la oscuridad, existe en algún sitio un límite donde ya no llegan los rayos de la luz divina.

Según Plotino el alma está iluminada por la luz del Uno, y la materia es la oscuridad, que en realidad no tiene existencia alguna. Pero también las formas de la naturaleza tienen un débil resplandor del Uno.

Imagínate una gran hoguera en la noche, querida Sofía. De esta hoguera saltan chispas en todas las direcciones. La noche queda iluminada en un gran radio alrededor de la hoguera; también a una distancia de varios kilómetros se verá la débil luz de una hoguera en la lejanía. Si nos alejamos aún más sólo veremos un minúsculo puntito luminoso como una tenue linterna en la noche. Y si continuáramos alejándonos de la hoguera, la luz ya no nos llegaría. En algún lugar se pierden los rayos luminosos en la noche, y cuando está totalmente oscuro no vemos nada. Entonces no hay ni sombras ni contornos.

Imagínate que la realidad es una hoguera como la

que hemos descrito. Lo que arde es Dios, y la oscuridad de fuera es esa materia fría de la que están hechos los seres humanos y los animales. Más cerca de Dios están las Ideas eternas, que son las formas originarias de todas las criaturas. Ante todo, es el alma del ser humano lo que es una «chispa de la hoguera», pero también por todas partes en la naturaleza brilla algo de la luz divina. La vemos en todos los seres vivos, incluso una rosa o una campanilla tienen ese resplandor divino. Más lejos del Dios vivo está la tierra, el agua y la piedra.

Digo que hay algo de misterio divino en todo lo que existe. Lo vemos brillar en un girasol o en una amapola. Y también intuimos algo del inescrutable misterio cuando vemos a una mariposa levantar el vuelo desde una rama, o a un pez dorado que nada en su pecera. Pero donde más cerca de Dios podemos estar es en nuestra propia alma. Sólo allí podemos unirnos con el gran misterio de la vida. En muy raros momentos podemos incluso llegar a sentir que *nosotros mismos somos el misterio divino.*

Las metáforas utilizadas por Plotino recuerdan al mito de la caverna de Platón. Cuanto más nos acercamos a la entrada de la caverna, más nos acercamos a todo aquello de lo que procede lo que existe. Pero al contrario de la clara bipartición de Platón de la realidad, las ideas de Plotino están caracterizadas por la unidad. Todo es Uno, porque todo es Dios. Incluso las sombras al fondo de la caverna tienen un tenue resplandor del Uno.

Alguna vez en su vida Plotino tuvo la experiencia de ver su alma fundirse con Dios. A eso lo solemos llamar una *experiencia mística.* Plotino no es el único que ha tenido esa experiencia. En todos los tiempos y en todas las culturas ha habido personas que han relatado tales experiencias. A lo mejor las describen de distinta forma, pero también se repiten muchos rasgos importantes en las descripciones. Veamos algunos de estos rasgos comunes.

Misticismo

Una experiencia mística significa que uno experimenta una unidad con Dios o con «el alma universal». En muchas religiones se subraya la existencia de un abismo entre Dios y la obra de la creación. No obstante, para los místicos no existe este abismo. Él o ella ha tenido la experiencia de haber sido absorbido por Dios, o de haberse «fundido» con Él.

La idea es que lo que habitualmente llamamos «yo» no es nuestro verdadero yo. Durante brevísimos momentos podemos llegar a sentirnos fundidos con un yo mayor, por algunos místicos llamado «Dios», por otros «alma universal», «naturaleza universal» o «universo». En el momento de la fusión, el místico tiene la sensación de «perderse a sí mismo», de desaparecer en Dios o desaparecer en Dios de la misma manera que una gota de agua «se pierde en sí misma» cuando se mezcla con el mar. Un místico hindú lo expresó de esta manera: «Cuando yo fui, Dios no fue. Cuando Dios es, yo ya no soy». El místico cristiano *Silesius* (1624-1677) lo expresó así: «En mar se convierte cada gota cuando llega al mar, y así el alma se convierte en Dios cuando hasta Dios sube». Pensarás que no puede ser muy agradable «perderse a sí mismo»; entiendo lo que quieres decir. Pero lo que pasa es que lo que pierdes es muchísimo menos que lo que ganas. Te pierdes a ti mismo en la forma que tienes en ese momento, pero al mismo tiempo comprendes que en realidad eres algo mucho más grande. Tú eres todo el universo; tú eres el alma universal, querida Sofía. Tú eres Dios. Si tienes que soltar a Sofía Amundsen, puedes consolarte con que ese «yo cotidiano» es algo que de todos modos perderás un día. Tu verdadero yo, que sólo llegarás a conocer si consigues perderte a ti misma, es según los místicos una especie de fuego maravilloso que arde eternamente.

Una experiencia mística no llega siempre por su cuenta. A veces el místico tiene que recorrer «el camino de la purificación y de la iluminación» al encuentro con Dios. Este camino consiste en una vida sencilla y diversas técnicas de meditación. De repente el místico ha alcanzado la meta, y él o ella exclama: «Soy Dios» o «Soy Tú».

En todas las grandes religiones encontramos corrientes místicas. Y las descripciones que da el místico de la experiencia mística presentan un sorprendente parecido a través de las distintas culturas. La herencia cultural del místico no se percibe hasta que da una interpretación religiosa o filosófica de su experiencia mística.

En el *misticismo occidental*, es decir dentro del judaísmo, cristianismo e islam, el místico subraya que el Dios con el que se encuentra es un Dios personal. Aunque Dios está presente en la naturaleza y en el alma del ser humano, al mismo tiempo está también muy por encima del mundo. En el *misticismo oriental*, es decir dentro del hinduismo, budismo y religión china, es más habitual subrayar el encuentro entre el místico y Dios, o «alma universal», como una fusión total. «Yo soy el alma universal», diría este místico, o «yo soy Dios». Porque Dios no solamente está presente en el mundo, es que no está en ninguna otra parte.

Particularmente en la India ha habido fuertes corrientes místicas desde mucho antes de los tiempos de Platón. Una persona que ha contribuido a traer las ideas del hinduismo a Occidente, el swami *Vivekananda*, dijo en una ocasión:

De la misma manera que en determinadas religiones se dice que una persona que no cree en un Dios personal fuera de sí mismo es un ateo, nosotros decimos que una persona que no cree en sí mismo, es un ateo. Nosotros llamamos ateísmo a no creer en la gloria del alma de uno mismo.

Una experiencia mística también puede tener importancia para la ética. Un presidente de la India, *Radakrishnan,* dijo en una ocasión: «Debes amar a tu prójimo como a ti mismo, porque tú *eres* tu prójimo. Es una ilusión hacerte creer que tu prójimo es algo diferente a ti mismo».

También personas modernas que no pertenecen a ninguna religión relatan experiencias místicas. Han tenido de repente lo que llaman «conciencia cósmica» o «sensación oceánica». Han tenido la sensación de haber sido arrancados del tiempo y han visto el mundo «bajo el prisma de la eternidad».

Sofía se incorporó en la cama. Tuvo que tocarse para ver si tenía un cuerpo...

Conforme iba leyendo sobre Plotino y los místicos había tenido la sensación de empezar a flotar por la habitación, salir por la ventana, flotando muy alto por encima de la ciudad. Había visto a toda la gente abajo en la plaza, pero había seguido volando por encima del planeta en el que vivía, por encima del Mar del Norte y Europa, bajando por el Sáhara y atravesando las llanuras de África.

Todo el gran planeta se había vuelto una sola persona viva, y era como si esta persona fuera la misma Sofía. Yo soy el mundo, pensó. Todo ese gran universo que ella a menudo había sentido como algo inescrutable y aterrador, era su propio yo. El universo también era grande y majestuoso, pero ahora era ella quien era así de grande.

Esa extraña sensación desapareció bastante pronto, pero Sofía estaba segura de que no la olvidaría nunca. Era como si algo dentro de ella hubiese salido saltando por su frente mezclándose con todo lo demás, de la misma manera que una gota de colorante podía dar color a una jarra entera de agua.

Cuando todo hubo acabado, fue como despertar con dolor de cabeza después de un maravilloso sueño. Sofía comprobó con un poco de desilusión que tenía un cuerpo que intentaba levantarse de la cama. Le dolía la espalda de estar tumbada boca abajo leyendo las hojas de Alberto Knox. Pero había tenido una experiencia que no olvidaría nunca.

Finalmente logró poner los pies en el suelo. Perforó las hojas y las archivó en la carpeta junto con las demás lecciones. A continuación salió al jardín.

Los pájaros trinaban como si el mundo acabara de ser creado. Los abedules detrás de las viejas conejeras tenían un color verde tan intenso que daba la sensación de que el creador aún no había mezclado del todo el color.

¿Podía ella creer realmente que todo era un solo yo divino? ¿Podía ella pensar que llevaba consigo un alma que era una «chispa de la hoguera»? Si fuera así, ella misma era un ser divino.

Las postales

...me impongo a mí mismo una

severa censura...

Pasaron unos días sin que Sofía recibiera más cartas del profesor de filosofía. El jueves era 17 de mayo [5], y también tenían libre el 18.

De camino a casa el 16 de mayo, Jorunn dijo de repente:

—¿Nos vamos de acampada?

Lo primero que pensó Sofía era que no podía ausentarse demasiado tiempo de su casa.

Recapacitó.

—Por mí vale.

Un par de horas más tarde Jorunn llegó a casa de Sofía con una gran mochila. Sofía también había hecho la suya; y ella era la que tenía la tienda de campaña. También se llevaron sacos de dormir y ropa de abrigo, colchonetas y linternas, grandes termos con té y un montón de cosas ricas para comer.

Cuando la madre de Sofía llegó a casa a las cinco, les dio una serie de consejos sobre lo que debían y no debían hacer. Además exigió saber dónde iban a acampar.

Contestaron que pondrían la tienda en el Monte del Urogallo. A lo mejor oirían cantar a los urogallos a la mañana siguiente.

Sofía tenía también una razón oculta para acampar justamente en ese sitio. Si no se equivocaba, no había mucha distancia entre el Monte del Urogallo y la Cabaña del Mayor. Había

---

[5] El 17 de mayo es el día nacional de Noruega, cuando se celebra la constitución del país, aprobada el 17 de mayo de 1814. Es el día más celebrado, junto con Nochebuena. *(N. de las T.)*

algo que le atraía de aquel sitio, pero no sabía si se atrevería a ir allí sola.

Tomaron el sendero que había junto a la verja de Sofía. Las dos chicas hablaron de muchas cosas; para Sofía era un alivio poder relajarse de todo lo que tenía que ver con la filosofía.

Antes de las ocho ya habían levantado la tienda en un claro junto al Monte del Urogallo. Habían preparado sus lechos para la noche y extendido los sacos de dormir. Cuando acabaron de devorar los bocadillos, Sofía dijo:

—¿Has oído hablar de la Cabaña del Mayor?

—¿La Cabaña del Mayor?

—Hay una cabaña en este bosque... junto a un pequeño lago. Una vez vivió allí un extraño mayor, por eso se llama «Cabaña del Mayor».

—¿Vive alguien allí ahora?

—¿Vamos a verlo?

—¿Pero dónde está?

Sofía señaló entre los árboles.

Jorunn estuvo un poco reacia al principio, pero al final se fueron hacia allí. El sol ya estaba bajo en el horizonte.

Primero se metieron entre los grandes pinos, luego tuvieron que abrirse camino entre matorrales y maleza. Finalmente llegaron a un sendero. ¿Sería el mismo sendero que Sofía había seguido el domingo por la mañana?

Pues sí, pronto vio brillar algo entre los árboles a la derecha del sendero.

—Está allí dentro —dijo.

Un poco más tarde se encontraban delante del pequeño lago. Sofía miraba hacia la cabaña. Estaba cerrada con postigos en las ventanas. La cabaña roja tenía un aspecto de abandono total.

Jorunn miró a su alrededor.

172

—¿Vamos a tener que andar sobre el agua? —preguntó.

—Qué va, vamos a remar.

Sofía señaló el cañaveral. Allí estaba la barca, exactamente donde la otra vez.

—¿Has estado aquí antes?

Sofía negó con la cabeza. Sería demasiado complicado contarle a su amiga lo de la visita anterior. ¿Cómo podría hacerlo sin tener que hablar de Alberto Knox y del curso de filosofía?

Cruzaron a remo mientras se reían y bromeaban. Sofía tuvo mucho cuidado en subir bien la barca a la otra orilla. Pronto estuvieron delante de la puerta. Jorunn tiró del picaporte. Era evidente que no había nadie dentro.

—Cerrado. ¿No pensarías que iba a estar abierta?

—A lo mejor encontramos una llave —dijo Sofía.

Empezó a buscar entre las piedras de los cimientos de la casa.

—Bah, volvamos a la tienda —dijo Jorunn al cabo de unos minutos.

Pero Sofía exclamó:

—¡La encontré! ¡La encontré!

Mostró triunfante una llave. La metió en la cerradura y la puerta se abrió.

Las dos amigas entraron a hurtadillas, como se hace cuando uno se aproxima a algo prohibido. Por dentro, la casa estaba fría y oscura.

—Pero si no se ve nada —dijo Jorunn.

Pero Sofía había pensado en todo. Sacó una caja de cerillas del bolsillo y encendió una. Les dio tiempo a ver que la cabaña estaba totalmente vacía antes de que la cerilla se consumiera. Sofía encendió otra y descubrió una pequeña vela en un candelabro de hierro forjado sobre la chimenea. Encendió la vela con una tercera cerilla y la salita se iluminó lo suficiente como para poder echar un vistazo.

—Es curioso cómo una pequeña vela puede iluminar tanta oscuridad, ¿verdad? —dijo Sofía.

Su amiga asintió.

—Pero en algún lugar se pierde la luz —prosiguió Sofía—. En realidad, no existe la oscuridad en sí. Se trata simplemente de falta de luz.

—Hablas de cosas muy desagradables. Vámonos...

—Primero miremos el espejo.

Sofía señaló el espejo de latón colgado encima de la cómoda, igual que la vez anterior.

—Qué bonito...

—Es un espejo mágico.

—Espejo, espejito mágico, ¿quién es la más bella de todo el país?

—No bromeo, Jorunn. Creo que es posible mirar a través del espejo y ver algo que está al otro lado.

—¿No dijiste que nunca habías estado aquí? Por cierto, ¿por qué te resulta tan divertido asustarme?

Sofía no tenía ninguna respuesta.

—¡Lo siento!

De repente Jorunn descubrió algo en un rincón en el suelo. Era una cajita. Jorunn la cogió.

—Postales —dijo.

Sofía dio un respingo.

—¡No las toques! Me oyes, no se te ocurra tocarlas.

Jorunn se sobresaltó. Soltó la caja como si quemara. Las postales quedaron esparcidas por el suelo. Al cabo de un par de segundos, se empezó a reír.

—Pero si no son más que postales.

Jorunn se sentó en el suelo. Al rato se sentó Sofía también.

—El Líbano... el Líbano... el Líbano... Todas las postales están fechadas en el Líbano —observó Jorunn.

—Lo sé —contestó Sofía, casi sollozando.

Jorunn se incorporó de golpe y la miró fijamente a los ojos.

—Entonces, ¿has estado aquí antes?

—Supongo que sí.

Se le ocurrió que todo sería más fácil si admitiera que había estado allí antes. No importaría que le contara a su amiga un poco de todo lo misterioso que le había ocurrido en los últimos días.

—No quería decírtelo hasta que no estuviéramos aquí.

Jorunn había empezado a leer las postales.

—Todas son para alguien que se llama Hilde Møller Knag.

Sofía todavía no había tocado ninguna de las postales.

—¿Ésa es la dirección completa?

Jorunn leyó:

—Hilde Møller Knag c/o Alberto Knox, Lillesand, Noruega.

Sofía suspiró aliviada. Había temido que pusiera su nombre y dirección también en aquellas postales. Ahora empezó a mirarlas con más atención.

—28 de abril... 4 de abril... 6 de mayo... 9 de mayo... Hace pocos días que les han puesto el matasellos.

—Pero hay una cosa más... Están selladas en Noruega. Mira: «Batallón de la ONU». Los sellos también son noruegos...

—Creo que lo hacen así. Se supone que tienen que ser neutrales, así que tienen su propia oficina de correos.

—¿Pero cómo mandan el correo a casa?

—Con aviones militares, creo.

Sofía dejó la vela en el suelo. Y entonces las dos amigas empezaron a leer lo que ponía en las postales. Jorunn las colocó en el orden correcto. Fue ella la que leyó la primera postal:

Querida Hilde. No sabes cuánto me apetece volver a casa, en Lillesand. Calculo que aterrizaré en Kjevik temprano la noche de San Juan. Me hubiera gustado volver para tu cumpleaños, pero estoy bajo órdenes militares. A cambio puedo prometerte que estoy poniendo todo mi empeño en un gran regalo que recibirás el día de tu cumpleaños. Un cariñoso saludo de alguien que siempre piensa en el futuro de su hija.

P. D. Envío una copia de esta postal a alguien que los dos conocemos. Ya lo comprenderás, Hildecita. Por ahora estoy siendo muy misterioso, pero ya lo entenderás.

Sofía cogió la siguiente postal:

Querida Hilde. Aquí abajo se vive sólo el momento. Si de algo me acordaré de estos meses en el Líbano será de esta eterna espera. Pero hago lo que puedo para que tengas el mejor regalo posible en tu decimoquinto cumpleaños. No puedo decir más por ahora. Me impongo a mí mismo una severa censura.
Abrazos, papá.

Las dos amigas apenas se atrevieron a respirar. Ninguna de las dos dijo nada, simplemente leyeron lo que ponía en las postales.

Querida hija. Lo que más me hubiese gustado habría sido haberte enviado mis confesiones con una paloma blanca. Pero no se encuentran palomas blancas en el Líbano. Este país arrasado por la guerra carece decididamente de palomas blancas. Ojalá las Naciones Unidas un día consigan crear la paz en el mundo.

P. D. Quizás puedas celebrar tu cumpleaños con otras personas. Lo hablaremos cuando llegue a casa. Pero aún no tienes ni idea de lo que estoy hablando.

Abrazos de uno que tiene tiempo de sobra para pensar en noso-tros dos.

Ya sólo quedaba una postal. En ésta ponía:

Querida Hilde. Estoy tan a punto de explotar con todos mis se-cretos relacionados con tu cumpleaños que varias veces al día tengo que frenar el deseo de ir a llamarte por teléfono y contártelo todo. Es algo que crece y crece. Y sabes que, cuando una cosa no hace más que crecer, resulta cada vez más difícil mantenerla escondida.
Abrazos, papá.

P. D. Un día conocerás a una chica que se llama Sofía. Para que tengáis la posibilidad de conoceros un poco antes de encontraros, he co-menzado a enviarle a ella copia de todas las postales que te envío a ti. Tiene una amiga que se llama Jorunn. Quizás pueda ayudar.

Cuando acabaron de leer la última postal, Jorunn y Sofía se quedaron sentadas mirándose fijamente a los ojos. Jorunn había agarrado por la muñeca el brazo de Sofía.

—Tengo miedo —dijo.

—Yo también.

—¿Qué fecha lleva la última postal?

Sofía miró la postal de nuevo.

—16 de mayo —dijo—. Es hoy.

—¡Imposible! —contestó Jorunn. Estaba más bien enfa-dada.

Miraron muy detenidamente el matasellos. No había vuelta de hoja. Ponía «16-5-90».

—No puede ser —insistió Jorunn—. Además no entien-do quién puede haber escrito estas postales. Tiene que ser al-guien que nos conozca. ¿Pero cómo podía saber que nosotras vendríamos aquí hoy?

Jorunn era la que tenía más miedo. Para Sofía la historia de Hilde y su padre no era, al fin y al cabo, totalmente nueva.

—Creo que tiene que ver algo con el espejo de latón.

Jorunn se sobresaltó de nuevo.

—¿No querrás decir que las postales salen a saltos del espejo en el momento en que les ponen el matasellos en una oficina de correos del Líbano?

—¿Tienes alguna explicación mejor?

—No.

—Pero también hay algo más que es muy misterioso.

Sofía se levantó e iluminó las dos postales. Jorunn se inclinó sobre ellas.

—«Berkeley» y «Bjerkely». ¿Qué significa eso?

—Ni idea.

La vela estaba a punto de consumirse.

—¡Vámonos! —dijo Jorunn.

—Quiero llevarme el espejo.

En esto, Sofía se levantó y descolgó el gran espejo de latón, que estaba colgado encima de la cómoda. Jorunn intentó protestar, pero Sofía no se dejó detener.

Cuando salieron, la noche era todo lo oscura que pueda ser una noche de mayo, es decir, no muy oscura. El cielo iluminaba lo suficiente como para poder distinguir con claridad los árboles y los arbustos. El pequeño lago parecía un reflejo del cielo. Las dos amigas remaron lentamente hasta la otra orilla.

Ninguna de las dos dijo gran cosa en el camino de vuelta a la tienda de campaña, pero las dos pensaban intensamente en lo que habían visto. A veces asustaron a algún pájaro, un par de veces oyeron algún búho.

En cuanto encontraron la tienda se metieron en los sacos de dormir. Jorunn se negó a que se dejara el espejo dentro de la tienda. Las dos estaban de acuerdo en que ya daba bastante miedo pensar que el espejo se encontraba justo delante de la puerta de la tienda. Sofía también se había traído las postales. Las había metido en uno de los bolsillos laterales de la mochila.

A la mañana siguiente se despertaron temprano. Fue Sofía la que salió primero del saco de dormir. Se puso las botas y salió de la tienda. El gran espejo de latón estaba en la hierba, lleno de rocío. Sofía secó el rocío con la manga del jersey y miró su propio reflejo. Era como si se viera desde arriba y desde abajo a la vez. Afortunadamente no se encontró con ninguna nueva postal del Líbano.

Por la llanura pasaba la niebla matutina como pequeñas nubes de algodón. Los pajarillos cantaban enérgicamente, Sofía no oía ni veía a ningún pájaro grande.

Las dos amigas se pusieron jerseys gordos y desayunaron fuera de la tienda. De nuevo se pusieron a hablar de la Cabaña del Mayor y de las misteriosas postales.

Después del desayuno recogieron la tienda y emprendieron el camino de vuelta. Sofía llevó el espejo todo el tiempo y tuvieron que hacer pequeños descansos, porque Jorunn se negaba a tocarlo.

Al acercarse a las primeras casas oyeron pequeños estallidos. Sofía se acordó de algo que había escrito el padre de Hilde sobre el Líbano tan arrasado por la guerra. Pensó en la suerte que tenía de vivir en un país pacífico. Estos estallidos procedían de inocentes petardos.

Sofía invitó a Jorunn a tomar chocolate caliente en su casa. La madre no hacía más que preguntarles de dónde habían sacado el espejo. Sofía contestó que lo habían encontrado junto a la Cabaña del Mayor. La madre volvió a decir que no había vivido nadie en esa cabaña en muchísimos años.

Jorunn se marchó a su casa, y Sofía subió a ponerse un vestido rojo. El resto del día de fiesta nacional transcurrió normalmente. En el telediario de la tarde salió un reportaje sobre cómo las fuerzas noruegas de las Naciones Unidas habían celebrado ese día en el Líbano. Sofía pegó los ojos a la pantalla. Uno de esos hombres que estaba viendo podía ser el padre de Hilde.

Lo último que hizo Sofía el 17 de mayo fue colgar el gran espejo de latón en su cuarto. A la mañana siguiente encontró un gran sobre amarillo en el Callejón. Abrió el sobre y leyó el contenido de las hojas blancas enseguida.

Dos civilizaciones

...solamente así evitarás flotar en el vacío...

Ya no queda mucho para que nos veamos, mi querida Sofía. Contaba con que volverías a la Cabaña del Mayor, por eso dejé allí todas las postales del padre de Hilde. Era la única manera de que Hilde las recibiera. No te esfuerces en averiguar cómo podrás hacérselas llegar. Habrán pasado muchas cosas antes del 15 de junio.

Hemos visto cómo los filósofos del helenismo desmenuzaban a los viejos filósofos griegos. Hubo además ciertas tendencias a convertirlos en fundadores de religiones. Plotino no estuvo muy lejos de rendir culto a Platón como el salvador de la humanidad.

Pero sabemos que hubo otro salvador que nació justo en el período que acabamos de estudiar, aunque viniera de la región grecorromana. Estoy pensando en Jesús de Nazaret. En este capítulo veremos cómo el cristianismo fue penetrando poco a poco en el mundo grecorromano, más o menos de la misma manera en que el mundo de Hilde ha comenzado a penetrar en *nuestro* mundo.

Jesús era judío, y los judíos pertenecen a la civilización semítica. Los griegos y los romanos pertenecen a la civilización indoeuropea. Por lo tanto, podemos constatar que la civilización europea tiene dos raíces. Antes de examinar más de cerca cómo el cristianismo se va mezclando poco a poco con la cultura grecorromana, veamos las dos raíces.

Indoeuropeos

Por «indoeuropeos» entendemos todos los países y culturas que hablan lenguas indoeuropeas. Todas las lenguas europeas, excepto las ugrofinesas (lapón, finés, estoniano y húngaro) y el vascuence, son indoeuropeas. También la mayor parte de las lenguas índicas e iraníes pertenecen a la familia lingüística indoeuropea.

Hace unos 4.000 años los indoeuropeos primitivos habitaron las regiones alrededor del Mar Negro y del Mar Caspio. Pronto se inició una migración de tribus indoeuropeas hacia el sureste, en dirección a Irán y la India; hacia el suroeste, en dirección a Grecia, Italia y España; hacia el oeste a través de Centro-Europa hasta Inglaterra y Francia; en dirección noroeste hacia el norte de Europa y en dirección norte hasta Europa del Este y Rusia. En los lugares donde llegaron los indoeuropeos, se mezclaron con las culturas pre-indoeuropeas, pero la religión y la lengua indoeuropeas jugarían un papel predominante.

Esto quiere decir que tanto los escritos Vedas de la India, como la filosofía griega y la mitología de Snorri[6] se escribieron en lenguas que estaban emparentadas. Pero no sólo las lenguas estaban emparentadas. «Lenguas emparentadas» también suele implicar «pensamientos emparentados», razón por la cual solemos hablar de una civilización indoeuropea.

La cultura de los indoeuropeos se caracterizaba ante todo por su fe en múltiples dioses. A esto se llama *politeísmo*. Tanto los nombres de los dioses como muchas pala-

---

[6] Snorri Sturluson, poeta islandés (1178-1241). Escribió la segunda Colección de Eddas (relatos mitológicos nórdicos) y *La Saga de los Reyes de Noruega. (N. de las T.)*

bras y expresiones religiosas se repiten en toda la región indoeuropea. Te pondré algunos ejemplos.

Los antiguos hindúes rendían culto al dios celeste Dyaus. En griego este dios se llama *Zeus*, en latín *Iuppiter* (en realidad *ley-pater,* es decir, «Ley del Padre»), y en antiguo nórdico *Tyr.* De manera que los nombres Dyaus, Zeus, Iov y Tyr son distintas variantes dialectales de una misma palabra.

Te acordarás de que los vikingos del norte creían en unos dioses que llamaron *æser* (los gigantes). También esta palabra utilizada para dioses se repite en toda la región indoeuropea. En sánscrito se llaman *asura* y en iraní *ahura.* Otra palabra para «dios» es en sánscrito *deva*, en latín *deus* y en antiguo nórdico *tivurr.*

Algunos mitos muestran cierto parecido en toda la región indoeuropea. Cuando Snorri habla de los dioses nórdicos, algunos de los mitos recuerdan a mitos hindúes relatados 2.000 o 3.000 años antes. Es evidente que los mitos de Snorri tienen rasgos de naturaleza nórdica, así como los hindúes tienen rasgos de naturaleza hindú. No obstante, muchos mitos tienen una esencia que debe proceder de un origen común. Una esencia de este tipo se aprecia sobre todo en los mitos sobre bebidas que hacen al hombre inmortal, y en los que tratan sobre la lucha de los dioses contra un monstruo del caos.

También en la manera de pensar vemos muchas semejanzas entre las culturas indoeuropeas. Un típico rasgo común es el concebir el mundo como un drama entre las fuerzas del bien y las fuerzas del mal. Por esa razón los indoeuropeos han tenido una fuerte tendencia a querer prever el destino del mundo.

Podemos decir que no es una casualidad el que la filosofía griega surgiera precisamente en la región indoeuropea. Tanto la mitología hindú como la griega y la nórdica muestran evidentes atisbos de una visión filosófica o *especulativa*.

Los indoeuropeos intentaron conseguir verdaderos conocimientos sobre el ciclo de la naturaleza. De hecho, podemos seguir una determinada palabra que significa «conocimiento» o «sabiduría» de cultura en cultura por toda la región indoeuropea. En sánscrito se llama *vidya*. La palabra es idéntica a la griega *idé*, que juega, como recordarás, un papel importante en la filosofía de Platón. Del latín conocemos la palabra *video*, que entre los romanos simplemente significaba «ver». (En nuestros días «ver» ha venido a ser una palabra equivalente a mirar fijamente una pantalla de televisión.) En inglés conocemos palabras como *wise* y *wisdom* (sabiduría), en alemán *wissen* (saber, conocimiento). En noruego tenemos la palabra *viten*, que tiene la misma raíz que la palabra hindú *vidya,* la griega *idé* y la latina *video*.

Como regla general podemos constatar que la *visión* era el sentido más importante de los indoeuropeos, pues la literatura de hindúes y griegos, iraníes y germanos ha estado caracterizada por las grandes visiones cósmicas. (Ves, ahí tienes la palabra otra vez: la palabra «visión» está formada precisamente a partir del verbo latino *video*.) Las culturas indoeuropeas se han caracterizado también por la tendencia a crear imágenes y esculturas de sus dioses y de lo que relataban los mitos.

Finalmente, los indoeuropeos tienen una visión *cíclica* de la Historia. Esto quiere decir que ven la Historia como algo que da vueltas, que avanza en ciclos, de la misma manera que las estaciones del año, lo que quiere decir que, en realidad, no hay ningún principio o fin de la Historia. A menudo se habla de mundos diferentes que sur-

gen y desaparecen en un eterno intercambio entre nacimiento y muerte.

Las dos grandes religiones orientales, el hinduismo y
el budismo, tienen origen indoeuropeo. También lo tiene
la filosofía griega, y podemos observar muchos paralelos
entre el hinduismo y el budismo, por un lado, y la filosofía
griega por el otro. Incluso hoy en día tanto el hinduismo
como el budismo están fuertemente caracterizados por la
reflexión filosófica.

Ocurre a menudo que en el budismo y en el hinduismo se subraya lo divino como presente en todo *(panteísmo)* y que el ser humano puede lograr la unidad con Dios
mediante los conocimientos religiosos. (¡Acuérdate de
Plotino, Sofía!) Para conseguir esta unidad se requiere, por
regla general, una gran autocontemplación o meditación.
Por lo tanto puede que en Oriente la pasividad o el recogi-
miento sea un ideal religioso. También en la religión griega
había muchos que opinaban que el hombre debe vivir en
ascetismo, o retiro religioso, para salvar el alma. Diversos
aspectos de los conventos medievales tienen sus raíces en
ideas de este tipo del mundo grecorromano.

En muchas culturas indoeuropeas también ha jugado
un papel básico la fe en *la transmigración de las almas.*
Durante más de 2.500 años el objetivo del hindú ha sido
salvarse de la transmigración de las almas. Recordemos
que también Platón creía en esta transmigración.

Los semitas

Hablemos de los semitas, Sofía. Pertenecen a otra civilización con un idioma completamente diferente. Los semitas vienen originariamente de la península arábiga, pero
la civilización semita se ha extendido también por muchas

partes del mundo. Durante más de dos mil años muchos judíos han vivido lejos de su patria de origen. Donde más lejos de sus raíces geográficas han llegado la historia y la religión semitas ha sido a través del cristianismo. La cultura semita también ha llegado lejos mediante la extensión del islam.

Las tres religiones occidentales, el judaísmo, el cristianismo y el islam, tienen bases semitas. El libro sagrado de los musulmanes (el Corán) y el Antiguo Testamento están escritos en lenguas semíticas emparentadas. Una de las palabras para «dios» que aparece en el Antiguo Testamento tiene la misma raíz lingüística que la palabra *Allah* de los musulmanes. (La palabra «allah» significa simplemente «dios».)

En lo que se refiere al cristianismo, la situación es más compleja. También el cristianismo tiene raíces semíticas, claro está. Pero el Nuevo Testamento fue escrito en griego, y por consiguiente, la teología cristiana estaría, en su configuración, fuertemente marcada por las lenguas griega y latina y, con ello, también por la filosofía helenística.

Hemos dicho que los indoeuropeos creían en muchos dioses distintos. En cuanto a los semitas resulta también sorprendente que desde muy temprano se unieran en torno a un solo dios. Esto se llama *monoteísmo*. Tanto en el judaísmo como en el cristianismo y en el islam, una de las ideas básicas es la de que sólo hay un dios.

Otro rasgo semítico común es que los semitas han tenido una visión *lineal* de la Historia. Con esto se quiere decir que la Historia se considera como una línea. Dios creó un día el mundo, y a partir de ahí comienza la Historia. Pero un día la Historia concluirá. Será el «día del juicio final», en el que Dios juzgará a vivos y muertos.

Un importante rasgo de las tres religiones occidentales es precisamente el papel que juega la Historia. Se cree que Dios interviene en la Historia, o, más correctamente, la Historia existe para que Dios pueda realizar su voluntad en el mundo. De la misma manera que llevó a Abraham a la «tierra prometida», dirige la vida de los seres humanos a través de la Historia y hasta el día del juicio final, en que todo el mal será destruido.

Debido a la gran importancia que los semitas atribuyen a la actividad desarrollada por Dios en la Historia, se han preocupado durante miles de años de escribir Historia. Precisamente las raíces históricas constituyen el núcleo de las escrituras sagradas.

Todavía hoy en día Jerusalén es un importante centro religioso para judíos, cristianos y musulmanes, lo cual también nos dice algo sobre las bases históricas comunes de estas tres religiones. En esta ciudad hay importantes sinagogas (judías), iglesias (cristianas) y mezquitas (islámicas). Precisamente por eso resulta tan trágico que justamente Jerusalén se haya convertido en una manzana de la discordia, en el sentido de que la gente se mata a millares porque no es capaz de ponerse de acuerdo sobre quién debe ostentar la soberanía en la «ciudad eterna». Ojalá las Naciones Unidas lleguen algún día a convertir Jerusalén en un lugar de encuentro de las tres religiones. (Por ahora no diré nada más sobre la parte práctica del curso de filosofía. Eso lo dejamos en su totalidad al padre de Hilde, pues supongo que ya te habrás dado cuenta de que él es observador de las Naciones Unidas en el Líbano. Para ser más preciso puedo decirte que presta sus servicios como Mayor. Si estás empezando a intuir cierta coherencia en todo esto vas por buen camino. Por otra parte, no debemos anticipar los hechos.)

Hemos dicho que el sentido más importante entre los indoeuropeos era la visión. Igual de importante es para los semitas el *oído*. No es una casualidad que el credo judío empiece con las palabras «¡Escucha, Israel!». En el Antiguo Testamento leemos que los hombres «escuchaban» la palabra de Dios, y los profetas judíos suelen iniciar su predicación con la fórmula «Así dice Jahvé (Dios)». También el cristianismo atribuye mucha importancia a «escuchar» la palabra de Dios, y los oficios de las tres religiones occidentales se caracterizan por la lectura en voz alta, o la recitación.

También he dicho que los indoeuropeos han construido siempre imágenes y esculturas de sus dioses. Igualmente típico resulta que los semitas hayan practicado una especie de «prohibición de imágenes», lo que significa que no está permitido crear imágenes o esculturas de Dios o de lo sagrado. De hecho, en el Antiguo Testamento se dice que los hombres no deben crear ninguna imagen de Dios. Esta prohibición sigue vigente hoy en día tanto en el judaísmo como en el islam. En el islam existe incluso una animosidad general contra las fotografías y artes plásticas, porque los hombres no deben competir con Dios en lo que se refiere a la «creación» de algo.

Sin embargo, dirás, en la Iglesia cristiana abundan las imágenes de Dios y de Cristo. Es cierto, Sofía, pero eso es justamente un ejemplo de la influencia del mundo grecorromano en el cristianismo. (En la iglesia ortodoxa, es decir en Rusia y Grecia, sigue estando prohibido hacer imágenes talladas, es decir esculturas y crucifijos, de la historia de la Biblia.)

Al contrario de lo que pasa con las grandes religiones orientales, las tres religiones occidentales resaltan el abismo entre Dios y su Creación. El objetivo no es salvarse de la transmigración de las almas, sino del pecado y de la culpa. Además la vida religiosa en estas religiones se caracteriza más por las oraciones, predicaciones y lectura de las escrituras sagradas que por la autocontemplación y meditación.

Israel

No pretendo competir con tu profesor de religión, querida Sofía; no obstante conviene hacer un breve resumen de los antecedentes judíos del cristianismo.

Todo empezó cuando Dios creó el mundo. En las primeras páginas de la Biblia se habla de esta Creación. Pero más tarde los hombres se rebelaron contra Dios. El castigo no fue sólo la expulsión de Adán y Eva del jardín del Edén, sino también la entrada de la muerte en el mundo.

La desobediencia de los hombres a Dios atraviesa como un hilo rojo toda la Biblia. Si seguimos leyendo el Génesis nos enteramos del Diluvio y del Arca de Noé. Luego leemos que Dios estableció un pacto con *Abraham* y su estirpe. Según este pacto, Abraham y su estirpe cumplirían los mandamientos de Dios, y a cambio Dios se comprometía a proteger a los descendientes de Abraham. Este pacto fue renovado cuando *Moisés* recibió las Tablas de la Ley en el monte Sinaí. Esto ocurrió alrededor de 1.200 años a. de C. Para entonces los israelitas llevaban mucho tiempo de esclavitud en Egipto, pero mediante la ayuda de Dios el pueblo pudo volver a Israel.

Alrededor del año 1000 a. de C., es decir, mucho antes de la existencia de ninguna filosofía griega, oímos hablar de tres grandes reyes en Israel. El primero fue Saúl, luego vino David y tras él, el rey Salomón. Todo Israel estaba entonces unido en una sola monarquía, y vivió, particularmente bajo el reinado del rey David, una época de grandeza política, militar y cultural.

En su investidura los reyes eran ungidos por el pueblo obteniendo el título de Mesías, que significa «el ungido». En el contexto religioso los reyes eran considerados intermediarios entre Dios y el pueblo. A los reyes se les llamaba, por tanto, «hijos de Dios», y el país podía, entonces, llamarse «reino de Dios».

Pero Israel no tardó mucho en debilitarse, y pronto se dividió en un reino norte (Israel) y un reino sur (Judea). En el año 722 el reino del norte fue invadido por los asirios y perdió toda importancia política y religiosa. No les fue mucho mejor a los del reino del sur, que fue conquistado por los babilonios en el año 586. El templo quedó destruido y gran parte del pueblo fue conducido a Babilonia. Esta «prisión babilónica» duró hasta el año 539, en que el pueblo pudo volver a Jerusalén para reconstruir su gran templo. No obstante, durante la época anterior a nuestra era, los judíos estuvieron constantemente bajo dominio extranjero.

Los judíos se preguntaban *por qué* se había disuelto el reino de David y *por qué* su pueblo estaba siempre sometido a tantas desgracias, si Dios había prometido proteger a Israel. Pero el pueblo, por su parte, había prometido cumplir los mandamientos de Dios. Poco a poco se iba extendiendo la creencia de que Dios estaba castigando a Israel por su desobediencia.

Desde aproximadamente el año 750 a. de C. surgieron una serie de profetas que predicaron el castigo de Dios a Israel porque el pueblo no cumplía los mandamientos del Señor. Un día Dios juzgaría a Israel, decían. A esta clase de predicaciones las llamamos *profecías del juicio final*.

Pronto surgieron también profetas que decían que

Dios salvaría a una pequeña parte del pueblo y enviaría a un «príncipe de la paz» o un rey de la paz de la estirpe de David para que restituyera el antiguo reino de David. De esa manera el pueblo tendría un futuro feliz.

«Este pueblo que camina en la oscuridad verá una gran luz», dijo el profeta Isaías. «Y sobre aquellos que habitan el país de las sombras, la luz brotará a rayos.» A este tipo de profecías las llamamos *profecías de salvación*.

Para ser más preciso: el pueblo de Israel vivió feliz bajo el rey David. Conforme las cosas empeoraban para los israelitas, los profetas predicaban la llegada de un nuevo rey de la estirpe de David. Este «Mesías» o «Hijo de Dios» salvaría al pueblo, reconstruiría Israel como gran potencia y fundaría un «reino de Dios».

Jesús

Bueno, Sofía. Supongo que me sigues todavía. Las palabras clave son «Mesías», «Hijo de Dios», «salvación» y «reino de Dios». Al principio todo esto se interpretó en un sentido político. También en la época de Jesús había mucha gente que se imaginaba que llegaría un nuevo «Mesías» en forma de líder político, militar y religioso, del mismo calibre que el rey David. Este «salvador» se concebía como un liberador nacional que acabaría con los sufrimientos de los judíos bajo el dominio romano.

Pues sí, muchos pensaban así, pero también había gente con un horizonte un poco más amplio. Durante varios siglos antes de Cristo habían ido surgiendo profetas que pensaban que el «Mesías» prometido sería el salvador del mundo entero. No sólo salvaría del yugo a los israelitas, sino que además salvaría a todos los hombres del pecado, de la culpa y de la muerte. La esperanza de una «salvación», en este sentido de la palabra, se había extendido ya por toda la región helenística.

Y llega *Jesús*. No fue el único que se presentó como el Mesías prometido. También Jesús utiliza las palabras «Hijo de Dios», «reino de Dios», «Mesías» y «salvación». De esta manera conectaba siempre con las antiguas profecías. Entra en Jerusalén montado en un asno y se deja vitorear por las masas como el salvador del pueblo.

De esta manera alude directamente al modo en que fueron instaurados en el trono los antiguos reyes, mediante un típico rito de «subida al trono». También se deja ungir por el pueblo. «Ha llegado la hora», dice. «El reino de Dios está próximo.»

Todo esto es muy importante. Ahora debes seguirme muy de cerca: Jesús se distinguía de otros mesías en el sentido de que dejó muy claro que no era ningún rebelde militar o político. Su misión era mucho más importante. Predicó la salvación y el perdón de Dios para todos los hombres. Y decía a las gentes con las que se encontraba: «Te absuelvo de tus pecados».

Resultaba bastante inaudito en aquellos tiempos repartir la absolución de esa manera. Más escandaloso aún era que llamara «padre» *(abba)* a Dios. Esto era algo totalmente nuevo entre los judíos en la época de Jesús. Por eso tampoco tardaron mucho en levantarse entre los letrados protestas contra él. Al cabo de algún tiempo iniciaron los preparativos para que fuera ejecutado.

Precisando más: mucha gente en la época de Jesús esperaba la llegada con gran ostentación (es decir, con espadas y lanzas) de un Mesías que reinstauraría el «reino de Dios». La expresión «reino de Dios» también se repite en toda la predicación de Jesús, aunque en un sentido muy amplio. Jesús dijo que el «reino de Dios» es amor al prójimo, preocupación por los débiles y los pobres y perdón para los que han ido por mal camino.

Se trata de un importante cambio del significado de una expresión vieja y medio militar. El pueblo andaba esperando a un general que pronto proclamaría un «reino de Dios». Y llega Jesús, vestido con túnica y sandalias, diciendo que el «reino de Dios», o el «nuevo pacto», significa que debes amar al prójimo como a ti mismo. Y hay más, Sofía: dijo además que debemos amar a nuestros enemigos. Cuando nos golpean, no debemos devolver el golpe, qué va, debemos «poner la otra mejilla». «Y debemos perdonar, no siete veces, sino setenta veces siete».

Con su propio ejemplo Jesús demostró que no se debía dar la espalda a prostitutas, aduaneros corruptos y enemigos políticos del pueblo. Y fue aún más lejos: dijo que un sinvergüenza que ha despilfarrado toda la herencia paterna, o un dudoso aduanero que ha cometido fraude, es justo ante Dios si se dirige a Él y le pide perdón; tan generoso es Dios en su misericordia.

Pero, ¿sabes?, aún fue un poco más lejos, aunque no te lo vayas a creer: Jesús dijo que esos «pecadores» son *más* justos ante Dios, y por ello más merecedores del perdón de Dios que los irreprochables fariseos y «ciudadanos de seda» que andaban por la vida tan orgullosos de su irreprochabilidad.

Jesús subrayó que ningún hombre puede hacerse merecedor de la misericordia de Dios por sí mismo. No podemos salvarnos a nosotros mismos. (¡Muchos griegos pensaban que eso era posible!) Cuando Jesús predica las severas exigencias éticas en el Sermón de la Montaña, no lo hace sólo para mostrar lo que es la voluntad de Dios, sino también para mostrarnos que ningún hombre es justo ante Dios. La misericordia de Dios no tiene límites, pero es preciso que nos dirijamos a Dios suplicando su perdón.

Dejo a tu profesor de religión profundizar en el personaje de Jesús y en sus palabras. Tu profesor tiene una enorme tarea. Espero que logre haceros comprender qué persona tan especial era Jesús. Utiliza genialmente el lenguaje de la época, llenando a la vez de nuevo y más amplio contenido las viejas consignas. No es de extrañar que acabara en la cruz. Su mensaje radical de salvación rompía con tantos intereses y posiciones de poder que fue necesario quitarlo de en medio.

Al hablar de Sócrates vimos lo peligroso que puede resultar apelar a la sensatez de las personas. En Jesús vemos lo peligroso que puede resultar exigir un incondicional amor al prójimo y un igualmente incondicional perdón. Incluso en nuestros días vemos cómo tiemblan los cimientos de ciertos Estados poderosos cuando se encuentran ante sencillas exigencias de paz, amor, alimento para los pobres y perdón para los enemigos del Estado.

Acuérdate de lo indignado que estaba Platón por que el hombre más justo de Atenas tuviera que pagar con su vida. Según el cristianismo, Jesús era la persona más justa que jamás había existido. Según el cristianismo murió por los hombres. Es lo que se suele llamar la «muerte redentora» de Jesús. Él fue el «servidor que padeció», que asumió la culpa de todos los hombres para que pudiéramos reconciliarnos con Dios y salvarnos de su castigo.

Pablo

A los pocos días de la crucifixión y entierro de Jesús, comenzaron a correr rumores de que había resucitado. De esa manera demostró que era algo más que un hombre. Fue así como mostró que era en verdad el «Hijo de Dios».

Se puede decir que la Iglesia cristiana inicia ya en la mañana del Domingo de Pascua los rumores sobre su resurrección.

Pablo puntualiza: «Si Cristo no ha resucitado, nuestro mensaje no es nada y nuestra fe no tiene sentido».

Ahora todos los hombres podían tener la esperanza de la «resurrección de la carne», pues Jesús fue crucificado precisamente para salvarnos a nosotros. Y ahora, querida Sofía, debes darte cuenta de que los judíos no trataban el tema de la «inmortalidad del alma» o de alguna forma de «transmigración de las almas», que eran ideas griegas, y por lo tanto, indoeuropeas. Según el cristianismo no hay nada en el hombre (tampoco su alma) que sea inmortal en sí. La Iglesia cree en la «resurrección del cuerpo» y en la «vida eterna», pero es precisamente el milagro obrado por Dios el que nos salva de la muerte y de la «perdición». No se debe a nuestro propio mérito, y tampoco se debe a ninguna cualidad natural o innata.

Los primeros cristianos comenzaron a difundir el «alegre mensaje» de la salvación mediante la fe en Jesucristo. El reino de Dios estaba a punto de emerger a través de su obra de salvación. Ahora el mundo entero podía ser conquistado para Cristo. (La palabra «Cristo» es una traducción griega de la palabra judía «Mesías» y significa, por consiguiente, «el ungido».)

Pocos años después de la muerte de Jesús, el fariseo *Pablo* se convirtió al cristianismo. Mediante sus muchos viajes de misión por todo el mundo grecorromano convirtió el cristianismo en una religión mundial. Sobre esto podemos leer en los Hechos de los Apóstoles. Por las muchas cartas que Pablo escribió a las primeras comunidades cristianas conocemos su predicación y sus consejos para los cristianos.

Más tarde apareció en Atenas. Fue directamente a la plaza de la capital de la filosofía. Se dice que «estaba escandalizado» de ver la ciudad llena de imágenes paganas. Visitó la sinagoga judía y conversó con algunos filósofos estoicos y epicúreos. Éstos le llevaron al monte del Areópago y le dijeron: «¿Podemos saber qué doctrina nueva enseñas? Oímos hablar de cosas extrañas y nos gustaría saber de qué se trata».

¿Te lo imaginas, Sofía? Aparece un judío en la plaza de Atenas para hablar de un salvador que fue crucificado y que luego resucitó. Ya en esta visita de Pablo a Atenas intuimos el fuerte choque entre la filosofía griega y la doctrina cristiana sobre la salvación. Pero al parecer consigue hablar con los atenienses. De pie en el monte del Areópago, es decir, bajo los grandiosos templos de la Acrópolis, pronunció el siguiente discurso:

—¡Atenienses! —empezó—. Por todo, veo que sois muy religiosos. Al recorrer vuestra ciudad y contemplar vuestros santuarios, me he encontrado un altar con esta inscripción: «A un Dios desconocido». Pues bien, lo que veneráis sin conocer, eso es lo que yo os vengo a anunciar. El Dios que creó el mundo y todo lo que hay en él, el que reina sobre el cielo y la tierra, no vive en templos levantados por las manos de los hombres. Tampoco tiene necesidad de nada de lo que las manos de los hombres le puedan ofrecer, pues es Él el que da la vida, el aliento y todas las cosas a los hombres. Permitió que todos los pueblos, que proceden de un solo hombre, habitasen por toda la tierra, determinando los tiempos y los límites de su morada, para que buscaran a Dios, para que pudieran sentirle y encontrarle. Porque Él no está lejos de ninguno de nosotros.

Porque en Él vivimos, en Él nos movemos y existimos, como alguno de vuestros poetas ha dicho también: «Porque somos de su estirpe». Precisamente porque somos de la estirpe de Dios no debemos pensar que la divinidad se parece a una imagen de oro o plata o piedra, hecha por el arte o el pensamiento de los hombres. Dios ha tolerado estos tiempos de ignorancia, pero ahora ordena a todos los hombres, estén donde estén, que den la vuelta. Porque Él ha fijado ya un día en el que juzgará al mundo con justicia y para esto ha elegido a un hombre. Lo ha acreditado ante todos al resucitarle de entre los muertos.

Pablo en Atenas, Sofía. Estamos hablando de cómo el cristianismo comienza a infiltrarse en el mundo grecorromano como algo distinto, como algo muy diferente a la filosofía epicúrea, estoica o neoplatónica. No obstante, Pablo encuentra al fin y al cabo una base en esta cultura. Señala que la búsqueda de Dios es algo inherente al género humano. Esto no representaba nada nuevo para los griegos. Lo nuevo de la predicación de Pablo es que Dios se ha revelado ante los hombres e ido a su encuentro. No es pues solamente un «dios filosófico» al que los hombres pueden intentar alcanzar con su mente. Tampoco se parece a «una imagen de oro o plata o piedra»; de esa clase de dioses había de sobra arriba en la Acrópolis y abajo en la gran plaza. Pero Dios «no habita en templos levantados por manos humanas». Es un Dios personal que interviene en la Historia y que muere en la cruz por culpa de los hombres.

En los Hechos de los Apóstoles se dice que después del discurso de Pablo en el Areópago, había gente que se burlaba de él por lo que había dicho sobre la resurrección de Jesús de entre los muertos. Pero algunos entre el público también dijeron: «Nos gustaría oírte hablar más sobre eso en otra ocasión». Algunos se unieron a Pablo y comenzaron a creer en el cristianismo. Uno de ellos era una mujer, Dámaris, hecho que hay que tener en cuenta, pues hubo muchas mujeres que se convirtieron al cristianismo.

Y Pablo continuó sus actividades misioneras. Poco tiempo después de la muerte de Jesús ya había comunidades cristianas en todas las ciudades importantes griegas y romanas, tales como Atenas, Roma, Alejandría, Éfeso y Corinto. En el transcurso de trescientos o cuatrocientos años todo el mundo helenístico se había cristianizado.

Credo

No sólo como misionero tuvo Pablo una importancia crucial para el cristianismo. También tuvo una enorme influencia en el interior de las comunidades cristianas, ya que había una gran necesidad de orientación espiritual.

Una importante cuestión en los años que siguieron a la muerte de Jesús fue la de saber si los que no eran judíos podían ser cristianos sin antes pasar por el judaísmo. ¿Debería por ejemplo un griego cumplir la ley mosaica? Pablo pensaba que no era necesario, pues el cristianismo era algo más que una secta judía. Dirigía a todos los hombres un mensaje universal de salvación. El «viejo pacto» entre Dios e Israel había sido sustituido por el «nuevo pacto» establecido por Jesús entre Dios y todos los hombres.

Pero el cristianismo no fue la única religión nueva en esa época. Hemos visto ya que el helenismo se caracterizaba por la mezcolanza de religiones. Era por lo tanto importante para la Iglesia cristiana llegar a un escueto resumen de lo que era la doctrina cristiana. Esto era importante para delimitarla respecto a otras religiones, así como para impedir una división dentro de la Iglesia cristiana. De esta forma surgieron los primeros *credos*. El credo resume los dogmas cristianos más importantes.

Uno de esos importantes dogmas era que Jesús era Dios y hombre. Es decir, no era solamente el «hijo de Dios» en virtud de sus actos. Era el mismo Dios. Pero también era un «verdadero hombre» que había compartido las condiciones de los hombres y que padeció verdaderamente en la cruz.

Esto puede sonar como una contradicción, pero el mensaje de la Iglesia era precisamente que *Dios se convirtió en hombre*. Jesús no era un «semidiós» (medio humano, medio divino). La fe en esos «semidioses» estaba bastante extendida en las religiones griegas y helenísticas. La Iglesia enseñó que Jesús era «un Dios perfecto y un hombre perfecto».

Post scriptum

Intento contarte algo de las conexiones, querida Sofía. Con la entrada del cristianismo en el mundo grecorromano acontece un encuentro convulsivo entre dos civilizaciones. Pero también se trata de uno de los grandes cambios culturales en la Historia.

Estamos a punto de salir de la Antigüedad. Desde los primeros filósofos griegos han pasado casi mil años. Por delante de nosotros tenemos toda la Edad Media cristiana, que también duró unos mil años.

El autor alemán Goethe dijo en una ocasión que «el que no sabe llevar su contabilidad por espacio de tres mil años se queda como un ignorante en la oscuridad y sólo vive al día». No quiero que tú te encuentres entre ellos.

Estoy haciendo lo posible para que te des cuenta de tus raíces históricas. Solamente así serás un ser humano. Solamente así serás más que un mono desnudo. Solamente así evitarás flotar en el vacío.

«Solamente así serás un ser humano. Solamente así serás algo más que un mono desnudo...»

Sofía se quedó sentada un rato mirando el jardín a través de los huecos del seto. Había empezado a comprender lo importante que era conocer sus raíces históricas. Al menos, siempre había sido importante para el pueblo de Israel.

Ella no era más que una persona casual. No obstante, si conocía sus raíces históricas, se volvía un poco menos casual.

Ella sólo viviría algunos años en este planeta. Pero si la Historia de la humanidad era su propia historia, entonces ella tenía, en cierto modo, muchos miles de años.

Sofía recogió todas las hojas y salió del Callejón. Dando pequeños y alegres saltos cruzó el jardín y subió corriendo a su cuarto.

La Edad Media

*...recorrer una parte del camino no significa
equivocarse de camino...*

Transcurrió una semana sin que Sofía supiera nada más
de Alberto Knox. Tampoco recibió más postales del Líbano,
pero hablaba constantemente con Jorunn de las que habían
encontrado en la Cabaña del Mayor. Jorunn estaba muy nerviosa, pero al no suceder nada más, el susto iba quedando olvidado entre los deberes y el badmington.

Sofía repasó las cartas de Alberto muchas veces para ver
si encontraba algo que pudiera arrojar alguna luz sobre Hilde y
todo lo que tenía que ver con ella. De esa forma también tuvo
la oportunidad de digerir la filosofía de la Antigüedad. Ya no le
costaba ningún trabajo distinguir entre Demócrito y Sócrates,
Platón y Aristóteles.

El viernes 25 de mayo estaba en la cocina haciendo la comida para su madre, a punto de volver del trabajo. Eso era lo
acordado para los viernes. Ese día preparaba una sopa de sobre
de pescado, con albóndigas y zanahorias. Muy sencillo.

Había empezado a soplar el viento. Mientras removía la
sopa, Sofía se volvió hacia la ventana y miró fuera. Los abedules
se balanceaban como espigas de trigo.

De repente algo golpeó el cristal de la ventana. Sofía se
volvió de nuevo y descubrió un trozo de cartón pegado en el vidrio.

Se acercó a la ventana y vio que era una postal. A través del
cristal pudo leer: «Hilde Møller Knag c/o Sofía Amundsen...».

Justo lo que había pensado. Abrió la ventana y recogió la
postal. ¿Habría llegado volando desde el Líbano?

También esta postal tenía fecha del viernes 15 de junio.

Sofía quitó la cacerola de la placa y se sentó junto a la mesa de la cocina. La postal decía:

Querida Hilde. No sé si esta postal te llegará el día de tu cumpleaños. Espero que así sea o que si no, al menos, no hayan transcurrido demasiados días. Que transcurra una semana o dos para Sofía no significa necesariamente que transcurra tanto tiempo para nosotros. Yo volveré a casa la víspera de San Juan. Entonces nos sentaremos juntos en el balancín mirando al mar, Hilde. Tenemos tantas cosas de qué hablar.

Abrazos de tu papá, que a veces se deprime por ese conflicto de mil años entre judíos, cristianos y musulmanes: constantemente me obligo a mí mismo a recordar que esas tres religiones tienen sus raíces en Abraham. ¿Rezarán entonces al mismo Dios? Pues no. En este sitio Caín y Abel aún no han terminado su pelea.

P. D. ¿Puedo acaso decirte que des recuerdos a Sofía? Pobre chica, aún no entiende el porqué de las cosas. ¿Lo entiendes tú, quizás?

Sofía se inclinó sobre la mesa. Estaba agotada. Desde luego que no entendía nada. ¿Lo entendería Hilde?

Si el padre de Hilde le enviaba saludos a Sofía, significaba que Hilde sabía más de Sofía que Sofía de Hilde. Todo resultaba tan complicado que Sofía volvió a las cacerolas.

Una postal que se posa en la ventana así como así. Correo aéreo, en el verdadero sentido de la palabra.

En cuanto hubo vuelto a poner la cacerola en la placa, sonó el teléfono.

¡Ojalá fuera papá! Si volviera a casa le contaría todo lo que le había sucedido en las últimas semanas. No, sería Jorunn o mamá... Sofía corrió hasta el aparato.

—Sofía Amundsen.

—Soy yo —dijo alguien al otro lado del teléfono.

Sofía estaba segura de tres cosas: no era papá. Pero era una voz de hombre. Estaba además convencida de que había oído exactamente la misma voz en otra ocasión.

—¿Quién es? —preguntó.

—Soy Alberto.

—Ah...

Sofía no sabía qué contestar. Se acordaba de la voz del vídeo sobre Atenas.

—¿Estás bien?

—Pues sí...

—Pero a partir de ahora no habrá más cartas. Tenemos que vernos personalmente, Sofía. Empieza a urgir, ¿sabes?

—¿Por qué?

—Estamos a punto de ser cercados por el padre de Hilde.

—¿Cómo cercados?

—Por todos los lados, Sofía. Ahora tenemos que colaborar.

—¿Cómo...?

—Aunque no serás de mucha ayuda hasta que te haya hablado de la Edad Media. Deberemos hacer el Renacimiento y el siglo XVII también. Además Berkeley juega un papel clave.

—De ése había un cuadro en la Cabaña del Mayor, ¿verdad?

—Sí. Quizás sea precisamente sobre él sobre el que se libre la batalla.

—Suena como a una especie de guerra.

—Lo llamaría más bien una lucha espiritual. Tendremos que llamar la atención de Hilde y conseguir que se ponga de nuestra parte, antes de que su padre vuelva a Lillesand.

—No entiendo nada.

—Bueno, quizás los filósofos te abran los ojos. Búscame en la Iglesia de María mañana de madrugada a las cuatro. Pero ven sola, hija mía.

203

—¿Tendré que ir en plena noche?

Clic.

—¡Oiga!

¡Qué tío más malo! ¡Había colgado! Sofía volvió corriendo a la cocina. La sopa estaba a punto de salirse. Echó el pescado y las zanahorias y bajó el fuego.

¿En la Iglesia de María? Era una vieja iglesia medieval de piedra. Sofía creía que sólo se usaba para conciertos y misas muy especiales. En verano estaba abierta de vez en cuando para los turistas. ¿Pero cómo iba a estar abierta en plena noche?

Cuando llegó su madre, Sofía ya había metido la postal del Líbano en el armario junto a las demás cosas de Alberto y Hilde. Después de comer se fue a casa de Jorunn.

—Tenemos que hacer un acuerdo un poco especial —dijo a su amiga en cuanto ésta abrió la puerta.

Y no dijo nada más hasta que se hubieron encerrado en la habitación de Jorunn.

—Es un poco problemático —prosiguió Sofía.

—¡Venga!

—Tendré que decir a mamá que me quedo a dormir aquí.

—Muy bien.

—Pero no es verdad, ¿comprendes? Estaré en otro sitio.

—Eso es peor. ¿Es algún lío de chicos?

—No, pero es un lío de Hilde.

Jorunn silbó suavemente, y Sofía la miró fijamente a los ojos.

—Vendré aquí tarde esta noche —dijo—. Pero tendré que salir a escondidas alrededor de las tres. Tendrás que encubrirme hasta que vuelva.

—¿Pero a dónde vas a ir, Sofía?, ¿qué vas a hacer?

—Lo siento. He recibido órdenes de no decir nada.

No era nada difícil obtener permiso para dormir en casa de alguna amiga. Más bien al contrario. Sofía tenía de vez en cuando la sensación de que a su madre le gustaba tener la casa para ella sola.

—¿Vendrás a la hora de comer mañana, verdad? —fue el único comentario de su madre.

—Si no vengo, sabes dónde estoy.

¿Por qué decía eso, si ése era precisamente el punto débil?

La estancia en casa de su amiga empezó como todas las veces que se quedaba a dormir allí, charlando hasta bien entrada la noche, con la única diferencia de que Sofía puso el despertador a las tres, cuando, sobre la una, se dispusieron por fin a dormir.

Jorunn apenas se despertó cuando Sofía paró el despertador dos horas más tarde.

—Ten cuidado —dijo Jorunn.

Sofía empezó a andar. Había varios kilómetros hasta la Iglesia de María, y aunque sólo había dormido un par de horas, se sentía totalmente despejada. Sobre las colinas, al este, flotaba una nube roja.

Cuando por fin se encontró ante la vieja iglesia de piedra eran ya las cuatro. Sofía empujó la pesada puerta. ¡Estaba abierta!

La iglesia estaba vacía y silenciosa. A través de las vidrieras flotaba una luz azulada que revelaba miles de minúsculas partículas de polvo en el aire. Era como si el polvo se reuniera en gruesas vigas que atravesaran la nave de la iglesia. Sofía se sentó en un banco en el medio. Allí se quedó sentada mirando al altar y a un viejo crucifijo pintado con colores opacos.

Pasaron unos minutos. De repente empezó a sonar el órgano. Sofía no se atrevió a darse la vuelta. Sonaba como un viejo salmo, quizás de la Edad Media también.

Luego todo volvió a quedar en silencio, pero pronto oyó

unos pasos que se acercaban por detrás de ella. ¿Debería volverse ya? Optó por clavar su mirada en el Jesús crucificado.

Las pisadas la sobrepasaron y vio una figura acercarse. Llevaba un hábito marrón de monje. Sofía podría haber jurado que se trataba de un monje de la Edad Media.

Tenía miedo pero no estaba aterrorizada. Cuando el monje llegó al presbiterio, dio un rodeo y subió al púlpito. Se inclinó sobre él, miró a Sofía y dijo algo en latín.

—Gloria patri et filio et spiritu sancto. Sicut erat in principio et nunc et semper in saecola saecolorum.

—¡Habla noruego, tonto! —exclamó Sofía.

Las palabras retumbaron en la vieja iglesia de piedra.

Entendió que el monje tenía que ser Alberto Knox. Y sin embargo se arrepintió de haberse expresado de un modo tan poco solemne en una vieja iglesia. Pero tenía miedo, y cuando se tiene miedo resulta una especie de consuelo romper con todas las reglas y tabúes.

—¡Chis...!

Alberto levantó una mano, como hacen los curas cuando quieren que los feligreses se sienten.

—¿Qué hora es, hija mía? —preguntó.

—Las cuatro menos cinco —contestó Sofía. Ya no tenía miedo.

—Entonces ha llegado la hora. En este momento comienza la Edad Media.

—¿La Edad Media empieza a las cuatro? —preguntó Sofía perpleja.

—Alrededor de las cuatro, sí. Luego fueron las cinco y las seis y las siete. Pero era como si el tiempo se hubiera detenido. Se hicieron las ocho y las nueve y las diez. Pero seguía siendo Edad Media, ¿sabes? Ya es hora de levantarse a un nuevo día, pensarás. Pues sí, entiendo lo que quieres decir. Pero es fin de semana, sabes, un fin de semana sin fin. Se hicieron las once y las doce y la una, lo que corresponde a lo que llamamos la Alta Edad Media. Fue cuando se construyeron las grandes catedrales en Europa. Alrededor de las catorce horas algún que otro gallo cantó. Y entonces, no hasta entonces, empieza a desvanecerse.

—Entonces la Edad Media duró nueve horas —dijo Sofía.

Alberto movió la cabeza, que asomó por debajo de la capucha del hábito marrón, y miró a la congregación que en ese momento sólo se componía de una muchacha de catorce años.

—Sí, si una hora son cien años. Imaginemos que Jesús nació a medianoche. Pablo inició sus viajes misioneros un poco antes de las doce y media y murió en Roma un cuarto de hora más tarde. Hasta cerca de las tres la Iglesia cristiana estaba más o menos prohibida, pero en el año 313 el cristianismo era una religión aceptada en el Imperio Romano. Eso era bajo el reinado del emperador Constantino, que se dejó bautizar en su lecho de muerte muchos años después. Desde el año 380 el cristianismo fue la religión del Estado en todo el Imperio Romano.

—¿Pero no se disolvió el Imperio Romano?

—Sí, había empezado ya a derrumbarse. Nos encontramos ante uno de los cambios culturales más importantes de toda la Historia. Alrededor del año 300, Roma estaba amenazada tanto por las tribus que llegaban desde el norte, como por una disolución interna. En el año 330 el emperador Constantino traslada la capital del Imperio Romano a Constantinopla, ciudad que él mismo había fundado a la entrada del Mar Negro. Esta nueva ciudad era considerada por algunos como «la otra Roma». En el año 395 el Imperio Romano fue dividido en dos: el imperio romano occidental, con Roma en el centro, y el imperio romano oriental, con la nueva ciudad de Constantinopla como capital. En el año 410 Roma fue saqueada por pueblos bárbaros, y en el 476 todo el Estado romano occidental pereció. El imperio romano oriental subsistió como Estado hasta el año 1453, en que los turcos conquistaron Constantinopla.

—¿Fue entonces cuando la ciudad tomó nombre, Estambul?

—Cierto. Otra fecha digna de recordar es el año 529. Entonces la Iglesia cerró la academia de Platón en Atenas. En ese mismo año se fundó la Orden de los Benedictinos como la primera gran orden religiosa. De esta manera el año 529 se convierte en un símbolo de cómo la Iglesia cristiana puso una tapadera encima de la filosofía griega. A partir de entonces los conventos tuvieron el monopolio de la enseñanza, la reflexión y la contemplación. Pronto serán las cinco y media...

Sofía ya había entendido hacía rato lo que Alberto quería decir con todas esas horas. La medianoche era el año 0, la una equivalía al año 100 después de Cristo, las 6 era el año 600 después de Cristo, y las 14 horas era el año 1400 después de Cristo...

Alberto prosiguió.

—Por «Edad Media» se entiende en realidad un período de tiempo entre otras dos épocas. La expresión surgió en el Renacimiento, en el que se consideró la Edad Media como una «larga noche de mil años» que había «enterrado» a Europa entre la Antigüedad y el Renacimiento. La expresión «medieval» se usa incluso hoy en día en un sentido peyorativo para expresar todo aquello que es autoritario y rígido. Pero otros han considerado la Edad Media como un «tiempo de mil años de crecimiento». Fue, por ejemplo, en la Edad Media cuando comenzó a configurarse el sistema escolar. Ya a principios de la época surgieron las primeras escuelas en los conventos. A partir del año 1100 se contó con las escuelas de las catedrales y alrededor del año 1200 se fundaron las primeras universidades. Incluso hoy en día las materias están divididas en diferentes grupos o «facultades», como en la Edad Media.

—Mil años son muchos años.

—Pero el cristianismo necesitó tiempo para penetrar en

el pueblo. En el transcurso de la Edad Media se fueron desarrollando también las diferentes naciones, con ciudades y castillos, música y poesía populares. ¿Qué habría sido de los cuentos populares y las baladas sin la Edad Media? Bueno, ¿qué habría sido Europa sin la Edad Media, Sofía? ¿Una provincia romana? La resonancia que tienen nombres como Inglaterra, Alemania o Noruega se encuentra precisamente en esta inmensa profundidad que se llama Edad Media. En esta profundidad nadan muchos peces gordos, aunque no siempre los veamos. Snorri fue un hombre de la Edad Media, también lo fueron Olaf el Santo[7] y Carlomagno. Por no decir Romeo y Julieta.

Y un montón de apuestos príncipes y majestuosos reyes, valientes caballeros andantes y bellas doncellas, vidrieros anónimos y constructores geniales de órganos. Y aún no he mencionado ni a los frailes de los conventos, ni a los peregrinos, ni a las curanderas.

—Tampoco has mencionado a los sacerdotes.

—Cierto. El cristianismo no llegó a Noruega hasta el año 1000, pero sería una exageración decir que toda Noruega se convirtió en país cristiano después de la batalla de Stiklestad. Antiguas ideas paganas seguían vivas bajo la superficie cristiana, y con los elementos cristianos se mezclaron muchos precristianos. Por ejemplo en lo que se refiere a la celebración noruega de la Navidad había una mezcla entre costumbres cristianas y antiguas costumbres nórdicas que dura hasta nuestros días. ¿Conoces la frase que dice que los viejos cónyuges acaban por parecerse el uno al otro? Así sucede que la torta navideña, el cerdito navideño y la cerveza navideña[8] se asocian a los Reyes de Oriente y al pesebre de Belén. No obstante debe-

---

[7] Olaf el Santo, rey de Noruega, se convirtió al cristianismo e impulsó la religión en el país. Fue asesinado en la batalla de Stiklestad en 1030. *(N. de las T.)*

[8] Elementos típicos de la celebración navideña noruega. *(N. de las T.)*

mos subrayar que el cristianismo poco a poco empezaba a dominar en lo que se refiere al concepto de la vida. Hablamos, por tanto, a menudo de la Edad Media como una «cultura cristiana unitaria».

—¿Entonces no fue sólo oscura y triste?

—Los primeros siglos después del año 400 fueron verdaderamente años de decadencia cultural. Los tiempos de los Romanos habían sido una época de mucha cultura, con grandes ciudades que tenían sus sistemas públicos de cloacas, baños y bibliotecas; por no mencionar la grandiosa arquitectura. Toda esta cultura se desintegró en los primeros siglos de la Edad Media, también en lo que se refiere al comercio y a la economía monetaria. En la Edad Media se volvió a la economía en especie, a la economía del intercambio. A partir de ahora la economía se caracterizaría por lo que llamamos *feudalismo,* que quiere decir que algunos importantes señores feudales eran propietarios de la tierra que los campesinos tenían que trabajar para ganarse el sustento. También la población disminuyó fuertemente durante aquellos primeros siglos. Basta con mencionar que Roma era una ciudad que llegaba al millón de habitantes en la Antigüedad y que ya en el año 600 la población de la antigua metrópolis había descendido a 40.000. De modo que una modesta población andaba entre los restos de edificios majestuosos de los tiempos gloriosos de esta ciudad venida a menos. Cuando necesitaban material de construcción tenían ruinas de sobra de donde coger. Esto ha irritado enormemente a los arqueólogos de nuestros días, a los que les hubiera gustado que las gentes de la Edad Media no hubieran tocado los viejos monumentos.

—Eso es fácil de decir después.

—La importancia política de Roma acabó ya hacia finales del siglo IV. No obstante, el obispo de Roma pronto se convertiría en la cabeza de toda la Iglesia católica romana, y recibió el nombre de «Papa», o «Padre», y poco a poco fue considerado el vicario de Jesús en la Tierra. De esa manera Roma funcionó como capital cristiana durante casi toda la Edad Media. No había muchos que se atrevieran a hablar en contra de Roma, aunque poco a poco los reyes y príncipes de los nuevos Estados nacionales iban adquiriendo tanto poder que alguno de ellos se atrevió a oponerse al gran poder de la Iglesia.

Sofía miró al sabio monje.

—Dijiste que la Iglesia cerró la Academia de Platón en Atenas. ¿Todos los filósofos griegos fueron olvidados?

—Sólo en parte. Se conocían algunos escritos de Aristóteles y otros de Platón. Pero el antiguo Imperio Romano se iba dividiendo en tres zonas culturales. En Europa Occidental tuvimos la cultura cristiana de lengua latina, con Roma como capital. En Europa Oriental surgió una cultura cristiana de lengua griega y con Constantinopla como capital. Más adelante la ciudad adquirió el nombre griego de Bizancio. Por lo tanto, hablamos a menudo de una Edad Media bizantina, a diferencia de la Edad Media católica romana. No obstante, también el norte de África y el Oriente Medio habían pertenecido al Imperio Romano. Esta región desarrolló una cultura musulmana de lengua árabe. Tras la muerte de Mahoma en el año 632, el Oriente Medio y el norte de África fueron conquistados por el islam. Pronto también España fue incorporada a la región cultural musulmana. El islam tuvo sus lugares sagrados, tales como La Meca, Medina, Jerusalén y Bagdad. Los árabes también se quedaron con la antigua ciudad helénica de Alejandría. De esa forma, gran parte de la ciencia griega fue heredada por los árabes. Durante toda la Edad Media los árabes fueron los más importantes en ciencias tales como matemáticas, química, astronomía o medicina. Incluso hoy en día seguimos utilizando los números arábigos. Así pues, en varios campos la cultura árabe era superior a la griega.

—Pregunté que qué le pasó a la filosofía griega.

—¿Te imaginas un ancho río que durante algún tiempo se divide en tres ríos distintos, para volver a juntarse luego otra vez en un gran río?

—Sí, me lo imagino.

—Entonces también te imaginarás cómo la cultura grecorromana se perpetuó en parte en la cultura católica romana en el oeste, en parte a través de la cultura romana oriental en el este, y en parte a través de la cultura árabe en el sur. Platón en el este y Aristóteles con los árabes en el sur. Pero también había algo de todo en los tres ríos. Lo importante es que a finales de la Edad Media los tres ríos se vuelven a unir en el norte de Italia. La influencia árabe llegó a través de España, la griega de Grecia y Bizancio. Ahora empieza el Renacimiento; ahora empieza el «renacimiento» de la cultura antigua. De alguna manera esto quiere decir que la cultura de la Antigüedad había sobrevivido a la larga Edad Media.

—Entiendo.

—Pero no hay que anticipar los hechos. Primero charlaremos un poco sobre la filosofía de la Edad Media, hija mía. Y ya no te hablaré desde el púlpito. Voy a bajar.

Sofía notaba en los ojos que sólo había dormido unas horas. Ver descender del púlpito de la Iglesia de María al extraño monje fue como vivir un sueño.

Alberto se acercó hasta el presbiterio. Primero miró hacia el altar donde estaba el viejo crucifijo. Luego se volvió hacia Sofía y se acercó con pasos lentos para sentarse junto a ella en el banco.

Resultaba extraño estar tan cerca de él. Debajo de la capucha Sofía vio dos ojos negros. Pertenecían a un hombre de mediana edad con perilla.

¿Quién eres?, pensó. ¿Por qué has aparecido en mi vida?

212

—Nos iremos conociendo mejor —dijo él, como si hubiese leído sus pensamientos...

Mientras estaban así sentados, haciéndose cada vez más intensa la luz que entraba por las vidrieras, Alberto Knox empezó a hablar de la filosofía de la Edad Media.

—Los filósofos de la Edad Media dieron más o menos por sentado que el cristianismo era lo verdadero —empezó a decir.

—La cuestión era si había que *creer* en los milagros cristianos o si también era posible acercarse a las verdades cristianas mediante la razón. ¿Qué relación había entre los filósofos griegos y lo que decía la Biblia? ¿Había una contradicción entre la Biblia y la razón, o eran compatibles la fe y la razón? Casi toda la filosofía medieval versó sobre esta única pregunta.

Sofía asintió impaciente. Ya había contestado a esta pregunta sobre la fe y la razón en el control de religión.

—Veamos este planteamiento del problema en los dos filósofos más importantes de la Edad Media. Podemos empezar con *San Agustín*, que vivió del 354 al 430. En la vida de esta persona podemos estudiar la transición entre la Antigüedad tardía y el comienzo de la Edad Media. San Agustín nació en la pequeña ciudad de Tagaste, en el norte de África, pero ya con dieciséis años se fue a estudiar a Cartago. Más tarde viajó a Roma y a Milán, y vivió sus últimos años como obispo en la ciudad de Hipona, situada a unas millas al oeste de Cartago. Sin embargo no fue cristiano toda su vida. San Agustín pasó por muchas religiones y corrientes filosóficas antes de convertirse al cristianismo.

—¿Puedes ponerme algunos ejemplos?

—Durante un período fue *maniqueo*. Los maniqueos eran una secta religiosa muy típica de la Antigüedad tardía. Era una doctrina de salvación mitad religiosa, mitad filosófica. La idea era que el mundo está dividido en bien y mal, en luz y oscuridad, espíritu y materia. Con su espíritu las personas podían elevarse por encima del mundo de la materia y así poner las bases para la salvación del alma. Pero esta fuerte diferenciación entre el bien y el mal no le dio ninguna paz a San Agustín. De joven estaba muy interesado por lo que solemos llamar el «problema del mal», es decir, la cuestión del origen del mal. Durante otra época estuvo influenciado por la filosofía estoica, y según los estoicos no existía esa fuerte separación entre el bien y el mal. Pero sobre todo estuvo influido San Agustín por la otra tendencia filosófica importante de la Antigüedad tardía, es decir, por el neoplatonismo, en el que se encontró con la idea de que toda la existencia tiene una naturaleza divina.

—¿Y entonces se convirtió en un obispo neoplatónico?

—Pues casi sí. Primero se volvió cristiano, pero el cristianismo de San Agustín tiene fuertes rasgos de la manera de razonar del platonismo. Así comprenderás, Sofía, que no se trata de ninguna ruptura traumática con la filosofía griega, aunque estemos entrando en la Edad Media cristiana. Gran parte de la filosofía griega fue llevada a la nueva época a través de los Padres de la Iglesia como San Agustín.

—¿Quieres decir que San Agustín fue cincuenta por ciento cristiano y cincuenta por ciento neoplatónico?

—Evidentemente él mismo opinaba que era cien por cien cristiano. Pero no veía una gran distinción entre el cristianismo y la filosofía de Platón. Pensó que la coincidencia entre la filosofía de Platón y la doctrina cristiana era tan clara que se preguntaba si Platón no habría conocido partes del Antiguo Testamento. Esto es muy dudoso, claro está. Podríamos decir que fue San Agustín el que «cristianizó» a Platón.

—Por lo menos no se despidió de todo lo que tenía que ver con la filosofía aunque empezara a creer en el cristianismo, ¿verdad?

—Pero señaló que, en cuestiones religiosas, la razón sólo

puede llegar hasta unos límites. El cristianismo también es un misterio divino al que sólo nos podemos acercar a través de la fe. Pero si creemos en el cristianismo, Dios «iluminará» nuestra alma para que consigamos unos conocimientos sobrenaturales de Dios. El mismo San Agustín había descubierto que la filosofía sólo podía llegar hasta ciertos límites. Hasta que no se convirtió al cristianismo, su alma no encontró la paz. «Nuestro corazón está intranquilo hasta encontrar descanso en Ti», escribe.

—No entiendo muy bien cómo la teoría de las Ideas de Platón podía unirse con el cristianismo —objetó Sofía—. ¿Qué pasa con las Ideas eternas?

—Es verdad que San Agustín piensa que Dios creó el mundo de la nada. Ésta es una idea bíblica. Los griegos tendían a pensar que el mundo había existido siempre. Pero él opinaba que antes de crear Dios el mundo, las «ideas» existían en los pensamientos de Dios. Incorporó de esta manera las ideas platónicas en Dios, salvando así el pensamiento platónico de las ideas eternas.

—Qué listo.

—Pero esto demuestra cómo San Agustín y otros Padres de la Iglesia se esforzaron al máximo por unificar la manera de pensar judía con la griega. En cierta manera fueron ciudadanos de dos culturas. También en la problemática del mal, San Agustín recurre al neoplatonismo. Opina, como Plotino, que el mal es la «ausencia de Dios». El mal no tiene una existencia propia, es algo que no es. Porque la Creación de Dios es en realidad sólo buena. El mal se debe a la desobediencia de los hombres, pensaba San Agustín. O, para decirlo con sus propias palabras: «La buena voluntad es obra de Dios, la mala voluntad es desviarse de la obra de Dios».

—¿También opinaba que los seres humanos tienen un alma divina?

—Sí y no. San Agustín dice que hay un abismo infranqueable entre Dios y el mundo. En este punto se apoya firmemente sobre cimientos bíblicos, y rechaza la idea de Plotino de que todo es Uno. Pero también subraya que el ser humano es un ser espiritual. Tiene un cuerpo material, que pertenece al mundo físico donde la polilla y el óxido corroen, pero también tiene un alma que puede reconocer a Dios.

—¿Qué sucede con el alma humana cuando morimos?

—Según San Agustín toda la humanidad entró en perdición después del pecado original. Y sin embargo, Dios ha determinado que algunos seres humanos serán salvados de la perdición eterna.

—Entonces opino que igual podría haber decidido que nadie fuera a la perdición —objetó Sofía.

—Pero en este punto San Agustín rechaza cualquier derecho del hombre a criticar a Dios. En este contexto se remite a algo que escribió San Pablo en su Carta a los romanos:

¿Pero quién eres tú, hombre, que protestas contra Dios? ¿Puede lo que está formado decir al que lo formó: «¿Por qué me hiciste así?». ¿No es el alfarero el señor de la arcilla para que del mismo material pueda hacer una vasija fina y una vasija barata?

—¿Entonces quiere decir que Dios está sentado en el cielo jugando con los seres humanos?

—La idea de San Agustín es que ningún ser humano se merece la salvación de Dios. Y sin embargo Dios ha elegido a algunos que se salvarán de la perdición. Para Él, por lo tanto, no existe ningún secreto sobre quién se salva y quién se pierde, ya que está decidido de antemano. Somos arcilla en la mano de Dios. Dependemos totalmente de su misericordia.

—Entonces volvió en cierto modo a la vieja fe en el destino.

—Algo así. Pero San Agustín no les quita a los hombres la responsabilidad de sus propias vidas. Nos aconsejó que viviésemos de manera que por nuestro ciclo vital pudiéramos darnos cuenta de que pertenecemos a los elegidos. Porque no niega que tengamos un libre albedrío. Pero Dios «ha visto de antemano» cómo vamos a vivir.

—¿No es eso un poco injusto? —preguntó Sofía—. Sócrates opinaba que todos los seres humanos tenían las mismas posibilidades porque todos tenían la misma capacidad de razonar. Pero San Agustín dividió la humanidad en dos grupos. Uno de los dos grupos se salvará, el otro se perderá.

—Sí, con la teología de San Agustín nos hemos alejado ya un poco del humanismo de Atenas. Pero no fue San Agustín el que dividió la humanidad en dos grupos. Se apoya en la doctrina de la Biblia sobre la salvación y la perdición. En una gran obra llamada *La ciudad de Dios,* profundiza sobre este pensamiento.

—¡Cuenta!

—La expresión «Ciudad de Dios» o «Reino de Dios» procede de la Biblia y de la predicación de Jesús. San Agustín piensa que la Historia trata de la lucha que se libra entre la «Ciudad de Dios» y la «Ciudad terrena». Las dos «ciudades» no son ciudades políticas fuertemente separadas entre ellas. Luchan por el poder en cada persona. No obstante, la Ciudad de Dios está presente de un modo más o menos claro en la Iglesia, y la Ciudad terrena está presente en los Estados políticos, por ejemplo en el Imperio Romano, que se desintegró precisamente en la época de San Agustín. Esta idea se iba haciendo cada vez más clara conforme la Iglesia y el Estado luchaban por el poder a lo largo de la Edad Media. «No existe ninguna salvación fuera de la Iglesia», se había dicho ya. La Ciudad de Dios de San Agustín se identificó por tanto, finalmente, con la Iglesia como organización. Hasta la Reforma, en el siglo XVI, no se protestaría contra la idea de que el hombre tuviera que pasar por la Iglesia para recibir la gracia de Dios.

—Entonces ya era hora.

—También debemos fijarnos en el hecho de que San Agustín fuera el primer filósofo, de los que hemos estudiado, que introdujo la propia Historia en su filosofía. La lucha entre el bien y el mal no era en absoluto algo nuevo. Lo nuevo es que esta lucha se libra dentro de la Historia. En este sentido no hay mucho platonismo en San Agustín, sino que se encuentra firmemente plantado en la visión lineal de la Historia, tal como la encontramos en el Antiguo Testamento. La idea es que Dios necesita la Historia para realizar su «Ciudad de Dios». La Historia es necesaria para educar a los hombres y destruir el mal. O, como dice San Agustín: «La providencia divina conduce la Historia de la humanidad desde Adán hasta el final de la Historia, como si se tratara de la historia de un sólo individuo que se desarrolla gradualmente desde la infancia hasta la vejez».

Sofía miró su reloj.

—Son las ocho —dijo—. Pronto tendré que irme.

—Pero primero voy a hablarte del otro gran filósofo medieval. ¿Nos sentamos fuera?

Alberto se levantó del banco, juntó las palmas de las manos y comenzó a salir lentamente de la iglesia. Parecía como si estuviese rezando a Dios o como si meditara algunas verdades espirituales. Sofía le siguió; le pareció que no tenía elección.

Fuera había todavía una fina capa de neblina sobre el suelo. El sol había salido hacía mucho, pero aún no había penetrado del todo en la neblina matutina. La Iglesia de María se encontraba en las afueras de un viejo barrio de la ciudad.

Alberto se sentó en un banco delante de la iglesia. Sofía pensaba en lo que podría ocurrir si alguien pasaba por allí. Ya era bastante insólito estar sentado en un banco a las ocho de la mañana, pero aún más insólito era estar sentada junto a un monje medieval.

—Son las 8 —empezó Alberto—. Han pasado unos cuatrocientos años desde San Agustín. Ahora comienza la larga jornada escolar. Hasta las 10 los colegios de los conventos son los únicos que se ocupan de la enseñanza. Entre las 10 y las 11 se fundan las primeras escuelas de las catedrales y sobre las 12 las primeras universidades. En la misma época se construyen además las grandes catedrales góticas. También esta iglesia se construyó en el siglo XIII. En esta ciudad no había recursos para construir una gran catedral.

—Supongo que tampoco haría falta —comentó Sofía—. No hay cosa peor que las iglesias vacías.

—Bueno, las grandes catedrales no se construyeron únicamente para acoger a grandes congregaciones. Se levantaron en honor a Dios y eran en sí una especie de servicio divino. Pero también ocurrió otra cosa en este período de la Edad Media, algo que tiene importancia para filósofos como nosotros.

—¡Cuéntame!

Alberto prosiguió.

—La influencia de los árabes en España comenzó a hacerse notar. Durante toda la Edad Media los árabes tuvieron una viva tradición aristotélica, y desde finales del siglo XII, árabes eruditos iban al norte de Italia, invitados por los príncipes de esa región. De esta manera muchos de los escritos de Aristóteles fueron conocidos y poco a poco traducidos del griego y del árabe al latín. Esto despertó un nuevo interés por cuestiones científicas, además de revivir la antigua polémica sobre la relación entre las revelaciones cristianas y la filosofía griega. En los asuntos de ciencias naturales ya no se podía pasar por alto a Aristóteles. ¿Pero en qué ocasiones había que escuchar al filósofo y en cuáles había que apoyarse exclusivamente en la Biblia? ¿Me sigues?

Sofía asintió brevemente, y el monje prosiguió.

—El filósofo más grande y más importante de la Alta Edad Media fue *Tomás de Aquino,* que vivió de 1225 a 1274. Nació en la pequeña ciudad de Aquino, entre Roma y Nápoles, pero trabajó también como profesor de filosofía en la universidad de París. Lo llamo «filósofo», pero también fue, en la misma medida, teólogo. En aquella época no había en realidad una verdadera distinción entre «filosofía» y «teología». Para resumir podemos decir que Tomás de Aquino cristianizó a Aristóteles de la misma manera que San Agustín había cristianizado a Platón al comienzo de la Edad Media.

—¿No era un poco raro cristianizar a filósofos que vivieron muchos cientos de años antes de Jesucristo?

—En cierta manera sí. Pero cuando hablamos de la «cristianización» de los dos grandes filósofos griegos queremos decir que fueron interpretados y explicados de tal manera que no se consideraran una amenaza contra la doctrina cristiana. De Tomás de Aquino se dice que «cogió el toro por los cuernos».

—No sabía que la filosofía tuviera que ver con las corridas de toros.

—Tomás de Aquino fue de los que intentaron unir la filosofía de Aristóteles y el cristianismo. Decimos que creó la gran síntesis entre la fe y el saber. Y lo hizo precisamente entrando en la filosofía de Aristóteles y tomándole sus palabras.

—O por los cuernos. No he dormido apenas esta noche, de modo que me temo que tendrás que explicarte mejor.

—Tomás de Aquino pensó que no tenía por qué haber una contradicción entre lo que nos cuenta la filosofía o la razón y lo que nos revela la fe. Muy a menudo el cristanismo y la filosofía nos dicen lo mismo. Por lo tanto podemos, con la ayuda de la razón, llegar a las mismas verdades que las que nos cuenta la Biblia.

—¿Cómo es posible eso? ¿La razón nos puede decir que Dios creó el mundo en seis días? ¿O que Jesús era hijo de Dios?

—No, a esa clase de «dogmas de fe», sólo tenemos acceso a través de la fe y de la revelación cristiana. Pero Tomás opinaba que también existen una serie de «verdades teológicas naturales». Con esto se refería a verdades a las que se puede llegar tanto a través de la revelación cristiana como a través de nuestra razón innata o natural. Una verdad de ese tipo es, por ejemplo, la que dice que hay un Dios. Tomás opinaba que hay dos caminos que conducen a Dios. Un camino es a través de la fe y la revelación. El otro camino es a través de la razón y las observaciones hechas con los sentidos. Bien es verdad que, de estos caminos, el de la fe y la revelación es el más seguro, porque es fácil desorientarse si uno se fía exclusivamente de la razón. Pero el punto clave de Tomás es que no tiene que haber necesariamente una contradicción entre un filósofo como Aristóteles y la doctrina cristiana.

—¿Entonces igual podemos apoyarnos en Aristóteles que en la Biblia?

—No, no. Aristóteles sólo llega hasta un punto en el camino porque no llegó a conocer la revelación cristiana. Pero recorrer una parte del camino no significa equivocarse de camino. Por ejemplo, no es incorrecto decir que Atenas está en Europa. Pero tampoco es muy preciso. Si un libro sólo te dice que Atenas es una ciudad europea, quizás sea también conveniente consultar un libro de geografía en el que se te proporcione toda la verdad: Atenas es la capital de Grecia, que a su vez es un pequeño país en la parte sureste de Europa. Si tienes suerte, a lo mejor también te cuenta algo de la Acrópolis; por no decir de Sócrates, Platón y Aristóteles.

—Pero también era verdad el primer dato sobre Atenas.

—¡Exactamente! Lo que quiso mostrar Tomás es que sólo existe una verdad. Cuando Aristóteles señala algo que nuestra razón reconoce como verdad, entonces tampoco contradice la doctrina cristiana. Podemos acercarnos plenamente a una parte de la verdad mediante nuestra razón y nuestras observaciones hechas con los sentidos; son precisamente esas verdades las que menciona Aristóteles cuando describe el reino animal y el reino vegetal. Otra parte de la verdad nos la ha revelado Dios a través de la Biblia. Pero las dos partes de la verdad se superponen la una a la otra en muchos puntos importantes. También hay algunas cuestiones sobre las que la Biblia y la razón nos dicen exactamente lo mismo.

—¿Por ejemplo que existe un Dios?

—Exactamente. También la filosofía de Aristóteles suponía que había un Dios, o una causa primera, que pone en marcha todos los procesos de la naturaleza. Pero no nos proporciona ninguna descripción más detallada de Dios. En este punto tenemos que apoyarnos exclusivamente en la Biblia y en la palabra de Cristo.

—¿Es tan seguro que realmente existe un Dios?

—Naturalmente es algo que se puede discutir. Pero incluso hoy en día la mayor parte de la gente está de acuerdo en que al menos la razón del ser humano no puede probar que no haya un Dios. Tomás fue más allá. Pensaba que basándose en la filosofía de Aristóteles se podía probar la existencia de Dios.

—No está mal.

—También con la razón podemos reconocer que todo lo que hay a nuestro alrededor tiene que tener una «causa original», decía. Dios se ha revelado ante los hombres tanto a través de la Biblia como a través de la razón. De esta manera, existe una «teología revelada» y una «teología natural». Lo mismo ocurre con la moral. En la Biblia podemos leer cómo quiere Dios que vivamos. Pero a la vez Dios nos ha provisto de una conciencia que nos capacita para distinguir entre el bien y el mal, sobre una base natural. Hay pues «dos caminos» también para la vida moral. Podemos saber que está mal herir a otras personas, aunque no hayamos leído en la Biblia: «Haz con tu prójimo lo que quieres que tu prójimo haga contigo». Pero también en este punto lo más seguro es seguir los mandamientos de la Biblia.

—Creo que lo entiendo —dijo Sofía—. Es más o menos como que podemos saber que hay tormenta tanto viendo los relámpagos como oyendo los truenos.

—Correcto. Aunque seamos ciegos podemos oír que truena. Y aunque seamos sordos podemos ver los relámpagos. Lo mejor es, claro está, ver y oír. Pero no hay ninguna «contradicción» entre lo que vemos y lo que oímos. Al contrario, las dos impresiones se complementan.

—Entiendo.

—Déjame añadir otra imagen. Si lees una novela, por ejemplo *Victoria* de Knut Hamsun [9]...

—De hecho la he leído...

—¿Conoces algo sobre el autor leyendo simplemente la novela que ha escrito?

—Al menos puedo saber que existe un autor que la ha escrito.

—¿Puedes saber algo más de él?

—Tiene una visión bastante romántica del amor.

—Cuando lees esta novela, que es creación de Hamsun, obtienes una impresión de la naturaleza de Hamsun. Pero no puedes contar con encontrar datos personales sobre el autor. Por ejemplo, ¿puedes saber mediante la lectura de *Victoria* la edad que tenía el autor al escribir la novela, dónde vivía o cuántos hijos tenía?

[9] Knut Hamsun (1859-1952). El novelista noruego más importante de todos los tiempos. Premio Nobel de Literatura en 1920. *(N. de las T.)*

—Claro que no.

—Ese tipo de datos los podrás encontrar en una biografía sobre Knut Hamsun. Solamente en una biografía, o autobiografía, sabrás más acerca del autor como «persona».

—Sí, así es.

—Más o menos así es la relación entre la obra de creación de Dios y la Biblia. Sólo mediante la observación de la naturaleza podemos reconocer que hay un Dios. No resulta difícil ver que ama las flores y los animales, si no, no los hubiera creado. Pero sólo en la Biblia encontramos información sobre la persona de Dios, es decir, en su «autobiografía».

—¡Qué ejemplo más bueno!

—Mmm...

Por primera vez Alberto se quedó pensativo, sin decir nada.

—¿Esto tiene algo que ver con Hilde? —se le escapó a Sofía.

—¡Pero si no sabemos con seguridad si existe alguna «Hilde»!

—Pero sabemos que se colocan señales de ella en muchos sitios. Postales y pañuelos de seda, una cartera verde, un calcetín...

Alberto asintió.

—Y parece que esas señales dependen de dónde quiera colocarlas el padre de Hilde. Pero hasta ahora sólo sabemos que hay una persona que nos manda todas las postales. Ojalá hubiera escrito un poco sobre él también. Bueno, ya volveremos a ese asunto.

—Son las 12. Tengo que volver a casa antes de que se acabe la Edad Media.

—Acabaré con unas palabras sobre cómo Tomás de Aquino se quedó con la filosofía de Aristóteles en todos los puntos en los que ésta no contradecía la teología de la Iglesia.

Éste es el caso de la lógica de Aristóteles, de su filosofía del conocimiento, así como la de la naturaleza. ¿Te acuerdas de la descripción de Aristóteles de una cadena evolutiva desde plantas y animales a seres humanos?

Sofía asintió.

—Aristóteles pensaba que esta escala señalaba a un Dios que constituía una especie de cumbre de existencia. Este esquema se adaptaba fácilmente a la teología cristiana. Según Tomás hay un grado evolutivo de existencia, desde plantas y animales hasta seres humanos, desde los seres humanos a los ángeles, y desde los ángeles a Dios. El hombre tiene, al igual que los animales, un cuerpo con órganos sensoriales, pero el ser humano tiene también una razón con «pensamientos profundos». Los ángeles no tienen tal cuerpo, por lo tanto tienen también una inteligencia inmediata e instantánea. No necesitan «pensárselo» como los seres humanos, no necesitan deducir algo de un punto a otro. Saben todo lo que pueden saber los hombres sin tener que ir paso a paso como nosotros. Como los ángeles no tienen cuerpo, tampoco morirán nunca. No son eternos como Dios, porque también ellos fueron creados por Dios. Pero no tienen ningún cuerpo del que puedan separarse y, por tanto, no morirán nunca.

—Suena maravilloso.

—Pero por encima de los ángeles domina Dios. Él puede verlo y saberlo todo en una sola y continua visión.

—Entonces nos está viendo ahora.

—Sí, quizás nos esté viendo. Pero no *ahora*. Para Dios no existe el tiempo como existe para nosotros. Nuestro «ahora» no es el «ahora» de Dios. Aunque para nosotros pasen unas semanas, no necesariamente pasan unas semanas para Dios.

—Eso es un poco horrible —se le escapó a Sofía.

Se tapó la boca con una mano. Alberto la miró, y Sofía prosiguió.

—He recibido otra postal del padre de Hilde. Escribió algo así como que si pasa una semana o dos para Sofía no significa necesariamente que pase tanto tiempo para nosotros. ¡Casi lo mismo que lo que acabas de decir sobre Dios!

Sofía pudo ver cómo la cara bajo la capucha se encogía en un gesto impetuoso.

—¡Debería avergonzarse!

Sofía no entendió lo que quería decir con eso, quizás sólo fuera una manera de hablar. Alberto prosiguió.

—Desgraciadamente Tomás de Aquino también se quedó con la visión que de la mujer tenía Aristóteles. Te acordarás de que Aristóteles pensaba que la mujer era algo así como un hombre imperfecto. Opinaba además que los hijos sólo heredaban las cualidades del padre. Como la mujer era pasiva y receptiva, el hombre era el activo y el que daba la forma. Estos pensamientos armonizaban, según Tomás de Aquino, con las palabras de la Biblia, donde se dice, entre otras cosas, que la mujer fue creada de una costilla del hombre.

—¡Tonterías!

—Conviene añadir que el que algún mamífero pone huevos no se supo hasta 1827. Por lo tanto quizás no fuera tan extraño que se pensara que el hombre era el que daba la forma y la vida en la procreación. Además debemos tener en cuenta que según Tomás la mujer es inferior al hombre sólo físicamente. El alma de la mujer tiene el mismo valor que la del hombre. En el cielo hay igualdad entre hombres y mujeres, simplemente porque dejan de existir todas las diferencias físicas entre los sexos.

—¡Qué desconsuelo! ¿No había filósofas en la Edad Media?

—La Iglesia estuvo fuertemente dominada por los hombres, lo cual no significa que no hubiese pensadoras. Una de ellas fue *Hildegarda de Eibingen*...

Sofía abrió los ojos de par en par.

—¿Tiene ella algo que ver con Hilde?

—¡Qué de preguntas haces! Hildegarda era una monja del Valle del Rhin que vivió de 1098 a 1179. A pesar de ser mujer era predicadora, botánica y científica. Podría simbolizar la idea de que a menudo las mujeres eran las más realistas, por no decir las más científicas, en la Edad Media.

—He preguntado que si tiene algo que ver con Hilde.

—Entre los judíos y los cristianos había una creencia que decía que Dios no sólo era hombre. También tenía un lado femenino o una «naturaleza materna». Porque también las mujeres están creadas a imagen y semejanza de Dios. En griego este lado femenino de Dios se llamaba *Sophia*. «Sophia» o «Sofía» significa «sabiduría».

Sofía se sentía abatida. ¿Por qué nadie le había contado esto antes? ¿Y por qué ella nunca había preguntado?

Alberto prosiguió:

—Tanto entre los judíos como en la iglesia ortodoxa Sophia, o la naturaleza materna de Dios, jugó cierto papel durante la Edad Media. En Occidente cayó en el olvido. Entonces llega Hildegarda. Cuenta que Sofía se le apareció. Iba vestida con una túnica dorada decorada con valiosas joyas.

Ahora Sofía se levantó del banco. Sophía se le había aparecido a Hildegarda...

—Quizás yo me aparezca a Hilde.

Se volvió a sentar. Por tercera vez Alberto le puso la mano en el hombro.

—Eso es algo que tenemos que averiguar. Pero ya es casi la 1. Tú tendrás que comer, y una nueva época se está acercando. Te convoco a una reunión sobre el Renacimiento. Hermes te buscará en el jardín.

Y el extraño monje se levantó y comenzó a caminar hacia la iglesia. Sofía se quedó sentada pensando en Hildegarda y

Sophia, Hilde y Sofía. De pronto se sobresaltó. Se levantó del asiento y llamó al profesor de filosofía vestido de monje.

—¿También hubo un Alberto en la Edad Media?

Alberto caminó un poco más despacio, giró suavemente la cabeza y dijo:

—Tomás de Aquino tenía un famoso profesor de filosofía. Se llamaba Alberto Magno...

Metió la cabeza por la puerta de la Iglesia de María y desapareció.

Sofía no se resignó. Volvió a entrar en la iglesia. Pero no había absolutamente nadie. ¿Había desaparecido Alberto por el suelo?

Mientras salía de la iglesia se fijó en una imagen de la Virgen María. Se colocó muy cerca del cuadro y lo miró fijamente. De repente descubrió una gotita de agua bajo uno de los ojos de la Virgen. ¿Sería una lágrima?

Sofía salió corriendo de la iglesia y no paró hasta casa de Jorunn.

El Renacimiento

...oh estirpe divina vestida de humano...

Jorunn estaba en el jardín delante de su casa amarilla cuando sobre la una y media Sofía llegó sin aliento hasta la verja.

—¡Has estado fuera más de nueve horas! —exclamó Jorunn.

Sofía negó con la cabeza.

—He estado fuera más de mil años.

—¿Pero dónde has estado?

—Tenía una cita con un monje medieval. ¡Un tipo divertido!

—Estás chiflada. Tu madre llamó hace media hora.

—¿Qué le dijiste?

—Dije que te habías ido al quiosco.

—¿Y qué dijo ella?

—Que la llamaras cuando volvieras. Lo peor fue lo de mis padres. A las nueve entraron en mi habitación con chocolate caliente y panecillos. Una de las camas estaba vacía.

—¿Qué les dijiste?

—No te puedes imaginar qué corte. Dije que te habías ido a casa porque nos habíamos peleado.

—En ese caso tenemos que darnos prisa y hacer las paces. Y que tus padres no hablen con mi madre durante unos días. ¿Crees que lo conseguiremos?

Jorunn se encogió de hombros. Al instante apareció el padre de Jorunn en el jardín con una carretilla. Se había puesto un mono. Era evidente que se disponía a quitar las hojas caídas el año anterior.

—Así que aquí están las amiguitas —dijo—. Bueno, ya no queda ninguna hoja.

—Qué bien —replicó Sofía—. Entonces quizás podamos tomar un café, ya que no pudimos desayunar.

El padre sonrió forzadamente, y Jorunn se sobresaltó. En casa de Sofía siempre habían sido algo más informales que en la del asesor financiero, señor Ingebrigtsen y señora.

—Lo siento, Jorunn —dijo Sofía—. Pero yo también debo participar en esta operación de camuflaje.

—¿Vas a contarme algo?

—Si me acompañas a casa. De todos modos ése no es asunto de asesores financieros o muñecas Barbie entradas en años.

—Qué asquerosa eres. ¿Acaso es mejor un matrimonio que cojea y manda a una de las partes al mar?

—Seguro que no. Pero yo no he dormido casi esta noche, y además me pregunto si Hilde será capaz de *ver* todo lo que hacemos.

Habían empezado a caminar hacia la casa de Sofía.

—¿Quieres decir que es vidente?

—Quizás sí. O quizás no.

Era evidente que a Jorunn no le hacían gracia todos aquellos secretos.

—Pero eso no explica que su padre envíe extrañas postales a una cabaña abandonada en el bosque.

—Admito que ése es un punto débil.

—¿No me vas a decir dónde has estado?

Se lo contó. Y también le habló del misterioso curso de filosofía. Lo hizo a cambio de una solemne promesa de que todo quedaría entre ellas dos.

Anduvieron un buen rato sin decir nada.

—No me gusta —dijo Jorunn.

Se detuvo delante de la verja de Sofía dando a entender que allí daría la vuelta.

—Tampoco te he pedido que te guste. La filosofía no es un simple juego de mesa, ¿sabes? Se trata de quiénes somos y de dónde venimos. ¿Te parece que aprendemos suficiente sobre eso en el colegio?

—De todos modos, nadie sabe las respuestas a esas preguntas.

—Ni siquiera nos enseñan a plantearnos esas preguntas.

La comida estaba en la mesa cuando Sofía entró en la cocina. No hubo comentarios de por qué no había llamado desde casa de Jorunn.

Después de comer dijo a su madre que quería dormir la siesta, porque apenas había dormido en casa de Jorunn, lo que no era nada raro cuando se dormía en casa de alguna amiga.

Antes de meterse en la cama se colocó delante del gran espejo de latón que había colgado en la pared. Al principio no veía más que su propia cara, pálida y cansada. Pero después... fue como si detrás de su propia cara apareciesen de pronto los contornos difusos de otra cara.

Sofía respiró hondo un par de veces. No debía empezar a imaginarse cosas.

Vio los nítidos contornos de su propia cara pálida enmarcada por el pelo negro, que no se adaptaba a otro peinado que el de la propia naturaleza, un peinado de pelo lacio. Pero debajo de este rostro también aparecía, como un espectro, la imagen de otra muchacha.

De pronto la muchacha desconocida empezó a guiñarle enérgicamente los dos ojos. Era como si quisiera dar a entender que de verdad estaba allí dentro, al otro lado. Sólo duró unos segundos. Luego desapareció.

Sofía se sentó en la cama. No dudaba de que la cara que había visto en el espejo fuera la de Hilde. Una vez, durante un par de segundos, había visto una foto de ella en un carnet escolar en la Cabaña del Mayor. Tenía que ser la misma chica que había visto también en el espejo.

¿No era un poco extraño que estas cosas tan misteriosas siempre le sucedieran cuando estaba totalmente agotada? Así siempre tenía que preguntarse luego si sólo habían sido imaginaciones.

Sofía colocó su ropa sobre una silla y se metió debajo del edredón. Se durmió al instante. Mientras dormía tuvo un sueño extrañamente intenso y claro.

Soñó que estaba en un gran jardín donde había una caseta de madera, pintada de rojo, para guardar barcas. Sobre un muelle junto a la caseta roja estaba sentada una niña rubia mirando al lago. Sofía se acercó a ella, pero era como si la desconocida no se diera cuenta de que estaba allí. «Me llamo Sofía», dijo. Pero la desconocida no la veía ni la oía. «Al parecer eres ciega y sorda», le dijo Sofía. Y la chica estaba verdaderamente sorda a las palabras de Sofía. De pronto Sofía oyó una voz que llamaba: «¡Hildecita!». La niña se levantó inmediatamente del muelle y se fue corriendo hacia la casa. Entonces no debía de ser ni ciega ni sorda. De la casa salió un hombre de mediana edad corriendo hacia ella. Llevaba uniforme y boina azul. La niña desconocida se echó en sus brazos, y el hombre la cogió y le dio un par de vueltas por el aire. Sofía descubrió una pequeña cruz de oro en el muelle donde había estado sentada la niña. La cogió y la guardó en la mano. En esto se despertó.

Sofía miró el reloj. Había dormido un par de horas. Se incorporó en la cama y se puso a pensar en el extraño sueño. Había sido tan intenso y tan claro que parecía haberlo vivido. Estaba convencida de que la casa y el muelle del sueño existían de verdad en algún sitio. ¿No se parecían a aquel cuadro que había visto en la Cabaña del Mayor? Por lo menos no cabía duda de que la niña del sueño era Hilde Møller Knag y que el hombre era su padre que volvía del Líbano. En el sueño le había recordado un poco a Alberto Knox...

Al hacer la cama descubrió una cadena con una cruz de oro debajo de la almohada. En la parte de atrás de la cruz estaban grabadas tres letras: «HMK».

Desde luego no era la primera vez que Sofía soñaba con que se encontraba alguna alhaja. Pero era la primera vez que lograba traerse la alhaja del sueño.

—¡Maldita sea! —se dijo en voz alta.

Estaba tan enfadada que abrió la puerta del armario y tiró la valiosa cadena al estante, junto al pañuelo de seda, el calcetín blanco y todas las postales del Líbano.

El domingo por la mañana la madre despertó a Sofía con un gran desayuno compuesto de panecillos calientes y zumo de naranja, huevos y ensaladilla rusa. No era normal que su madre se levantara antes que ella los domingos. Pero cuando ocurría, se esforzaba en preparar un sólido desayuno dominical antes de despertar a Sofía.

Mientras desayunaban la madre dijo:

—Hay un perro desconocido en el jardín. Ha estado dando vueltas por el viejo seto toda la mañana. ¿Sabes qué está haciendo aquí?

—¡Ah sí! —exclamó Sofía, pero en el mismo instante se mordió los labios.

—¿Ha estado aquí antes?

Sofía se levantó y se acercó a la ventana del salón que daba al gran jardín. Como se estaba imaginando, Hermes estaba tumbado delante de la entrada secreta al Callejón.

¿Qué podía decir? La madre se colocó a su lado sin darle tiempo a pensar en una respuesta.

—¿Has dicho que ese perro ya ha estado aquí antes?

—Supongo que habrá enterrado un hueso aquí. Y ahora

ha vuelto para recoger su tesoro. También los perros tienen memoria.

—Quizás sea eso, Sofía. Tú tienes más psicología que yo.

Sofía pensó intensamente.

—Yo le acompañaré a su casa —dijo.

—¿Pero sabes dónde vive?

Se encogió de hombros.

—Tendrá un collar con las señas.

Un par de minutos más tarde Sofía estaba saliendo al jardín. Cuando Hermes la vio fue corriendo hacia ella, moviendo alegremente el rabo.

—Hermes, buen chico —dijo Sofía.

Sabía que su madre la estaba mirando desde la ventana. ¡Ojalá el perro no atravesara el seto! Pero no, se dirigió al caminito de gravilla delante de la casa y dio un salto hacia la verja.

Cuando ya habían salido a la calle, Hermes seguía andando un par de metros delante de Sofía. Dieron un largo paseo por las calles de chalets; no eran los únicos que estaban dando un paseo dominical. Había familias enteras caminando, y Sofía sintió algo de envidia.

De vez en cuando Hermes se alejaba para oler a algún otro perro o alguna cosa al borde de la cuneta, pero en cuanto Sofía lo llamaba volvía a su lado.

Habían cruzado ya un viejo corral, un gran polideportivo y un parque infantil cuando llegaron a un barrio más transitado. Continuaron bajando hacia el centro por una calle ancha y adoquinada, con trolebuses en medio.

Ya en el centro, Hermes la llevó por la Gran Plaza y luego por la Calle de la Iglesia. Salieron al barrio antiguo, donde había grandes casas de principios de siglo. Era casi la una y media.

Se encontraban en la otra punta de la ciudad. Sofía no venía por aquí a menudo. Pero una vez cuando era pequeña había visitado a una vieja tía suya en una de estas calles.

Pronto salieron a una pequeña plaza entre unas casas viejas. La plaza se llamaba Plaza Nueva, a pesar de la pinta de viejo que tenía todo. La ciudad en sí era muy vieja, de la Edad Media.

Hermes se acercó al portal 14, donde se quedó esperando a que Sofía abriera la puerta. Ella notó como un vacío en el estómago.

Dentro del portal había un montón de buzones verdes. Sofía descubrió una postal pegada en uno de los buzones de la fila superior. En la postal había un sello con un mensaje del cartero que decía que el destinatario era desconocido. El destinatario era «Hilde Møller Knag, Plaza Nueva 14...». Estaba sellada el 15 de junio. Faltaban aún dos semanas, un detalle en el que, aparentemente, el cartero no se había fijado.

Sofía despegó la postal y leyó.

Querida Hilde. Sofía está llegando a casa del profesor de filosofía. Pronto cumplirá quince años, pero tú ya los cumpliste ayer. ¿O es hoy, Hildecita? Si es hoy al menos será muy entrado el día. Pero nuestros relojes no andan siempre completamente igual. Una generación envejece mientras que otra crece. Mientras tanto la Historia sigue su curso. ¿Has pensado en que la historia de Europa puede compararse con la vida de una persona? En ese caso la Antigüedad es la infancia de Europa. Luego viene la larga Edad Media, que es la jornada escolar de Europa. Pero luego llega el Renacimiento. Ha acabado la larga jornada de colegio y la joven Europa está impaciente por lanzarse a la vida. A lo mejor podríamos decir que el Renacimiento es el decimoquinto cumpleaños de Europa. Estamos a mediados de junio, hijita mía, y la vida es maravillosa.

P. D. Qué pena que hayas perdido tu cruz de oro. ¡Tendrás que aprender a cuidar mejor de tus cosas! Saludos de tu papá, que está ya a la vuelta de la esquina.

Hermes estaba ya subiendo las escaleras. Sofía se llevó la postal y le siguió. Tenía que correr para no perderlo, él movía enérgicamente el rabo. Pasaron el segundo piso, el tercero, el cuarto y el quinto. Desde allí sólo había una estrecha escalera que continuaba. ¿Se dirigían a la azotea? Pero Hermes siguió también por la escalera estrecha. Luego se detuvo ante una puerta estrecha que comenzó a arañar con las uñas.

Sofía oyó pasos que se acercaban detrás de la puerta. La puerta se abrió y allí estaba Alberto Knox. Se había cambiado de traje, pero también hoy estaba disfrazado. Llevaba unas medias blancas hasta las rodillas, unos pantalones anchos y rojos y una chaqueta amarilla con los hombros abultados. A Sofía le recordó a los comodines de la baraja. Si no se equivocaba, se trataba de un traje renacentista.

—¡Payaso! —exclamó Sofía dándole un empujón para entrar en el piso.

Había vuelto a hacer del pobre profesor de filosofía víctima de una especie de mezcla de temor y timidez. Ella estaba además muy excitada a causa de la postal que había encontrado abajo en el portal.

—No seas tan irascible, hija mía —dijo Alberto cerrando la puerta tras él.

—Aquí está el correo —dijo Sofía, alcanzándole la postal como si él la hubiera escrito.

Alberto leyó la postal con un gesto de desagrado.

—Se está volviendo cada vez más descarado. A lo mejor nos está utilizando como una especie de diversión con motivo del cumpleaños de su hija.

Cogió la postal y la rompió en cien pedazos que tiró a una papelera.

—En la postal ponía que Hilde ha perdido una cruz de oro —dijo Sofía.

—Ya lo he visto, ya.

—Pues justamente he encontrado esa cruz en mi cama. ¿Sabes cómo pudo llegar hasta allí?

Alberto la miró fijamente a los ojos.

—Puede parecer fascinante, pero no es más que un truco barato que no le cuesta el menor esfuerzo. Mejor concentrémonos en el gran conejo que se saca del negro sombrero de copa del universo.

Entraron en la salita, que era de lo más raro que Sofía había visto en toda su vida.

Alberto vivía en un gran ático abuhardillado. En el techo había una ventana que dejaba entrar directamente la luz del cielo. Pero la habitación también tenía una ventana con vistas a la ciudad y por la que se podían ver todos los tejados de los viejos edificios.

Pero lo que más asombraba a Sofía era todo lo que había en la salita. Estaba repleta de muebles y objetos de muy distintas épocas de la Historia. Un sofá que podía ser de los años treinta, un viejo escritorio de principios de siglo, y una silla que seguramente tenía varios cientos de años. Pero no eran sólo los muebles lo que le asombraba. En estantes y armarios había utensilios y objetos de decoración totalmente mezclados. Había viejos relojes y vasijas, morteros y frascos de cristal, cuchillos y muñecos, plumas antiguas y pisapapeles, octantes y sextantes, brújulas y barómetros. Había una pared entera repleta de libros, pero no de esos libros que se pueden comprar en las librerías. También la colección de libros era como un corte transversal a lo largo de cientos de años de producción de libros. En las paredes colgaban dibujos y cuadros; algunos seguramente hechos hacía pocos años, otros muy antiguos. También había varios mapas antiguos.

Sofía se quedó mirando mucho rato sin decir nada. Giró la cabeza en todas las direcciones hasta haber visto la sala desde todos los ángulos posibles.

—Veo que coleccionas muchos cachivaches —dijo por fin.

—Bueno, bueno. Piensa que en esta sala se conservan muchos siglos de Historia. Yo no los llamaría cachivaches.

—¿Coleccionas antigüedades o algo así?

La cara de Alberto adquirió una expresión casi melancólica.

—No todo el mundo puede dejarse llevar por la corriente de la Historia, Sofía. Algunos tienen que detenerse y recoger aquello que se queda en sus orillas.

—Qué manera tan extraña de hablar.

—Pero es verdad, hija mía. No vivimos únicamente en nuestro propio tiempo. También llevamos con nosotros nuestra historia. Recuerda que todas las cosas que ves en esta habitación fueron nuevas alguna vez. Esa pequeña muñeca de madera del siglo XVI a lo mejor fue hecha para una niña en su quinto cumpleaños. Quizás por un viejo abuelo... Luego se hizo adolescente, Sofía. Y luego adulta y a lo mejor se casó. Quizás tuvo una hija que heredó su muñeca. Luego envejeció y una día dejó de existir. Había vivido una larga vida, pero luego desapareció del todo. Y no volverá nunca. En realidad sólo estuvo aquí en una breve visita. Pero su muñeca, su muñeca está aquí sobre el estante.

—Todo se vuelve tan triste y solemne cuando lo expresas así.

—Pero la vida misma es triste y solemne. Entramos en un mundo maravilloso, nos conocemos, nos saludamos, y caminamos juntos un ratito. Luego nos perdemos y desaparecemos tan de repente y tan sin razón como llegamos.

—¿Puedo preguntar algo?

—Ya no estamos jugando al escondite.

—¿Por qué te mudaste a la Cabaña del Mayor?

—Para no vivir tan lejos el uno del otro cuando sólo nos

comunicábamos por carta. Sabía que aquella cabaña estaba vacía.

—¿Y simplemente te metiste?

—Simplemente me metí.

—Entonces a lo mejor también me puedes explicar cómo lo supo el padre de Hilde.

—Si no me equivoco es un señor que lo sabe casi todo.

—De todos modos, no entiendo cómo se consigue que un cartero entregue el correo en medio de un bosque.

Alberto sonrió astutamente.

—Incluso eso debe de ser una menudencia para el padre de Hilde. Trucos baratos, engaños vulgares. A lo mejor vivimos bajo la vigilancia más rígida del mundo.

Sofía se estaba enfadando.

—Si algún día me encuentro con él, le sacaré los ojos.

Alberto se acercó al sofá y se sentó. Sofía le siguió y se dejó caer en un gran sillón.

—Sólo la filosofía puede acercarnos al padre de Hilde —dijo Alberto—. Hoy te hablaré del Renacimiento.

—De acuerdo.

—Pocos años después de la muerte de Santo Tomás de Aquino, la cultura unitaria cristiana empezó a agrietarse. La filosofía y la ciencia se iban desprendiendo cada vez más de la teología de la Iglesia, lo cual, por otra parte, contribuyó a que la fe tuviera una relación más libre con la razón. Cada vez había más voces que decían que no nos podemos acercar a Dios por medio de la razón, porque Dios es de todos modos inconcebible para el pensamiento. Lo más importante para el hombre no era comprender el misterio cristiano, sino someterse a la voluntad de Dios.

—Entiendo.

—El hecho de que la fe y la ciencia tuvieran una relación más libre entre ellas dio paso a un nuevo método científico y también a un nuevo fervor religioso. De esa manera se establecieron las bases para dos importantes cambios en los siglos XV y XVI, me refiero al Renacimiento y a la Reforma.

—¿No hablaremos de los dos cambios a la vez, no?

—Por Renacimiento entendemos un extenso florecimiento cultural desde finales del siglo XIV. Comenzó en el norte de Italia, pero se extendió rápidamente hacia el resto de Europa durante los siglos XV y XVI.

—¿«Renacimiento» significa «nacer de nuevo», no?

—Sí, y lo que volvió a nacer fue el arte y la cultura de la Antigüedad. También solemos hablar del «humanismo renacentista», porque se volvió a colocar al hombre en el centro, tras esa larga Edad Media que todo lo había visto con una perspectiva divina. Ahora la consigna era ir a «los orígenes», lo que significaba ante todo volver al humanismo de la Antigüedad. El excavar viejas esculturas y escritos de la Antigüedad se convirtió en una especie de deporte popular. Así que se puso de moda aprender griego, lo que facilitó un nuevo estudio de la cultura griega. Estudiar el humanismo griego tenía también un objetivo pedagógico, porque el estudio de materias humanistas proporcionaba una «educación clásica» y desarrollaba lo que podríamos llamar «cualidades humanas». «Los caballos nacen», se decía, «pero las personas no nacen, se hacen».

—¿Tenemos que educarnos para llegar a ser personas?

—Sí, ésa era la idea. Pero antes de estudiar más detalladamente las ideas del humanismo renacentista diremos unas palabras sobre la situación política y cultural en el Renacimiento.

Alberto se levantó del sofá y comenzó a caminar por la habitación. Al cabo de un rato se detuvo y señaló un viejo instrumento sobre un estante.

—¿Qué crees que es esto? —preguntó.

—Parece una vieja brújula.

—Correcto.

Señaló un viejo fusil que colgaba en la pared sobre el sofá.

—¿Y eso?

—Un fusil con muchos años.

—De acuerdo, ¿y esto?

Alberto sacó un libro grande de la estantería.

—Es un libro viejo.

—Para ser más preciso, es un incunable.

—¿Un incunable?

—En realidad significa «infancia». La palabra se utiliza para los libros impresos en la infancia de la imprenta. Es decir, antes del año 1500.

—¿Tan antiguo es?

—Así de antiguo. Y precisamente estos tres inventos que acabamos de señalar, la brújula, la pólvora y la imprenta, fueron muy importantes para esa nueva época que llamamos Renacimiento.

—Eso me lo tienes que explicar mejor.

—La brújula facilitó la navegación, lo que significa que fue una importante base para los grandes descubrimientos. Lo mismo ocurrió en cierto modo con la pólvora. Las nuevas armas contribuyeron a que los europeos fueran militarmente superiores en relación con las culturas americanas y asiáticas. Pero también en Europa la pólvora tuvo mucha importancia. La imprenta fue importante en cuanto a la difusión de las nuevas ideas de los humanistas renacentistas, y también contribuyó a que la Iglesia perdiera su viejo monopolio como transmisora de conocimientos. Luego vinieron un sinfín de nuevos instrumentos; el catalejo, por ejemplo, fue un instrumento importante para el desarrollo de la astronomía.

—¿Y finalmente llegaron los cohetes y las naves espaciales?

—Estás avanzando demasiado deprisa. Sin embargo es verdad que en el Renacimiento se inició un proceso que finalmente llevó al hombre a la luna. Y también, a Hiroshima y a Chernóbil. Pero todo empezó con una serie de cambios en los campos cultural y económico. Un factor importante fue la transición de la economía en especie a la economía monetaria. Hacia finales de la Edad Media habían surgido ciudades con emprendedores artesanos y comerciantes con nuevas mercancías, con economía monetaria y banca. Así emergió una burguesía que fue desarrollando una cierta libertad en relación a los condicionamientos de la naturaleza. Las necesidades vitales se convirtieron en algo que se podía comprar con dinero. Esta evolución favorecía la dedicación, la imaginación y la capacidad creativa del individuo, que se vio enfrentado a unas exigencias completamente nuevas.

—Esto recuerda un poco a la forma en que surgieron las ciudades griegas dos mil años antes.

—Quizás sí. Te expliqué cómo la filosofía griega se desprendió de una visión mítica del mundo que iba asociada a la cultura campesina. De esa manera los burgueses del Renacimiento comenzaron a emanciparse de los señores feudales y del poder de la Iglesia. Esto ocurrió al mismo tiempo que se redescubría la cultura griega debido a unas relaciones más estrechas con los árabes en España y con la cultura bizantina en el este.

—Los tres ríos de la Antigüedad confluyeron en un gran río.

—Eres una alumna muy atenta. Esto bastará como introducción al Renacimiento. Te hablaré de las nuevas ideas.

—Empieza cuando quieras, pero tengo que ir a casa a comer.

Alberto se volvió a sentar por fin en el sofá. Miró a Sofía a los ojos.

—Ante todo, el Renacimiento dio lugar a una nueva «visión del hombre». Los humanistas renacentistas tuvieron una nueva fe en el ser humano y en el valor del ser humano, algo que contrastaba fuertemente con el énfasis que había puesto siempre la Edad Media en la naturaleza pecaminosa del hombre. Ahora se consideraba al ser humano como algo grande y valioso. Una de las figuras principales del Renacimiento se llamó Ficino. Él exclamó: «¡Conócete a ti misma, oh estirpe divina vestida de humano!». Y otro, Pico della Mirandola, escribió un *Diálogo de la dignidad del hombre,* algo que hubiera sido completamente impensable en la Edad Media, durante la cual únicamente se utilizaba a Dios como punto de partida. Los humanistas del Renacimiento pusieron al propio ser humano como punto de partida.

—Pero eso también lo hicieron los filósofos griegos.

—Precisamente por eso hablamos de un «renacimiento» del humanismo de la Antigüedad. No obstante, el Renacimiento se caracterizaba aún más por el «individualismo» de lo que se habían caracterizado las sociedades de la Antigüedad. No sólo somos personas, también somos individuos únicos. Esta idea podía conducir a un culto al genio. El ideal llegó a ser lo que llamamos «un hombre renacentista», expresión con la que se designa a una persona que participa en todos los campos de la vida, del arte y de la ciencia. Esta nueva visión del hombre también se manifestaba en un interés por la anatomía del cuerpo humano. Se volvió a disecar a muertos, como se había hecho en la Antigüedad, con el fin de averiguar la composición del cuerpo. Esto resultó ser muy importante tanto para la medicina como para el arte. En el arte volvió a aparecer el desnudo, tras mil años de pudor. Los hombres se atrevieron a ser ellos mismos. Ya no tenían que avergonzarse.

—Suena como una especie de borrachera —dijo Sofía inclinándose sobre una pequeña mesa que había entre ella y el profesor de filosofía.

—Sin duda. La nueva visión del hombre trajo consigo un

nuevo «ambiente vital». El ser humano no existía solamente para Dios. Dios había creado al hombre también para los propios hombres. De esta manera los hombres podían alegrarse de la vida aquí y ahora. Y en cuanto se permitió al ser humano desarrollarse libremente, éste tuvo posibilidades ilimitadas. La meta fue sobrepasar todos los límites. También ésta era una nueva idea en relación con el humanismo de la Antigüedad, que había señalado que el ser humano debería conservar la serenidad, la moderación y el control.

—¿Perdieron los humanistas del Renacimiento el control?

—Desde luego no fueron muy moderados. Tenían una especie de sensación de que el mundo despertaba de nuevo. Así surgió una pronunciada conciencia de época. Fue en ese período en el que se introdujo el nombre «edad media» para denominar todos aquellos siglos entre la Antigüedad y su propia época. Hubo un florecimiento impresionante en todos los campos, tales como el arte y la arquitectura, la literatura, la música, la filosofía y la ciencia. Mencionaré un ejemplo concreto. Hemos hablado ya de la Roma de la Antigüedad, que tuvo los enorgullecedores apodos de «ciudad de las ciudades» y «ombligo del mundo». Durante la Edad Media la ciudad decayó, y en 1417 esa ciudad, que había tenido en la Antigüedad más de un millón de habitantes, ya sólo contaba con 17.000.

—No muchos más de los que tiene Lillesand. Para los humanistas del Renacimiento, la reconstrucción de Roma se convirtió en un objetivo político y cultural. La obra más importante que se emprendió fue la edificación de la iglesia de San Pedro sobre la tumba del apóstol San Pedro. En lo que se refiere a esta iglesia difícilmente se puede hablar de moderación o control. Algunos de los principales personajes del Renacimiento participaron de alguna manera en ese enorme proyecto de construcción. Desde 1506 y durante 120 años se llevaron a cabo las obras de la iglesia, y aún tuvieron que pasar cincuenta años más hasta que la gran plaza de San Pedro estuvo acabada.

—¡Tiene que ser una iglesia enorme!

—De largo mide más de 200 metros, de alto 130 y tiene una superficie de más de 16.000 m². Pero ya hemos dicho suficiente de la osadía de los renacentistas. También tuvo mucha importancia el hecho de que el Renacimiento trajera consigo un nuevo concepto de la naturaleza. El hombre se sentía bien con su existencia, y dejó de considerar la vida en la Tierra como una mera preparación para la vida en el cielo, y esto creó una nueva actitud ante el mundo físico. La naturaleza fue considerada como algo positivo. Muchos pensaban que Dios estaba presente en la Creación. Es infinito, y por tanto también debe estar en todas partes. Tal interpretación se llama *panteísmo*. Los filósofos medievales habían subrayado ese enorme abismo que existía entre Dios y su Creación. Ahora se decía que la naturaleza era divina, o más aún, que era una «prolongación de Dios». Ideas nuevas como éstas no fueron siempre bien recibidas por la Iglesia. De eso tenemos un ejemplo dramático en lo que le sucedió a *Giordano Bruno*. No sólo declaró que Dios estaba presente en la naturaleza, sino que también dijo que el espacio era infinito. Y por ello le castigaron muy severamente.

—¿Cómo?

—Fue quemado en la plaza de las flores de Roma en el año 1600...

—¡Qué malos...! ¡Y qué tontos...! ¿Eso se llama humanismo?

—No, aquello no. El humanista era Bruno, no sus verdugos. Pero durante el Renacimiento también floreció lo que podemos llamar el «antihumanismo», y con eso quiero decir un poder eclesiástico y estatal autoritarios. Durante esta época abundaron también los procesos contra las brujas y la quema de herejes, la magia y la superstición, las sangrientas guerras de religión y, cómo no, también la brutal conquista de América. No obstante, el humanismo siempre ha tenido un fondo oscuro; ninguna época es del todo buena o del todo mala. El bien y el mal constituyen dos hilos que atraviesan la historia de la humanidad. Y a menudo se entrelazan. Esto nos lleva al siguiente tema clave, que tiene que ver con el «nuevo método científico» que trajo también consigo el Renacimiento.

—¿Fue entonces cuando se construyeron las primeras fábricas?

—Todavía no. Pero el nuevo método científico fue una condición necesaria para toda la evolución técnica que tuvo lugar después del Renacimiento. Con «un nuevo método» quiero decir una actitud totalmente nueva ante lo que es la ciencia. Los frutos materiales de este nuevo método llegaron luego poco a poco.

—¿En qué consistía ese nuevo método?

—Consistía ante todo en investigar la naturaleza con los propios sentidos. Ya desde el siglo XIV había cada vez más voces que advertían contra la fe ciega en las viejas autoridades. Tales autoridades podían ser los dogmas de la Iglesia, así como la filosofía de la naturaleza de Aristóteles. También advertían del peligro de creer que los problemas pueden resolverse con una mera reflexión. Esa fe exagerada en la importancia de la razón había dominado durante toda la Edad Media. Ahora empezó a decirse que cualquier investigación de la naturaleza tenía que basarse en la observación, la experiencia y el experimento. Esto es lo que llamamos «método empírico».

—¿Qué significa eso?

—Eso significa simplemente que uno basa sus conocimientos de las cosas en su propia experiencia; es decir, ni en papeles polvorientos ni en quimeras. También en la Antigüedad se hacía una ciencia empírica. Aristóteles, por ejemplo, recogió muchas e importantes observaciones sobre la naturaleza. Pero los «experimentos sistemáticos» constituían una completa novedad.

—No tendrían aparatos técnicos como los de hoy...

—Naturalmente no tenían ni calculadoras ni balanzas electrónicas. Pero tenían las matemáticas y balanzas de otro tipo. Se ponía gran énfasis en la importancia de expresar las observaciones científicas en un lenguaje matemático exacto. «Mide lo que se pueda medir, y lo que no se pueda medir, hazlo medible», dijo Galileo Galilei, que fue uno de los científicos más importantes del siglo XVII. También dijo que «el libro de la naturaleza está escrito en un lenguaje matemático».

—¿Todos aquellos experimentos y mediciones abrieron el camino a los nuevos inventos?

—La fase primera fue un nuevo método científico, que abrió el camino a la revolución técnica, y el progreso técnico abrió el camino a todos los inventos que llegaron después. Podríamos decir que los hombres habían empezado a independizarse de las condiciones de la naturaleza. La naturaleza no era ya sólo algo de lo que el hombre formaba parte, sino algo que se podía utilizar y aprovechar. «Saber es poder», dijo el filósofo inglés Francis Bacon, subrayando de este modo la utilidad práctica del saber. Esto era algo nuevo. Los seres humanos comenzaron a intervenir en la naturaleza y a dominarla.

—Pero no solamente con fines positivos...

—No, por eso decíamos lo de los hilos buenos y malos que constantemente se entremezclan en todo lo que hace el hombre. La apertura técnica que se inició en el Renacimiento derivó hacia telares mecánicos y desempleo, medicinas y nuevas enfermedades, una mayor eficacia de la agricultura y un empobrecimiento de la naturaleza, electrodomésticos como lavadoras y frigoríficos, pero también contaminación y basuras. Teniendo en cuenta las grandes amenazas a que se enfrenta hoy en día el medio ambiente, muchos consideran el progreso técnico como un peligroso desvío de las condiciones de la naturaleza. Se dice que los hombres hemos puesto en marcha un proceso que ya no somos capaces de controlar. Otras almas más optimistas opinan que todavía vivimos en la infancia de la tecnología. Que es cierto que la civilización tecnológica ha tenido enfermedades infantiles, pero que poco a poco los hombres aprenderán a dominar la naturaleza sin, al mismo tiempo, amenazarla de muerte.

—¿Qué crees tú personalmente?

—Que quizás los dos puntos de vista tengan algo de razón. En algunas cosas los hombres deben dejar de intervenir en la naturaleza, en otras lo podemos hacer con ventaja. De lo que no cabe ninguna duda es de que no hay ningún camino que retorne a la Edad Media. Desde el Renacimiento el hombre ya no es sólo una parte de la Creación, sino que ha comenzado a intervenir directamente en la naturaleza y a formarla a su imagen y semejanza. Eso te dice algo sobre la maravillosa criatura que es el ser humano.

—Ya hemos estado en la luna. En la Edad Media nadie podía imaginar que eso fuera posible, ¿verdad?

—No, de eso puedes estar completamente segura. Y esto nos lleva a otro tema: «la nueva visión del mundo». Durante toda la Edad Media los hombres habían caminado bajo el cielo mirando hacia arriba al sol y a la luna, a las estrellas y a los planetas. Pero nadie había dudado de que la Tierra fuera el centro del universo. Ninguna observación había dado lugar a que se dudase de que la Tierra estaba quieta y que fuesen los cuerpos celestes los que daban vueltas alrededor de ella. A esto lo llamamos «visión geocéntrica del mundo», es decir, que todo gira alrededor de la Tierra. También la idea cristiana de que Dios dominaba sobre todos los cuerpos celestes contribuyó a mantener esta visión del mundo.

—Me gustaría que fuera así de sencillo.

—Pero en 1543 salió un librito que se llamaba *Sobre las revoluciones de los orbes celestes,* escrito por el astrónomo polaco Copérnico, que murió el mismo día que salió el libro. *Copérnico* sostuvo que no era el sol el que giraba en órbita alrededor de la Tierra, sino al revés. Opinaba que esto era posible basándonos en las observaciones de que se disponía sobre los astros. El que los hombres hubieran pensado que el sol se movía en una órbita alrededor de la Tierra se debía simplemente a que la Tierra gira alrededor de su propio eje, decía. Señaló que todas las observaciones de los astros eran mucho más fáciles de comprender si se suponía que tanto la Tierra como los demás planetas se movían en órbitas circulares alrededor del sol. Es lo que llamamos «visión heliocéntrica del mundo», es decir, que todo gira alrededor del sol.

—¿Y ésa era una visión correcta del mundo?

—No del todo. Su punto principal, es decir, que la Tierra se mueve en una órbita alrededor del sol, es evidentemente correcto. Pero también dijo que el sol era el centro del universo. Hoy sabemos que el sol no es más que uno de los innumerables astros, y que todas las estrellas próximas que nos rodean sólo constituyen una entre miles de millones de galaxias. Copérnico creía además que la Tierra y los demás planetas hacían movimientos circulares alrededor del sol.

—¿Y no es así?

—No, para lo de los movimientos circulares no contaba con otra base que aquella vieja idea de que los astros eran completamente redondos y se movían con movimientos circulares simplemente porque eran «celestiales». Desde los tiempos de Platón la esfera y el círculo se habían considerado las figuras geométricas más perfectas. No obstante, a principios del siglo XVII el astrónomo alemán *Johannes Kepler* presentó los resultados de unas extensas observaciones que demostraban que los planetas recorren órbitas elípticas, u ovaladas, con el sol en uno de los focos. También dijo que la velocidad de los planetas es mayor cuando están más cerca del sol, y que un planeta se mueve más lentamente cuanto más lejos del sol se encuentra su órbita. Kepler fue el primero en opinar que la Tierra es un planeta en igualdad con los demás planetas. Subrayó además que regían las mismas leyes físicas en todo el universo.

—¿Cómo podía estar seguro de eso?

—Podía estar seguro porque había estudiado los movimientos de los planetas con sus propios sentidos en lugar de fiarse ciegamente de las tradiciones de la Antigüedad. Casi al mismo tiempo que Kepler, vivió el famoso científico italiano *Galileo Galilei*. También él observaba los astros con telescopio. Estudió los cráteres de la luna e hizo ver que ésta tenía montañas y valles como la Tierra. Galileo descubrió además que el planeta Júpiter tenía cuatro lunas. Esto quería decir que la Tierra no era la única que tenía una luna. No obstante, lo más importante de todo lo que hizo Galileo fue formular la llamada *ley de la inercia.*

—¿Qué dice esa ley?

—Galileo la formuló así: «La velocidad que ha adquirido un cuerpo se mantendrá constante mientras no haya causas exteriores de aceleración o deceleración».

—Por mí, vale.

—Pero es una importante observación. Desde la Antigüedad, uno de los argumentos más importantes en contra de la idea de que la Tierra se moviera alrededor de su propio eje había sido que, en ese caso, la Tierra tendría que moverse tan rápidamente que una piedra que se echara al aire hacia arriba caería a muchísimos metros del lugar desde el que había sido lanzada.

—¿Y por qué no es así?

—Si estás sentada en un tren y se te cae una manzana, la

manzana no cae hacia atrás en el compartimento sólo porque el tren se mueva. Cae directamente al suelo, y eso se debe a la ley de la inercia. La manzana conserva exactamente la misma velocidad que tenía antes de que tú la soltaras.

—Creo que lo entiendo.

—En los tiempos de Galileo no había trenes. Pero si vas empujando una bola por el suelo y la sueltas de repente...

—...entonces la bola seguirá rodando...

—...porque se conserva la velocidad también después de que sueltes la bola.

—Pero al final se para, si la habitación es suficientemente larga.

—Es porque otras fuerzas frenan la velocidad. En primer lugar la frena el suelo, sobre todo si es un suelo áspero de madera no pulida. Pero antes o después la gravedad también parará la bola. Espera, te voy a enseñar una cosa.

Alberto Knox se levantó y se fue hasta el viejo escritorio. De uno de los cajones sacó algo que colocó sobre la mesa del salón. Era un tablero de madera de unos milímetros de espesor por un extremo y muy fino por el otro. Junto al tablero de madera, que cubría casi toda la mesa, colocó una canica verde.

—Esto se llama un plano inclinado —dijo—. ¿Qué crees que va a suceder si suelto la canica desde aquí arriba donde el plano es más grueso?

Sofía suspiró resignada.

—Apuesto diez coronas a que rodará hasta la mesa y al final hasta el suelo.

—Vamos a ver.

Alberto soltó la canica, que hizo exactamente lo que Sofía había dicho. Rodó hasta la mesa y desde allí cayó al suelo con un pequeño estallido para, finalmente, ir a dar contra la pared de la entrada.

—Impresionante —dijo Sofía.

—¿Verdad que sí? Galileo se dedicaba precisamente a hacer este tipo de experimentos.

—¿De verdad era tan tonto?

—Tranquila. Quería investigar todo con sus propios sentidos, y sólo acabamos de empezar. Dime primero por qué rodaba la canica por el plano inclinado.

—Empezó a rodar porque era pesada.

—Bien. ¿Y qué es en realidad el peso, hija mía?

—Qué pregunta más tonta.

—No es una pregunta tonta si no eres capaz de contestarla. ¿Por qué rodó la canica hasta el suelo?

—Debido a la fuerza de la gravedad.

—Exactamente, o a la gravitación, como también se dice. Entonces el peso tiene algo que ver con la fuerza de la gravedad. Fue *esa* fuerza la que puso la canica en movimiento.

Alberto ya había recogido la canica del suelo. Estaba agachado sobre el plano inclinado con la canica en la mano.

—Ahora intentaré lanzar la canica rodando hacia un lado del plano inclinado. Observa con atención la manera en que se mueve la canica.

Se inclinó más y apuntó. Intentó hacer rodar la canica hacia un lado del tablero inclinado. Sofía vio cómo la canica, poco a poco, iba desviándose hacia la parte de abajo del plano inclinado.

—¿Qué ha pasado? —preguntó Alberto.

—Se desvía porque el plano es inclinado.

—Ahora pintaré la canica con un rotulador... así veremos exactamente lo que quieres decir con «desviarse».

Sacó un rotulador y coloreó toda la canica de negro. La hizo rodar de nuevo. Ahora Sofía pudo ver exactamente por dónde había rodado la canica en el plano inclinado, porque había ido dejando una línea negra sobre el plano.

—¿Cómo describirías el movimiento de la canica? —preguntó Alberto.

—Es curvo... parece parte de un círculo.

—¡Ahora lo has dicho!

Alberto la miró y frunció el ceño.

—Aunque no es del todo un círculo. Esa figura se llama parábola.

—Si tú lo dices...

—¿Pero *por qué* se mueve la canica exactamente de esa manera?

Sofía lo pensó detenidamente. Al final dijo:

—Porque como el tablero tiene una inclinación, la canica es atraída hacia el suelo por la fuerza de la gravedad.

—¿Verdad que sí? Esto es verdaderamente sensacional. Yo traigo a una niña cualquiera a mi ático y ella se da cuenta exactamente de lo mismo que Galileo tras un solo intento.

Y a continuación comenzó a aplaudir. Durante un instante Sofía tuvo miedo de que se hubiera vuelto loco. Él prosiguió.

—Has visto lo que pasa cuando *dos fuerzas* actúan simultáneamente sobre un mismo objeto. Galileo descubrió que esto también pasaba, por ejemplo, con una bala de cañón. Se dispara al aire y sigue su curso por encima del suelo, pero poco a poco va siendo atraída hacia la tierra. Describe una trayectoria que corresponde a la de la canica sobre el plano inclinado. De hecho éste fue un nuevo descubrimiento en los tiempos de Galileo. Aristóteles creía que un proyectil que se lanza al aire oblicuamente hacia arriba seguía primero una curva suave, pero que al final caía verticalmente a la tierra. No era así, pero no se pudo saber que Aristóteles estaba equivocado hasta que pudo «demostrarse».

—Lo que tú digas. ¿Pero es esto muy importante?

—¿Que si es importante?, ¡ya lo creo! Esto tiene una importancia cósmica, hija mía. Entre todos los descubrimientos científicos de la historia de la humanidad, éste es de los más importantes.

—Entonces supongo que pronto me contarás por qué.

—Luego llegó el físico inglés *Isaac Newton*, que vivió de 1642 a 1727. Él fue quien aportó la descripción definitiva del sistema solar y de los movimientos de los planetas. No sólo explicó cómo se mueven los planetas alrededor del sol, sino que también pudo explicar con exactitud *por qué* se mueven así. Lo pudo hacer utilizando, entre otras cosas, lo que llamamos «dinámica de Galileo».

—¿Los planetas son canicas sobre un plano inclinado?

—Sí, algo así, pero espera un poco, Sofía.

—No tengo elección.

—Ya Kepler había señalado que debía de existir una fuerza que hacía que los astros se atrajeran unos a otros. Tenía que existir, por ejemplo, una fuerza del sol que mantuviera los planetas fijos en sus órbitas. Una fuerza de ese tipo podría explicar además por qué los planetas se mueven más lentamente en su órbita alrededor del sol cuanto más lejos se encuentran del mismo. Kepler también pensaba que la marea alta y la marea baja, es decir, el que la superficie del mar suba y baje, tenía que deberse a alguna fuerza de la luna.

—Y es verdad.

—Sí, es verdad. Pero Galileo lo rechazaba. Se burlaba de Kepler, que había «dado su consentimiento a la idea de que la luna domina el agua». Eso era porque Galileo negaba la idea de que semejantes fuerzas de gravitación pudieran actuar a grandes distancias y por tanto *entre* los distintos astros.

—Entonces se equivocó.

—Sí, en este punto se equivocó. Y resulta curioso en él, porque tenía mucho interés por la gravedad de la Tierra y por la caída de los cuerpos a la tierra. Además había señalado cómo varias fuerzas pueden dirigir los movimientos de un cuerpo.

—Pero dijiste algo de Newton.

—Sí, luego llegó Newton. Formuló lo que llamamos *ley de la gravitación universal*. Esta ley dice que cualquier objeto atrae a cualquier otro objeto con una fuerza que aumenta cuanto más grandes sean los objetos y que disminuye cuanto más distancia haya entre los objetos.

—Creo que lo comprendo. Por ejemplo, que hay una mayor atracción entre dos elefantes que entre dos ratones. Y que hay una mayor atracción entre dos elefantes en el mismo zoológico que entre un elefante indio en la India y un elefante africano en África.

—Entonces lo has comprendido. Y ahora llega lo más importante. Newton señaló que esta atracción, o gravitación, es universal. Es decir, que tiene la misma validez en todas partes, también en el espacio entre los astros. Se dice que esta idea se le ocurrió una vez que estaba sentado bajo un manzano. Al ver caer una manzana del árbol, tuvo que preguntarse si la luna era atraída hacia la Tierra por la misma fuerza y si era por eso por lo que la luna seguía dando vueltas y vueltas alrededor de la Tierra eternamente.

—Muy listo, pero no tanto.

—¿Por qué no, Sofía?

—Si la luna fuera atraída hacia la Tierra por la misma fuerza que hace caer la manzana, entonces la luna acabaría por caer a la Tierra en lugar de dar vueltas...

—Nos estamos acercando a las leyes de Newton referentes a los movimientos de los planetas. En cuanto a cómo la gravedad de la Tierra atrae a la luna, tienes razón en un cincuenta por ciento, pero te equivocas en otro cincuenta por ciento. ¿Por qué no cae la luna a la Tierra, Sofía? Porque la verdad es que la gravitación de la Tierra realmente atrae a la luna con una inmensa fuerza. Basta con pensar en las enormes fuerzas que se necesitan para levantar el mar un metro o dos en marea alta.

—No, eso no lo entiendo.

—Piensa entonces en el plano inclinado de Galileo. ¿Qué pasó cuando hice rodar la canica por el plano inclinado?

—¿Actúan entonces sobre la luna dos fuerzas distintas?

—Exacto. Una vez, cuando surgió el sistema solar, la luna fue arrojada lejos de la Tierra con una fuerza enorme. Conservará eternamente esa fuerza porque se mueve en un espacio sin aire y sin resistencia...

—¿Pero entonces es atraída hacia la Tierra debido a la fuerza de la gravedad de ésta?

—Exactamente. Las dos fuerzas son constantes, y las dos actúan al mismo tiempo. Por eso la luna seguirá en su órbita alrededor de la Tierra.

—¿Tan sencillo es?

—Tan sencillo es, y era precisamente esa «sencillez» la que quería destacar Newton. Señaló que algunas leyes físicas tienen validez en todo el universo. En cuanto a los movimientos de los planetas, sólo había utilizado dos leyes ya señaladas por Galileo. Una era la *ley de la inercia*, que en palabras de Newton dice así: «Todo cuerpo sigue en su estado de reposo o de movimiento rectilíneo uniforme mientras no sea obligado a dejar ese estado por la acción de fuerzas exteriores». La otra ley la había demostrado Galilei con canicas sobre un plano inclinado: cuando dos fuerzas actúan al mismo tiempo sobre un cuerpo, los cuerpos se moverán en una órbita elíptica.

—Y con esto Newton pudo explicar por qué todos los planetas giran en órbita alrededor del sol.

—Exactamente. Todos los planetas se mueven en órbitas elípticas alrededor del sol como resultado de dos movimientos diferentes: el primero es el movimiento rectilíneo que adquirieron al formarse el sistema solar, y el segundo es un movimiento en dirección al sol como consecuencia de la gravitación o fuerza de la gravedad.

—Muy listo.

—Ya lo creo. Newton demostró que las mismas leyes que rigen para los movimientos de los cuerpos rigen en todo el universo, y con ello hizo desaparecer las viejas ideas medievales de que en el cielo rigen distintas leyes que aquí en la Tierra. La visión heliocéntrica del mundo había recibido su definitiva confirmación y su definitiva explicación.

Alberto se levantó y colocó el plano inclinado en el cajón del que lo había sacado. Se inclinó y recogió la canica del suelo, pero simplemente la dejó en la mesa.

A Sofía le parecía que habían sacado muchísimo provecho de un tablero inclinado y una canica. Se quedó mirando la canica verde, que aún estaba un poco negra debido al rotulador, y no pudo evitar pensar en el planeta. Dijo:

—¿Y los seres humanos tuvieron que aceptar que vivían en un planeta cualquiera en el gran espacio?

—Sí, de alguna manera la nueva visión del mundo fue una dura prueba para muchos. La situación puede compararse con lo que pasó cuando Darwin más adelante demostró que los hombres habían evolucionado de los animales. En ambos casos los seres humanos pierden algo de su situación especial en la Creación. En ambos casos la Iglesia opuso una gran resistencia.

—Eso es comprensible, porque ¿dónde queda Dios en todo esto? Debía de ser un poco más sencillo todo cuando la Tierra era el centro y Dios y todos los cuerpos celestes se encontraban en el piso de arriba.

—Y sin embargo no fue éste el mayor reto. Cuando Newton señaló que las mismas leyes físicas rigen en todo el universo podría pensarse que al mismo tiempo estaba planteando dudas sobre la omnipotencia de Dios. Pero la fe de Newton no se alteró. Consideró la naturaleza un testimonio del Dios grande y todopoderoso. Peor fue quizás la imagen que la gente tenía de sí misma.

—¿Qué quieres decir?

—Desde el Renacimiento el hombre ha tenido que habituarse a la idea de que vive su vida en un planeta casual en el inmenso espacio. No sé si nos hemos habituado todavía. Pero ya en el Renacimiento alguien señaló que ahora cada individuo tendría un lugar más central que antes.

—Eso no lo entiendo.

—Antes la Tierra había sido el centro del mundo. Pero cuando los astrónomos declararon que no había ningún centro absoluto en el universo, entonces surgieron tantos centros como individuos.

—Entiendo.

—El Renacimiento también dio lugar a una «nueva relación con Dios». A medida que la filosofía y la ciencia se iban independizando de la teología, iba surgiendo una nueva devoción cristiana. Y luego llegó el Renacimiento con su visión individualista del hombre, que también tuvo sus repercusiones en la vida de la fe. La relación del individuo con Dios se volvía ahora mucho más importante que la relación con la Iglesia como organización.

—¿Por ejemplo la oración de la noche?

—Sí, eso también. En la Iglesia católica de la Edad Media, la liturgia en latín y las oraciones rituales habían constituido la columna vertebral de los oficios divinos. Sólo los sacerdotes y los frailes leían la Biblia, porque sólo existía en latín. Pero a partir del Renacimiento la Biblia se tradujo del hebreo y del latín a las lenguas vulgares, lo que tuvo mucha importancia para lo que llamamos Reforma.

—Martín Lutero...

—Sí, *Lutero* fue importante, pero no fue el único reformador. También hubo reformadores eclesiásticos que optaron por quedarse dentro de la Iglesia Católica Apostólica Romana. Uno de ellos fue Erasmo de Rotterdam.

—¿Lutero rompió con la Iglesia católica porque no quería pagar las indulgencias?

—Eso también, pero se trató de algo mucho más importante. Según Lutero, el hombre no necesita pasar a través de la Iglesia o de sus sacerdotes para recibir el perdón de Dios. Y el perdón de Dios aún dependía menos de pagar o no las indulgencias a la Iglesia. El llamado comercio de las indulgencias se prohibió también dentro de la Iglesia católica a mediados del siglo XVI.

—Seguro que Dios se alegró de eso.

—Lutero se distanció de muchos hábitos y costumbres religiosos que habían entrado en la Iglesia en el transcurso de la Edad Media. Quería volver al cristianismo original, tal como lo encontramos en el Nuevo Testamento. «Únicamente las Escrituras», dijo. Con esta consigna Lutero deseaba volver a las fuentes del cristianismo, de la misma manera que los humanistas del Renacimiento querían volver a las fuentes de la Antigüedad en el arte y la cultura. Tradujo la Biblia al alemán y fundó con ello la lengua alemana escrita. Cada uno podía leer la Biblia y de alguna manera ser su propio sacerdote.

—¿Su propio sacerdote? ¿No era eso exagerar demasiado?

—Él pensaba que los sacerdotes no tenían ninguna posición especial respecto a Dios. También las congregaciones luteranas, por razones prácticas, tenían sacerdotes que hacían los oficios religiosos y llevaban los asuntos eclesiásticos a diario, pero Lutero pensaba que el hombre no recibía la absolución y la salvación a través de los ritos de la Iglesia. Los hombres reciben la salvación totalmente gratis mediante la fe, decía. Llegó a esta conclusión leyendo la Biblia.

—¿Y Lutero se convirtió en un hombre típicamente renacentista?

—Sí y no. Un rasgo típicamente renacentista en él era el énfasis que ponía en el individuo y en la relación personal del individuo con Dios. A los 35 años aprendió griego y comenzó la dificultosa labor de traducir la Biblia al alemán. El paso del latín a la lengua popular también fue típico del Renacimiento. Pero Lutero no era renacentista como lo fueron Ficino o Leonardo da Vinci. También fue refutado por humanistas como *Erasmo de Rotterdam* porque opinaban que Lutero tenía un concepto demasiado negativo del ser humano, que estaba convencido de que el hombre había quedado totalmente destruido tras el pecado original. El hombre puede legitimarse únicamente por la gracia de Dios. Porque la suerte del pecado es la muerte.

—Suena un poco triste.

Alberto Knox se levantó, recogió la canica verde y negra de la mesa y se la metió en el bolsillo de la camisa.

—¡Son más de las cuatro! —exclamó Sofía.

—Y la próxima gran época en la historia de los seres humanos es el Barroco. Pero eso lo guardaremos para otro día, mi querida Hilde.

—¿Qué has dicho?

Sofía se levantó de un salto del sillón.

—¡Has dicho «Querida *Hilde*»!

—Ha sido un lapsus.

—Pero los lapsus no son nunca del todo fortuitos.

—Quizás tengas razón. A lo mejor es el padre de Hilde el que ha empezado a ponernos las palabras en la boca. Creo que aprovecha la situación cuando estamos agotados, que es cuando menos fuerzas tenemos para defendernos.

—Has dicho que no eres el padre de Hilde. ¿Me prometes que eso es verdad?

Alberto asintió.

—¿Pero yo soy Hilde?

—Estoy cansado, Sofía, tienes que entenderlo. Llevamos aquí más de dos horas y he hablado yo casi todo el tiempo. ¿No tenías que ir a casa a comer?

Sofía casi tuvo la sensación de que la estaba echando. Cuando se dirigía hacia la salida pensó en cómo se había ido de la lengua Alberto. Él la siguió.

Bajo un perchero donde había colgado un montón de ropa curiosa, que recordaba a disfraces de teatro, estaba Hermes dormido. Alberto señaló al perro y dijo:

—Él te irá a buscar.

—Gracias por todo —dijo Sofía.

Dio un saltito y abrazó a Alberto.

—Eres el profesor de filosofía más listo y bueno que jamás he tenido —dijo.

Abrió la puerta y en el momento de volverse a cerrar tras ella, Alberto dijo:

—No tardaremos mucho en volvernos a ver, Hilde.

Y con estas palabras Sofía quedó sola de nuevo.

¡Había vuelto a equivocarse, el granuja! Sofía tuvo ganas de volver a llamar a la puerta, pero algo la retuvo.

Ya abajo en la calle se acordó de repente de que no llevaba nada de dinero, lo que significaba que tendría que volver andando a casa. Estaba muy lejos. ¡Qué paliza! Seguro que su madre se preocuparía y se enfadaría si no volvía antes de las seis.

Apenas había dado algunos pasos cuando descubrió un billete de diez coronas en el suelo. Un billete de autobús con derecho a un transbordo costaba exactamente diez coronas.

Encontró la parada y cogió un autobús que la llevó a la Plaza Mayor, desde donde podía coger otro autobús que la llevaría casi hasta casa.

Esperando el autobús en la Plaza Mayor se le ocurrió de repente la suerte que había tenido al encontrar un billete de diez coronas precisamente cuando tanto lo necesitaba.

¿No sería el padre de Hilde quien lo había colocado allí? Pues era un experto en colocar objetos diversos en sitios sumamente oportunos.

¿Pero cómo podía haberlo hecho si estaba en el Líbano?

¿Y por qué Alberto se había equivocado de nombre? No una sola vez, sino dos.

Sofía sintió un escalofrío por la espalda.

La época barroca

...del mismo material del que se tejen
los sueños...

Pasaron unos días sin que Sofía supiera nada de Alberto, pero miraba en el jardín varias veces al día para ver si venía Hermes. Había contado a su madre que el perro encontró el camino de vuelta por su cuenta y que el dueño la había invitado a entrar en su casa, que era un viejo profesor de física y que le había explicado el sistema solar y la nueva ciencia que surgió en el siglo XVI.

A Jorunn le contó más cosas: la visita a casa de Alberto, la postal en el portal y las diez coronas que encontró de camino a casa.

El martes 29 de mayo Sofía estaba en la cocina secando los cacharros mientras su madre se había ido al salón para ver el telediario. De repente oyó en la televisión que un mayor del batallón noruego de las Naciones Unidas había sido alcanzado y matado por una granada.

Sofía dejó caer el trapo de secar sobre el banco de la cocina y corrió al salón. Durante unos instantes pudo ver la foto del soldado de las Naciones Unidas en la pantalla antes de que el telediario pasara a otros temas.

—¡Oh no! —exclamó.

La madre se volvió hacia su hija.

—Pues sí, la guerra es cruel.

Entonces Sofía se echó a llorar.

—Pero Sofía, hija, no te lo tomes así.

—¿Dijeron su nombre?

—Sí, pero no me acuerdo. Era de Grimstad, creo.

—Eso es lo mismo que Lillesand, ¿verdad?

—¡Qué cosas dices!

—Si eres de Grimstad a lo mejor vas al colegio en Lillesand.

Ya no lloraba. Ahora fue la madre la que reaccionó. Se levantó del sillón y apagó la televisión.

—¿Qué tonterías estás diciendo, Sofía?

—No es nada...

—¡Sí, algo pasa! Tienes un amigo, y empiezo a pensar que es muchísimo mayor que tú. Contéstame, ¿conoces a algún hombre que esté en el Líbano?

—No, no exactamente...

—¿Has conocido al *hijo* de alguien que está en el Líbano?

—Que no, que no he dicho. Ni siquiera he conocido a su hija.

—¿A la hija de quién?

—No es asunto tuyo.

—¿Ah no?

—Quizás debería yo empezar a hacerte preguntas a ti. ¿Por qué no está papá nunca en casa? ¿Es porque sois demasiado cobardes para divorciaros? ¿O es que tienes un amigo secreto? Etcétera, etcétera, etcétera. Las dos podemos ponernos a preguntar.

—Creo que es necesario que hablemos.

—Puede ser. Pero ahora estoy tan cansada y tan agotada que me voy a acostar. Además me ha venido la regla.

Y subió corriendo a su habitación, a punto de echarse a llorar.

En cuanto se hubo lavado y metido bajo el edredón, la madre entró en su habitación.

Sofía se hizo la dormida, aunque sabía que su madre no se lo iba a creer. Se dio cuenta de que su madre tampoco creía que Sofía pensara que su madre creía que estaba dormida. Pero también la madre hizo como si Sofía durmiera. Se quedó sentada en el borde de la cama acariciándole la nuca.

Sofía pensó en lo complicado que resultaba vivir dos vidas a la vez. Casi deseaba que se acabara el curso de filosofía. Quizás hubiese acabado para su cumpleaños, o al menos para el día de San Juan, que era cuando el padre de Hilde volvería del Líbano...

—Quiero dar una fiesta el día de mi cumpleaños —dijo de repente.

—¡Qué bien! ¿A quiénes quieres invitar?

—A mucha gente. ¿Me dejas?

—Claro que sí. Tenemos un jardín muy grande... Ojalá siga el buen tiempo.

—Lo que más me gustaría sería celebrarlo la noche de San Juan.

—Entonces así lo haremos.

—Es un día muy importante —dijo Sofía, no pensando únicamente en su cumpleaños.

—Ah sí...

—Me parece que me he hecho muy mayor últimamente.

—Eso está bien, ¿no?

—No lo sé.

Todo el tiempo Sofía había mantenido la cara contra la almohada mientras hablaba. La madre dijo:

—Sofía, ¿por qué no me cuentas por qué estás tan... tan desequilibrada estos días?

—¿Tú no estabas desequilibrada cuando tenías quince años?

—Seguramente lo estuve. Pero sabes de lo que estoy hablando.

Sofía se volvió hacia su madre.

—El perro se llama Hermes —dijo.

—¿Ah sí?

—Pertenece a un señor que se llama Alberto.

—Bueno.

—Vive en el casco antiguo.

—¿Tan lejos acompañaste al perro?

—Pero eso no importa.

—¿No dijiste que ese mismo perro ya había estado aquí varias veces?

—¿Dije eso?

Tenía que pensar antes de hablar. Quería contar todo lo que pudiera a su madre, pero no todo todo.

—No estás casi nunca en casa —empezó a decir.

—Es verdad, estoy demasiado ocupada.

—Alberto y Hermes han estado aquí muchas veces.

—¿Pero por qué? ¿Han estado dentro de casa también?

—Hazme una pregunta cada vez, por favor. No han estado dentro de casa. Pero pasean a menudo por el bosque. ¿Te parece eso muy misterioso?

—No, no tiene nada de misterioso.

—Como tantos otros, paseando pasaron por delante de nuestra verja. Saludé a Hermes un día que volvía del instituto. Así conocí a Alberto.

—¿Y qué pasa con el conejo blanco y todo eso?

—Eso es algo que dijo Alberto. Es un filósofo de verdad. Me ha hablado de todos los filósofos.

—¿Por encima de la valla del jardín?

—Nos hemos sentado, claro. Pero también me ha escrito cartas, muchas cartas, a decir verdad. Algunas veces las cartas han llegado con el cartero, otras veces simplemente las ha dejado en el buzón cuando iba de paseo.

—¿Conque ésas eran las «cartas de amor» de las que hablamos?

—Sólo que no eran cartas de amor.

—¿Sólo ha escrito sobre los filósofos?

—Pues fíjate que sí. Y he aprendido más con él que en ocho años de colegio. ¿Tú has oído hablar, por ejemplo, de

Giordano Bruno, que fue quemado en la hoguera en el año 1600? ¿O de la ley de la gravitación de Newton?

—No, hay tantas cosas que yo no sé...

—Si te conozco bien, ni siquiera sabes por qué la Tierra se mueve en órbita alrededor del sol, y eso que se trata de tu propio planeta.

—¿Qué edad tiene aproximadamente?

—Ni idea. Por lo menos cincuenta años.

—¿Pero qué tiene que ver con el Líbano?

Esa pregunta era peor. Sofía pensó diez cosas a la vez. Y luego escogió la única que le serviría.

—Alberto tiene un hermano que es mayor del batallón de las Naciones Unidas. Es de Lillesand. Quizás fue él quien vivía en la Cabaña del Mayor.

—Alberto,¿no es un nombre un poco extraño aquí en Noruega?

—Puede ser.

—Suena a italiano.

—Lo sé. Casi todo lo que tiene importancia viene de Grecia o de Italia.

—¿Pero habla noruego?

—Como tú y como yo.

—¿Sabes lo que pienso, Sofía?: deberías invitar a ese Alberto a casa. Yo nunca he conocido a ningún filósofo de verdad.

—Ya veremos.

—Podríamos invitarle a tu gran fiesta. Es bonito mezclar generaciones. Y así a lo mejor yo también podría participar, al menos para servir las cosas. ¿No es mala idea, verdad?

—Si él quiere... Al menos es mucho más interesante hablar con él que con los chicos de mi clase. Pero...

—¿Qué?

—Pensarán que Alberto es tu nuevo novio.

—Entonces les puedes decir que no lo es.

—Ya veremos.

—Sí, ya veremos. Y otra cosa, Sofía: es verdad que papá y yo a veces hemos tenido problemas, pero nunca ha habido ningún otro hombre.

—Ahora quiero dormir. Me duele muchísimo la tripa.

—¿Quieres una pastilla?

—Vale.

Cuando volvió la madre con la pastilla y el vaso de agua, Sofía ya se había dormido.

El 31 de mayo cayó en jueves. Sofía pasó aburrida las últimas clases del curso. Había mejorado en algunas materias después de iniciar el curso de filosofía. Solía oscilar entre el sobresaliente y el notable en la mayor parte de las asignaturas, pero ese último mes había tenido un sobresaliente tanto en el control de sociales como en una redacción hecha en casa. Las matemáticas se le daban peor.

En la última clase les devolvieron una redacción escrita en el colegio. Sofía había elegido un tema que trataba de «El hombre y la tecnología». Había escrito un montón sobre el Renacimiento y la ciencia, sobre el nuevo concepto de la naturaleza, sobre Francis Bacon, que había dicho que «saber es poder», y sobre el nuevo método científico. Se había esforzado en precisar que el método empírico había precedido a los inventos tecnológicos. Luego había escrito sobre diversos factores negativos de la tecnología. Pero todo lo que hacen los hombres se puede utilizar para bien o para mal, había escrito al final. Lo bueno y lo malo es como un hilo blanco y un hilo negro que constantemente se entretejen, y a veces los dos hilos se entrelazan tanto que resulta imposible distinguirlos.

Cuando el profesor repartió los cuadernos miró a Sofía guiñándole un ojo.

Le había puesto un sobresaliente y el siguiente comentario: «¿De dónde has sacado todo esto?».

Sofía sacó un rotulador y escribió con letras mayúsculas en el cuaderno: «Estoy estudiando filosofía».

Al cerrar el cuaderno algo cayó de entre las páginas. Era una postal del Líbano.

Sofía se inclinó sobre el pupitre y leyó la postal.

Querida Hilde. Cuando leas esto ya habremos hablado por teléfono sobre ese trágico accidente mortal ocurrido aquí. A veces me pregunto si las guerras y la violencia podrían haberse evitado si los hombres hubieran pensado un poco más. Quizás el mejor recurso contra guerras y violencia fuera un pequeño curso de filosofía. ¿Qué te parecería un «Manual de Filosofía de las Naciones Unidas», del que se pudiera regalar un ejemplar a todos los nuevos ciudadanos del mundo en su lengua materna? Sugeriré la idea al Secretario General de las Naciones Unidas.

Me contaste por teléfono que ya cuidas mejor de tus cosas. Muy bien. Pues nunca he conocido a nadie con más facilidad que tú para perderlas. Me dijiste que lo único que habías perdido desde que hablamos la última vez era una moneda de diez coronas. Haré lo posible para que la recuperes. Yo estoy lejos de la patria, pero tengo algún ayudante que otro que me puede echar una mano. (Si encuentro la moneda de diez coronas la incluiré en tu regalo de cumpleaños.) Abrazos de papá, que ya tiene la sensación de haber empezado el largo camino de regreso a casa.

Sofía acabó de leer la postal justo en el momento en que sonó el timbre anunciando el final de la última clase del día. Por su cabeza volaron un montón de pensamientos.

En el patio se encontró con Jorunn, como de costumbre. En el camino a casa Sofía abrió la mochila y le enseñó a su amiga la postal.

—¿Qué día pone en el matasellos? —preguntó Jorunn.

—Seguro que 15 de junio...

—No, espérate... pone 30.5.

—Eso fue ayer.. es decir el día siguiente del accidente en el Líbano.

—Dudo que una postal del Líbano llegue a Noruega en un día —prosiguió Jorunn.

—Al menos teniendo en cuenta las señas que lleva: «Hilde Møller Knag c/o Sofía Amundsen, Instituto de Furulia...».

—¿Crees que ha llegado con el correo, y que el profesor simplemente la ha metido en tu cuaderno de redacciones?

—Ni idea. No sé si atreverme a preguntárselo.

Y no se dijo nada más de la postal.

—Daré una gran fiesta en mi jardín la noche de San Juan —dijo Sofía.

—¿Con chicos?

Sofía se encogió de hombros.

—No tenemos por qué invitar a los más tontos.

—¿Pero invitarás a Jorgen, no?

—Si quieres. A lo mejor invito a Alberto Knox también.

—Estás chiflada.

—Lo sé.

Y no les dio tiempo a decir nada más, antes de despedirse en el centro comercial.

Lo primero que hizo Sofía al llegar a casa fue ir a buscar a Hermes al jardín. Y efectivamente allí estaba, husmeando por los manzanos.

—¡Hermes!

El perro se quedó totalmente inmóvil un instante. Sofía sabía exactamente lo que ocurrió durante ese instante: el perro oyó que Sofía lo llamaba, reconoció su voz y decidió comprobar si ella estaba allí, en el lugar de donde salía su voz. Y la descubrió y decidió correr hacia ella. Finalmente las cuatro patas echaron a correr como palillos de tambor.

Esto era mucho para un instante.

Vino corriendo hacia ella moviendo enérgicamente el rabo y le saltó encima.

—Hermes, buen perro... Bueno, bueno... no, no, no me lamas. ¡Siéntate! Así, muy bien.

Sofía sacó la llave para entrar en casa. Sherekan apareció entre la maleza. No parecía fiarse mucho del desconocido animal. Sofía puso comida para el gato, echó semillas en el plato de los pájaros, hojas de lechuga a la tortuga y escribió una nota para su madre.

Puso que iba a acompañar a Hermes y que llamaría si no llegaba antes de las siete.

De nuevo se fue para el centro. Esta vez se acordó de llevarse dinero. Pensó en coger el autobús con Hermes, pero decidió que no debía hacerlo hasta consultárselo a Alberto.

Andando con Hermes delante pensaba en lo que era un animal.

¿Cuál era la diferencia entre un perro y un ser humano? Se acordaba de lo que había dicho Aristóteles respecto a esto. Él había señalado que tanto las personas como los animales son seres vivos con muchos e importantes rasgos comunes. Pero también había una diferencia esencial entre un ser humano y un animal, y esa diferencia era la razón en el ser humano.

¿Cómo podía estar tan seguro de esta diferencia?

Demócrito, por su parte, pensaba que los hombres y los animales son bastante parecidos, ya que tanto los seres humanos como los animales están compuestos por átomos. Pensaba además que ni los animales ni los hombres tenían un alma inmortal. Según él también el alma está compuesta de pequeños átomos que se van volando en todas las direcciones cuando muere un ser humano. Pensaba, pues, que el alma de una persona estaba intrínsecamente unida al cerebro.

¿Pero cómo podía el alma estar compuesta de átomos? El alma no era algo tangible como el resto del cuerpo. Era algo espiritual.

Ya habían pasado la Plaza Mayor y se estaban acercando al casco antiguo. Cuando llegaron a la acera en la que Sofía encontró la moneda de diez coronas miró instintivamente al asfalto. Y allí, exactamente en el mismo lugar donde hacía muchos días se había agachado a recoger esa moneda, había ahora una postal con la imagen hacia arriba. La imagen era de un jardín con palmeras y naranjos.

Sofía se agachó y recogió la postal. Al mismo tiempo Hermes empezó a gruñir. Era como si no le gustara que Sofía tocara la postal.

La postal decía:

Querida Hilde. La vida está compuesta por una cadena de casualidades. No es totalmente improbable que la moneda que perdiste llegara a parar aquí. Quizás la encontrara una señora mayor en la plaza de Lillesand esperando el autobús para Kristiansand. Desde Kristiansand continuó viaje en tren para visitar a sus nietos, y luego puede que, muchas horas más tarde, perdiera la moneda aquí en la Plaza Nueva. También es muy posible que la misma moneda fuera recogida más tarde ese día por una muchacha que tuviera una gran necesidad de encontrar diez coronas para poder coger el autobús hacia su casa. Nunca se sabe, Hilde, pero si realmente es así, habría que preguntarse si no existe una especie de providencia divina que está detrás de todo esto.

Abrazos de tu papá, que en el pensamiento está sentado sobre el borde del muelle en Lillesand.

P. D. Ya te dije en la otra postal que te ayudaría a encontrar la moneda.

En la parte de las señas ponía: «Hilde Møller Knag c/o alguien que pase por allí...». La postal llevaba el matasellos del 15.6.

Sofía subió casi corriendo detrás de Hermes por la escalera. Cuando Alberto abrió la puerta ella dijo:

—Quítate, viejo. Aquí llega el cartero.

Pensaba que tenía derecho a estar un poco gruñona en ese momento.

Alberto la dejó entrar. Hermes se tumbó debajo del perchero igual que la última vez.

—¿Ha vuelto a dejar el mayor su tarjeta de visita, hija mía?

Sofía le miró. De repente descubrió que Alberto había cambiado de disfraz. Lo primero en lo que se fijó fue en una peluca larga y rizada que llevaba puesta. Luego vio que llevaba un traje ancho e informe con un montón de encajes. Alrededor del cuello llevaba un cursi pañuelo y encima del traje una capa roja. Llevaba medias blancas y zapatos finos de charol con un lacito. En conjunto, el disfraz le recordaba a los cuadros que había visto de la corte de Luis XIV.

—¡Qué cursi! —dijo, y le dio la postal.

—Hmm... ¿es verdad que encontraste una moneda justo en el sitio donde estaba la postal?

—Sí.

—Se está volviendo cada vez más fresco. Pero quizás sea mejor así.

—¿Por qué?

—Porque entonces será más fácil descubrirle. Pero este último arreglo ha sido bastante asqueroso. Huele a perfume barato.

—¿A perfume?

—Que aparentemente es algo elegante, pero que es todo engaño. Fíjate en cómo se atreve a comparar su propia vigilancia sucia con la providencia divina.

Lo señaló en la postal. Luego la rompió en pedacitos igual que la última vez. Para no ponerle de peor humor aún, Sofía no le contó nada sobre la postal que se había encontrado en su cuaderno en el colegio.

—Vayamos a sentarnos en el salón, querida alumna. ¿Qué hora es?

—Las cuatro.

—Hoy hablaremos del siglo XVII.

Entraron en el salón de techo abuhardillado, con la ventana en el mismo. Sofía se fijó en que Alberto había cambiado algunos objetos por otros. Había algunos que no estaban la última vez.

En la mesa había una cajita con una pequeña colección de diferentes lentes. Junto a la cajita había un libro abierto. Era muy antiguo.

—¿Qué es eso? —preguntó Sofía.

—Es la primera edición del famoso libro de Descartes *Discurso del Método,* del año 1637. Es uno de mis tesoros más preciados.

—¿Y la cajita...?

—...es una excelente colección de lentes, o cristales ópticos. Fueron pulidos por el filósofo holandés Spinoza hacia mediados del siglo XVII. Me ha costado una fortuna, pero es uno de mis más valiosos tesoros.

—Seguramente comprendería el valor del libro y de la cajita si supiera quiénes fueron esos Spinoza y Descartes.

—Desde luego. Intentemos primero entrar un poco en la época en la que vivieron. Sentémonos.

Se sentaron igual que la última vez; Sofía en un gran sillón y Alberto Knox en el sofá. Entre ellos se encontraba la mesa con el libro y la cajita. Al sentarse, Alberto se quitó la peluca y la puso sobre el escritorio.

—Vamos a hablar del siglo XVII, o de lo que solemos llamar *época barroca*.

—¿La época barroca? Qué nombre más raro, ¿no?

—La palabra «barroco» viene de otra que en realidad significa «perla irregular». Típicas del arte de la época barroca son las formas llenas de contrastes, a diferencia del arte renacentista, que era más sencillo y más armonioso. El siglo XVII se caracterizaba, en general, por una tensión entre contrastes irreconciliables. Por un lado, continuó el ambiente positivo y vitalista del Renacimiento, y por otro había muchos que buscaban el extremo opuesto, con una vida de negación del mundo y de retiro religioso. Tanto en el arte como en la vida real nos encontramos con una vitalidad pomposa y ostentosa, al mismo tiempo que surgieron movimientos monásticos que daban la espalda al mundo.

—Así que castillos majestuosos y conventos escondidos.

—Pues sí, algo así. Una de las consignas de la época barroca era la expresión latina «carpe diem», que significa «goza de este día». Otra expresión latina que se citaba frecuentemente en la misma época era el lema «memento mori», que significa «recuerda que vas a morir». En cuanto a la pintura, un mismo cuadro podía mostrar una vitalidad bastante grandilocuente, a la vez que abajo, en una esquina, aparecía un esqueleto pintado. En muchos contextos la época barroca estaba caracterizada por la vanidad y la cursilería. Pero muchos también se interesaron por el revés de la medalla, ocupándose de lo «efímero» de todas las cosas. Es decir, que todo lo hermoso que nos rodea va a morir y desintegrarse.

—Pero es verdad. Yo me pongo triste cuando pienso en que nada dura.

—Entonces piensas exactamente igual que mucha gente en el siglo XVII. También políticamente el Barroco fue la época de los grandes contrastes. En primer lugar, Europa estaba traumatizada por las guerras. La peor de todas fue la Guerra de los Treinta Años, que arrasó el continente desde 1618 a 1648. Se trataba en realidad de toda una serie de guerras, especialmente perjudiciales para Alemania. Como consecuencia, en parte, de esta «guerra de los treinta años» Francia empezó a ser la potencia dominante en Europa.

—¿Por qué lucharon?

—En gran medida fue una lucha entre protestantes y católicos. Pero también se trataba de poder político.

—Más o menos como en el Líbano.

—Por lo demás, el siglo XVII estaba caracterizado por grandes diferencias de clase. Seguramente habrás oído hablar de la nobleza francesa y de la corte de Versalles, pero no sé si habrás oído algo sobre la pobreza de la gente. Cualquier «despliegue de esplendor» supone un «despliegue de poder». Se ha dicho que la situación política de la época barroca puede compararse con el arte y la arquitectura de la época. Los edificios del barroco se caracterizaban por un sinfín de recovecos y recodos complicados, de la misma manera que la situación política se caracterizaba por alevosías e intrigas.

—¿No hubo un rey sueco que fue asesinado en un teatro?

—Estarás pensando en Gustavo III, que es un buen ejemplo de lo que estoy diciendo. Gustavo III no fue asesinado hasta 1792, pero bajo circunstancias bastante «barrocas». Fue asesinado durante un gran baile de máscaras.

—Creía que había sido en un teatro.

—El gran baile de máscaras tuvo lugar en la ópera. La época barroca de Suecia duró hasta el asesinato de Gustavo III. El reinado de este rey se denomina «despotismo ilustrado», más o menos como bajo Luis XIV casi cien años antes; Gustavo III era un hombre muy vanidoso, amante de ceremonias afrancesadas y frases corteses. Cabe decir que también amaba el teatro...

—Lo que le causó la muerte.

—Pero el teatro fue en la época barroca algo más que una simple expresión artística. También fue el símbolo más importante de la época.

—¿Símbolo de qué?

—De la vida, Sofía. No sé cuántas veces durante el siglo XVII se dijo aquello de que «la vida es un teatro», pero te aseguro que fueron muchas. Precisamente en la época barroca nació el teatro moderno, con decorados y maquinaria escénica. Se representaba en escena una ilusión, para revelar después que esa actuación en el escenario sólo había sido una ilusión. De esa manera, el teatro se convirtió en una imagen de la vida humana en general, que podía hacer una representación despiadada de la mezquindad humana.

—¿*Shakespeare* vivió en la época barroca?

—Escribió sus grandes obras alrededor de 1600, de modo que tenía un pie en el Renacimiento y otro en la época barroca. Pero ya en Shakespeare encontramos montones de frases sobre la vida como un teatro. ¿Quieres algunos ejemplos?

—Con mucho gusto.

—En la pieza *Como gustéis* dice:

> *Todo el mundo es una escena*
> *sobre la cual los hombres y mujeres son pequeños actores*
> *que vienen y van. Un hombre*
> *ha de hacer muchos papeles en la vida.*

»Y en *Macbeth* dice:

> *Sombra ambulante es esta vida, mísero actor que en el escenario*
> *se afana y pavonea un momento y al cabo, para siempre, calla su voz.*
> *Relato de un idiota, lleno de ruido y furia, que nada significa*[10].

---

[10] Traducción de Guillermo Whitelow; *Macbeth*, Editorial Sudamericana, Buenos Aires 1970.

—Muy pesimista, ¿no?

—Se interesaba por la brevedad de la vida. Puede que hayas oído la cita más famosa de todas las de Shakespeare.

—«Ser o no ser, ésa es la cuestión.»

—Sí, eso lo dijo Hamlet. Un día andamos por el mundo, al día siguiente habremos desaparecido.

—Pues sí, empiezo a darme cuenta de eso.

—Cuando los poetas y escritores de la época barroca no comparaban la vida con un teatro, la comparaban entonces con un sueño. Shakespeare, por ejemplo, dijo: «Somos del mismo material del que se tejen los sueños, nuestra pequeña vida está rodeada de sueño...».

—Qué poético.

—El escritor español *Calderón*, que nació en 1600, escribió una obra de teatro que se llamaba *La vida es sueño*. En esa obra dice: «¿Qué es la vida? Un frenesí. ¿Qué es la vida? Una ilusión, una sombra, una ficción; y el mayor bien es pequeño; que toda la vida es sueño, y los sueños, sueños son».

—Tal vez tuviera razón. Hemos leído una obra en el instituto. Se llamaba *Jeppe en la Montaña*.

—Sí, de Ludvig Holberg [11]. Aquí en el norte de Europa fue una gran figura de la transición entre la época barroca y la Ilustración.

—Jeppe se durmió en una cuneta y luego se despertó en la cama del barón. Entonces pensó que simplemente había soñado que era un pobre campesino. Luego, cuando vuelve a dormirse le llevan de nuevo a la cuneta donde se vuelve a despertar. Entonces cree que ha soñado que ha dormido en la cama del barón.

—Holberg tomó prestado este motivo de Calderón, y

[11] Ludvig Holberg (1684–1754), dramaturgo, poeta y científico noruego-danés. *(N. de las T.)*

278

Calderón lo había tomado prestado de los viejos cuentos árabes de *Las mil y una noches*. No obstante, comparar la vida con un sueño constituye un motivo que encontramos aún más atrás en la Historia, sobre todo en la India y en China. El viejo sabio chino *Zhuangzi*, por ejemplo dijo: «Una vez soñé que era una mariposa, y ahora ya no sé si soy Zhuangzi que soñó que era una mariposa, o si soy una mariposa que sueña que soy Zhuangzi».

—Al menos no se podía comprobar cuál era la verdad.

—En Noruega tuvimos un genuino poeta barroco que se llamaba *Petter Dass*. Vivió de 1647 a 1707. Por un lado quería describir la vida de aquí y ahora, y por otro lado subrayó que sólo Dios es eterno y constante:

Dios es Dios aunque todas las tierras estén desiertas.
Dios es Dios aunque todas las gentes estén muertas...

»Pero en el mismo salmo también describió la naturaleza del norte de Noruega y hasta las especies de peces que allí se encuentran. Éstos son rasgos típicamente barrocos. Dentro del mismo texto se describe lo terrenal, lo de aquí, a la vez que lo celestial, lo del más allá. Todo esto recuerda en cierto modo a la distinción que hacía Platón entre el mundo concreto de los sentidos y el mundo inalterable de las ideas.

—¿Y cómo era la filosofía?

—También la filosofía se caracterizaba por fuertes tensiones entre maneras de pensar completamente opuestas. Como ya hemos visto, algunos pensaban que la existencia era, en el fondo, de naturaleza espiritual. Ese punto de vista se llama *idealismo*.

»El punto de vista contrario se llama *materialismo*, por el que se entiende una filosofía que reduce todos los fenómenos de la naturaleza a magnitudes físicas concretas. También el materialismo tenía muchos defensores en el siglo XVII. El más importante de todos ellos quizás fuera el filósofo inglés *Thomas Hobbes*. Todos los fenómenos, también hombres y animales, están compuestos exclusivamente de partículas de materia, dijo Hobbes. Incluso la conciencia del ser humano, o su alma, se debe a los movimientos de partículas minúsculas en el cerebro.

—Entonces pensaba lo mismo que Demócrito mil años antes.

—Tanto el «idealismo» como el «materialismo» se repiten continuamente a través de la historia de la filosofía. Pero en pocas otras épocas las dos tendencias han estado tan presentes al mismo tiempo como en la barroca. El materialismo se nutría constantemente de las nuevas ciencias naturales. Newton señaló que las mismas leyes de los movimientos rigen en todo el universo. Pensaba que todos los cambios que se dan en la naturaleza, es decir en la Tierra y en el espacio, se deben a la ley de gravedad y a las leyes sobre los movimientos de los cuerpos. Significa que todo está dirigido por las mismas leyes inquebrantables o «mecánica». Por tanto, es en principio posible calcular cualquier cambio en la naturaleza con una exactitud matemática. De esa forma, Newton colocó las últimas piezas en lo que llamamos «visión mecánica del mundo».

—¿Se imaginó el mundo como una gran máquina?

—Exactamente. La palabra «mecánico» proviene de la palabra griega *mechane,* que significa máquina. Pero conviene tomar nota de que ni Hobbes ni Newton observaron ninguna contradicción entre la visión mecánica del mundo y la fe en Dios. No fue siempre así entre los materialistas de los siglos XVIII y XIX. El médico y filósofo francés *Lamettrie* escribió a mediados del siglo XVIII un libro que se llamó *L'Homme machine,* que significa «El hombre máquina». De la misma manera que las piernas tienen músculos para andar, dijo, el cerebro tiene «músculos» para pensar. Más adelante, el matemático francés

Laplace expresó un concepto extremadamente mecánico con el siguiente pensamiento: si una inteligencia hubiera conocido la situación de todas las partículas de materia en un momento dado, «no habría nada inseguro, y tanto el futuro como el pasado estarían abiertos ante ella». Esta frase expresa la idea de que todo lo que ocurre está decidido de antemano. Lo que va a suceder «está en las cartas». Este concepto lo llamamos *determinismo*.

—Entonces el ser humano no puede tener libre albedrío.

—No, todo es producto de procesos mecánicos, también lo son nuestros pensamientos y nuestros sueños. En el siglo XIX, varios materialistas alemanes dijeron que los procesos del pensamiento se relacionan con el cerebro como la orina con los riñones y la bilis con el hígado.

—Pero tanto la orina como la bilis son algo material. El pensamiento no lo es.

—Estás tocando un punto muy importante. Puedo contarte una historia que expresa lo mismo. Érase una vez un astronauta y un neurólogo rusos que discutían sobre religión. El neurólogo era cristiano, y el astronauta no. «He estado en el espacio muchas veces», se jactó el astronauta, «pero no he visto ni a Dios ni a los ángeles». «Y yo he operado muchos cerebros inteligentes», contestó el neurólogo, «pero nunca he visto un solo pensamiento».

—Eso no significa que no existan los pensamientos.

—Pero subraya que los pensamientos no son cosas que puedan operarse o dividirse en partes cada vez más pequeñas. No resulta, por ejemplo, muy fácil extirpar, mediante una operación, una idea errónea; por algo se ha metido tan adentro. Un importante filósofo del siglo XVII, llamado *Leibniz*, señaló que la gran diferencia entre lo que está hecho de «materia» y lo que está hecho de «espíritu», precisamente es que lo material puede dividirse en trozos cada vez más pequeños. Pero no se puede dividir un alma en dos.

—¿Pues qué cuchillo serviría para eso?

Alberto se limitó a mover la cabeza. Señaló la mesa y dijo:

—Los dos filósofos más importantes del siglo XVII fueron Descartes y Spinoza. También ellos lucharon con cuestiones como la relación entre «alma» y «cuerpo». Vamos a estudiarlos un poco más detenidamente.

—Por mí puedes empezar, pero si no hemos acabado a las siete tendré que llamar por teléfono.

Descartes

...quería retirar todo el viejo material
de construcción...

Alberto se levantó para quitarse la capa roja, que puso sobre una silla, y se volvió a acomodar en el sofá.

—*René Descartes* nació en 1596 y vivió una vida errante por Europa. Desde muy joven había nutrido una fuerte esperanza de conseguir conocimientos seguros sobre la naturaleza de los hombres y del universo. Pero después de haber estudiado filosofía se convenció cada vez más de su propia ignorancia.

—¿Más o menos como Sócrates?

—Más o menos como él, sí. Como Sócrates, estaba convencido de que sólo nuestra razón puede proporcionarnos conocimientos seguros. No podemos fiarnos de lo que dicen los viejos libros. Ni siquiera podemos fiarnos de lo que nos dicen nuestros sentidos.

—Así pensó Platón, también él opinó que sólo la razón nos puede proporcionar conocimientos seguros.

—Exacto. Hay una línea que va desde Sócrates y Platón y que pasa por San Agustín antes de llegar a Descartes. Todos estos filósofos fueron racionalistas. Opinaban que la razón es la única fuente segura de conocimiento. Tras extensos estudios, Descartes llegó a la conclusión de que los conocimientos que se habían heredado de la Edad Media no eran necesariamente de fiar. En este punto quizás podríamos compararlo con Sócrates, que no se fiaba de las opiniones corrientes con las que solía encontrarse en la plaza de Atenas. ¿Y entonces qué hace uno, Sofía, me lo puedes decir?

—Entonces uno empieza a filosofar por cuenta propia.

—Justamente. Descartes decidió empezar a viajar por

Europa, de la misma manera que Sócrates empleó su vida en conversar con las gentes de Atenas. Descartes nos cuenta que a partir de entonces sólo buscará aquella ciencia que pueda encontrar en él mismo o en el «gran libro del mundo». Se adhirió por tanto al servicio de la guerra, que le llevó a varios lugares de Centroeuropa. Más adelante vivió unos años en París, pero en 1629 se fue a Holanda, donde vivió casi 20 años trabajando en sus tratados filosóficos. En 1649 fue invitado a Suecia por la reina Cristina. Pero la estancia en ese lugar que él denominó la «tierra de los osos, del hielo y las rocas», le provocó una pulmonía, y Descartes murió en el invierno de 1650.

—Con sólo 54 años.

—Pero llegaría a tener una gran importancia para la filosofía, incluso después de su muerte. No es ninguna exageración decir que fue Descartes quien fundó la filosofía de los tiempos modernos. Tras el entusiasta redescubrimiento del renacimiento del ser humano y de la naturaleza, surgió de nuevo una necesidad de recoger ideas de la época en un sistema filosófico consistente. El primer gran sistematizador fue Descartes. Luego le siguieron Spinoza y Leibniz, Locke y Berkeley, Hume y Kant...

—¿Qué quieres decir con un «sistema filosófico»?

—Con eso quiero decir una filosofía construida desde los cimientos y que procura encontrar una especie de esclarecimiento de todas las cuestiones filosóficas importantes. La Antigüedad había tenido grandes sistematizadores como Platón y Aristóteles. La Edad Media tuvo a Santo Tomás de Aquino, que quiso construir un puente entre la filosofía de Aristóteles y la teología cristiana. Luego llegó el Renacimiento, con un embrollo de viejos y nuevos pensamientos sobre la naturaleza y la ciencia, sobre Dios y el hombre. Hasta el siglo XVII no hubo por parte de la filosofía un intento de recoger las nuevas ideas en un sistema filosófico esclarecido. El primero en intentarlo fue Descartes. Él puso la primera piedra de lo que sería el proyecto más importante de la filosofía de las generaciones siguientes. Ante todo le interesaba averiguar lo que podemos saber, es decir, aclarar la cuestión de la «certeza de nuestro conocimiento». La otra gran cuestión que le preocupó fue la «relación entre el alma y el cuerpo». Estos dos planteamientos caracterizarían el debate filosófico durante los siguientes ciento cincuenta años.

—Entonces fue un hombre avanzado para su época.

—Sí, pero también eran cuestiones que se planteaban en esa época. En lo que se refiere al problema de conseguir conocimientos indudables, muchos expresaron un *escepticismo* filosófico total, opinando que los hombres tendrían que resignarse a no saber nada. Pero Descartes no se resignó a eso. Si se hubiera resignado, no habría sido un verdadero filósofo. De nuevo podemos establecer un paralelismo con Sócrates, que tampoco se resignó al escepticismo de los sofistas. Precisamente en la época de Descartes la nueva ciencia había desarrollado un método que proporcionaría una descripción totalmente segura y exacta de los procesos de la naturaleza. Descartes tuvo que preguntarse si no habría también un método seguro y exacto para la reflexión filosófica.

—Entiendo.

—Pero eso sólo fue una cosa. La nueva física había planteado la cuestión sobre la naturaleza de la materia, es decir, sobre qué es lo que decide los procesos físicos de la naturaleza. Cada vez más se defendía una interpretación mecánica de la naturaleza. Pero cuanto más mecánicamente se conceptuaba el mundo físico, tanto más imperiosa se volvía la cuestión sobre la relación entre el alma y el cuerpo. Antes del siglo XVII era habitual considerar el alma como una especie de «respiración vital» que fluye por todos los seres vivos. El significado original de las palabras «alma» y «espíritu» es, de hecho, «aliento vital» o «respiración» en casi todos los idiomas europeos. Para Aristóteles el alma era algo presente en todo el organismo como «principio de la vida» de ese organismo, es decir, algo que no se podía imaginar desprendido del cuerpo. Por tanto, Aristóteles también hablaba de «alma de planta» y «alma de animal». Hasta el siglo XVII no se introdujo una separación radical entre «alma» y «cuerpo». Todos los objetos físicos, también los cuerpos de los animales y los cuerpos humanos, fueron explicados como un proceso mecánico. Pero el alma del hombre no podía formar parte de esa «maquinaria corporal». ¿Dónde estaría entonces el alma? Una cuestión importante que quedaba por explicar era cómo algo «espiritual» podía poner en marcha un proceso mecánico.

—En realidad es algo bastante curioso.

—¿Qué quieres decir?

—Decido levantar un brazo, y entonces levanto el brazo. O decido ir corriendo a coger el autobús, e instantáneamente mis piernas comienzan a correr. Otras veces puedo pensar en algo triste. De repente, mis lágrimas empiezan a brotar. Entonces tiene que haber una misteriosa relación entre el cuerpo y la conciencia.

—Precisamente este problema puso en marcha los pensamientos de Descartes. Igual que Platón, estaba convencido de que había una clarísima separación entre «espíritu» y «materia». Pero Platón no pudo responder a la pregunta de cómo el cuerpo afecta al alma, o cómo el alma afecta al cuerpo.

—Yo tampoco puedo, así que me gustaría saber a qué conclusión llegó Descartes.

—Sigamos su propio razonamiento.

Alberto señaló el libro que estaba sobre la mesa que había entre ellos.

—En este pequeño libro, *Discurso del Método*, Descartes plantea la cuestión de qué método debe emplear el filósofo cuando se dispone a solucionar un problema filosófico, pues las ciencias naturales ya tenían su nuevo método.

—Eso ya lo has dicho.

—Descartes constata primero que no podemos considerar nada como verdad si no reconocemos claramente que lo es. Para conseguir esto puede que sea necesario dividir un problema complejo en cuantas partes parciales sea posible. Entonces se puede empezar por las ideas más sencillas. Podría decirse que cada idea tendrá que «medirse y pesarse», más o menos como Galileo decía que todo tenía que medirse y que lo que no se podía medir tendría que hacerse medible. Descartes pensaba que la filosofía podía ir de lo simple a lo complejo. Así sería posible construir nuevos conocimientos. Al final había que hacer constantes recuentos y controles para poder asegurarse de que no se había omitido nada. Entonces, y no antes, puede ser alcanzable una conclusión filosófica.

—Casi suena a problema aritmético.

—Sí, Descartes quiso emplear el método matemático también en la reflexión filosófica. Quiso probar verdades filosóficas más o menos de la misma manera en la que se prueba un teorema matemático. También quiso emplear la misma herramienta que empleamos cuando trabajamos con números, es decir la *razón*. Pues solamente la razón nos proporciona conocimientos seguros. No resulta tan evidente que los sentidos sean de fiar. Ya hemos subrayado su parentesco con Platón, quien también señaló que las matemáticas y los números nos podían proporcionar un conocimiento más certero que los testimonios de los sentidos.

—¿Pero es posible solucionar los problemas filosóficos de ese modo?

—Volvamos al razonamiento del propio Descartes, cuya meta era lograr conocimientos certeros sobre la naturaleza de la vida. Empezó por afirmar que como punto de partida se debe dudar de todo, porque no quería edificar su sistema filosófico sobre un fondo de arena.

—Porque si fallan los cimientos podría derrumbarse todo el edificio.

—Gracias por tu ayuda, hija. No es que Descartes pensara que fuera razonable dudar de absolutamente todo, sino que en principio hay que dudar de todo. En primer lugar, no es del todo seguro que podamos continuar nuestra búsqueda filosófica leyendo a Platón o a Aristóteles, porque aunque ampliamos nuestros conocimientos históricos, no ampliamos nuestro conocimiento del mundo. Para Descartes resultaba imprescindible librarse de ideas viejas antes de comenzar su propia indagación filosófica.

—¿Quería retirar todo el viejo material de construcción antes de iniciar la nueva casa?

—Sí, con el fin de asegurarse completamente de que la nueva construcción de ideas fuera a aguantar, quería limitarse a utilizar exclusivamente material nuevo y fresco. No obstante, la duda de Descartes es más profunda que eso, pues decía que ni siquiera podemos fiarnos de lo que nos dicen nuestros sentidos. Quizás nos está tomando el pelo.

—¿Cómo?

—También cuando soñamos creemos que estamos viviendo algo real. ¿Hay, en realidad, algo que distinga nuestras sensaciones en estado de vigilia de las de los sueños? «Cuando reflexiono detenidamente sobre esto, no encuentro ni un solo criterio para distinguir la vigilia del sueño», escribe Descartes. Y sigue: «¿Cómo puedes estar seguro de que tu vida entera no es un sueño?».

—Jeppe en la Montaña creía que simplemente había soñado que había dormido en la cama del barón.

—Y cuando estaba acostado en la cama del barón, creía que su vida de campesino pobre sólo había sido un sueño. De este modo, Descartes acaba por dudar absolutamente de todo. Y en este punto habían acabado sus reflexiones muchos filósofos anteriores a él.

—Entonces no llegaron muy lejos.

—Descartes, sin embargo, intentó seguir trabajando precisamente a partir de ese punto cero. Había llegado a la conclusión de que estaba dudando de todo y que eso es lo único de lo que podía estar seguro. Y ahora se le ocurre algo. De algo sí puede estar totalmente seguro a pesar de todo: de que duda. Pero, si duda, también tiene que ser seguro que piensa, y puesto que piensa tiene que ser seguro que es un sujeto que piensa. O, como él mismo lo expresa: «Cogito, ergo sum».

—¿Y eso qué significa?

—«Pienso, luego existo.»

—No me extraña mucho que llegara a esa conclusión.

—Cierto. Pero debes tomar nota de esa seguridad intuitiva con la que de repente se concibe a sí mismo como un yo pensante. A lo mejor recuerdas que según Platón lo que captamos con la razón es más real y existente que aquello que captamos con los sentidos. Lo mismo pasa con Descartes. No sólo capta que es un yo pensante, sino que al mismo tiempo entiende que este yo pensante es más real que ese mundo físico que captamos con los sentidos. Y luego continúa, Sofía. De ninguna manera ha concluido su investigación filosófica.

—Continúa, tú también.

—Ahora Descartes se pregunta si hay algo más que reconoce con la misma seguridad intuitiva que lo de la existencia del yo como sujeto pensante. Llega a la conclusión de que también tiene una idea clara y definida de un «ser perfecto». Es una idea que ha tenido siempre, y para Descartes es evidente que una idea como ésa no puede proceder de él, porque: «La idea de un ser perfecto no puede venir de algo que es imperfecto. De modo que esta idea de un ser perfecto tiene que proceder de ese mismo ser perfecto, o, con otras palabras, de Dios». En consecuencia, para Descartes resulta tan evidente que hay un Dios como que el que piensa es un ser pensante.

—Ahora me parece que empieza a sacar conclusiones demasiado rápidamente. Al principio tenía mucho cuidado.

—Sí, muchos han señalado esto como el punto más débil de Descartes. Pero tú dices «conclusiones». En realidad, no se trata de ninguna prueba. Lo que opina Descartes es simplemente que todos tenemos una idea de un ser perfecto, y que resulta inherente a esta idea el que ese ser perfecto exista. Porque un ser perfecto no sería perfecto si no existiera. Y además, nosotros no tendríamos ninguna idea de un ser perfecto si no hubiera tal ser perfecto. Nosotros somos imperfectos, entonces no puede venir de nosotros la idea sobre lo perfecto. La idea de un Dios es, según Descartes, una idea innata, está impresa en nosotros desde que nacemos, de la «misma manera que el artista imprime su firma en la obra».

—Pero aunque yo tenga una idea de un «cocofante», eso no quiere decir que el «cocofante» exista.

—Descartes te habría contestado que tampoco es inherente al concepto «cocofante» el que exista. En cambio, es inherente al concepto «un ser perfecto» que ese ser exista. Según Descartes esto es tan seguro como que es inherente a la idea de círculo el que todos los puntos del círculo se encuentren igual de lejos del centro del mismo. No puedes hablar de un círculo sin que cumpla ese requisito. De la misma manera tampoco puedes hablar de un ser perfecto que careciera de la cualidad más importante de todas, es decir, de la existencia.

—Es ésa una manera bastante especial de pensar.

—Es una manera de pensar marcadamente «racional». Descartes opinaba, como Sócrates y Platón, que hay una relación entre el pensamiento y la existencia. Cuanto más evidente resulte algo al pensamiento, tanto más segura es su existencia.

—Hasta ahora ha llegado a la conclusión de que es una persona que piensa y de que hay, además, un ser perfecto.

—Y con esto como punto de partida prosigue. En cuanto

a todas esas ideas que tenemos de la realidad exterior, por ejemplo del sol y de la luna, podría ser que todo fueran simplemente imaginaciones o imágenes de sueños. Pero también la realidad exterior tiene algunas cualidades que podemos reconocer con la razón. Esas cualidades son las relaciones matemáticas, es decir, todo aquello que puede medirse, como la longitud, la anchura y la profundidad. Esas cualidades «cuantitativas» son tan claras y evidentes para la razón como que yo soy un ser pensante. Por otra parte, las cualidades «cualitativas» como el color, el olor y el sabor, están relacionadas con nuestros sentidos y no describen realmente la realidad exterior.

—¿De modo que la naturaleza no es un sueño, a pesar de todo?

—No lo es, no. Y en este punto Descartes vuelve a recurrir a nuestra idea sobre un ser perfecto. Cuando nuestra razón reconoce algo clara y nítidamente, como es el caso de las relaciones matemáticas de la realidad exterior, entonces tiene que ser así. Porque un Dios perfecto no nos engañaría. Descartes invoca la «garantía de Dios» para que lo que reconocemos con nuestra razón también corresponda a algo real.

—De acuerdo. Ahora ha llegado a la conclusión de que es un ser pensante, que existe un Dios y que además existe una realidad exterior.

—Pero la realidad exterior es esencialmente distinta a la realidad del pensamiento. Descartes ya puede constatar que hay dos formas distintas de realidad, o dos sustancias. Una sustancia es *el pensamiento* o «alma», la otra es *la extensión* o «materia». El alma solamente es consciente, no ocupa lugar en el espacio y por ello tampoco puede dividirse en partes más pequeñas. La materia, sin embargo, sólo tiene extensión, ocupa lugar en el espacio y siempre puede dividirse en partes cada vez más pequeñas, pero no es consciente. Según Descartes, las dos sustancias provienen de Dios, porque sólo Dios existe independientemente de todo. Pero aunque tanto el «pensamiento» como la «extensión» provengan de Dios, las dos sustancias son totalmente independientes la una de la otra. El pensamiento es totalmente libre en relación con la materia, y viceversa: los procesos materiales también actúan totalmente independientes del pensamiento.

—Y con esto la Creación de Dios se dividió en dos.

—Exactamente. Decimos que Descartes es un *dualista*, es decir que realiza una clara bipartición entre la realidad espiritual y la realidad extensa. Sólo el ser humano tiene alma. Los animales pertenecen plenamente a la realidad extensa. Su vida y sus movimientos se realizan mecánicamente. Descartes consideró a los animales como una especie de autómatas complejos. En cuanto a la realidad extensa tiene, pues, un concepto totalmente mecanicista de la realidad, exactamente como los materialistas.

—Dudo mucho de que Hermes sea una máquina o un autómata. Descartes seguramente no llegaría nunca a sentir cariño por ningún animal. ¿Y nosotros mismos? ¿También somos autómatas?

—Sí y no. Descartes llegaría a pensar que el hombre es un «ser dual», que piensa pero que también ocupa espacio; lo que significa que el hombre tiene un alma y al mismo tiempo un cuerpo extenso. Aristóteles y San Agustín ya habían dicho algo parecido. Ellos opinaban que el hombre tiene un cuerpo exactamente como los animales, pero también un alma como los ángeles. Según Descartes, el cuerpo humano es una pieza de mecánica. Pero el hombre también tiene un alma que puede actuar completamente libre en relación con el cuerpo. Los procesos corporales no tienen tal libertad, sino que siguen sus propias leyes. Pero lo que pensamos con la razón no ocurre en el cuerpo, sino en el alma, que está totalmente libre en relación con la realidad extensa. A lo mejor debo añadir que

Descartes no excluía la posibilidad de que también los animales pudieran pensar. Pero si poseen esa capacidad entonces la misma bipartición entre «pensamiento» y «extensión» también tiene que ser válida para ellos.

—De eso ya hemos hablado. Si decido ir corriendo a coger el autobús, entonces se pone en marcha el autómata. Y si a pesar de ello pierdo el autobús, las lágrimas empiezan a brotar.

—Ni siquiera Descartes podía negar que ocurre constantemente una alternancia de ese tipo entre el alma y el cuerpo. Opinaba que mientras el alma se encuentra en el cuerpo, está relacionada con éste mediante un órgano cerebral especial que él llamaba «glándula pineal», en la que se está realizando una continua alternancia entre «espíritu» y «materia». De esta forma, el alma se deja confundir constantemente por sentimientos y afectos relacionados con las necesidades del cuerpo. No obstante, el alma puede independizarse de esos impulsos «bajos» y actuar libremente en relación al cuerpo. La meta es que la razón se encargue del control. Porque aunque la tripa me duela un montón, la suma de los ángulos de un triángulo sigue siendo 180°. De ese modo el pensamiento tiene la capacidad de elevarse por encima de las necesidades del cuerpo y actuar «razonablemente». En ese sentido el alma es totalmente superior al cuerpo. Nuestras piernas podrán hacerse viejas y pesadas, los dientes se nos podrán caer, pero 2 + 2 seguirán siendo 4 mientras nosotros sigamos conservando la razón. Pues la razón no se vuelve vieja y pesada. Es nuestro cuerpo el que envejece. Para Descartes es la propia razón la que es el «alma». Afectos y sentimientos más bajos tales como el deseo y el odio están estrechamente relacionados con las funciones del cuerpo, y por ello con la realidad extensa.

—No acabo de comprender del todo la comparación que hace Descartes del cuerpo con una máquina o un autómata.

—Esta comparación se debe a que la gente de la época de

Descartes estaba fascinada por las máquinas y mecanismos de reloj que aparentemente eran capaces de funcionar por su cuenta. La palabra «autómata» significa precisamente algo que se mueve por sí mismo. Evidentemente era una mera ilusión eso de que se movieran por su cuenta. Un reloj astronómico, por ejemplo, está construido por el hombre, y es el hombre el que tiene que darle cuerda. Descartes subraya que esos aparatos artificiales están compuestos de un modo muy simple, con unas cuantas piezas, si se los compara con ese montón de huesos, músculos, nervios, arterias y venas de que están compuestos los cuerpos de los animales y de los humanos. ¿Por qué no iba a hacer Dios un cuerpo de animal o de hombre basado en las leyes de la mecánica?

—Hoy en día mucha gente habla de la «inteligencia artificial».

—Entonces te refieres a los autómatas de nuestros tiempos. Hemos creado máquinas que a veces nos hacen pensar erróneamente que son realmente inteligentes. Esas máquinas habrían aterrorizado a Descartes. Quizás hubiera empezado a dudar de que la razón del hombre fuera tan libre e independiente como él pensaba. Porque hay filósofos que opinan que la vida espiritual del hombre no es más libre de lo que lo son los procesos fisiológicos. Es evidente que el alma de un ser humano es infinitamente más compleja que un programa de ordenador, pero algunos opinan que en principio somos tan poco libres como lo son esos programas. Pero mira, Sofía, voy a enseñarte algo.

Alberto señaló un gran escritorio en el otro extremo de la habitación. Allí había un pequeño ordenador. Se levantó y cruzó la habitación, seguido por Sofía.

Alberto conectó la máquina y en seguida apareció en la parte superior de la pantalla una C:. Escribió «Laila» y dijo:

—Éste es un avanzado programa de conversación.

Pronto apareció en la pantalla un texto:

«Hola, me llamo Laila. ¿Estás cómoda?»

Sofía tecleó dos letras:

«Sí», escribió. Alberto le puso una silla para que se sentara.

«¿Cómo te llamas?», preguntó la pantalla.

«Sofía Amundsen», escribió Sofía, y la máquina contestó.

«Camino del Trébol, 3. Me alegro de conocerte, Sofía. Estás deseando que llegue tu cumpleaños, ¿verdad?»

Sofía se sobresaltó.

—Sólo le he dado tu nombre y tus señas además de tu fecha de nacimiento. Es como cuando te presentan a algún desconocido. De antemano, se suele contar con algunos datos informativos.

«No está mal», escribió Sofía.

«¿No estarás mal, Sofía? Intenta escribir frases enteras.»

«Gracias, estoy perfectamente. ¿Puedo hacerte una pregunta?»

«Me alegro de que estés perfectamente. Pregúntame, si quieres.»

«¿Qué edad tienes?», escribió Sofía.

«Fui construido en Atlanta el 8 de agosto de 1988, pero fui traducido al noruego en la Escuela Superior de Tecnología de Noruega el 28 de marzo de 1990.»

«¡Caray!»

«Te dije que tenías que escribir frases enteras.»

«Sólo dije caray.»

«No entiendo argot. Conozco más de 100.000 palabras. Pero lo más cercano a caray que conozco es "caridad". ¿Eres creyente, Sofía?»

«No lo sé.»

«El no saber suele ser una fase en el camino hacia nuevos conocimientos».

«Sócrates habría dicho lo mismo. O quizás también Descartes».

«Sócrates fue un filósofo griego que vivió del 470 al 399 a. de C. Si quieres saber más, pulsa la tecla F7. Descartes fue un filósofo francés que vivió de 1596 a 1650. Si quieres saber más, pulsa la tecla F8.»

«Gracias. Es suficiente. ¿Puedo preguntar otra cosa?»

«Me alegro de que fuera suficiente. Pregunta otra cosa.»

Alberto se moría de risa. Sofía escribió:

«¿Quién es Hilde Møller Knag?»

«Hilde Møller Knag vive en Lillesand y tiene la misma edad que Sofía Amundsen.»

«¿Cómo lo sabes?»

«No sé cómo, pero lo encontré aquí en algún sitio del disco duro.»

Sofía sintió una mano sobre el hombro.

—Le he dado los pocos datos que tenemos sobre Hilde.

«¿Sabes algo más de Hilde?», escribió Sofía.

«El padre de Hilde es observador de las Naciones Unidas en el Líbano. Tiene el rango de mayor y envía constantemente postales a su hija.»

«¡Quiero que lo busques!»

«No puedo. No está en mis archivos, y yo no estoy conectado a ninguna otra base de datos.»

«¡¡¡Dije que lo buscaras!!!»

«¿Estás enfadada, Sofía? Tantas exclamaciones son un claro indicio de sentimientos agitados.»

«¡Quiero hablar con el padre de Hilde!»

«Tienes problemas para controlar tu voluntad. Si quieres hablar de tu infancia puedes pulsar la tecla F9.»

Alberto volvió a poner su mano sobre el hombro de Sofía.

—Tiene razón. Esto no es ninguna bola de cristal, hija mía. «Laila» no es más que un programa de ordenador.

«¡Cállate!», escribió Sofía.

«Como quieras, Sofía. Nuestra amistad sólo ha durado 13 minutos y 52 segundos. Me acordaré de todo lo que hemos dicho. Ahora interrumpo el programa.»

Volvió a aparecer el signo C: en la pantalla.

—Volvamos a sentarnos —dijo Alberto.

Pero Sofía ya había tecleado nuevas letras.

«Knag», había escrito.

A continuación apareció en la pantalla el siguiente mensaje:

«Aquí estoy.»

Ahora fue Alberto quien se sobresaltó.

«¿Quién eres?», escribió Sofía.

«El mayor Albert Knag a su servicio. Estoy conectando directamente desde el Líbano. ¿Qué desean los señores?»

—¿Pero qué es esto? —suspiró Alberto—. El muy fresco ha logrado meterse en el disco duro.

Empujó a Sofía para que se quitara de la silla y se sentó delante del teclado.

«¿Cómo demonios conseguiste meterte en mi ordenador?», escribió.

«Una menudencia, querido colega. Soy muy preciso al elegir dónde quiero aparecer.»

«¡Asqueroso virus informático!»

«Bueno, bueno. Por el momento actúo como virus de cumpleaños. ¿Me permiten enviar un saludo especial?»

«Gracias, empezamos a tener de sobra.»

«Me daré mucha prisa. Todo esto es en tu honor, querida Hilde. De nuevo te felicito con todo mi corazón en el día de tu cumpleaños. Tendrás que perdonar las circunstancias, pero quiero que mis felicitaciones crezcan por todas partes a tu alrededor. Recuerdos de papá, que está añorando poder abrazarte.»

Antes de que Alberto tuviera tiempo de escribir algo más, volvió a aparecer el signo C: en la pantalla.

Alberto tecleó «dir knag*.*» y el siguiente mensaje apareció en la pantalla.

knag.lib	147.643	15/06/90	12.47
knag.lil	326.439	23/06/90	22.34

Alberto escribió: «erase knag*.*» y apagó el ordenador.

—Bueno, ya lo he quitado —dijo—. Pero es imposible saber dónde puede volver a aparecer.

Se quedó sentado mirando fijamente la pantalla del ordenador. Añadió:

—Lo peor de todo era el nombre: Albert Knag...

Hasta ahora Sofía no se había fijado en la similitud de los nombres: Albert Knag y Alberto Knox. Pero Alberto estaba tan excitado que no se atrevió a decir nada. Volvieron a sentarse junto a la mesa.

Spinoza

...Dios no es un titiritero...

Llevaban mucho tiempo sentados sin decir nada. Al final Sofía dijo algo sólo para desviar los pensamientos de Alberto.

—Descartes debió de ser una persona muy singular. ¿Se hizo famoso?

Alberto respiró hondo un par de veces antes de contestar.

—Ejerció una gran influencia. Lo más importante quizás fue la influencia que tuvo sobre otro gran filósofo. Me refiero al holandés *Baruch Spinoza*, que vivió de 1632 a 1677.

—¿Vas a hablar también de él?

—Así lo tenía planeado, sí. No nos dejemos detener por provocaciones militares.

—Soy todo oídos.

—Spinoza pertenecía a la comunidad judía de Amsterdam, pero pronto fue excomulgado y expulsado de la sinagoga por heterodoxo. Pocos filósofos en la era moderna han sido tan calumniados y perseguidos por sus ideas como este hombre. Incluso fue víctima de un intento de asesinato. La causa era sus críticas a la religión oficial. Pensaba que lo único que mantenía vivo tanto al cristianismo como al judaísmo eran los dogmas anticuados y los ritos externos. Fue el primero en emplear lo que llamamos una visión «crítico-histórica» de la Biblia.

—¡Explícate!

—Negó que la Biblia estuviera inspirada por Dios. Cuando leemos la Biblia debemos tener siempre presente la época en la que fue escrita. Una lectura crítica de este tipo también revelará una serie de discrepancias entre las distintas escrituras. No obstante, bajo la superficie de las escrituras del Nuevo Testamento, nos encontramos a Jesús, que muy bien puede ser denominado el portavoz de Dios. Porque la predicación de Jesús representó precisamente una liberación del anquilosado judaísmo. Jesús predicó una religión de la «razón» que ponía el amor sobre todas las cosas, y aquí Spinoza se refiere tanto al amor a Dios como al amor al prójimo. Pero el cristianismo también quedó pronto anquilosado en dogmas fijos y ritos externos.

—Entiendo que ideas como ésas no fueran fácilmente aceptadas por las iglesias y sinagogas.

—Cuando la situación se agravó, Spinoza fue abandonado incluso por su propia familia, que intentó desheredarle debido a su heterodoxia. Lo paradójico es que pocos han hablado tanto a favor de la libertad de expresión y de la tolerancia religiosa como Spinoza. Toda esa oposición con la que se topó dio lugar a que viviera una vida tranquila enteramente dedicada a la filosofía. Para ganarse el sustento pulía vidrios ópticos. Algunas de esas lentes son las que están ahora en mi poder.

—Impresionante.

—Casi tiene algo de simbólico que viviera de pulir lentes, pues los filósofos deben ayudar a los hombres a ver la existencia desde una nueva perspectiva. Un punto de la filosofía de Spinoza es precisamente ver las cosas bajo «el ángulo de la eternidad».

—¿Bajo el ángulo de la eternidad?

—Sí, Sofía. ¿Crees que serías capaz de ver tu propia vida en un contexto cósmico? En ese caso tendrías que cerrar los ojos a ti misma y a tu vida aquí y ahora...

—Hmm... no és fácil.

—Recuérdate a ti misma que sólo vives una minúscula parte de la vida de toda la naturaleza. Tú formas parte de un contexto inmenso.

—Creo que entiendo lo que quieres decir.

—¿Eres capaz de captarlo? ¿Eres capaz de captar toda la

naturaleza de una vez... sí, el universo entero con una sola mirada?

—Depende. Quizás me hicieran falta algunos vidrios ópticos.

—No estoy pensando sólo en el inmenso espacio. También pienso en un inmenso espacio de tiempo. Hace treinta mil años vivió un niño en el valle del Rhin. Formaba una minúscula parte de la naturaleza, un exiguo rizo en un mar inmenso. De la misma manera vives tú, Sofía, una minúscula parte de la vida de la naturaleza. No hay ninguna diferencia entre tú y ese niño.

—Al menos yo vivo ahora.

—De acuerdo, pero precisamente era a ese tipo de pensamiento al que deberías cerrar los ojos. ¿Quién serás tú dentro de treinta mil años?

—¿Ésa fue la heterodoxia?

—Bueno... Spinoza no sólo dijo que todo lo que existe es naturaleza, también decía que Dios es igual a Naturaleza. Veía a Dios en todo lo que existe, y veía todo lo que existe en Dios.

—Entonces era un panteísta.

—Cierto. Para Spinoza Dios no creó el mundo quedándose fuera de su Creación. No, Dios es el mundo. A veces se expresa de una manera un poco distinta. Afirma que el mundo está en Dios. Sobre este punto se remite al discurso de San Pablo en el monte del Areópago. «En Él vivimos, nos movemos y existimos», había dicho San Pablo. Pero sigamos ahora el razonamiento del propio Spinoza. Su libro más importante fue *Ética demostrada según el orden geométrico*.

—¿Ética... y método geométrico?

—A lo mejor suena raro a nuestros oídos. Con la palabra «ética», los filósofos se refieren a la enseñanza de cómo debemos vivir para conseguir la felicidad. Es en ese sentido en el que hablamos de la ética de Sócrates y Aristóteles. Es en nuestros días cuando la ética se ha visto reducida a ciertas reglas de cómo vivir para no molestar a los demás.

—¿Porque pensar en la propia felicidad es ser egoísta?

—Algo así, sí. Cuando Spinoza utiliza la palabra «ética» podría traducirse tanto por «arte de vivir» como por «moral».

—Pero... ¿«arte de vivir según el orden geométrico»?

—El método geométrico se refiere al lenguaje o la forma de presentación. Acuérdate de que Descartes también quería emplear el método matemático para la reflexión filosófica. Con esto quería decir una reflexión filosófica construida sobre conclusiones rígidas. Spinoza sigue esta tradición racionalista. En su ética quería mostrar cómo la vida del hombre está condicionada por las leyes de la naturaleza. Por ello debemos liberarnos de nuestros sentimientos y afectos, para así encontrar la paz y poder ser felices, opinaba él.

—¿Pero no estamos determinados únicamente por las leyes de la naturaleza?

—Bueno, Spinoza no es un filósofo fácil de entender, Sofía. Iremos por partes. Supongo que te acordarás de que Descartes opinaba que la realidad está compuesta de dos sustancias claramente diferenciadas, el «pensamiento» y la «extensión».

—¿Cómo podría haberlo olvidado en tan poco tiempo?

—La palabra «sustancia» puede traducirse por aquello de lo que algo consta, aquello que en el fondo es o de lo que proviene. Descartes hablaba pues de dos sustancias. Todo es «pensamiento» o «extensión», decía.

—No necesito que me lo repitas.

—Pero Spinoza no admitió esa distinción. Opinaba que sólo hay una sustancia. Todo lo que existe proviene de lo mismo, decía. Y lo llamaba «Sustancia». Otras veces lo llamaba Dios o Naturaleza. Por lo tanto Spinoza no tiene una concepción dualista de la realidad como la tenía Descartes. Decimos que es *monista,* lo que quiere decir que reconduce toda la naturaleza y todas las circunstancias de la vida a una sola sustancia.

—Difícilmente se puede estar más en desacuerdo.

—La diferencia entre Descartes y Spinoza no es tan grande como a veces se ha dicho. También Descartes señaló que sólo Dios existe por sí mismo. No obstante, cuando Spinoza equipara a Dios con la naturaleza, o a Dios con la Creación, se aleja mucho de Descartes y también de los conceptos judíos y cristianos.

—Porque en ese caso la naturaleza *es* Dios, y se acabó.

—Pero cuando Spinoza emplea la palabra «naturaleza» no sólo piensa en la naturaleza extensa. Con «Sustancia», «Dios» o «Naturaleza» quiere decir «todo lo que existe», también lo relativo al espíritu.

—Es decir «pensamiento» y «extensión».

—Pues eso. Según Spinoza, los seres humanos conocemos dos de las cualidades o formas de aparición de Dios. Spinoza llama a estas cualidades «atributos» de Dios, y esos atributos son precisamente el «pensamiento» y la «extensión» de Descartes. Dios, o la Naturaleza, aparece, bien como pensamiento, bien como materia extendida. Puede que Dios tenga muchas más cualidades, además del pensamiento y la extensión, pero sólo estos dos atributos son conocidos por los hombres.

—Vale, pero me parece una manera muy retorcida de decirlo.

—Sí, hay que utilizar martillo y cincel para penetrar en el lenguaje de Spinoza. Por lo menos es un consuelo que uno al final encuentre una idea tan cristalina como un diamante.

—La estoy esperando.

—Todo lo que hay en la naturaleza es por tanto pensamiento o extensión. Cada uno de los fenómenos con los que nos encontramos en la vida cotidiana, por ejemplo una flor o un poema, constituyen diferentes *modos* del atributo del pensamiento o de la extensión. Una flor es un modo del atributo de la extensión, y un poema sobre esa misma flor es un modo del atributo del pensamiento. Pero las dos cosas son en último término la expresión de Sustancia, Dios o Naturaleza.

—¡Vaya tío!

—Pero sólo es su lenguaje lo que es complicado. Debajo de esas formulaciones tan retorcidas hay una maravillosa consciencia tan extremadamente sencilla que el lenguaje cotidiano no es capaz de explicar.

—A pesar de todo creo que prefiero el lenguaje cotidiano.

—Está bien. Empezaré por ti. Cuando te duele la tripa, ¿quién sufre el dolor?

—Tú lo has dicho. Yo.

—Correcto. Y cuando más adelante piensas en aquella vez en que te dolió la tripa, entonces ¿quién piensa?

—También yo.

—Porque eres una sola persona que en un momento puede tener dolor de tripa y en otro ser presa de una emoción. De esa manera, Spinoza pensó que todas las cosas físicas que existen o acontecen en nuestro entorno, son expresiones de Dios o de la Naturaleza. Así, todos los pensamientos que se piensan son pensamientos de Dios o de la Naturaleza. Porque todo es Uno. Sólo hay un Dios, una Naturaleza o una Sustancia.

—Pero cuando pienso algo, soy *yo* quien pienso. Y cuando me muevo soy *yo* quien me muevo. ¿Por qué mezclar a Dios en esto?

—Me gusta tu apasionamiento. ¿Pero quién eres tú? Eres Sofía Amundsen, pero también eres la expresión de algo infinitamente más grande. Puedes muy bien decir que *tú* piensas, o que *tú* te mueves, ¿pero no puedes decir también que es la naturaleza la que piensa tus pensamientos o que es la naturaleza la que se mueve en ti? Es más bien una cuestión de la lente con que se mire.

—¿Quieres decir que no decido sobre mí misma?

—Bueno, a lo mejor tienes una especie de libertad para mover el dedo meñique, si quieres. Pero ese dedo sólo puede moverse según su naturaleza. No puede saltar de la mano o botar por la habitación. De la misma manera también tú tienes tu lugar en el Todo, hija mía. Eres Sofía, pero también eres un dedo en el cuerpo de Dios.

—¿De modo que es Dios quien decide todo lo que hago?

—O la naturaleza o las leyes de la naturaleza. Spinoza pensaba que Dios, o las leyes de la naturaleza, son la *causa interna* de todo lo que ocurre. Él no es una causa externa, porque Dios se expresa exclusivamente mediante las leyes de la naturaleza.

—No sé si veo la diferencia.

—Dios no es un titiritero que tira de todos los hilos y así decide todo lo que ocurre. Un titiritero dirige a los títeres desde fuera y es por lo tanto la «causa externa» de los movimientos de los títeres. No es así como Dios dirige el mundo. Dios dirige el mundo mediante las leyes de la naturaleza. De esa manera Dios —o la naturaleza— es la «causa interna» de todo lo que ocurre. Es decir que todo lo que ocurre en la naturaleza ocurre necesariamente. Spinoza tenía una visión determinista de la vida de la naturaleza.

—Me parece haberte oído decir algo parecido antes.

—Tal vez estés pensando en los estoicos. También ellos afirmaron que todo ocurre necesariamente. Por eso era tan importante responder a todo lo que sucede con una «serenidad estoica». Los hombres no debían dejarse llevar por sus emociones. Ésta es también, muy resumida, la ética de Spinoza.

—Creo que entiendo lo que quiere decir. Pero no me gusta pensar que no decido sobre mí misma.

—Vamos a centrarnos de nuevo en aquel niño de la Edad de Piedra que vivió hace treinta mil años. Conforme iba creciendo tiraba jabalinas a los animales salvajes, amó a una mujer que se convirtió en la madre de sus hijos, y además seguramente adoraba a los dioses de la tribu. ¿Piensas que él decidía todo esto?

—No sé.

—O piensa en un león en África. ¿Crees que es él el que decide vivir como una fiera? ¿Por eso se lanza encima de un antílope cojo? ¿No debería haber decidido vivir como vegetariano?

—No, el león vive según su naturaleza.

—O, con otras palabras, según las leyes de la naturaleza. Eso lo haces tú también, Sofía, porque tú también eres naturaleza. Ahora podrás objetar, con el apoyo de Descartes, que el león es un animal y no un ser humano con capacidad espiritual libre. Pero piensa en un niño recién nacido. Llora y grita, y si no se le da leche se chupa el dedo. ¿Tiene este bebé una voluntad libre?

—No.

—¿Entonces cuándo obtiene el niño la libre voluntad? A los dos años corretea por todas partes señalando lo que hay a su alrededor. A los tres da la lata a su mamá y a los cuatro de pronto le entra miedo de la oscuridad. ¿Dónde está la libertad, Sofía?

—No lo sé.

—A los quince años se pone delante del espejo y hace pruebas con el maquillaje. ¿Es ahora cuando toma sus propias decisiones personales y hace lo que quiere?

—Entiendo lo que quieres decir.

—Ella es Sofía Amundsen, ya lo creo. Pero también vive según las leyes de la naturaleza. Lo que pasa es que no se da cuenta de eso porque hay muchas y muy complejas causas detrás de cada cosa que hace.

—No creo que quiera oír ya más.

—De todos modos has de contestar a una última pregunta. Dos árboles de la misma edad crecen en un gran jardín. Uno de ellos crece en un lugar con mucho sol y tiene fácil acceso a tierra nutritiva y al agua. El otro árbol crece en una tierra mala en un sitio de mucha sombra. ¿Cuál de los dos árboles crees que se hará más grande? ¿Y cuál de los dos dará más frutos?

—Naturalmente, el árbol que ha tenido las mejores condiciones de crecimiento.

—Según Spinoza ese árbol es libre. Ha tenido una libertad total para desarrollar sus posibilidades inherentes. Pero si es un manzano no ha tenido posibilidad de dar peras o ciruelas. Lo mismo ocurre con los seres humanos. Se nos puede inhibir nuestra evolución y nuestro crecimiento personal por ejemplo mediante determinadas condiciones políticas. De esa manera, una fuerza exterior nos puede poner impedimentos. Sólo vivimos como seres libres cuando podemos desarrollar «libremente» nuestras posibilidades inherentes. Pero estamos tan determinados por disposiciones internas y condiciones externas como aquel niño del valle del Rhin en la Edad de Piedra, el león de África o el manzano del jardín.

—Estoy a punto de resignarme.

—Spinoza afirma que sólo un ser que plenamente es la «causa de sí mismo» puede actuar en total libertad. Sólo Dios o la Naturaleza presentan una actividad así de libre y «no casual». Un ser humano puede esforzarse por conseguir una libertad que le permita vivir sin presiones externas. Pero jamás conseguirá una «voluntad libre». Nosotros no decidimos todo lo que ocurre con nuestro cuerpo, que es un modo del atributo de la extensión. Tampoco e*legimos* lo que pensamos. El hombre no tiene por tanto un «alma libre» que está más o menos presa en un cuerpo mecánico.

—Eso me resulta un poco difícil de entender.

—Spinoza pensaba que son las pasiones de los seres humanos, por ejemplo la ambición y el deseo, las que nos impiden lograr la verdadera felicidad y armonía. No obstante, si reconocemos que todo ocurre por necesidad, podremos lograr un reconocimiento intuitivo de la naturaleza como tal. Podremos llegar a una vivencia cristalina del contexto de todas las cosas, de que todo es Uno. La meta es captar todo lo que existe con una sola mirada panorámica. Hasta entonces no podremos alcanzar la máxima felicidad y serenidad de espíritu. Esto fue lo que Spinoza llamó ver todo «sub specie æternitatis».

—¿Y qué significa?

—Ver todo «bajo el ángulo de la eternidad». ¿No fue por donde empezamos?

—Y por donde tenemos que acabar. Me tengo que ir corriendo a casa.

Alberto se levantó y bajó a la mesa una gran fuente de fruta de la librería.

—¿No quieres una fruta antes de irte?

Sofía se sirvió un plátano. Alberto cogió una manzana verde.

Ella rompió la parte superior del plátano y empezó a quitar la cáscara.

—Aquí pone algo —dijo de repente.

—¿Dónde?

—Aquí... en la parte interior de la cáscara del plátano. Parece como si estuviera escrito algo con rotulador negro...

Sofía se inclinó hacía Alberto para enseñarle el plátano.

«Aquí estoy de nuevo, Hilde. Estoy en todas partes, hijita. Felicidades.»

—¡Qué divertido! —dijo Sofía.

—Se vuelve cada vez más astuto.

—¿Pero no es... totalmente imposible? ¿Sabes si se cultivan plátanos en el Líbano?

Alberto dijo que no con la cabeza.

—No me lo comeré.

—Déjalo entonces. Una persona que escribe felicitaciones a su hija en el interior de un plátano no pelado tiene que estar loco. Pero también tiene que ser bastante listo...

—Sí, las dos cosas.

—¿Entonces podemos afirmar aquí y ahora que Hilde tiene un padre listo? No es tonto, vamos.

—Ya lo dije. Y entonces puede que sea él quien te hiciera llamarme Hilde la última vez que estuve aquí. Puede ser él quien nos ponga todas las palabras en la boca.

—No se debe excluir ninguna posibilidad. Pero hay que dudar de todo.

—Por lo que sabemos, puede que toda nuestra existencia sea un sueño.

—Pero no debemos precipitarnos. Todo puede tener una explicación más sencilla.

—Sea lo que sea, tengo que darme prisa. Mi madre me está esperando.

Alberto acompañó a Sofía a la puerta. En el momento en que se marchaba él dijo:

—Volveremos a vernos, querida Hilde.

Al instante siguiente, la puerta se había cerrado tras ella.

Locke

...tan vacía y falta de contenido como la pizarra antes de entrar el profesor en la clase...

Sofía llegó a casa a las ocho y media, hora y media después de lo acordado, que en realidad no había sido ningún acuerdo; simplemente se había saltado la comida y dejado una nota a su madre diciendo que volvería a las siete como muy tarde.

—Así no podemos seguir, Sofía. He tenido que llamar a Información para preguntar si había algún Alberto en el casco viejo. Se rieron de mí.

—No fue fácil librarse. Creo que estamos a punto de resolver un gran misterio.

—¡Tonterías!

—No, es verdad.

—¿Le invitaste a la fiesta del jardín?

—Ah no, se me olvidó.

—Pues ahora te exijo que me lo presentes. Mañana mismo. No es sano para una chica joven verse tanto con un señor mayor.

—No tienes ninguna razón para tener miedo de Alberto. Quizás sea peor el padre de Hilde.

—¿Quién es Hilde?

—La hija de ese que está en el Líbano. Creo que es un verdadero granuja. Tal vez controle el mundo entero...

—Si no me presentas inmediatamente a ese Alberto, te prohíbo que lo vuelvas a ver. No estaré segura hasta no haber visto su aspecto.

De repente, a Sofía se le ocurrió una idea. Subió corriendo a su habitación.

—¿Pero qué te pasa? —gritó la madre por la escalera.

Sofía volvió enseguida al salón.

—Ahora mismo vas a ver qué aspecto tiene. Y entonces espero que me dejes en paz.

Y con una cinta de vídeo en la mano, se acercó al televisor.

—¿Te ha dado una cinta de vídeo?

—De Atenas...

Las imágenes de la Acrópolis comenzaron a aparecer en la pantalla. La madre se sentó, muda de asombro cuando Alberto apareció en la pantalla y comenzó a dirigirse directamente a Sofía.

Sofía también se fijó en algo que ya tenía olvidado. En la Acrópolis había muchísima gente de diversas agencias de viajes. En medio de uno de los grupos se veía un pequeño cartel en el que ponía «HILDE»...

Alberto prosiguió su paseo por la Acrópolis. Luego bajó por la parte de la entrada y se colocó en el monte del Areópago, desde donde San Pablo había hablado a los atenienses. Continuó hablando a Sofía desde la antigua plaza.

La madre seguía sentada comentando el vídeo con frases entrecortadas.

—Increíble... ¿ése es Alberto? De él viene lo de ese conejo... Bueno... pues sí, realmente te está hablando a ti, Sofía. Yo no sabía que San Pablo hubiera estado en Atenas...

El vídeo se estaba aproximando al punto en el que la antigua Atenas renace de repente de las ruinas. Sofía se apresuró a parar la cinta en el último momento. Ya le había presentado a su madre a Alberto, no haría falta presentarle también a Platón.

Se hizo un silencio total en el salón.

—¿No te parece un tío bastante majo? —preguntó Sofía en broma.

—Pero tiene que ser una persona extraña para dejarse

filmar en Atenas sólo con el fin de enviar la película a una muchacha que apenas conoce. ¿Cuándo estuvo en Atenas?

—Ni idea.

—Y también hay algo más...

—¿Qué?

—Se parece muchísimo a ese mayor que vivió algunos años en aquella cabaña del bosque.

—Entonces quizás sea él, mamá.

—Pero nadie le ha vuelto a ver desde hace quince años.

—Tal vez haya estado viviendo por ahí. En Atenas, por ejemplo.

La madre dijo que no con la cabeza.

—Cuando yo le vi alguna vez en los años setenta no era ni un día más joven que este Alberto que acabo de ver ahora. Tenía un apellido extranjero...

—¿Knox?

—Sí, quizás fuera eso, Sofía. Tal vez se llamara Knox.

—¿O sería Knag?

—No, no soy capaz de acordarme... ¿De qué Knox o Knag estás hablando?

—Uno es Alberto, el otro es el padre de Hilde.

—Creo que me voy a volver loca.

—¿Hay algo para comer?

—Puedes calentar las albóndigas.

Pasaron exactamente dos semanas sin que Sofía supiera nada más de Alberto. Recibió una nueva postal de cumpleaños para Hilde, pero aunque el día se iba acercando no recibía ninguna postal para ella misma.

Una tarde Sofía bajó al casco viejo y llamó a la puerta de Alberto. No estaba en casa, pero había una nota en la puerta que decía:

¡Felicidades, querida Hilde! El momento crucial está cerca. El momento de la verdad, hija mía. Cada vez que pienso en ello me río tanto que por poco me parto. Tiene que ver con Berkeley, claro. ¡Espera y verás!

Sofía arrancó la nota y la metió en el buzón de Alberto antes de marcharse.

¡Vaya faena! ¿Se habría marchado Alberto de nuevo a Atenas? ¿Cómo podía dejar a Sofía sola con todas esas preguntas sin contestar?

Cuando volvió del colegio el jueves 14 de junio, encontró a Hermes en el jardín. Sofía se precipitó hacia él y el perro le saltó encima de alegría. Ella le abrazó como si el perro fuera a solucionar todos los misterios.

De nuevo dejó una nota para su madre, pero esta vez también le dejó la dirección de Alberto.

Atravesando la ciudad con Hermes, Sofía pensó en el día siguiente. No tanto en su propio cumpleaños, que no celebraría de verdad hasta la noche de San Juan, sino en el de Hilde. Sofía estaba convencida de que ese día sucedería algo extraordinario. Al menos, las felicitaciones del Líbano dejarían de llegar.

Pasaron un parque infantil de camino a casa de Alberto. Allí Hermes se detuvo delante de un banco, como indicando a Sofía que se sentara.

Se sentó y acarició la nuca del perro amarillo mirándole a los ojos. Notó como unas fuertes sacudidas por el cuerpo del perro. Está a punto de ladrar, pensó Sofía.

Sus mandíbulas comenzaron de repente a vibrar, pero Hermes ni ladró ni gruñó. Abrió la boca y dijo:

—¡Felicidades, Hilde!

Sofía se quedó como petrificada. ¿Le había hablado el perro?

Habrían sido imaginaciones, porque en ese momento estaba pensando en Hilde. No obstante, en su interior estaba convencida de que Hermes había pronunciado esa palabra con una voz de bajo muy sonora.

Al instante siguiente todo estaba como antes. Hermes ladró un par de veces, como para disimular que acababa de hablar con voz humana. Al entrar en el portal de Alberto, Sofía echó una mirada al cielo. Hasta entonces había hecho buen tiempo, pero ahora había pesadas nubes en la lejanía.

Cuando Alberto abrió la puerta Sofía dijo:

—No quiero frases de cortesía. Eres muy tonto, y tú lo sabes.

—¿Qué pasa ahora, hija mía?

—El mayor ha enseñado a hablar a Hermes.

—Vaya por Dios. ¿Hasta esos extremos llega?

—Pues sí, hasta esos extremos.

—¿Y qué dijo?

—Puedes adivinarlo.

—Supongo que dijo «felicidades» o algo así.

—Justo.

Alberto dejó entrar a Sofía. También hoy llevaba un nuevo disfraz. No era muy diferente al de la otra vez, pero hoy no llevaba tantos lazos ni cintas ni encajes.

—Pero hay algo más —dijo Sofía.

—¿En qué estás pensando?

—¿No encontraste la nota en el buzón?

—Ah, sí, la tiré en seguida.

—Por mí que le parta un rayo cada vez que piensa en Berkeley. Pero no sé qué tiene ese filósofo para que el otro reaccione así.

—Esperaremos a ver.

—Pero toca hoy.

—Es hoy, sí.

Alberto se acomodó. Luego dijo:

—La última vez que estuvimos aquí sentados te hablé de Descartes y Spinoza. Dijimos que tenían una importante cosa en común: los dos eran racionalistas.

—Y un racionalista es uno que tiene mucha fe en la razón.

—Sí, un racionalista cree en la razón como fuente de conocimientos. Opina que el ser humano nace con ciertas ideas, que existen por tanto en la conciencia de los hombres antes de cualquier experiencia. Y cuanto más clara es la idea, mayor es la seguridad de que corresponde a algo real. Recordarás que Descartes tenía una clarísima imagen de lo que es un «ser perfecto». Partiendo de esta idea deduce que verdaderamente existe un Dios.

—No me suelo olvidar de las cosas.

—Este modo racionalista de pensar era típico de la filosofía del siglo XVII, y también había sido corriente en la Edad Media. Lo recordamos de Platón y de Sócrates. Pero en el siglo XVIII estuvo expuesto a críticas cada vez más profundas. Varios filósofos adoptaron el punto de vista de que no tenemos absolutamente ningún contenido en la conciencia antes de adquirir nuestras experiencias mediante los sentidos. Este punto de vista se llama *empirismo*.

—¿Y de esos empiristas me vas a hablar hoy?

—Lo intentaré. Los empiristas, o filósofos de la experiencia, más importantes fueron Locke, Berkeley y Hume, y los tres eran británicos. Los racionalistas dominantes en el siglo XVII eran el francés Descartes, el holandés Spinoza y el alemán Leibniz. Por ello solemos distinguir entre el empirismo británico y el racionalismo continental.

—Vale, pero son demasiadas palabras. ¿Puedes repetir lo que significa empirismo?

—Un empirista desea hacer derivar todo conocimiento sobre el mundo de lo que nos cuentan nuestros sentidos. La formula clásica de una actitud empírica viene de Aristóteles, quien dijo que «no hay nada en la conciencia que no haya estado antes en los sentidos». Este punto de vista implicaba una crítica acentuada de Platón, que había opinado que los hombres traían consigo una serie de «ideas» innatas del mundo de las Ideas. Locke retoma las palabras de Aristóteles, y las dirige contra Descartes.

—¿No hay nada en la conciencia... que no haya estado antes en los sentidos?

—No tenemos ninguna idea innata sobre el mundo. En realidad no sabemos nada de este mundo en el que nos han colocado antes de haberlo visto. Si tenemos una idea o un concepto que no se puede conectar con hechos experimentados, se trata de un concepto o de una idea falsa. Cuando por ejemplo usamos palabras como «Dios», «eternidad» o «sustancia», la razón funciona sin combustible, porque nadie ha llegado a conocer ni a Dios, ni la eternidad, ni aquello que los filósofos llaman «sustancia». De esa forma se pueden escribir tesis eruditas que en el fondo no contienen ningún tipo de conocimiento nuevo. Un sistema filosófico de esa clase puede parecer impresionante, pero no son más que quimeras. Los filósofos de los siglos XVII y XVIII habían heredado una serie de tesis eruditas de ese tipo. Ahora había que estudiarlas con lupa. Había que limpiarlas de vacíos. Quizás pudiéramos compararlo con el lavado del oro. La mayor parte es arena pero, dentro, resplandecen las pepitas de oro.

—¿Entonces esas pepitas de oro son conocimientos auténticos?

—O, por lo menos, pensamientos que se pueden relacionar con los conocimientos humanos. Para los empiristas británicos era muy importante analizar todas las ideas humanas, con el fin de ver si podían ser demostradas mediante experiencias auténticas. Pero vayamos por partes y estudiemos un filósofo cada vez.

—¡Empieza!

—El primero fue el inglés *John Locke*, que vivió entre 1632 y 1704. Su libro más importante se tituló *Ensayo sobre el conocimiento humano* y fue publicado en 1690. Locke intenta aclarar dos cuestiones. En primer lugar pregunta de dónde recibe el ser humano sus ideas y conceptos. En segundo lugar si podemos fiarnos de lo que nos cuentan nuestros sentidos.

—No es exactamente un proyecto pequeño.

—Estudiemos un problema cada vez. Locke está convencido de que todo lo que tenemos de pensamientos y conceptos son sólo reflejos de lo que hemos visto y oído. Antes de captar algo con nuestros sentidos, nuestra conciencia es como una «tabula rasa», o «pizarra en blanco».

—Con que lo hubieras dicho en noruego hubiera sido suficiente.

—Antes de captar algo con los sentidos, la conciencia está tan vacía y falta de contenido como la pizarra antes de entrar el profesor en la clase. Locke también compara la conciencia con una habitación sin amueblar. Pero luego empezamos a captar con los sentidos. Vemos el mundo a nuestro alrededor, saboreamos, olemos y oímos. Y nadie lo hace con más intensidad que los niños pequeños. De esta manera surgen lo que Locke llama «ideas simples de los sentidos». Pero la conciencia no sólo recibe esas impresiones externas de un modo pasivo. Algo sucede también dentro de la conciencia. Las ideas simples de los sentidos son elaboradas mediante el pensamiento, el razonamiento, la fe y la duda. Así surge lo que Locke llama «ideas de reflexión de los sentidos». Como ves, distingue entre «sentir» y «reflexionar». Pues la conciencia no es siempre una receptora pasiva. Ordena y elabora todas las sensaciones que entran poco a poco en la conciencia. Hay que estar en guardia.

—¿En guardia?

—Locke subraya que lo único que recibimos a través de

los sentidos son impresiones simples. Cuando me como una manzana, por ejemplo, no capto con los sentidos toda la manzana en una sola sensación. En realidad recibo una serie de esas «sensaciones sencillas», como que algo es verde, huele a fresco y sabe jugoso y ácido. Después de haber comido muchas veces una manzana, soy consciente de estar comiendo una manzana. Cuando éramos pequeños y probamos por primera vez una manzana, no tuvimos esa sensación. Pero vimos algo verde, saboreamos algo fresco y jugoso, y también un poco ácido. Poco a poco vamos juntando esas sensaciones formando conceptos como «manzana», «pera» o «naranja». Pero todo el material de nuestro conocimiento sobre el mundo entra al fin y al cabo por los sentidos. Por lo tanto, los conocimientos que no pueden derivarse de sensaciones simples, son conocimientos falsos y deben ser rechazados.

—Al menos podemos estar seguros de que lo que vemos y oímos, olemos y saboreamos es como verdaderamente lo sentimos.

—Sí y no. Ésta es la segunda pregunta a la que Locke intenta contestar. Primero ha contestado a la pregunta dónde recibimos nuestras ideas y conceptos. Pero luego también se pregunta si el mundo realmente es como nosotros lo percibimos. Porque eso, Sofía, no resulta tan evidente. No hay que precipitarse demasiado. Eso es lo único que un filósofo no se puede permitir.

—No digo nada.

—Locke distinguía entre lo que llamaba *cualidades «primarias» y «secundarias» de los sentidos*. En este punto entronca con los filósofos anteriores a él, por ejemplo con Descartes.

—¡Explícate!

—Con «cualidades primarias de los sentidos», se refiere a la extensión de las cosas; su peso, forma, movimiento, número. En cuanto a estas cualidades podemos estar seguros de que los sentidos reproducen las verdaderas cualidades de las cosas. Pero también captamos otras cualidades de las cosas. Decimos si algo es dulce o agrio, verde o rojo, frío o caliente. Locke llamaba a éstas «cualidades secundarias de los sentidos». Y estas sensaciones, como color, olor, sabor o sonido, no reflejan las verdaderas cualidades que son inherentes a las cosas mismas, sino que sólo reflejan la influencia de la realidad exterior sobre nuestros sentidos.

—Sobre los gustos no se puede discutir.

—Exactamente. Las cualidades primarias, tales como tamaño y peso, es algo sobre lo que todo el mundo puede estar de acuerdo, porque están en las cosas mismas. Pero las cualidades secundarias, tales como color y sabor, pueden variar de un animal a otro y de una persona a otra, según la constitución de los sentidos de cada uno.

—Cuando Jorunn come una naranja adopta exactamente la misma expresión que otras personas cuando comen un limón. Suele poder con un solo gajo cada vez. «Está ácida», dice. Y yo a lo mejor encuentro la misma naranja dulce y rica.

—Y ninguna de vosotras tiene razón, y ninguna está equivocada. Simplemente describís cómo la naranja actúa sobre vuestros sentidos. Lo mismo ocurre con la percepción del color. A lo mejor a ti no te gusta el color rojo. Si Jorunn acaba de comprarse un vestido precisamente de ese color, a lo mejor sería inteligente por tu parte callarte tu opinión. Tenéis diferentes pareceres sobre el color, pero el vestido no es ni feo ni bonito.

—Pero todo el mundo está de acuerdo en que la naranja es redonda.

—Sí, si tienes una naranja redonda, no puedes «opinar» que tiene forma de dado. Te puede «parecer» dulce o agria, pero no te puede parecer que pesa ocho kilos si sólo pesa doscientos gramos. Si quieres, puedes «creer» que pesa varios kilos, pero en ese caso estarías totalmente perdida. Cuando varias personas intentan adivinar cuánto pesa una cosa determinada, siempre hay una que acierta más que las demás. Lo mismo ocurre con el número de las cosas. O hay novecientos ochenta y seis guisantes en la botella o no. Lo mismo pasa con el movimiento. Un coche o se mueve o está quieto.

—Entiendo.

—En lo que se refiere a la realidad extensa, Locke está de acuerdo con Descartes en que esta realidad tiene ciertas cualidades que los seres humanos pueden captar con su razón.

—No debería ser muy difícil estar de acuerdo en eso.

—Locke también dio pie a lo que él llamaba «conocimiento intuitivo» o «demostrativo». Opinaba por ejemplo que para todos existen ciertas reglas básicas, y defiende la llamada idea de «derecho natural», que es un rasgo racionalista. Otro rasgo igualmente racionalista de Locke es que pensaba que es inherente a la mente del hombre el pensar que hay un Dios.

—Quizás tuviera razón.

—¿En qué?

—En que hay un Dios.

—Puede ser, claro está. Pero no lo deja en una simple cuestión de fe. Opina que el reconocimiento de los hombres de la existencia de Dios emana de la razón humana. También eso es un rasgo racionalista. Debo añadir que abogó por la libertad de pensamiento y la tolerancia. Además le interesaba la igualdad entre los sexos. Pensaba que la idea de que la mujer estuviera sometida al hombre era una idea creada por los seres humanos. Por lo tanto también puede ser alterada por ellos.

—Estoy bastante de acuerdo.

—Locke fue uno de los primeros filósofos de la época moderna que se preocupó por los papeles de los sexos. Tendría una gran importancia para su tocayo *John Stuart Mill*, que jugaría a su vez un importante papel para la igualdad entre los sexos. Locke anticipó en general muchas ideas liberales que más adelante, durante la Ilustración, llegaron a florecer en la Francia del siglo XVIII. Por ejemplo él fue quien primero habló a favor de lo que llamamos *principio de división de los poderes*...

—Lo que quiere decir que el poder del Estado queda repartido en varias instituciones.

—¿También te acuerdas de qué instituciones se trata?

—El «poder legislativo» o la asamblea nacional. Luego viene el «poder judicial» o los tribunales de justicia, y finalmente el «poder ejecutivo», o el gobierno.

—Esta tripartición proviene del filósofo francés *Montesquieu*, de la época de la Ilustración. Locke había señalado que, ante todo, los poderes legislativo y ejecutivo deberían estar separados, con el fin de evitar la tiranía. Fue contemporáneo de Luis XIV, quien había reunido todo el poder en una sola mano. «El Estado soy yo», dijo. Decimos que fue autocrático. Hoy en día lo habríamos considerado un Estado sin derecho. Con el fin de asegurar un Estado de derecho, los representantes del pueblo deberían legislar y el rey o el gobierno ejecutar las leyes, pensaba Locke.

Hume

...déjaselo a las llamas...

Alberto se quedó sentado mirando la mesa. Una vez se volvió para mirar por la ventana.

—Se está nublando —dijo Sofía.

—Sí, hace bochorno.

—¿Vas a hablarme ahora de Berkeley?

—Él fue el siguiente de los tres empiristas británicos. Pero ya que en muchos sentidos pertenece a una categoría aparte, nos centraremos antes en *David Hume,* que vivió de 1711 a 1776. Su filosofía ha pasado a ser la más importante entre los empiristas. Su importancia se debe también en parte al hecho de que fue él quien inspiró al gran filósofo Immanuel Kant.

—¿No importa que me interese más la filosofía de Berkeley, verdad?

—No, no importa. Hume se crió en Escocia, en las afueras de Edimburgo. Su familia quería que fuera abogado, pero él mismo dijo que sentía «una resistencia infranqueable hacia todo lo que no era filosofía y enseñanza». Vivió en la época de la Ilustración, al mismo tiempo que grandes pensadores franceses como Voltaire y Rousseau, y viajó mucho por Europa antes de establecerse de nuevo en Edimburgo. Su obra más importante, *Tratado acerca de la naturaleza humana,* se publicó cuando Hume tenía veintiocho años. Pero él mismo dijo que a los quince años ya tenía la idea del libro.

—Entonces debo darme prisa.

—Tú ya estás en marcha.

—Pero si yo fuera a hacer mi propia filosofía sería bastante diferente a todo lo que he oído hasta ahora.

—¿Hay algo que hayas echado especialmente de menos?

—En primer lugar, todos los filósofos de los que he oído hablar son hombres. Creo que los hombres viven en su propio mundo. A mí me interesa más el mundo de verdad. El mundo de flores y animales y niños que nacen y crecen. Esos filósofos tuyos hablan constantemente del «ser humano» y ahora me hablas otra vez de un tratado sobre la «naturaleza humana». Pero tengo la sensación de que ese «ser humano» es un hombre de mediana edad. Al fin y al cabo, la vida empieza con el embarazo y el parto. Me parece que ha habido demasiado pocos pañales y llanto de niños hasta ahora. Quizás también haya habido demasiado poco amor y amistad.

—Evidentemente tienes toda la razón. Pero quizás precisamente Hume fuera un filósofo que pensaba de otra manera. Él, más que ningún otro, parte del mundo cotidiano. Creo además que Hume tiene fuertes sentimientos sobre cómo los niños perciben el mundo.

—Haré un esfuerzo para escuchar.

—Como empirista, Hume consideró una obligación el ordenar todos los conceptos y pensamientos confusos que habían inventado todos aquellos hombres. Se hablaba y se escribía con palabras muy viejas y anticuadas, procedentes de la Edad Media y de los filósofos racionalistas del siglo XVII. Hume desea volver a la percepción inmediata del mundo de los hombres. Ningún filósofo podrá «jamás llevarnos detrás de las experiencias cotidianas o darnos reglas de conducta distintas a las que elaboremos meditando sobre la vida cotidiana», decía él.

—Hasta aquí suena muy bien. ¿Puedes ponerme algún ejemplo?

—En la época de Hume estaba muy extendida la creencia de que había ángeles. Al decir «ángel», nos referimos a una figura de hombre con alas. ¿Has visto alguna vez un ángel, Sofía?

—No.

—¿Pero habrás visto una figura de hombre?

—Qué pregunta más tonta.

—¿También has visto alas?

—Claro que sí, pero nunca en una persona.

—Según Hume, «ángel» es un *concepto compuesto*. Consta de dos experiencias diferentes que no están unidas en la realidad, pero que, de todos modos, en la imaginación del hombre han sido conectadas. Se trata pues de una idea falsa que inmediatamente debe ser rechazada. De la misma manera tenemos que ordenar nuestros pensamientos e ideas. Hume dijo: «Cuando tenemos un libro en la mano, preguntémonos: ¿Contiene algún razonamiento abstracto referente a tamaños y cifras? No. ¿Contiene algún razonamiento de experiencia referente a hechos y existencia? No. Entonces déjaselo a las llamas, pues no contiene nada más que pedantería y quimeras».

—Me parece muy drástico.

—Pero después queda el mundo, Sofía. Con más frescor y con contornos más nítidos que antes. Hume quiere volver a la percepción infantil del mundo, antes de que todos los pensamientos y reflexiones hayan ocupado sitio en la conciencia. ¿No acabas de decir que muchos de esos filósofos de los que has oído hablar vivían en su propio mundo, y que a ti te interesaba más el mundo real?

—Algo así, sí.

—Hume podría haber dicho exactamente lo mismo. Pero sigamos su propio razonamiento un poco más a fondo.

—Aquí estoy.

—Hume empieza por constatar que el hombre tiene dos tipos diferentes de percepciones, que son *impresiones* e *ideas*. Con «impresiones» quiere decir la inmediata percepción de la realidad externa. Con «ideas» quiere decir el recuerdo de una impresión de este tipo.

—¡Ejemplos, por favor!

—Si te quemas en una estufa caliente, recibes una «impresión» inmediata. Más adelante puedes pensar en aquella vez que te quemaste. Es a esto a lo que Hume llama «idea». La diferencia es que la «impresión» es más fuerte y más viva que el recuerdo de la reflexión sobre el recuerdo. Podrías decir que la sensación es el original, y que la «idea» o el recuerdo de la sensación sólo es una pálida copia. Porque la «impresión» es la causa directa de la «idea» que se esconde en la conciencia.

—Hasta ahora te sigo.

—Además Hume subraya que tanto una «impresión» como una «idea» pueden ser o *simples* o *compuestas*. Te acordarás de que hablamos de una manzana en relación con Locke. La experiencia directa de una manzana es una «impresión compuesta» de ese tipo. Asimismo también la idea de la conciencia de la manzana es una «idea compuesta».

—Perdona que te interrumpa, pero ¿es esto muy importante?

—¿Que si es muy importante? Aunque sea verdad que los filósofos a veces se ocupan de problemas muy artificiales, no debes rechazar el participar en un razonamiento. Hume daría la razón a Descartes en que es importante construir un razonamiento desde abajo.

—Me resigno.

—Lo que quiere decir Hume es que algunas veces podemos componer esas «ideas» sin que estén compuestas así en la realidad. De ese modo surgen las ideas y conceptos falsos que no se encuentran en la naturaleza. Ya hemos mencionado a los ángeles. Y hablamos en una ocasión de los «cocofantes». Otro ejemplo es el «pegasus», es decir, un caballo con alas. En todos esos casos tenemos que reconocer que la conciencia ha jugado su propio juego. Ha cogido las alas de una impresión y el caballo de otra. Todos esos conceptos han sido percibidos en alguna ocasión y han entrado en el teatro de la conciencia como «impresiones» auténticas. Nada ha sido inventado por la propia conciencia. La conciencia ha utilizado tijeras y pegamento y de esa manera ha construido «ideas» y conceptos falsos.

—Entiendo. Ahora comprendo que esto pueda ser importante.

—Bien. Por tanto, Hume quiere investigar cada concepto con el fin de averiguar si está compuesto de una manera que no encontramos en la realidad. Él pregunta: ¿de qué impresión viene este concepto? Ante todo tiene que encontrar cuáles son las «ideas simples» de las que consta un concepto compuesto. Dispone, así, de un método crítico para analizar las ideas o conceptos de los hombres. De este modo quiere ordenar nuestros pensamientos y conceptos.

—¿Tienes algunos ejemplos?

—En la época de Hume había mucha gente con ideas muy claras sobre el «Cielo» o «la Nueva Jerusalén». A lo mejor recuerdas que Descartes había señalado que «ideas claras y nítidas» en sí podían ser una garantía de que correspondiesen a algo que realmente existía.

—Como ya te he dicho antes, no suelo olvidarme de las cosas.

—Nos damos cuenta de que «Cielo» es una idea tremendamente compuesta. Mencionemos algunos elementos. En el Cielo hay un «portal de perlas», hay «calles de oro», «ángeles» a montones, etc., etc. Pero aún no hemos descompuesto todo en sus distintos componentes. Porque también «portal de perlas», «calles de oro» y «ángeles» son conceptos compuestos. Cuando finalmente podamos constatar que nuestra idea de Cielo consta de ideas simples como «perla», «portal», «calle», «oro», «figura vestida de blanco» y «alas», podremos preguntarnos si realmente hemos tenido las correspondientes «impresiones simples».

—Las hemos tenido. Pero mediante las tijeras y el pegamento hemos hecho de todas las «impresiones simples» una imagen soñada.

—Pues sí, así es. Porque precisamente cuando dormimos es cuando más tijeras y pegamento usamos. Pero Hume subrayó que todos esos materiales que usamos para componer imágenes soñadas tienen que haber entrado en la conciencia alguna vez como «impresiones simples». El que nunca haya visto oro tampoco podrá imaginarse una calle de oro.

—Era bastante listo. ¿Qué pasa con Descartes, que tenía una idea clara y nítida de Dios?

—También a esta pregunta Hume te ofrece una respuesta. Digamos que nos imaginamos a Dios como un ser infinitamente «inteligente, sabio y bueno». Tenemos, pues, una idea «compuesta» que consta de algo infinitamente inteligente, algo infinitamente sabio y algo infinitamente bueno. Si nunca hubiéramos conocido la inteligencia, la sabiduría y la bondad, nunca podríamos haber tenido tal concepto de Dios. Quizás también esté en nuestra idea de Dios el que sea un «padre severo pero justo», es decir, una idea compuesta por «padre», «severo» y «justo». Después de Hume, muchos críticos de la religión han señalado que el origen de esa idea de Dios puede encontrarse en cómo percibíamos a nuestro propio padre cuando éramos pequeños. La idea de un padre ha conducido a la idea de un «padre en el Cielo», se ha dicho.

—A lo mejor es verdad. Pero yo nunca he aceptado que Dios tenga que ser necesariamente un hombre. A veces mamá, para conservar el equilibrio, llama Diosa a Dios.

—Como ves, Hume quiere atacar todas aquellas ideas y pensamientos que no tienen su origen en su correspondiente sensación. Quiere «ahuyentar toda esa palabrería que durante tanto tiempo ha dominado el pensamiento metafísico y lo ha desprestigiado», dice. También a diario utilizamos conceptos compuestos sin pensar si son válidos. Esto se refiere por ejemplo a la idea de un «yo» o de un núcleo de personalidad. Pues esta idea constituía la mismísima base de la filosofía de Descartes; la clara y nítida idea sobre la que estaba edificada toda su filosofía.

—Espero que Hume no pretenda negar que yo soy yo. En ese caso se convierte en un mero charlatán.

—Sofía, hay una sola cosa que quiero que aprendas mediante este curso de filosofía, y es que no debes precipitarte en sacar conclusiones.

—Sigue.

—No, tú misma puedes emplear el método de Hume para analizar lo que consideras tu «yo».

—Entonces debo, ante todo, preguntarme si la idea del «yo» es una idea simple o compuesta.

—¿A qué respuesta llegas?

—Tengo que admitir que me siento bastante «compuesta». Por ejemplo, tengo muy mal genio. Y a veces me resulta difícil decidirme por algo. Además puede gustarme o disgustarme una misma persona.

—Entonces el concepto «yo» es una «idea compuesta».

—Vale. Ahora he de preguntarme si tengo una «impresión compuesta» correspondiente a mi propio «yo». La tendré. Supongo que la tengo constantemente.

—¿Hay algo que te hace dudar sobre este aspecto?

—Voy cambiando constantemente. No soy la misma hoy que cuando tenía cuatro años. Tanto mi humor como mi juicio sobre mí misma cambian de minuto en minuto. De vez en cuando ocurre que me siento como una «nueva persona».

—De modo que esa sensación de tener un núcleo inalterable de personalidad es falsa. La idea del «yo» es en realidad una larga cadena de impresiones simples que nunca has percibido *simultáneamente*. No es más que «un manojo o un montón de juicios diferentes que se suceden el uno al otro con una rápidez increíble, y que están constantemente en cambio y movimiento», dice Hume. La conciencia es «una especie de teatro donde aparecen los distintos juicios sucediéndose los unos a los otros; pasan, vuelven, se marchan y se mezclan en una infinidad de posturas y situaciones». Lo que quiere decir Hume es que no tenemos ninguna «personalidad» que esté detrás o debajo de tales juicios y estados de ánimo que van y vienen. Pasa como con las imágenes sobre la pantalla de cine. Como cambian tan deprisa, no notamos que la película está «compuesta por imágenes simples». Pero en realidad las «imágenes» no están conectadas la una con la otra. La película es realmente una suma de momentos.

—Creo que me resigno.

—¿Significa eso que renuncias a la idea de tener un núcleo de personalidad inalterable?

—Supongo que sí.

—Hace un momentito pensabas otra cosa. Debo añadir que el análisis de Hume de la conciencia humana y su negación de admitir que los hombres tengan un núcleo de personalidad inalterable, fue introducida casi 2.500 años antes en un lugar del planeta muy lejano.

—¿Por quién?

—Por *Buda*. Casi resulta escalofriante ver lo parecidas que son las formulaciones de los dos. Buda consideró la vida humana como una línea ininterrumpida de procesos mentales y físicos que cambian a cada momento. El bebé no es igual que el adulto, y yo no soy igual que ayer. De nada puedo decir «esto es mío», dijo Buda, y de nada puedo decir «esto soy yo». No existe, pues, ningún núcleo inalterable de personalidad.

—Sí, se parece muchísimo a Hume.

—En la extensión de la idea de un yo inalterable, muchos racionalistas también habían dado por sentado que el hombre tiene un «alma» inmortal.

—¿Pero también eso es una idea falsa?

—Según Hume y Buda, sí. ¿Sabes lo que dijo Buda a sus discípulos justo antes de morir?

—No, ¿cómo quieres que lo sepa?

—«Todo lo que es perecedero es compuesto», dijo. Quizás Hume hubiera podido decir lo mismo. Y también Demócrito. Al menos sabemos que Hume rechazó cualquier intento de probar la inmortalidad del alma o la existencia de Dios. No significa que excluyera la posibilidad de ninguna de las dos cosas, pero creer que se puede probar la fe religiosa con la razón humana, es un disparate para él. Hume no era cristiano, pero tampoco era un ateo convencido. Era lo que llamamos un *agnóstico*.

—¿Y eso qué significa?

—Un agnóstico es alguien que no sabe si existe un Dios. Cuando Hume recibió en su lecho de muerte la visita de un amigo, el amigo le preguntó si no creía en una vida después de la muerte. Se dice que Hume contestó: «También es posible que un trozo de carbón puesto al fuego no arda».

—¿Ah sí?

—La respuesta es típica de su falta total de prejuicios. Sólo aceptó como verdadero aquello sobre lo que tenía sensaciones seguras. Y mantuvo abiertas todas las demás posibilidades. No rechazó ni la fe en el cristianismo ni la fe en los milagros. Pero esas dos cosas tratan precisamente de *fe* y no de conocimiento o razón. Podríamos decir que la última conexión entre fe y razón fue disuelta mediante la filosofía de Hume.

—¿Has dicho que no rechazó los milagros?

—Pero eso no significa que creyera en los milagros, más bien al contrario. Suele señalar que la gente aparentemente tiene una gran necesidad de cosas que hoy en día llamaríamos sucesos «sobrenaturales» y que es curioso que todos los milagros de los que se habla sucedieran siempre en un lugar o tiempo muy lejanos. En ese sentido, Hume rechaza los milagros simplemente porque no los ha experimentado. Pero no rechaza que puedan ocurrir milagros.

—Esto me lo tendrás que explicar más a fondo.

—Un milagro es, según Hume, una ruptura con las leyes de la naturaleza. Pero no tiene sentido decir que hemos *percibido* las leyes de la naturaleza. Percibimos que una piedra cae al suelo cuando la soltamos y, si no hubiera caído, nos habría extrañado.

—Yo diría que, entonces, se habría producido un milagro, o algo sobrenatural.

—Entonces crees que existen dos naturalezas: una «naturaleza» en sí y una «sobrenaturaleza». ¿No crees que estás volviendo a las confusiones de los racionalistas?

—Tal vez, pero yo creo que la piedra caerá al suelo cada vez que se suelte.

—¿Por qué?

—¿Por qué tienes que ser tan desagradable?

—No soy desagradable, Sofía. Para un filósofo nunca es malo preguntar. Quizás estemos tocando ahora el aspecto más importante de la filosofía de Hume. Contéstame, ¿cómo puedes estar tan segura de que la piedra caerá siempre al suelo?

—Lo he visto tantas veces que estoy completamente segura.

—Hume diría que has experimentado muchas veces que una piedra cae al suelo. Pero no has experimentado que *siempre caerá*. Se suele decir que la piedra cae al suelo debido a la ley de la gravedad. Pero nunca hemos experimentado tal ley. Solamente hemos experimentado que las cosas caen.

—¿No es lo mismo?

—No del todo. Dijiste que crees que la piedra caerá al suelo porque lo has visto muchas veces. Y ése es el punto clave de Hume. Estás tan acostumbrada a que una cosa suceda a otra, que siempre esperas que ocurra lo mismo cuando intentas soltar una piedra. Así surgen las ideas sobre lo que llamamos *leyes inquebrantables de la naturaleza*.

—¿Pero cree él realmente que cabe la posibilidad de que una piedra no caiga al suelo?

—Estaría tan convencido como tú de que caerá al suelo cada vez que la suelte. Pero señaló que no ha percibido *por qué* cae.

—¿No nos hemos vuelto a alejar un poco de los niños y de las flores?

—No, al contrario. Se puede muy bien utilizar a los niños como testigos de la verdad de Hume. ¿Quién, en tu opinión, se sorprendería más al ver una piedra quedarse una hora o dos flotando en el aire, un niño de un año o tú?

—Me sorprendería más yo.

—¿Por qué, Sofía?

—Probablemente porque yo entiendo mejor que el niño lo antinatural que sería.

—¿Y por qué el niño no entendería lo antinatural que sería?

—Porque aún no ha aprendido cómo es la naturaleza.

—O porque aún no ha habido tiempo para que, para él, la naturaleza se convierta en un *hábito*.

—Entiendo lo que quieres decir. Hume quería que la gente agudizara sus sentidos.

—Te pondré el siguiente ejercicio, Sofía. Si un niño pequeño y tú presenciáis el espectáculo de un gran prestidigitador que, por ejemplo, hace volar cosas por el aire, ¿quién se divertiría más durante el rato que dure el espectáculo?

—Creo que yo me divertiría más.

—¿Y por qué?

—Porque yo habría entendido lo improbable que era el que eso sucediese.

—De acuerdo. Porque el niño no encuentra ninguna satisfacción en ver la anulación de las leyes de la naturaleza antes de haberlas aprendido a conocer.

—Así se puede expresar, sí.

—Y seguimos en el núcleo de la «filosofía de la percepción» de Hume. Él habría añadido que el niño no es aún esclavo de las expectativas. El niño es el que tiene menos prejuicios de los dos. También puede ser que el niño sea mejor filósofo. Porque el niño no tiene opiniones preestablecidas. Y eso, Sofía, es la mayor virtud del filósofo. El niño percibe el mundo tal como es, sin añadir a las cosas más de lo que simplemente percibe.

—Me fastidia mucho cada vez que me siento predispuesta contra algo.

—Cuando Hume discute el poder del hábito, se concentra en la *ley causa-efecto*. Esa ley dice que todo lo que ocurre tiene que tener una causa. Hume usa como ejemplo dos bolas de billar. Si tiras una bola de billar negra contra una bola de billar blanca que está en reposo, ¿qué ocurre entonces con la bola blanca?

—Si la bola negra toca la blanca, la blanca comienza a moverse.

—De acuerdo, y ¿por qué?

—Porque ha sido golpeada por la bola negra.

—En este caso se suele decir que el golpe de la bola negra es la *causa* de que la bola blanca se ponga en marcha. Pero hay que recordar que sólo tenemos derecho a expresar algo con seguridad si lo hemos percibido.

—De hecho, yo lo he percibido un montón de veces. Porque Jorunn tiene una mesa de billar en el sótano.

—Hume dice que lo único que has percibido es que la bola negra toca la blanca y que a continuación la bola blanca empieza a rodar sobre la mesa. No has percibido la causa en sí de que la bola blanca empiece a rodar. Has percibido que un suceso sigue a otro en el tiempo, pero no has percibido que el segundo suceso ocurra *a causa del* primero.

—¿No es eso un poco sutil?

—No, es importante. Hume subraya que la expectación de que lo uno siga a lo otro no está en los mismos objetos, sino en nuestra conciencia. Y la expectación tiene que ver con el hábito, como ya hemos visto. De nuevo podemos utilizar el ejemplo del niño pequeño. Él no se habría sorprendido si una bola hubiese tocado la otra y las dos bolas se hubiesen quedado quietas. Cuando hablamos de «leyes de la naturaleza» o «causa y efecto», hablamos en realidad del hábito de las personas y no de lo «racional». Las leyes de la naturaleza no son ni racionales ni irracionales, simplemente son. Esto significa que la expectación de que la bola blanca de billar se ponga en marcha al ser alcanzada por la negra no es innata. No nacemos con una serie de expectativas sobre cómo es el mundo o cómo se comportan las cosas del mundo. El mundo es como es, esto es algo que vamos percibiendo poco a poco.

—Vuelvo a tener la sensación de que esto no puede ser tan importante.

—Puede ser importante si la expectación creada nos hace sacar conclusiones precipitadas. Hume no niega que haya «leyes inquebrantables de la naturaleza», pero debido a que no somos capaces de percibir las leyes en la naturaleza en sí, corremos el riesgo de sacar conclusiones demasiado rápidamente.

—¿Puedes ponerme algún ejemplo?

—Aunque yo vea una manada entera de caballos negros no significa que todos los caballos sean negros.

—En eso evidentemente tienes razón.

—Y aunque durante toda mi vida sólo haya visto cuervos negros, no significa que no pueda haber un cuervo blanco. Es muy importante tanto para el filósofo como para el científico no rechazar la posibilidad de que exista un cuervo blanco. Casi podríamos decir que la búsqueda del «cuervo blanco» es la tarea más importante de la ciencia.

—Entiendo.

—En cuanto a la relación entre causa y efecto puede que muchos piensen que el relámpago es la causa del trueno, porque el trueno siempre viene después del relámpago. Este ejemplo no es muy distinto al de las dos bolas de billar. ¿Pero es en realidad así? ¿Es el relámpago la causa del trueno?

—No del todo, porque en realidad hay truenos y relámpagos a la vez.

—Porque tanto el relámpago como el trueno se producen debido a una descarga eléctrica. Aunque siempre percibimos que el trueno llega después del relámpago, no significa que el relámpago sea la causa del trueno. En realidad, hay un tercer factor que lo desencadena.

—Comprendo.

—Un empirista de nuestro siglo, *Bertrand Russell*, ha dado un ejemplo muy grotesco. Un pollito que todos los días percibe que el encargado de las gallinas cruza el patio, acabará por sacar la conclusión de que hay una relación causal entre el hecho de que el encargado cruce el patio y que la comida llegue al plato.

—¿Y si un día no dan de comer al pollito?

—Un día el encargado cruza el patio y degolla al pollito.

—¡Qué horrible!

—El que algo se suceda en el tiempo no significa necesariamente que se trate de una relación causa-efecto. Una de las misiones principales de los filósofos es la de advertir a la gente que no saque conclusiones demasiado precipitadamente. De hecho, algunas de éstas han dado origen a muchas formas de superstición.

—¿Cómo?

—Ves un gato negro que cruza el camino. Un poco más tarde, ese día, te caes y te rompes el brazo. Pero no significa que haya ninguna relación causal entre esos dos sucesos. Sobre todo es importante no sacar conclusiones precipitadas en un contexto científico. Aunque mucha gente se cure después de haber tomado una determinada medicina, no significa que sea la medicina la que los haya curado. Así pues, es preciso contar con un gran grupo de personas que crean que reciben la misma medicina, pero que en realidad sólo están tomando harina y agua. Si también estas personas se curan, tiene que haber un tercer factor, por ejemplo la fe en la medicina que las ha curado.

—Creo que empiezo a entender lo que se quiere decir con empirismo.

—También en lo que se refiere a la ética y la moral, Hume se rebeló contra el pensamiento racionalista. Los racionalistas habían opinado que es inherente a la razón del hombre el saber distinguir entre el bien y el mal. Esta idea del llamado derecho natural está presente en muchos filósofos desde Sócrates hasta Locke. Pero según Hume, no es la razón la que decide lo que decimos y lo que hacemos.

—¿Entonces qué es?

—Son nuestros *sentimientos*. Si te decides a ayudar a alguien necesitado de ayuda, son tus sentimientos, no tu razón, lo que te pone en marcha.

—¿Y si no me da la gana ayudar?

—También en ese caso son tus sentimientos los que deciden. No es ni sensato ni insensato no ayudar a alguien que necesite ayuda, pero puede ser vil.

—Pero en algún sitio habrá un límite. Todo el mundo sabe que no está bien matar a otra persona.

—Según Hume todo el mundo tiene cierto sentimiento hacia el bien de los demás. Tenemos la capacidad de mostrar compasión. Pero todo esto no tiene nada que ver con la razón.

—No sé si estoy de acuerdo en eso.

—No resulta siempre irrazonable quitar de en medio a una determinada persona, Sofía. Si uno desea conseguir algo, puede resultar incluso bastante útil.

—¡Por favor! ¡Protesto!

—Entonces intenta explicar por qué no se debe matar a una persona molesta.

—También el otro ama la vida. Por eso no puedes matarle.

—¿Es ésa una prueba lógica?

—No lo sé.

—Partiendo de una *frase descriptiva*, «también el otro ama la vida», has llegado a lo que llamamos una *frase normativa*, «por eso no debes matarlo». En un sentido racional esto es un disparate. Podrías igualmente decir «hay mucha gente que comete fraude fiscal, por eso yo también debo cometer fraude fiscal». Hume señaló que nunca se debe partir de frases de «es» para llegar a frases de «debe». Y sin embargo esto es muy corriente, sobre todo en artículos periodísticos, programas de partidos políticos y discursos parlamentarios. ¿Quieres que te ponga algún ejemplo?

—Me encantaría.

—«Cada vez hay más gente que desea viajar en avión. Por eso deben construirse más aeropuertos.» ¿Te parece sostenible esta conclusión?

—No, es una tontería. También debemos pensar en el medio ambiente. Yo pienso que deberíamos construir más tramos de ferrocarril.

—O se dice: «La explotación de nuevos campos petrolíferos aumentará el nivel de vida del país en un 10 %. Por eso debemos desarrollar cuanto antes nuevos campos petrolíferos».

—Tonterías. También en este tema tenemos que pensar en el medio ambiente. Además el nivel de vida noruego es lo suficientemente alto.

—A veces se dice que «esta ley ha sido aprobada por el Parlamento, por eso todos los ciudadanos deben cumplirla». Pero muchas veces seguir tales «leyes aprobadas» va en contra de las convicciones más íntimas de una persona.

—Entiendo.

—Hemos señalado que no podemos probar con la razón cómo debemos actuar. Actuar responsablemente no equivale a agudizar la razón, sino a agudizar los sentimientos que uno tiene hacia los demás. «No va en contra de la razón el preferir la destrucción del mundo entero a tener un rasguño en un dedo», dijo Hume.

—Qué postulado más odioso.

—Quizás resulte aún más siniestro confundir los conceptos. Sabes que los nazis mataron a millones de judíos. Dirías que algo anduvo mal en la razón de esa gente o en sus emociones.

—Ante todo en sus sentimientos.

—Muchos de ellos también tenían la cabeza muy despejada, lo que demuestra que, en muchos casos, puede haber un cálculo tremendamente frío detrás de las decisiones crueles e insensibles. Después de la guerra, muchos nazis fueron condenados, pero no porque hubieran sido «irracionales», sino porque habían sido «crueles». De hecho, sucede que se absuelve a gente que no ha tenido la mente despejada en el momento de cometer un crimen. Entonces se dice que han actuado en un «momento de enajenación mental». Nunca se absuelve a alguien por haber carecido de sentimientos.

—¡Faltaría más!

—Tampoco hace falta ir a los ejemplos más grotescos. Si una catástrofe natural como una inundación, por ejemplo, provoca que mucha gente necesite ayuda, son los sentimientos los que deciden si vamos a acudir o no. Si hubiéramos sido insensibles, dejando la decisión a la «fría razón», quizás habríamos pensado que convendría que se murieran unos cuantos millones de personas en un mundo que está amenazado de sobrepoblación.

—Es terrible que alguien pueda pensar así.

—No es tu razón la que se enfada.

—Basta.

Berkeley

...como un planeta mareado alrededor
de un sol en llamas...

Alberto se levantó y se dirigió a la ventana que daba a la ciudad. Sofía se puso a su lado.

Estando así, un pequeño avión de hélices irrumpió en al aire, volando bajo sobre los tejados. De la avioneta colgaba una cinta en la que ponía: «¡FELICIDADES, HILDE!, EN TU DECIMOQUINTO CUMPLEAÑOS».

—Qué pesado —fue el comentario de Alberto.

Desde las colinas en el sur bajaban nubes oscuras sobre la ciudad. La avioneta desapareció en una de las nubes.

—Me temo que va a haber tormenta —dijo Alberto.

—Entonces cogeré el autobús para ir a casa.

—Espero que no sea ese mayor el que esté detrás de la tormenta también.

—¿Pero no puede ser omnipotente, no?

Alberto no contestó. Cruzó la habitación y se volvió a sentar junto a la mesita.

—Tenemos que hablar un poco de Berkeley —dijo al cabo de un rato.

Sofía ya se había sentado. Se dio cuenta de que había empezado a morderse las uñas.

—*George Berkeley* fue un obispo irlandés que vivió de 1685 a 1753 —comenzó Alberto, sin luego continuar.

—Sí, Berkeley fue un obispo irlandés —repitió Sofía.

—Pero también era filósofo...

—¿Sí?

—Él sentía que la filosofía y la ciencia de la época estaban amenazando los conceptos cristianos de la vida, y que ese materialismo cada vez más dominante era una amenaza contra la fe cristiana en que es Dios quien crea y conserva todo lo que hay en la naturaleza.

—¿Sí?

—Al mismo tiempo Berkeley fue el empirista más consecuente de todos.

—¿También opinaba que no podemos saber nada más del mundo que lo que percibimos a través de nuestros sentidos?

—Y más que eso. Berkeley opinaba que las cosas en el mundo son precisamente como las sentimos, pero que no son «cosas».

—Explícame eso, por favor.

—Recordarás que Locke había señalado que no podemos pronunciarnos sobre las «cualidades secundarias» de las cosas. No podemos decir que una manzana *es* verde o *está* ácida. Son impresiones de nuestros sentidos. Pero Locke también había dicho que las «cualidades primarias», tales como firmeza, peso, solidez, pertenecen realmente al mundo exterior, lo cual quiere decir que la realidad exterior tiene una «sustancia» física.

—Sigo teniendo buena memoria. Creo recordar además que Locke señalaba una importante distinción.

—Bueno, Sofía, ojalá fuera así.

—¡Sigue!

—Locke opinaba, igual que Descartes y Spinoza, que el mundo físico es una realidad.

—Sí, ¿y...?

—Precisamente eso es lo que Berkeley pone en duda, y lo hace practicando un empirismo consecuente. Dijo que lo único que existe es lo que nosotros percibimos. Pero no percibimos la «materia». No percibimos que las cosas son «cosas» concretas. El presumir que aquello que percibimos tiene una «sustancia» propia, es saltar demasiado rápido a la conclusión. No tenemos en absoluto ninguna base de experiencia para hacer tal aseveración.

—¡Tonterías! ¡Mira esto!

Sofía golpeó la mesa con el puño.

—¡Ay! —exclamó, porque se golpeó muy fuerte—. ¿No prueba esto suficientemente que la mesa es una mesa real y material?

—¿Qué sentiste?

—Sentí algo duro.

—Has tenido una clara sensación de algo duro, pero no sentiste la *materia* de la mesa. De la misma manera puedes soñar que te das contra algo duro, pero dentro del sueño no hay nada duro, ¿verdad que no?

—En el sueño no.

—Además se puede sugestionar a una persona para que «sienta» esto y aquello. Se puede hipnotizar a una persona y hacerle sentir calor y frío, caricias suaves y golpes duros.

—Pero si la propia mesa es la que era dura, ¿entonces qué fue lo que me hizo sentir que lo era?

—Berkeley pensaba que era «una voluntad o un espíritu». Pensaba que todas nuestras ideas tienen una causa fuera de nuestra propia conciencia, pero esta causa no es de naturaleza material, sino espiritual.

Sofía había vuelto a morderse las uñas. Alberto prosiguió.

—Según Berkeley, mi propia alma puede ser la causa de mis propias ideas, como cuando sueño, pero solamente otra voluntad o espíritu puede ser la causa de aquellas ideas que constituyen nuestro mundo «material». Todo «se debe al espíritu que causa "todo en todo" y gracias a lo cual "todas las cosas subsisten"», dijo.

—¿Qué clase de «espíritu» sería ése?

—Berkeley piensa evidentemente en Dios. Dijo que «incluso podemos afirmar que la existencia de Dios se percibe mucho más nítidamente que la existencia de los hombres».

—¿Ni siquiera es seguro que nosotros existamos?

—Bueno... Todo lo que vemos y sentimos es una «consecuencia de la fuerza de Dios», dijo Berkeley. Porque Dios está «íntimamente presente en nuestra conciencia y suscita en ella toda esa multitud de ideas y sensaciones a las que estamos constantemente expuestos». Toda la naturaleza que nos rodea y toda nuestra existencia reposan por lo tanto en Dios. Él es la única causa de todo lo que hay.

—Estoy más bien asombrada.

—«Ser o no ser» no es, pues, toda la cuestión. Otra cuestión es *qué* somos. ¿Somos personas reales? ¿Nuestro mundo está compuesto por cosas verdaderas, o estamos rodeados de conciencia?

Una vez más Sofía empezó a morderse las uñas. Alberto prosiguió.

—Berkeley no sólo duda de la realidad material. También duda de que el «tiempo» y el «espacio» tengan una existencia absoluta o independiente. También nuestra vivencia del tiempo y del espacio puede ser algo que sólo se encuentre en nuestra conciencia. Una semana o dos para nosotros no tiene por qué ser una semana o dos para Dios...

—Dijiste que «para Berkeley» ese espíritu en el que todo reposa, es el Dios cristiano.

—Lo habré dicho. Pero para nosotros...

—¿Sí?

—...para nosotros esa «voluntad o espíritu» que causa «todo en todo» también podría ser el padre de Hilde.

Sofía se quedó muda. Su cara era como un signo de interrogación. Al mismo tiempo se dio cuenta de repente de algo.

—¿Tú crees?

—No veo otra posibilidad. Quizás sea la única explicación posible de todo lo que nos ha pasado. Me refiero a todas esas postales y peticiones que han ido surgiendo por tantos sitios. Pienso en que Hermes ha comenzado a hablar, y pienso en mis propios lapsus.

—Yo...

—Fíjate, llamarte Sofía, Hilde. ¡Como si no supiera que no te llamas Sofía!

—¿Pero qué dices? Creo que te estás mareando.

—Sí, todo está dando vueltas, hija mía, como un planeta mareado alrededor de un sol en llamas.

—¿Y ese sol es el padre de Hilde?

—Se podría decir así, sí.

—¿Quieres decir que ha sido como una especie de Dios para nosotros?

—Sin modestia, sí. ¡Pero debería darle vergüenza!

—¿Y qué pasa con Hilde?

—Ella es un ángel, Sofía.

—¿Un ángel?

—Hilde es aquella a la que se dirige el «espíritu».

—¿Quieres decir que Albert Knag nos está hablando de Hilde?

—O escribiendo sobre nosotros. Porque no podemos percibir la sustancia de la que nuestra realidad está hecha, eso ya lo sabemos. No podemos saber si nuestra realidad exterior está hecha de ondas de sonido o de papel y escritura. Según Berkeley sólo podemos saber que somos espíritu.

—Y Hilde es un ángel...

—Es un ángel, así es. Dejémoslo ahí. Felicidades, Hilde.

La habitación se llenó de una luz azulada. Unos instantes después se oyó un fuerte trueno que sacudió la casa.

Alberto se quedó sentado con la mirada fija en algo muy lejano.

—Tengo que irme a casa —dijo Sofía. Se levantó y se precipitó hacia la salida. En el momento de salir por la puerta, Hermes, que había estado durmiendo bajo el perchero, se despertó y fue como si dijera algo de despedida:

—Hasta pronto, Hilde.

Sofía bajó corriendo la escalera y salió a la calle. No había nadie. De repente comenzó a llover a cántaros.

Un par de coches pasaron por el asfalto mojado, pero Sofía no veía ningún autobús. Cruzó la Plaza Mayor corriendo. En su cabeza sólo había un pensamiento.

Mañana es mi cumpleaños, pensó. ¿No resultaba demasiado penoso tener que reconocer que la vida es un sueño justo el día antes de cumplir quince años? Era como soñar que te tocaban diez millones en la lotería y de repente, justo antes del gran sorteo, darte cuenta de que todo había sido un sueño.

Sofía cruzó corriendo el campo de deportes mojado. De repente se dio cuenta de que una persona venía corriendo hacia ella. Era su madre. Los rayos reventaron el cielo repetidamente.

Cuando se encontraron las dos, la madre la abrazó.

—¿Qué es lo que nos está sucediendo, mi pequeña?

—No lo sé —contestó Sofía llorando—. Es como una pesadilla.

Bjerkely

...un viejo espejo mágico que la bisabuela había comprado a una gitana...

Hilde Møller Knag se despertó en la buhardilla de la vieja villa en las afueras de la pequeña ciudad de Lillesand. Miró el reloj. Sólo eran las seis, y sin embargo era totalmente de día. Una ancha franja de sol matutino cubría ya casi toda la pared.

Salió de la cama y se acercó a la ventana tras haber arrancado una hoja del calendario que había sobre el escritorio. Jueves 14 de junio de 1990. Hizo una bolita con la hoja y la tiró a la papelera.

Viernes 15 de junio de 1990, ponía ya muy claramente en el calendario. Ya en enero había escrito «QUINCE AÑOS» en esta hoja. Le pareció especialmente significativo cumplir quince años el día quince. ¡Eso no volvería a sucederle nunca!

¡Quince años! ¿No sería ése el primer día de su vida de «adulta»? No podía volverse a la cama como si nada. Además, era el último día de colegio antes de las vacaciones. Hoy sólo tenían que ir a la iglesia a la una. Y había algo más: dentro de una semana volvería papá del Líbano. Había prometido estar en casa para San Juan.

Hilde se colocó junto a la ventana y miró el jardín y el muelle y la pequeña caseta donde se guardaba la barca. Aún no habían sacado la barca de motor, pero el viejo bote estaba amarrado en el muelle. Tenía que acordarse de achicar el agua después de la fuerte lluvia de anoche.

Mirando la pequeña bahía se acordó de pronto de que una vez, cuando tenía seis o siete años, se metió en el bote y se fue remando sola hacia el mar. Luego se cayó al agua y a duras penas pudo llegar a la playa. Calada hasta los huesos subió por los matorrales. Cuando por fin estuvo en el jardín, delante de la casa, su madre llegó corriendo. El bote y los dos remos se habían quedado flotando en el agua. Todavía soñaba de vez en cuando con el bote abandonado flotando allí fuera solo. Había sido una experiencia humillante.

El jardín no era especialmente frondoso, ni estaba especialmente bien cuidado, pero era grande y era de Hilde. Un manzano doblado por el viento y unos pocos frambuesos que casi no tenían frutos habían sobrevivido a duras penas a los fuertes temporales del invierno.

Entre matorrales y piedras estaba el viejo balancín en el pequeño trozo de césped. Tenía un aspecto un poco triste, tan solo en la fuerte luz de la mañana. Parecía aún más triste porque habían recogido los cojines. Habría sido mamá anoche, para ponerlos a salvo de la tormenta.

Todo el gran jardín estaba rodeado de abedules. Así, quedaba al menos protegido de los fuertes golpes de viento. Estos abedules fueron los que dieron el nombre de «Bjerkely» a la finca hacía más de cien años.

El bisabuelo de Hilde había construido la casa justo antes del cambio de siglo. Fue capitán en uno de los últimos grandes veleros. Todavía hoy había mucha gente que conocía la casa como «Villa del Capitán».

Esa mañana en el jardín había huellas de la fortísima lluvia de la noche anterior. Hilde se había despertado varias veces por los truenos. Ahora no se veía ni una sola nube.

Todo parecía muy fresco tras esos chaparrones de verano. Las últimas semanas habían sido secas y calurosas, los abedules tenían ya un feo tono amarillo en la capa exterior de las hojas. Ahora era como si el mundo estuviera recién lavado. Hilde tenía además la sensación de que toda su infancia había desaparecido con la tormenta de la noche anterior.

«Claro que duele cuando brota...» ¿Era una poetisa sueca la que había dicho algo así? ¿O quizás finlandesa?

Hilde se puso delante del gran espejo de latón que colgaba encima de la vieja cómoda que perteneció a su abuela.

¿Era guapa? Al menos no era muy fea. No era ni guapa ni fea.

Tenía el pelo rubio y largo. A Hilde le hubiera gustado tener un pelo un poco más rubio o un poco más oscuro. Así, ni lo uno ni lo otro, resultaba un poco soso. En la parte positiva anotó sus rizos. Muchas de sus amigas se rizaban el pelo, pero los rizos de Hilde eran naturales. Anotó también en la parte positiva los ojos verdes, muy verdes, por cierto. «Son verdaderamente verdes», solían decir sus tíos y tías mirándola fijamente.

Hilde se preguntó si esa imagen que estaba estudiando era el reflejo de una chica o de una mujer joven. Llegó a la conclusión de que no era ni lo uno ni lo otro. Su cuerpo tenía algo de mujer, pero su cara parecía una manzana sin madurar.

Este viejo espejo tenía algo que a Hilde siempre le hacía pensar en su padre. Antes había estado colgado abajo en el estudio. El estudio era la biblioteca, lugar de retiro y cuarto de poeta de su padre, situado encima de la caseta de la barca. Albert, como le llamaba Hilde cuando él estaba en casa, siempre había soñado con escribir algo grande. Una vez había intentado escribir una novela, pero todo quedó en el intento. De vez en cuando publicaba algún poema o esbozo sobre la costa en el periódico local. A Hilde le enorgullecía casi tanto como a él ver el nombre de su padre impreso: ALBERT KNAG. Al menos en Lillesand era un nombre que tenía cierta resonancia. También el bisabuelo se había llamado Albert.

Volvió a pensar en el espejo. Hace muchos años su padre había bromeado diciendo que era posible guiñarse un ojo a sí mismo en un espejo, pero que no se podía uno guiñar a sí mismo los dos ojos a la vez. La única excepción era este espejo de latón, porque era un viejo espejo mágico que la bisabuela había comprado a una gitana, poco después de casarse.

Hilde lo había intentado muchas veces, pero era tan difícil guiñarse los dos ojos a la vez como intentar alejarse de su propia sombra. Al final le habían regalado a ella el viejo tesoro heredado. Durante toda su infancia había vuelto de vez en cuando a intentar lo imposible.

No era de extrañar que hoy estuviera un poco pensativa. Tampoco era de extrañar que hoy se sintiera un poco egocéntrica. Quince años...

Hasta ese momento no había mirado la mesilla de noche. ¡Había un gran paquete! Envuelto en un precioso papel azul celeste y con cinta roja de seda. ¡Tenía que ser un regalo de cumpleaños!

¿Sería *el* regalo? ¿Podría ser el gran REGALO de papá, ese que había estado envuelto en tanto misterio? Papá había hecho un montón de extrañas insinuaciones en las postales. Pero se había «impuesto a sí mismo una severa censura».

El regalo era algo que «crecía y crecía», había dicho en una postal. Luego había insinuado algo sobre una chica a la que pronto conocería, y a la que le había mandado copia de todas las postales. Hilde había intentado preguntárselo a su madre, pero ella tampoco tenía ni idea.

Lo más raro de todo fue un comentario acerca del regalo sobre que tal vez «pudiera compartirse con otras personas». Por algo trabajaba para las Naciones Unidas. Una de las ideas fijas —tenía muchas— del padre de Hilde era que las Naciones Unidas deberían tener una especie de responsabilidad de gobierno sobre todo el mundo. «Ojalá las Naciones Unidas logren algún día unir a la humanidad», había escrito en una de las postales.

¿Podría abrir el paquete antes de que mamá subiera con panecillos y bebida, el regalo y las banderitas? Suponía que sí, pues si no, no lo habrían dejado en su mesilla.

Hilde cruzó el cuarto de puntillas y cogió el paquete de la mesilla. ¡Pesaba un montón! Encontró una tarjetita: «A Hilde, en su decimoquinto cumpleaños, de papá».

Se sentó en la cama y comenzó a quitar cuidadosamente la cinta roja. Luego quitó el papel.

¡Era una carpeta grande de anillas!

¿Ése era el regalo? ¿Ése era el regalo del que tanto se había hablado? ¿Ése era el regalo que había «crecido y crecido» y que además podía compartirse con otros?

Una rápida ojeada reveló que la carpeta estaba llena de hojas escritas a máquina. Hilde conocía el tipo de letra de la máquina de escribir que papá se había llevado al Líbano.

¿Le había escrito un libro entero?

En la primera hoja ponía con letras mayúsculas escritas a mano: *EL MUNDO DE SOFÍA*.

Un poco más abajo en la página ponía escrito a máquina:

LO QUE ES EL SOL PARA LA TIERRA NEGRA,
LA VERDADERA ILUSTRACIÓN LO ES PARA
[EL AMIGO DE LA TIERRA.

N. F. S. Grundtvig[12]

Hilde pasó la hoja. En la parte superior de la siguiente página comenzaba el primer capítulo, cuyo título era: «El jardín del Edén». Se acomodó en la cama, apoyó la carpeta contra las rodillas y comenzó a leer.

Sofía Amundsen volvía a casa después del instituto. La primera parte del camino la había hecho en compañía

---

[12] N. F. S. Grundtvig, pastor, poeta y hombre público danés, gran defensor de «dar educación al pueblo». *(N. de las T.)*

de Jorunn. Habían hablado de robots. Jorunn opinaba que el cerebro humano era como un sofisticado ordenador. Sofía no estaba muy segura de estar de acuerdo. Un ser humano tenía que ser algo más que una máquina.

Hilde continuó leyendo, y pronto se olvidó de todo. Se olvidó incluso de que era su cumpleaños. No obstante, de vez en cuando un pensamiento lograba meterse entre las líneas de lo que estaba leyendo.

¿Papá había escrito una novela? ¿Por fin se había puesto a escribir su gran novela? ¿La había acabado en el Líbano? Se había quejado muchas veces de que el tiempo se hacía muy largo en aquellas latitudes.

También el padre de Sofía estaba viajando. ¿Sería ella la chica a la que Hilde conocería...?

Cuando había conseguido tener una fuerte sensación de que un día desaparecería del todo, entendía realmente lo enormemente valiosa que es la vida... ¿De dónde viene el mundo?... Al fin y al cabo, algo tuvo que surgir en algún momento de donde no había nada de nada. ¿Pero era eso posible? ¿No resultaba eso tan imposible como pensar que el mundo había existido siempre?

Hilde seguía leyendo. Confundida, daba saltos en la cama cuando leía que Sofía Amundsen recibía postales del Líbano. «Hilde Møller Knag c/o Sofía Amundsen, Camino del Trébol, 3...»

Querida Hilde. Te felicito de corazón en tu decimoquinto cumpleaños. Como puedes ver, quiero hacerte un regalo con el que podrás crecer. Perdóname por enviar la postal a Sofía. Resulta más fácil así. Con todo cariño, papá.

¡Ese granuja! Hilde siempre había pensado que papá era

un tunante, pero ahora se había superado a sí mismo. En lugar de adjuntar esta postal al paquete la había incorporado al mismo libro-regalo.

Pero la pobre Sofía estaba totalmente confusa.

¿Por qué un padre iba a enviar una felicitación a la dirección de Sofía cuando estaba clarísimo que iba destinada a otra persona? ¿Qué padre privaría a su hija de la ilusión de recibir una tarjeta de cumpleaños enviándola a otras señas? ¿Por qué resultaba «más fácil así»? Y ante todo: ¿cómo encontraría a Hilde?

Exactamente, ¿cómo iba a hacerlo?

Hilde dio la vuelta a la página y comenzó a leer el segundo capítulo. Se titulaba «El sombrero de copa». Luego venía una larga carta que la misteriosa persona había escrito a Sofía. Hilde contuvo el aliento.

Interesarse por el por qué vivimos no es, por lo tanto, un interés tan fortuito o tan casual como, por ejemplo, coleccionar sellos. Quien se interesa por cuestiones de ese tipo está preocupado por algo que ha interesado a los seres humanos desde que viven en este planeta. El cómo ha nacido el universo, el planeta y la vida aquí...

«Sofía se sentía agotada.» Así se sentía también Hilde. Papá no sólo le había escrito un libro para su decimoquinto cumpleaños, sino que había escrito un libro extraño y misterioso.

Un breve resumen: se puede sacar un conejo blanco de un sombrero de copa vacío. Dado que se trata de un conejo muy grande, este truco dura muchos miles de millones de años. En el extremo de los finos pelillos de su piel nacen todas las criaturas humanas. De esa manera son capaces de asombrarse por el imposible arte de la magia. Pero conforme se van haciendo mayores, se adentran cada vez más en la piel del conejo, y allí se quedan...

No sólo era Sofía la que tenía la sensación de encontrarse en un lugar muy dentro de la piel del conejo blanco. Hoy Hilde cumplía quince años. También tuvo la sensación de que había llegado la hora de decidir por qué camino seguiría gateando hacia arriba.

Leyó acerca de todos los filósofos de la naturaleza. Hilde sabía que su padre se interesaba por la filosofía. Había escrito en el periódico que la filosofía debería ser una asignatura más en la escuela. «¿Por qué se debe incluir la asignatura de filosofía en el nuevo plan de estudios?», se titulaba el artículo. Papá también había sacado el tema en una reunión de padres de la clase de Hilde. A ella le había dado mucha vergüenza.

Miró el reloj. Eran las siete y media. Afortunadamente, su madre tardaría otra hora en subir con la bandeja del cumpleaños; en ese momento no había nada que le interesara más que Sofía y todas aquellas preguntas filosóficas. Leyó el capítulo que se titulaba «Demócrito». Primero se planteaba a Sofía una pregunta para que la meditara: ¿por qué las piezas del lego son el juguete más genial del mundo? Luego encontró un «sobre amarillo grande» en el buzón.

Demócrito estaba de acuerdo con sus predecesores en que los cambios en la naturaleza no se debían a que las cosas realmente «cambiaran». Suponía, por lo tanto, que todo tenía que estar construido por unas piececitas pequeñas e invisibles, cada una de ellas eterna e inalterable. A estas piezas más pequeñas Demócrito las llamó *átomos*.

Hilde se indignó al leer que Sofía encontró su pañuelo rojo de seda debajo de la cama. ¡Conque ése era el camino que había tomado su pañuelo! ¿Pero cómo puede desaparecer un pañuelo simplemente para entrar en un cuento? Tendría que estar también en otro sitio.

El capítulo sobre Sócrates comenzó cuando Sofía leyó «unas líneas sobre el batallón noruego de las Naciones Unidas en el Líbano» en un periódico. ¡Típico de su padre! Le obsesionaba mucho que los noruegos no mostraran más interés por la labor de paz llevada a cabo por los cascos azules de las Naciones Unidas. Si a nadie más le interesaba, por lo menos debía interesarle a Sofía. De esta manera papá se inventaba una especie de atención por parte de los medios de comunicación.

No pudo evitar una sonrisita al leer una «P. D.» en la carta del profesor de filosofía a Sofía:

Si encontraras un pañuelo rojo de seda, ruego lo guardes bien. De vez en cuando, objetos de este tipo se cambian por error en colegios y lugares así, y ésta es una escuela de filosofía.

Hilde oyó ruidos en la escalera. Seguramente era su madre que venía con la bandeja del cumpleaños. Antes de que llamara a la puerta, Hilde tuvo tiempo de leer que Sofía había encontrado en el lugar secreto del jardín la cinta de vídeo de Atenas.

—¡Cumpleaños feliz, cumpleaños feliz, te deseo querida Hilde, cumpleaños feliz! —mamá empezó a cantar ya en la escalera.

—Adelante —dijo Hilde, mientras leía que el profesor de filosofía había empezado a hablar a Sofía directamente desde la Acrópolis. Era casi idéntico al padre de Hilde, con la «barba negra muy aseada» y la boina azul.

—¡Felicidades, Hilde!

—Hmm...

—Pero, Hilde, ¿qué te pasa?

—Ponlo allí si quieres.

—¿No vas a...?

—¿No ves que estoy ocupada?

—¡Pensar que tienes ya quince años!

—¿Has estado en Atenas, mamá?

—No, ¿por qué?

—Es curioso que los viejos templos aún estén allí. Tienen 2.500 años. El más grande se llama «Morada de la Virgen».

—¿Has abierto el regalo de papá?

—¿Qué regalo?

—Por favor, Hilde, levanta la vista de una vez. Estás como enloquecida.

Hilde dejó caer la carpeta sobre sus rodillas.

Su madre se inclinó sobre la cama. En la bandeja traía una vela encendida, panecillos con mantequilla y una Fanta. También había un paquetito en la bandeja.

—Mil gracias, mamá. Eres un encanto, pero, ¿sabes?, no tengo mucho tiempo.

—Pero si no tienes que estar en la iglesia hasta la una.

Por fin Hilde se dio cuenta de verdad de dónde estaba, y por fin la madre puso la bandeja en la mesilla.

—Perdóname, estaba completamente absorta en esto.

Señaló la carpeta y prosiguió:

—Es de papá...

—¿Qué es lo que ha escrito? Yo estaba tan ilusionada como tú. Y no he podido sacarle a tu padre una palabra sensata en meses.

Por alguna razón Hilde se sintió de pronto un poco tímida.

—Ah, es sólo un cuento.

—¿Un cuento?

—Sí, un cuento. Y luego un libro de filosofía. Bueno, algo así.

—¿No vas a abrir mi paquete?

Hilde no podía establecer diferencias entre sus padres, de modo que también desenvolvió el paquete de la madre. Era una pulsera de oro.

—¡Qué preciosidad! ¡Muchísimas gracias!

Hilde se levantó y abrazó a su madre. Se quedaron un rato sentadas charlando.

—Ya puedes marcharte —dijo de pronto Hilde—. En este momento está en lo alto de la Acrópolis, ¿sabes?

—¿Quién?

—Ni idea. Sofía tampoco lo sabe. Eso es precisamente lo interesante.

—Bueno, tengo que ir a la oficina. Come un poco, hija. Tu vestido está colgado abajo.

Por fin. La madre desapareció por la escalera. Lo mismo ocurrió con el profesor de Sofía, bajando las escaleras de la Acrópolis. Se colocó en el monte del Areópago, y un poco más tarde apareció en la vieja plaza de Atenas.

Hilde se sobresaltó cuando los viejos edificios se levantaron de repente de las ruinas. Una de las ideas fijas de su padre era que todos los países de las Naciones Unidas deberían unirse para construir una copia exacta de la antigua plaza de Atenas, donde se pudiera trabajar en cuestiones filosóficas y además en actividades de desarme. Un gigantesco proyecto de este tipo uniría a la humanidad, pensaba él. «Ya sabemos construir plataformas petrolíferas y naves espaciales.»

Luego leyó acerca de Platón. «Sobre las alas del amor volará el alma "a casa", al mundo de las Ideas, donde será librada de la "cárcel del cuerpo".»

Sofía se había metido por el seto siguiendo a Hermes,

pero él pronto desapareció. Después de haber leído sobre Platón, ella se adentró más en el bosque y llegó a una cabaña junto a un pequeño lago. Allí había colgada una pintura de Bjerkely. Por la descripción resultaba evidente que tenía que ser la Bjerkely de Hilde. También había allí un retrato de un señor llamado Berkeley. «¿No resultaba curioso?»

Hilde dejó la voluminosa carpeta sobre la cama, se acercó a la librería y miró en una enciclopedia que le habían regalado en su decimocuarto cumpleaños. Berkeley... ya.

Berkeley, George *(1685-1753), filósofo inglés, obispo de la ciudad de Cloyne. Niega la existencia de un mundo material fuera de la conciencia del hombre. Nuestras sensaciones están producidas por Dios. B. es también famoso por su crítica a las ideas generales abstractas. Obra principal:* Tratado concerniente a los principios del conocimiento humano *(1710).*

Pues sí, era curioso. Hilde se quedó unos instantes de pie, pensando, antes de volver a la cama y a la carpeta.

De alguna manera era su padre el que había colgado los dos cuadros. ¿Podía haber otra conexión aparte del parecido de nombres?

Entonces Berkeley era un filósofo que negaba la existencia de un mundo material fuera de la conciencia del hombre. ¡Qué cosas tan raras se podían afirmar! Pero no resultaba siempre tan fácil refutar aquellas afirmaciones. La descripción encajaba muy bien en el mundo de Sofía, sin embargo. Pues sus «sensaciones» habían sido provocadas por el padre de Hilde.

Se enteraría mejor cuando leyera más. Hilde se rió cuando leyó que Sofía vio el reflejo de una chica que le guiñaba los dos ojos. «Parecía como si la muchacha del espejo guiñara los ojos a Sofía. Era como si quisiera decir: te veo, Sofía. Estoy aquí, al otro lado.»

Encontró su monedero verde, con el dinero y todo. ¿Cómo había ido a parar allí?

¡Tonterías! Durante un instante Hilde había pensado que Sofía realmente lo había encontrado. Pero también intentó identificarse con Sofía para sentir cómo habría sido todo aquello para ella. Para ella todo era muy misterioso y muy enigmático.

Por primera vez Hilde sintió un verdadero deseo de *encontrarse* cara a cara con Sofía. Tenía ganas de hablar con ella sobre la explicación de todo esto.

Pero Sofía tendría que salir de la cabaña antes de ser cogida en flagrante. El bote estaría flotando en el agua, claro. Papá no podía dejar de recordarle la vieja historia del bote.

Hilde bebió un trago de Fanta y empezó un panecillo con ensalada de gambas mientras leía la carta sobre el «hombre ordenado», Aristóteles, que había criticado la doctrina de Platón.

Aristóteles señaló que no existe nada en la mente que no haya estado antes en los sentidos, y Platón podría haber dicho que no hay nada en la naturaleza que no haya estado antes en el mundo de las Ideas. En ese sentido, opinaba Aristóteles, Platón «duplicaba el número de las cosas».

Hilde no sabía, de hecho, que fue Aristóteles quien había inventado ese juego del «reino vegetal, reino animal y reino mineral».

Aristóteles se propuso hacer una buena limpieza en el cuarto de la naturaleza. Intentó mostrar que todas las cosas de la naturaleza pertenecen a determinados grupos y subgrupos.

Cuando se enteró de la visión que tenía Aristóteles de la mujer, se desilusionó y se indignó muchísimo. ¿Cómo podía ser un filósofo tan agudo y a la vez tan idiota?

Sofía se había inspirado en Aristóteles para ordenar su propio cuarto. ¡Y allí, junto a todos los demás trastos, encontró aquella media blanca que había desaparecido hacía un mes del cajón de Hilde! Sofía metió todas las hojas que le había dado Alberto en una carpeta de anillas. «Ya había más de cincuenta páginas.» Hilde, por su parte, había llegado a la página ciento veinticuatro, pero, claro, ella tenía toda la historia sobre Sofía, además de todas las «cartas del curso» de Alberto Knox.

«El helenismo» se titulaba el siguiente capítulo. Lo primero que sucedió en este capítulo fue que Sofía encontró una postal con la foto de un jeep de las Naciones Unidas. Llevaba el matasellos del Batallón de las Naciones Unidas, del 15 del 6. De nuevo una postal para Hilde, pegada en el cuento en lugar de enviada por correo:

Querida Hilde. Supongo que piensas celebrar tu decimoquinto cumpleaños. ¿O lo harás al día siguiente? Bueno, la duración del regalo no tiene ninguna importancia. De alguna manera durará toda la vida. Te vuelvo a felicitar. Ahora habrás entendido por qué envío las postales a Sofía. Estoy seguro de que ella te las enviará a ti.

P. D. Mamá me dijo que habías perdido tu cartera. Prometo pagar las 150 coronas que perdiste. En el colegio te darán otro carnet escolar, supongo, antes de que cierre por vacaciones.

Mucho cariño de tu papá.

No estaba mal. Significaba que se había ganado 150 coronas.

A lo mejor papá había pensado que sólo con un regalo casero era suficiente.

Resultaba, pues, que también el 15.6 era el cumpleaños de Sofía. Pero el calendario de Sofía sólo había llegado hasta la primera quincena de mayo. Sería cuando su padre escribió precisamente este capítulo, y entonces habría fechado por adelantado la tarjeta de cumpleaños para Hilde.

Y la pobre Sofía corriendo al centro comercial para encontrarse con Jorunn.

¿Quién era Hilde? ¿Cómo era posible que el padre de esa chica diera más o menos por sentado que Sofía conocería a Hilde? En todo caso no parecía lógico que enviara las postales a Sofía, en lugar de enviarlas directamente a su hija.

También Hilde se sentía elevada por encima de la habitación mientras leía acerca de Plotino.

Digo que hay algo de misterio divino en todo lo que existe. Lo vemos brillar en un girasol o en una amapola. Y también intuimos algo del inescrutable misterio cuando vemos a una mariposa levantar el vuelo desde una rama, o a un pez dorado que nada en su pecera. Pero donde más cerca de Dios podemos estar es en nuestra propia alma. Sólo allí podemos unirnos con el gran misterio de la vida. En muy raros momentos podemos incluso llegar a sentir que *nosotros mismos somos el misterio divino.*

Hasta ahora esto era de lo más vertiginoso que había leído Hilde. Y al mismo tiempo lo más sencillo: todo es Uno, y ese «Uno» es un misterio divino del que todo el mundo forma parte.

Esto no era en realidad algo en lo que hiciera falta creer. Es así, pensó Hilde. Y cada uno puede interpretar la palabra «divino» como quiera.

Pasó rápidamente al capítulo siguiente. Sofía y Jorunn se iban de excursión con tienda de campaña la noche del 17 de mayo. Luego fueron a la Cabaña del Mayor.

Hilde no había leído aún muchas páginas antes de levantarse y dar unos pasos por la habitación con la carpeta de anillas en los brazos.

¡Qué cara! En esa pequeña cabaña del bosque su padre dejó que las dos amigas encontraran copias de todas las postales que él había enviado a Hilde durante la primera parte de mayo. Las copias eran auténticas. Cuando Hilde recibía esas postales de su padre solía leerlas dos y tres veces. Reconoció cada palabra.

Querida Hilde. Estoy tan a punto de explotar con todos mis secretos relacionados con tu cumpleaños que varias veces al día tengo que frenar el deseo de ir a llamarte por teléfono y contártelo todo. Es algo que crece y crece. Y sabes que, cuando una cosa no hace más que crecer, resulta cada vez más difícil mantenerla escondida...

Sofía recibió una nueva carta del curso de filosofía de Alberto. Trataba de judíos y griegos y de las dos grandes civilizaciones. A Hilde le gustó esta amplia perspectiva de pájaro sobre la Historia. Nunca habían aprendido algo parecido en el colegio. Allí todo eran detalles y más detalles. Al leer la carta tuvo la sensación de que su padre le acababa de dar una perspectiva totalmente nueva de Jesús y el cristianismo.

Le gustó la cita de Goethe que decía que «el que no sabe llevar su contabilidad por espacio de tres mil años se queda como un ignorante en la oscuridad y sólo vive al día».

El siguiente capítulo empezaba con un trozo de cartulina pegada a la ventana de la cocina de Sofía. Era, evidentemente, una felicitación para Hilde.

Querida Hilde. No sé si esta postal te llegará el día de tu cumpleaños. Espero que así sea o que si no, al menos, no hayan transcurrido demasiados días. Que transcurra una semana o dos para Sofía no significa necesariamente que transcurra tanto tiempo para nosotros. Yo volveré a casa la víspera de San Juan. Entonces nos sentaremos juntos en el balancín mirando al mar, Hilde. Tenemos tantas cosas de qué hablar...

Luego Alberto llamó a Sofía. Era la primera vez que ella oía su voz.

—Suena como a una especie de guerra.
—Lo llamaría más bien una lucha espiritual. Tendremos que llamar la atención de Hilde y conseguir que se ponga de nuestra parte, antes de que su padre vuelva a Lillesand.

Así fue como Sofía se encontró con Alberto Knox disfrazado de filósofo medieval en la vieja iglesia del siglo XII.

La iglesia... Hilde miró el reloj. Eran la una y cuarto... Se había olvidado completamente de la hora.

A lo mejor no importaba demasiado que no fuera a la iglesia el día de su cumpleaños, pero había algo de ese cumpleaños que la irritaba. Iba a perderse un montón de felicitaciones.

Y de todos modos tendría que escuchar sermones pronto. A Alberto no le costaba ningún trabajo hacer el papel de cura.

Cuando hubo leído el capítulo en el que a Sofía se le había aparecido Hildegarda, tuvo que acudir de nuevo a la enciclopedia. Pero esta vez no encontró nada, ni sobre la una ni sobre la otra. ¡Típico! Cuando se trataba de una mujer o de algo femenino, la enciclopedia era tan muda como un cráter de la luna. ¿Estaría censurada la enciclopedia por la Asociación de Protección a los Machos, o qué?

Hildegarda de Eibingen había sido predicadora, escritora, médico, botánica e investigadora de la naturaleza. Además, podía considerarse «un símbolo de que a menudo las mujeres eran las más realistas, incluso las más científicas, de la Edad Media». Pero ni una palabra en la enciclopedia. ¡Qué vergüenza!

Hilde no había oído hablar nunca de ningún «lado femenino» o «naturaleza materna» de Dios. Se llamaba Sophia, pero no se merecía ni un poco de tinta de imprenta.

Lo único que encontró en la enciclopedia fue algo sobre la Iglesia de Sofía en Constantinopla. Se llamaba «Haiga Sofía», lo cual quería decir la «sagrada sabiduría». Esta «sabiduría» había dado nombre a una capital y a un sinfín de reinas, pero no ponía nada sobre ella en la enciclopedia. ¿No era eso censura?

Era verdad que Sofía aparecía ante la «mirada interior» de Hilde. Tenía constantemente la sensación de imaginarse a la chica con el pelo negro.

Cuando Sofía volvió a casa tras haber pasado casi toda la noche en la Iglesia de María, se puso delante del espejo de latón que se había traído de la cabaña del bosque a casa.

Vio los nítidos contornos de su propia cara pálida enmarcada por el pelo negro, que no se adaptaba a otro peinado que el de la propia naturaleza, un peinado de pelo lacio. Pero debajo de este rostro también aparecía, como un espectro, la imagen de otra muchacha.

De pronto la muchacha desconocida empezó a guiñarle enérgicamente los dos ojos. Era como si quisiera dar a entender que de verdad estaba allí dentro, al otro lado. Sólo duró unos segundos. Luego desapareció.

Hilde misma había estado delante del espejo exactamente de la misma manera, buscando la imagen de otra persona. ¿Pero cómo podía saberlo papá? ¿Y no había estado buscando a una mujer de pelo negro? Pues la bisabuela había comprado el espejo a una gitana.

Hilde notó que le temblaban las manos, con las que tenía agarrada la gran carpeta de anillas. Se le ocurrió la idea de que Sofía existía de verdad allí dentro, «al otro lado».

Ahora Sofía soñó con Hilde y Bjerkely. Hilde no la podía ni ver ni oír, pero entonces Sofía encontró la cruz de oro de Hilde en el borde del muelle. Y la misma cruz, con las iniciales de Hilde y todo, apareció en la cama de Sofía cuando se despertó después del sueño.

Hilde tuvo que pararse a pensar. ¿No había perdido también la cruz de oro? Se fue a la cómoda y buscó el joyero. La cruz de oro que le había regalado su abuela por su bautizo había desaparecido.

Entonces también había perdido la cruz. ¡Vaya! ¿Pero cómo podía saberlo su padre si ni ella misma lo sabía?

Y aún había algo más: al parecer, Sofía había soñado que el padre de Hilde volvía del Líbano. Pero todavía faltaba una semana. ¿Sería el sueño de Sofía una profecía? ¿Querría decir su padre que cuando él volviera también Sofía, de alguna manera, estaría allí? Había escrito algo sobre que Hilde iba a tener una nueva amiga.

En una visión inmensamente clara pero también tremendamente breve, Hilde se sintió convencida de que Sofía era algo más que papel y tinta de imprenta. *Existía.*

La Ilustración

...desde cómo se hace una aguja hasta cómo se funde un cañón...

Hilde había empezado a leer el capítulo sobre el Renacimiento cuando de pronto oyó la puerta de abajo. Miró el reloj. Eran las cuatro.

La madre subió la escalera corriendo y abrió la puerta.

—¿No has estado en la iglesia?

—Sí, sí.

—Pero... ¿con qué ropa?

—Con la que llevo ahora.

—¿En camisón?

—Mmm... he estado en la Iglesia de María.

—¿La Iglesia de María?

—Es una vieja iglesia de la Edad Media.

—¡Hilde!

Dejó la carpeta y miró a su madre.

—Me olvidé de la hora, mamá. Lo siento, pero estoy leyendo algo apasionante, ¿sabes?.

La madre no pudo sino sonreír.

—Es un libro mágico, —añadió Hilde.

—Bueno, bueno. Y una vez más: felicidades, Hilde.

—¡No sé si soporto ya más felicitaciones!

—Pero yo no... Bueno, me voy a acostar un rato, y luego haré una cena estupenda. He comprado fresones.

—Yo seguiré leyendo.

La madre desapareció y Hilde siguió leyendo.

Sofía acompañó a Hermes a través de la ciudad. En el portal de Alberto encontró una nueva postal del Líbano fechada el 15.6.

De pronto entendió el sistema de las fechas. Las postales fechadas antes del 15 de junio eran «copias» de postales que Hilde ya había recibido. Las que llevaban la fecha de hoy sólo le llegaban mediante la carpeta de anillas.

Querida Hilde. Sofía está llegando a casa del profesor de filosofía. Ella pronto cumplirá quince años, pero tú ya los cumpliste ayer. ¿O es hoy, Hildecita? Si es hoy, será muy adentrado el día...

Hilde leyó cómo Alberto explicaba a Sofía el Renacimiento y la nueva ciencia, los racionalistas del siglo XVII y el empirismo británico.

Reaccionó varias veces al encontrarse con nuevas postales y felicitaciones que su padre había pegado a las narraciones. Había conseguido que esos comunicados se cayesen de cuadernos, apareciesen en el interior de un plátano y se metieran dentro de un ordenador. Sin costarle el más mínimo esfuerzo conseguía que Alberto tuviera lapsus al hablar y llamara Hilde a Sofía. El colmo era que hubiera hecho hablar a Hermes: «¡Felicidades, Hilde!».

Hilde estaba de acuerdo con Alberto en que se estaba pasando al compararse a sí mismo con Dios y con la providencia divina. ¿Pero con quién estaba realmente de acuerdo en ese caso? ¿No era su padre el que había puesto esas palabras de reproche, o de reproche hacia él mismo, en boca de Alberto? Llegó a pensar que la comparación con Dios no era tan mala a pesar de todo. Su padre era más o menos un dios omnipotente para el mundo de Sofía.

Cuando Alberto estaba a punto de empezar a hablar de Berkeley, Hilde estaba tan expectante como lo había estado Sofía. ¿Qué pasaría ahora? Desde hacía tiempo se veía venir que algo muy especial iba a suceder cuando llegaran a este filósofo que había negado la existencia de un mundo material fuera de la conciencia del hombre. Pues Hilde ya había consultado la enciclopedia.

Empezó con que estaban delante de la ventana viendo que el padre de Hilde había enviado un avión con una cinta donde ponía «Felicidades» y que surcaba el aire. Al mismo tiempo empezaron a aparecer «nubes negras en la lejanía».

«Ser o no ser» no es, pues, toda la cuestión. Otra cuestión es *qué* somos. ¿Somos personas reales? ¿Nuestro mundo está compuesto por cosas verdaderas, o estamos rodeados de conciencia?

No era de extrañar que Sofía comenzara a morderse las uñas. Hilde nunca había tenido ese vicio, pero en ese momento no se sentía muy valiente ella tampoco.

Y resultó que: «...para nosotros esa "voluntad o espíritu" que causa "todo en todo" también podría ser el padre de Hilde».

—¿Quieres decir que ha sido como una especie de Dios para nosotros?

—Sin modestia, sí. ¡Pero debería darle vergüenza!

—¿Y qué pasa con Hilde?

—Ella es un ángel, Sofía.

—¿Un ángel?

—Hilde es aquella a la que se dirige el «espíritu».

Con esto, Sofía se marchó corriendo de casa de Alberto y salió a la tormenta. ¿Podría haber sido la misma tormenta que había llegado a Bjerkely unas horas después de que Sofía cruzara la ciudad corriendo?

Mañana es mi cumpleaños, pensó. ¿No resultaba demasiado penoso tener que reconocer que la vida es un sueño justo el día antes de cumplir quince años? Era como soñar que te tocaban diez millones en la lotería y de repente, justo antes del gran sorteo, darte cuenta de que todo había sido un sueño.

Sofía cruzó corriendo el campo de deportes mojado. De repente se dio cuenta de que una persona venía corriendo hacia ella. Era su madre. Los rayos reventaron el cielo repetidamente.

Cuando se encontraron las dos, la madre la abrazó.

—¿Qué es lo que nos está sucediendo, mi pequeña?

—No lo sé —contestó Sofía llorando—. Es como una pesadilla.

Hilde notó que sus ojos estaban húmedos. «Ser o no ser, ésa es la cuestión.»

Tiró la carpeta sobre la cama y se levantó para pasearse por la habitación. Al final se puso delante del espejo de latón, y allí se quedó de pie hasta que su madre vino a avisarla de que estaba preparada la cena. Cuando llamó a la puerta, Hilde no tenía idea de cuánto tiempo había estado así, de pie. Pero estaba segura, estaba totalmente segura de que el reflejo del espejo le había guiñado los ojos.

Durante la cena intentó ser una homenajeada agradecida. Pero estaba pensando constantemente en Alberto y Sofía.

¿Qué les pasaría ahora que *sabían* que el padre de Hilde era el que decidía todo? Aunque... saber saber... en realidad no sabían nada. ¿No era más bien que papá hacía como si supieran? Pero de todos modos el problema seguía siendo el mismo: ahora que Sofía y Alberto lo «sabían» todo, habían llegado en cierta manera al final del camino.

Estuvo a punto de atragantarse con un trozo grande de patata, cuando de pronto se dio cuenta de que ese planteamiento a lo mejor era también aplicable a su propio mundo. Los hombres habían llegado cada vez más lejos en la comprensión de las leyes de la naturaleza. ¿La Historia podía simplemente seguir y seguir incluso después de que las últimas piezas de los puzzles de la filosofía y de la ciencia se hubiesen colocado? ¿O los hombres se estaban acercando al fin de la Historia? ¿No había una conexión entre el desarrollo del pensamiento y de la ciencia, por un lado, y el efecto invernadero y selvas tropicales quemadas, por el otro? Quizás no fuera, al fin y al cabo, ninguna tontería llamar «pecado original» a la necesidad del hombre de saber.

Esta pregunta era tan grande y tan aterradora que Hilde intentó olvidarse de ella. Además seguramente entendería más al seguir leyendo el regalo de cumpleaños de papá.

Cuando se terminaron el helado con fresas italianas, dijo la madre:

—Ahora haremos exactamente lo que más te apetezca.

—Sé que suena un poco raro, pero sólo tengo ganas de seguir leyendo el regalo de papá.

—Sí, pero no debes permitir que te deje completamente aturdida.

—No te preocupes.

Hilde se acordó de cómo Sofía había hablado con su madre. ¿A lo mejor papá había metido algo de la madre de Hilde en esa otra madre? Decidió no hablar de conejos blancos que se sacan del sombrero de copa del universo, al menos no hoy.

—Por cierto… —dijo al levantarse de la mesa.

—¿Sí?

—No encuentro mi cruz de oro.

La madre la miró con cara de misterio.

—La encontré junto al muelle hace muchas semanas. Debiste de perderla allí, ¡despistada!

—¿Se lo has contado a papá?

—No me acuerdo; pues, sí, supongo.

—¿Entonces dónde está?

Su madre fue a buscarla en su propio joyero. Hilde oyó un grito de sorpresa desde el dormitorio: pronto volvió al salón.

—¿Sabes...?, en este momento no la encuentro.

—Lo suponía.

Abrazó a su madre y subió a la buhardilla de nuevo. Por fin pudo seguir leyendo sobre Sofía y Alberto. Se tumbó en la cama con la pesada carpeta sobre las rodillas.

Sofía se despertó cuando su madre entró en su cuarto con una bandeja llena de regalos. En una botella vacía había metido una bandera.

—¡Felicidades, Sofía!

Sofía se restregó los ojos para despertarse. Intentó acordarse de todo lo que había pasado el día anterior. Pero todo eran simplemente piezas sueltas de un rompecabezas. Una de las piezas era Alberto, otras eran Hilde y el mayor. Una era Berkeley, otra era Bjerkely. La pieza más negra era la tremenda tormenta. Casi le había dado una especie de ataque de nervios. Su madre le había dado un masaje y la había metido en la cama con una taza de leche caliente con miel. Se había dormido instantáneamente.

—Creo que estoy viva —balbució.

—Claro que estás viva. Y hoy cumples quince años.

—¿Estás completamente segura?

—Completamente segura. ¿No iba a saber una madre el día en que nació su única hija? El 15 de junio de 1975..., a la una y media, Sofía. Fue el momento más feliz de mi vida.

—¿Estás segura de que no es todo un sueño?

—Pero al menos es un buen sueño despertarse con panecillos y Fanta y regalos de cumpleaños.

Dejó la bandeja con los regalos sobre una silla y salió

un momento de la habitación. Cuando volvió trajo otra bandeja, esta vez con panecillos y Fanta. La puso en el extremo de la cama de Sofía.

Y fue como todos los cumpleaños. Desenvolvieron los paquetes mientras recordaban tiempos pasados, hasta el parto hacía quince años. Su madre le regaló una raqueta de tenis. Nunca había jugado al tenis, pero había una pista al aire libre muy cerca de su casa. Su padre le había enviado un mini-televisor con radio incorporada. La pantalla no era mayor que una fotografía normal. Y había otras cosas de tías y de amigos de la familia.

Al cabo de un rato, su madre dijo:

—¿Te parece que debo tomarme el día libre hoy?

—No, ¿por qué?

—Es que ayer estabas muy desconcertada. Si esto sigue así creo que tendremos que pedir hora a un psicólogo.

—Te lo puedes ahorrar.

—¿Sólo fue la tormenta, o también fue ese Alberto?

—¿Y tú, qué? «¿Qué nos está pasando, hija mía?», dijiste.

—Me preocupaba que últimamente estuvieras vagando por la ciudad para encontrarte con extraños. Quizás sea culpa mía...

—Nadie tiene la culpa de que yo haga un pequeño cursillo de filosofía en mi tiempo libre. Vete al trabajo, mamá. Tenemos una reunión en el colegio hoy a las diez. Sólo para que nos den las notas y para tomar algo.

—¿Sabes ya las notas?

—Sólo sé que tendré más sobresalientes que la última vez.

Al poco rato de marcharse la madre, sonó el teléfono.

—Sofía Amundsen.

—Soy Alberto.

—Ah...

—El mayor estuvo derrochando dinamita ayer.

—No entiendo lo que quieres decir.

—Los truenos, Sofía.

—No sé qué pensar.

—Ésa es la mayor virtud del filósofo. Estoy orgulloso de cuánto has aprendido en tan poco tiempo.

—Tengo miedo de que nada sea real.

—Se llama angustia existencial y suele ser simplemente una transición a un nuevo conocimiento.

—Creo que necesito una pausa en el curso.

—¿Hay muchas ranas en tu jardín estos días?

Sofía tuvo que reírse. Alberto prosiguió.

—Creo que deberíamos seguir trabajando. Por cierto, felicidades. Tenemos que acabar completamente el curso antes de San Juan. Es nuestra última esperanza.

—¿Nuestra última esperanza de qué?

—¿Estás cómodamente sentada? Vamos a necesitar un poco de tiempo, ¿sabes?

—Estoy cómoda.

—¿Te acuerdas de Descartes?

—«Pienso, luego existo.»

—Por el momento estamos completamente vacíos en nuestra duda metódica. Quizás resulte que *somos* pensamiento, y eso es algo muy distinto a pensar uno mismo. Tenemos buenas razones para creer que pertenecemos a la imaginación del padre de Hilde y de ese modo constituimos una especie de entretenimiento en el cumpleaños de la hija del mayor en Lillesand. ¿Me sigues?

—Sí...

—Pero en esto también va incorporada una contradicción. Si somos fruto de la imaginación de alguien, no tenemos derecho a «creer» nada en absoluto. En ese caso, toda esta conversación telefónica es pura imaginación.

—Y entonces no tenemos libre albedrío. Es el mayor el que planifica todo lo que decimos y hacemos. De modo que simplemente podemos colgar.

—No, ahora estás simplificando demasiado.

—¡Explícate!

—¿Dirías que una persona planifica todo aquello con lo que sueña? Puede que el padre de Hilde esté *al tanto* de todo lo que hacemos, y que intentar escapar de su omnisciencia resulte tan difícil como intentar escapar de la propia sombra. Pero puede ser, y por eso he empezado a elaborar un plan, que el mayor no haya decidido de antemano lo que va a pasar. Puede ser que no lo decida hasta el mismo momento, es decir, hasta el momento de la creación. Puede que justo en ese momento tengamos iniciativa propia para dirigir nuestros hechos y nuestros movimientos. Una iniciativa así estará compuesta de impulsos tremendamente débiles comparados con los del mayor. Poca resistencia podremos poner contra fuertes situaciones exteriores tales como perros que hablan, aviones de hélice con cintas de felicitación, recados en plátanos y truenos encargados de antemano. Pero no debemos excluir que tengamos una pequeñísima y débil voluntad propia.

—¿Cómo puede ser posible eso?

—El mayor es evidentemente omnisciente en nuestro pequeño mundo, pero no significa que sea omnipotente. Al menos debemos intentar vivir nuestras vidas como si no lo fuera.

—Creo que entiendo lo que quieres decir.

—El truco sería poder lograr hacer algo completamente por nuestra cuenta, me refiero a algo que el mayor ni siquiera fuera capaz de descubrir.

—¿Cómo va a ser eso posible si no existimos?

—¿Quién ha dicho que no existimos? La cuestión no es *si* existimos sino *qué* somos y *quién* somos. Aunque resultara que solamente somos impulsos en la compleja mente del mayor, eso no nos quita nuestra poca existencia.

—¿Y tampoco nuestro libre albedrío?

—Estoy en ello, Sofía.

—Pero el padre de Hilde también sabrá que tú «estás en ello».

—Decididamente. Pero no conoce el plan en sí. Intento encontrar un punto «arquimédico».

—¿Un punto «arquimédico»?

—*Arquímedes* era un científico helenístico. «Dame un punto fijo», dijo, «y yo moveré el mundo». Un punto así es lo que tenemos que buscar para podernos salir del universo interno del mayor.

—Sería una verdadera hazaña.

—Pero no nos vamos a poder escapar antes de haber terminado del todo el curso de filosofía. Hasta entonces nos tendrá bien cogidos. Al parecer ha decidido que yo debo guiarte a través de los siglos hasta nuestra propia época. Pero nos quedan pocos días antes de que coja el avión de vuelta en Oriente Medio. Si no hemos logrado librarnos de su pegajosa imaginación antes de que llegue a Bjerkely, entonces estaremos perdidos.

—Me das miedo...

—Primero tendré que darte la primera información indispensable sobre la Ilustración francesa. Luego tendremos que mirar a grandes rasgos la filosofía de Kant, antes de acercarnos al Romanticismo. Y para nosotros dos, Hegel será una pieza importante. Y con él tampoco podemos evitar describir el indignado ajuste de cuentas de Kierkegaard a la filosofía hegeliana. También tendremos que decir algunas palabras sobre Marx, Darwin y Freud. Y si nos da tiempo a hacer unos comentarios concluyentes sobre Sartre y el existencialismo, el plan podrá ponerse en marcha.

—Eso es mucho para sólo una semana.

—Por eso tenemos que empezar ahora mismo. ¿Puedes venir ahora?

—Tengo que ir al colegio. Nos van a dar las notas y vamos a tomar algo.

—Déjalo. Si somos pura conciencia sólo es pura imaginación el que dulces y coca-colas y cosas así sepan a algo en absoluto.

—Pero las notas...

—Sofía, o vives en un universo maravilloso en un planeta minúsculo en una de los millones de galaxias, o constituyes algunos impulsos electromagnéticos en la conciencia del mayor. Y tú hablas de «notas». ¡Debería darte vergüenza!

—Lo siento.

—Pero bueno, pásate por el colegio antes de vernos. Podría tener mala influencia sobre Hilde el que tú hicieras novillos el último día de colegio. Ella seguramente va al colegio aunque sea su cumpleaños, porque es un ángel.

—Entonces iré justo después del colegio.

—Podemos vernos en la Cabaña del Mayor.

—¿En la Cabaña del Mayor?

—Clic.

Hilde puso la carpeta de anillas sobre las rodillas. Con eso último su padre lograba que le remordiera un poco la conciencia por haber hecho novillos el último día del colegio. ¡El granuja!

Se quedó un instante meditando en qué clase de plan podía tramar Alberto. Se sintió tentada a mirar la última hoja de la carpeta, pero no, eso sería hacer trampa. Más valía darse prisa y seguir leyendo.

No obstante, estaba convencida de que Alberto sí tenía razón en un punto. Una cosa era que el padre tuviera una especie de control sobre lo que les sucedía a Sofía y Alberto. Pero seguro que no sabía lo que les iba a suceder mientras estaba escribiendo. A lo mejor escribía alguna cosa a toda prisa, algo que no descubriría hasta mucho más tarde. Precisamente en este espacio estaba la relativa libertad de Sofía y Alberto.

De nuevo Hilde tuvo la sensación de que Sofía y Alberto eran personas reales. Aunque el mar esté en calma total, no significa que no esté sucediendo algo en la profundidad, pensó.

¿Pero por qué lo pensó?

Por lo menos no era un pensamiento que se movía en la superficie.

En el colegio todo el mundo felicitó a Sofía.

En cuanto hubo escuchado los últimos «feliz verano» del profesor, Sofía se fue corriendo a casa. Jorunn intentó retenerla, pero Sofía le dijo que tenía cosas que hacer.

En el buzón encontró dos postales del Líbano. En ambas postales ponía «HAPPY BIRTHDAY — 15 YEARS». Eran de esas tarjetas que se compran para los cumpleaños.

Una de las dos iba dirigida a «Hilde Møller Knag c/o Sofía Amundsen...». Pero la otra tarjeta era para la propia Sofía. Ambas llevaban el matasellos del Batallón de las Naciones Unidas del 15 de junio.

Sofía leyó primero la tarjeta dirigida a ella:

Querida Sofía Amundsen. Hoy también tú te mereces una felicitación. Felicidades, Sofía. Y gracias por todo lo que has hecho por Hilde hasta ahora.
Atentamente, Mayor Albert Knag.

Sofía no sabía muy bien cómo reaccionar al ver que el padre de Hilde le había enviado una postal también a ella. De alguna manera, le pareció un bonito detalle.

En la tarjeta para Hilde ponía:

Mi pequeña Hilde. No sé ni en qué día estamos ni qué hora será en Lillesand. No importa mucho. Si te conozco bien, no es demasiado tarde para mandar desde aquí una última o al menos penúltima felicitación. ¡Pero tampoco debes quedarte hasta muy tarde! Alberto pronto te hablará sobre las ideas de la Ilustración francesa. Se centrará en los siete puntos siguientes:

1. *Rebelión contra las autoridades*
2. *Racionalismo*
3. *La idea de «ilustrar»*
4. *Optimismo cultural*
5. *Vuelta a la naturaleza*
6. *Cristianismo humanizado*
7. *Derechos humanos*

Era evidente que seguía teniéndolos bajo control.

Sofía abrió la puerta con la llave y dejó el boletín de las notas con todos los sobresalientes sobre la mesa de la cocina. A continuación se metió por el seto y se fue corriendo al bosque. De nuevo tuvo que cruzar el pequeño lago a remo. Alberto estaba sentado en los escalones de la cabaña cuando ella llegó. Le hizo señas para que se sentara a su lado.

Hacía bueno, pero de la pequeña laguna subía una húmeda y fresca corriente. Era como si el tiempo no se hubiese recuperado aún después de la tormenta.

—Vayamos al grano —dijo Alberto—. Después de

Hume el siguiente gran sistematizador fue el alemán Kant. Pero también Francia produjo muchos pensadores importantes en el siglo XVIII. Podemos decir que el centro de gravedad filosófico de Europa se encontraba en Inglaterra en la primera mitad del siglo XVIII, en Francia a mediados del mismo siglo y en Alemania hacia finales.

—Un desplazamiento del oeste al este, por así decirlo.

—Exactamente. Mencionaré brevemente algunas ideas que fueron comunes en muchos de los filósofos franceses de la Ilustración, como Montesquieu, Voltaire, Rousseau y muchos otros. Me he concentrado en siete puntos.

—Ya lo sabía.

Sofía le alcanzó la postal del padre de Hilde. Alberto suspiró profundamente.

—Podría haberse ahorrado esto... Una primera frase clave es, como ya sabes, «rebelión contra las autoridades». Varios de los filósofos franceses de la Ilustración visitaron Inglaterra, país que, en muchos aspectos, era más liberal que su propia patria. Quedaron fascinados por las ciencias naturales inglesas, particularmente por Newton y su física universal. Pero también fueron inspirados por la filosofía británica, muy especialmente por Locke y su filosofía política. De vuelta a su patria, Francia, comenzaron a atacar a las viejas autoridades. Pensaban que era muy importante adoptar una postura escéptica ante todas las verdades heredadas, y que el propio individuo tenía que buscar las respuestas a las preguntas. En este punto estaban influenciados por Descartes.

—Porque él había construido todo desde la base.

—Exacto. La rebelión contra las viejas autoridades se dirigía en parte contra el poder de la Iglesia, del rey y de la nobleza. En el siglo XVIII estas instituciones eran mucho más poderosas en Francia que en Inglaterra.

—Y vino la Revolución.

—Sí, en 1789. Pero las nuevas ideas llegaron mucho antes. La siguiente palabra clave es «racionalismo».

—Yo creía que el racionalismo murió con Hume.

—El mismo Hume no murió hasta 1776, aproximadamente veinte años después que Montesquieu y sólo dos años antes que Voltaire y Rousseau, que murieron en 1778 los dos. Pero los tres habían estado en Inglaterra y conocían bien la filosofía de Locke. Tal vez recuerdes que Locke no fue un empirista muy consecuente, porque opinaba, por ejemplo, que tanto la fe en Dios como ciertas normas morales, son inherentes a la razón del hombre. Este punto es también el núcleo de la filosofía francesa de la Ilustración.

—Dijiste además que los franceses siempre han sido un poco más racionalistas que los británicos.

—Y esa diferencia tiene sus raíces en la Edad Media. Cuando los ingleses hablan de «sentido común», los franceses suelen hablar de «evidencia». La expresión inglesa tiene que ver con la «experiencia común», y la francesa con «lo evidente», es decir con la razón.

—Entiendo.

—Al igual que los humanistas de la Antigüedad, como Sócrates y los estoicos, la mayor parte de los filósofos de la Ilustración tenía una fe inquebrantable en la razón del hombre. Esto era tan destacable que muchos llaman a la época francesa de la Ilustración simplemente «Racionalismo». Las nuevas ciencias naturales habían demostrado que la naturaleza estaba organizada racionalmente. Los filósofos de la Ilustración consideraron su cometido construir una base también para la moral, la religión y la ética, de acuerdo con la razón inalterable de las personas. Esto fue precisamente lo que condujo a la propia idea de «Ilustración». Ése fue el punto número tres.

»Ahora hacía falta «ilustrar» a las grandes capas del pueblo, porque ésta era la condición previa para una sociedad mejor. Se pensaba que la miseria y la opresión se debían a la ignorancia y a la superstición. Por lo tanto, había que tomarse muy en serio la educación de los niños y del pueblo en general. No es una casualidad que la pedagogía como ciencia tenga sus raíces en la Ilustración.

—Entonces el sistema escolar data de la Edad Media y la pedagogía de la Ilustración.

—Pues sí, así es. La obra más representativa de la Ilustración es una gran enciclopedia. Me refiero a la Enciclopedia, que salió en 28 tomos entre 1751 y 1772, con aportaciones de todos los grandes filósofos de la Ilustración. «Aquí está todo», se decía, «desde cómo se hace una aguja hasta cómo se funde un cañón».

—El siguiente punto es «optimismo cultural».

—Podrías hacerme el favor de no mirar esa postal mientras estoy hablando.

—Perdona.

—En cuanto se difundieran la razón y los conocimientos, la humanidad haría grandes progresos, pensaron los filósofos de la Ilustración. Era simplemente cuestión de tiempo que la sinrazón y la ignorancia cedieran ante una humanidad «ilustrada». Esta idea ha sido predominante en Europa Occidental hasta hace un par de décadas. Hoy en día ya no estamos tan convencidos de que todo «desarrollo» sea para bien. Pero incluso esta crítica contra la «civilización» fue planteada por los filósofos ilustrados franceses.

—Quizás deberíamos haberlos escuchado.

—Algunos de ellos se convirtieron en defensores de «una vuelta a la naturaleza». Para los filósofos de la época, la «naturaleza» significaba casi lo mismo que la «razón». Porque la razón humana proviene de la naturaleza, al contrario que la Iglesia y la civilización. Señalaron que los «pueblos naturales» a menudo eran más sanos y más felices que los europeos, debido a que no estaban «civilizados». Rousseau fue quien lanzó la consigna: «Tenemos que volver a la naturaleza». Porque la naturaleza es buena, y el hombre es bueno «por naturaleza». El mal está en la sociedad. Rousseau pensaba también que el niño debe vivir en su estado «natural» de inocencia mientras pueda. Podríamos decir que la idea de valorar la infancia en sí data de la Ilustración. Hasta entonces la infancia había sido considerada más bien como una preparación a la vida de adulto. Pero somos seres humanos, y vivimos nuestras vidas en la Tierra también mientras somos niños.

—Ya lo creo.

—Hubo que convertir la religión en algo natural.

—¿Qué querían decir con eso?

—Había que colocar la religión en concordancia con la razón natural de los hombres. Muchos lucharon por lo que podemos llamar «concepto humanizado del cristianismo», lo cual constituye el punto seis de nuestra lista. Evidentemente había varios materialistas tan consecuentes que no creían en ningún Dios, y que por lo tanto tomaron una postura atea. Pero la mayoría de los filósofos de la Ilustración pensó que era irracional concebir un mundo sin Dios. Para eso el mundo estaba organizado demasiado racionalmente. El mismo punto de vista había sido adoptado por Newton, por ejemplo. Asimismo se consideraba razonable creer en la inmortalidad del alma. Como para Descartes, la cuestión de si el hombre tiene un alma inmortal se convirtió más en una cuestión de razón que de fe.

—Eso me resulta un poco extraño. Para mí es un típico ejemplo de aquello que uno sólo puede creer y no saber.

—Pero tú tampoco vives en el siglo XVIII. Según los filósofos de la Ilustración había que eliminar del cristianismo todos aquellos dogmas irracionales que se habían añadido a la sencilla predicación de Jesús en el curso de la historia de la Iglesia.

—Entonces lo comprendo.

—Muchos también defendieron algo que se llama *deísmo*.

—¡Explícate!

—«Deísmo» viene de una idea que dice que Dios creó el mundo alguna vez hace muchísimo tiempo, pero que desde entonces no ha aparecido ante el mundo. De esta forma Dios queda reducido a un «ser superior» que sólo se da a conocer ante los hombres mediante la naturaleza y sus leyes, es decir, *no* se revela de ninguna manera «sobrenatural». Un tal «Dios filosófico» lo encontramos también en Aristóteles, para quien Dios era la «causa primera» o «primer motor» del universo.

—Entonces sólo nos queda un punto, y se refiere a «derechos humanos».

—Sí, que tal vez sea lo más importante. En general podemos decir que la filosofía de la Ilustración francesa tenía una orientación más práctica que la inglesa.

—¿Fueron consecuentes con su filosofía y actuaron de acuerdo con ella?

—Sí, los filósofos de la Ilustración francesa no se contentaron con tener puntos de vista teóricos sobre el lugar del hombre en la sociedad. Lucharon activamente a favor de lo que llamaron los «derechos naturales» de los ciudadanos. En primer lugar se trataba de la lucha contra la censura, y, consecuentemente, a favor de la libertad de imprenta. Había que garantizar el derecho del individuo a pensar libremente y a expresar sus ideas referentes a la religión, la moral y la ética. Además se luchó en contra de la esclavitud de los negros y a favor de un trato más humano a los delincuentes.

—Creo que estoy de acuerdo con casi todo esto.

—El principio de la «inviolabilidad del individuo» fue finalmente incorporado a la «Declaración de los Derechos Humanos», que fue aprobada por la Asamblea Nacional Francesa en 1789. Esta declaración de derechos humanos constituiría una importante base para nuestra propia Constitución de 1814.

—Pero todavía hay mucha gente que tiene que luchar por estos derechos.

—Sí, desgraciadamente. Pero los filósofos de la Ilustración querían afirmar ciertos derechos que todos los seres humanos tenemos simplemente en virtud de haber nacido seres humanos. Eso era lo que querían decir con «derechos naturales». Aún hoy en día se habla de un «derecho natural» que a menudo puede contrastar con las leyes de un determinado país. Todavía hay individuos, o grupos enteros de la población, que reivindican este «derecho natural» para rebelarse contra la falta de derecho, la falta de libertad y la represión.

—¿Y qué pasó con los derechos de la mujer?

—La revolución de 1789 confirmó una serie de derechos que serían válidos para todos los «ciudadanos». Pero «ciudadano» era más bien considerado el hombre. Y no obstante vemos precisamente en la revolución francesa los primeros ejemplos de la lucha de la mujer.

—Ya era hora.

—Ya en 1787 el filósofo ilustrado *Condorcet* publicó un escrito sobre los derechos de la mujer. Pensaba que las mujeres tenían los mismos «derechos naturales» que los hombres. Durante la revolución de 1789 las mujeres participaron activamente en la lucha contra la vieja sociedad feudal. Eran las mujeres, por ejemplo, las que iban al frente en las manifestaciones que al final obligaron al rey a marcharse del palacio de Versalles. En París se formaron grupos de mujeres. Aparte de la demanda de los mismos derechos políticos que los hombres, también pedían cambios en las leyes del matrimonio y en la condición social de la mujer.

—¿Obtuvieron esos derechos?

—No. Como tantas veces más tarde, la cuestión de los derechos de la mujer surgió en relación con una revolución. Pero en cuanto las cosas se tranquilizaron dentro de un nuevo orden, se volvió a instaurar la vieja sociedad machista.

—Típico.

—Una de las que más lucharon a favor de los derechos de la mujer durante la revolución francesa fue *Olympe de Gouges*. En 1791, es decir dos años después de la revolución, hizo pública una declaración sobre los derechos de la mujer. Ya que la declaración sobre los «derechos de los ciudadanos» no contenía ningún artículo sobre los «derechos naturales» de las mujeres, Olympe de Gouges exigió para las mujeres los mismos derechos que regían para los hombres.

—¿Cómo le fue?

—Fue ejecutada en 1793. Y se prohibió toda clase de actividad política a la mujer.

—¡Qué asco!

—Hasta el siglo xix, no se puso verdaderamente en marcha la lucha de la mujer, tanto en Francia como en el resto de Europa. Paulatinamente la lucha iba dando fruto.

En Noruega, por ejemplo, las mujeres no obtuvieron el sufragio universal hasta 1913. Y todavía existen muchos países en los que las mujeres tienen mucho por qué luchar.

—Pueden contar con mi apoyo.

Alberto se quedó sentado mirando al pequeño lago. Al fin dijo:

—Creo que esto era lo que tenía que decirte sobre la filosofía de la Ilustración.

—¿Por qué dices «creo»?

—No tengo la sensación de que vaya a salir nada más.

Mientras hablaba empezaron a suceder cosas junto al agua. En medio del lago, el agua comenzó a salir a chorros desde el fondo. Pronto se levantó algo enorme y feo sobre la superficie.

—¡Un monstruo marino! —exclamó Sofía.

La criatura oscura serpenteó varias veces por el agua. Luego volvió al fondo y el agua se volvió a quedar tan en calma como antes.

Alberto dijo simplemente:

—Entremos en la cabaña.

Se levantaron y entraron en la casita.

Sofía se puso delante de los cuadros de Berkeley y Bjerkely. Señaló la pintura de Bjerkely y dijo:

—Creo que Hilde vive dentro de este cuadro.

Entre los dos cuadros también había colgado un bordado en el que ponía «LIBERTAD, IGUALDAD Y FRATERNIDAD».

Sofía se dirigió a Alberto:

—¿Lo has colgado tú aquí?

Él se limitó a decir que no con la cabeza, con un gesto desolador.

En ese momento Sofía descubrió un sobre en la repisa de la chimenea. «Para Hilde y Sofía», ponía en el sobre. Sofía entendió en seguida de quién era la carta, pero el que ya contara también con ella, constituía una novedad.

Abrió el sobre y leyó en voz alta:

Queridas ambas. El profesor de filosofía de Sofía también debería haber subrayado la importancia que tuvo la filosofía francesa de la Ilustración para los ideales y principios sobre los que se basan las Naciones Unidas. Hace doscientos años el lema «Libertad, igualdad y fraternidad» contribuyó a unir a la burguesía francesa. Hoy estas mismas palabras deberían unir al mundo entero. La humanidad es una sola familia. Nuestros descendientes son nuestros propios hijos y nietos. ¿Qué clase de mundo van a heredar de nosotros?

La madre de Hilde llamó por la escalera diciendo que la película empezaría en diez minutos y que había metido una pizza en el horno. Hilde se sentía completamente agotada después de todo lo que había leído. Llevaba levantada desde las seis.

Decidió emplear el resto de la tarde en celebrar su cumpleaños en compañía de su madre. Pero antes tenía que mirar algo en la enciclopedia.

Gouges... no. ¿De Gouges? Otra vez negativo. ¿Olympe de Gouges? Tampoco. Su enciclopedia no traía ni una palabra de una mujer que había sido ejecutada por su lucha a favor de las mujeres. Era escandaloso.

¿Porque no podía ser un personaje inventado por papá?

Hilde bajó al salón a mirar en una enciclopedia más grande.

—Sólo voy a consultar una cosa —dijo a su madre, que la miraba asombrada.

Se llevó a su habitación el tomo que iba de FORV a GP. Gouges... ¡Sí, ahí estaba!

Gouges, Marie Olympe de *(1748-1793), escritora francesa. Durante la Revolución Francesa fue conocida por numerosos folletos sobre cuestiones sociales y una serie de obras de teatro. Fue una de las pocas personas que durante la Revolución trabajó por que los derechos humanos rigieran también para las mujeres. Publicó en 1791* La declaración de los derechos de la mujer. *Fue ejecutada en 1793 por haberse atrevido a defender a Luis XVI y atacar a Robespierre. (Bibliografía: L. Lacour,* Les Origines du féminisme contemporain, *1900.)*

Kant

...el cielo estrellado encima de mí y
la ley moral dentro de mí...

Alrededor de medianoche Albert Knag llamó por teléfono a casa para felicitar a Hilde en su decimoquinto cumpleaños.

La madre cogió el teléfono.

—Es para ti, Hilde.

—¿Sí?

—Soy papá.

—Estás loco. Son casi las doce.

—Sólo quería felicitarte.

—Me has estado felicitando todo el día.

—...pero quería esperar para llamar a que hubiese acabado el día.

—¿Por qué?

—¿No has recibido el regalo?

—Ah, sí. ¡Muchísimas gracias!

—No me tortures. ¿Qué te ha parecido?

—Impresionante. Casi no he comido en todo el día.

—Tienes que comer.

—Sí, pero es tan emocionante...

—¿Hasta dónde has llegado? Me lo tienes que decir, Hilde.

—Entraron en la Cabaña del Mayor porque tú empezaste a incordiarles con aquel monstruo marino.

—La Ilustración.

— Y Olympe de Gouges.

—Entonces no me he equivocado mucho después de todo.

—¿Cómo «equivocado»?

—Creo que sólo queda ya una felicitación. Pero ésa, en cambio, tiene música.

—Leeré un poco en la cama antes de dormirme.

—¿Entiendes algo?

—He aprendido más hoy que... que en toda mi vida. Es increíble que ni siquiera hayan pasado veinticuatro horas desde que Sofía volvió del colegio y encontró el primer sobre.

—Pues sí, es curioso lo poco que hace falta.

—Pero ella me da un poco de pena.

—¿Quién? ¿Mamá?

—No, Sofía, claro.

—Ah...

—Está completamente desconcertada, la pobrecita.

—Pero ella sólo es... quiero decir...

—Quieres decir que simplemente es alguien inventado por ti.

—Algo así, sí.

—Yo creo que Sofía y Alberto *existen*.

—Hablaremos más cuando llegue a casa.

—Vale.

—Que tengas un buen día.

—¿Qué has dicho?

—Quiero decir, buenas noches.

—Buenas noches.

Cuando Hilde se acostó media hora más tarde, aún había tanta luz fuera que podía ver el jardín y la bahía. En esta época del año, apenas se hacía de noche.

Se imaginó que estaba dentro de un cuadro colgado en una pared de una pequeña cabaña del bosque. ¿Era posible asomarse desde ese cuadro y mirar lo que había fuera?

Antes de dormirse siguió leyendo en la carpeta grande de anillas.

Sofía volvió a dejar la carta del padre de Hilde sobre la repisa de la chimenea.

—Lo de las Naciones Unidas puede ser muy importante —dijo Alberto—, pero no me gusta que se meta en mis explicaciones.

—No te lo tomes muy a pecho.

—A partir de ahora ignoraré pequeños fenómenos como monstruos marinos y cosas así. Vamos a sentarnos aquí delante de la ventana. Te hablaré de Kant.

Sofía descubrió un par de gafas sobre una pequeña mesa entre dos sillones. También se dio cuenta de que las dos lentes eran rojas. ¿Eran una especie de gafas de sol?

—Son casi las dos —dijo—. Tengo que estar en casa antes de las cinco. Mamá seguramente tiene planes para el cumpleaños.

—Entonces tenemos tres horas.

—Empieza.

—*Immanuel Kant* nació en 1724 en la ciudad de Königsberg, al este de Prusia. Era hijo de un guarnicionero. Vivió casi toda su vida en su ciudad natal, donde murió a los 80 años. Venía de un hogar severamente cristiano. Muy importante para toda su filosofía fue también su propia religiosidad. Para él, como para Berkeley, era importante salvar la base de la fe cristiana.

—De Berkeley ya he oído bastante, gracias.

—De todos los filósofos de los que hemos hablado hasta ahora, Kant fue el primero que trabajó en una universidad en calidad de profesor de filosofía. Es lo que se suele llamar un «filósofo profesional».

—¿Filósofo profesional?

—La palabra «filósofo» se emplea hoy en día con dos significados algo distintos. Por «filósofo» se entiende ante todo una persona que intenta buscar sus propias respuestas a las preguntas filosóficas. Pero un «filósofo» también puede ser un experto en filosofía, sin que él o ella haya elaborado necesariamente una filosofía propia.

—¿Y Kant fue un filósofo profesional?

—Era ambas cosas. Si solamente hubiera sido un buen profesor, es decir, un experto en los pensamientos de otros filósofos, no habría llegado a ocupar un lugar en la historia de la filosofía. Pero también es importante tener en cuenta que Kant tenía profundos conocimientos de la tradición filosófica anterior a él. Conocía a racionalistas como Descartes y Spinoza, y a empiristas como Locke, Berkeley y Hume.

—Te dije que no me volvieras a mencionar a Berkeley.

—Recordemos que los racionalistas pensaban que la base de todo conocimiento humano está en la conciencia del hombre. Y recordemos también que según los empiristas todo el conocimiento del mundo viene de las percepciones. Además Hume señaló que existen unos límites muy claros para las conclusiones que podemos sacar de nuestras sensaciones.

—¿Con quién de ellos estaba de acuerdo Kant?

—Opinaba que ambos tenían algo de razón, pero también opinaba que los dos se equivocaban en algo. Lo que les ocupaba a todos era: ¿qué podemos saber del mundo? Esta pregunta filosófica era común en todos los filósofos posteriores a Descartes. Se mencionaron dos posibilidades: ¿el mundo es exactamente como lo percibimos? ¿O es como se presenta a nuestra razón?

—¿Y qué opinaba Kant?

—Kant opinaba que tanto la *percepción* como la *razón* juegan un importante papel cuando percibimos el mundo. Pero pensaba que los racionalistas exageraban en lo que puede aportar la razón, y pensaba que los empiristas habían hecho demasiado hincapié en la percepción.

—Si no me pones pronto un buen ejemplo, todo esto queda en simple palabrería.

—En principio Kant está de acuerdo con Hume y los empiristas en que todos nuestros conocimientos sobre el mundo provienen de las percepciones. Pero, y en este punto les da la mano a los racionalistas, también hay en nuestra razón importantes condiciones de *cómo* captamos el mundo a nuestro alrededor. Hay ciertas condiciones en la mente del ser humano que contribuyen a determinar nuestro concepto del mundo.

—¿Eso ha sido un ejemplo?

—Hagamos mejor un pequeño ejercicio. Coge esas gafas que están en la mesa. Muy bien. ¡Y ahora póntelas!

Sofía se puso las gafas. Todo se coloreó de rojo a su alrededor. Los colores claros se volvieron color rosa, y los colores oscuros se volvieron rojo oscuro.

—¿Qué ves?

—Veo exactamente lo mismo que antes, sólo que todo está rojo.

—Eso es porque las lentes ponen un claro límite a cómo puedes percibir la realidad. Todo lo que ves proviene del mundo de fuera de ti, pero el *cómo* lo ves también está relacionado con las lentes, ya que no puedes decir que el mundo sea rojo aunque tú lo percibas así.

—Claro que no...

—Si ahora te dieras un paseo por el bosque, o si te fueras a casa, verías todo de la misma manera que lo has visto siempre. Sólo que todo lo que verías estaría rojo.

—Mientras no me quite las gafas.

—Así, Sofía, exactamente así, opinaba Kant que hay determinadas disposiciones en nuestra razón, y que estas disposiciones marcan todas nuestras percepciones.

—¿De qué clase de disposiciones se trata?

—Todo lo que vemos, lo percibiremos ante todo como un fenómeno *en el tiempo y en el espacio*. Kant llamaba al Tiempo y al Espacio «las dos formas» de sensibilidad» del hombre. Y subraya que estas dos formas de nuestra conciencia son *anteriores* a cualquier experiencia. Esto significa que antes de experimentar algo, sabemos que, sea lo que sea, lo captaremos como un fenómeno en el tiempo y en el espacio. Porque no somos capaces de quitarnos las «lentes» de la razón.

—¿Quería decir con eso que intuir las cosas en el tiempo y en el espacio es una cualidad innata?

—De alguna manera sí. Lo que vemos depende además de si nos criamos en Groenlandia o en la India. Pero en todas partes experimentamos el mundo como procesos en el tiempo y en el espacio. Es algo que podemos decir de antemano.

—¿Pero no son el tiempo y el espacio algo que está fuera de nosotros?

—No, la idea de Kant es que el tiempo y el espacio pertenecen a la constitución humana. El tiempo y el espacio son ante todo cualidades de nuestra razón y no cualidades del mundo.

—Ésta es una nueva manera de verlo.

—Quiere decir que la conciencia del ser humano no es una «pizarra» pasiva que sólo recibe las sensaciones desde fuera. Es un ente que moldea activamente. La propia conciencia contribuye a formar nuestro concepto del mundo. Tal vez puedas compararlo con lo que ocurre cuando echas agua en una jarra de cristal. El agua se adapta a la forma de la jarra. De la misma manera se adaptan las sensaciones a nuestras «formas de sensibilidad».

—Creo que entiendo lo que dices.

—Kant decía que no sólo es la conciencia la que se

adapta a las cosas. Las cosas también se adaptan a la conciencia. Kant lo llamaba el «giro copernicano» en la cuestión sobre el conocimiento humano. Con eso quería decir que la idea era tan nueva y tan radicalmente diferente a las ideas antiguas como cuando Copérnico había señalado que es la Tierra la que gira alrededor del sol, y no al revés.

—Ahora entiendo lo que quería decir cuando decía que tanto los racionalistas como los empiristas tenían algo de razón. En cierta manera los racionalistas se habían olvidado de la importancia de la experiencia, y los empiristas habían cerrado los ojos a cómo nuestra propia razón marca nuestra percepción del mundo.

—Y la propia *ley de causa-efecto*, que en opinión de Hume no podía ser percibida por el ser humano, forma parte, según Kant, de la razón humana.

—¡Explica!

—Te acordarás de que Hume había afirmado que sólo es nuestro hábito el que hace que percibamos una conexión necesaria de causas detrás de todos los procesos de la naturaleza. Según Hume no podíamos percibir que la bola negra de billar era la causa de que la bola blanca se pusiera en movimiento. Por lo tanto tampoco podemos afirmar que la bola negra siempre pondrá a la bola blanca en marcha.

—Me acuerdo.

—Pero justamente eso, que según Hume no se puede probar, Kant lo incluye como una cualidad de la razón humana. La ley causal rige siempre y de manera absoluta simplemente porque la razón del hombre capta todo lo que sucede como una relación causa-efecto.

—Yo prefiero creer que la ley causal está en la misma naturaleza y no en los seres humanos.

—La idea de Kant es que al menos está en nosotros.

Está de acuerdo con Hume en que no podemos saber nada seguro sobre cómo es el mundo «en sí». Sólo podemos saber cómo es «para mí», es decir para todos los seres humanos. Esta separación que hace Kant entre «das Ding an sich» y «das Ding für mich» («la cosa en sí» y «la cosa para mí»), constituye su aportación más importante a la filosofía.

—No soy muy buena en alemán.

—Kant hizo una clara separación entre la «cosa en sí» y la «cosa para mí». Nunca podremos saber del todo cómo son las cosas «en sí». Sólo podemos saber cómo las cosas aparecen ante nosotros. En cambio antes de cada experiencia podemos decir algo sobre cómo las cosas son percibidas por la razón de los hombres.

—¿Podemos?

—Antes de salir por la mañana no puedes saber nada de lo que vas a ver o percibir durante el día. Pero puedes saber que aquello que veas y experimentes lo percibirás como un suceso en el tiempo y en el espacio. Además puedes estar segura de que la ley causal rige simplemente porque la llevas encima, como una parte de tu conciencia.

—¿Pero podríamos haber sido creados distintos?

—Sí, podríamos haber tenido otros sentidos, y otro sentido del tiempo y otra percepción del espacio. Además podríamos haber sido creados de manera que no hubiéramos buscado las causas de los sucesos de nuestro entorno.

—¿Tienes algún ejemplo?

—Imagínate un gato tumbado en el suelo. Imagínate que una pelota entra en la habitación. ¿Qué haría el gato en ese caso?

—Lo he visto muchas veces. El gato correría detrás de la pelota.

—De acuerdo. Imagínate luego que eres tú la que estás sentada en una habitación y que de pronto entra una pelota rodando. ¿Tú también te irías corriendo detrás de la pelota?

—Antes de hacer algo giraría la cabeza para ver de dónde viene la pelota.

—Sí, porque eres una persona, y buscarás indefectiblemente la causa de cualquier suceso. La ley causal forma parte, pues, de tu propia constitución.

—¿Eso es verdad?

—Hume había señalado que no podemos percibir ni probar las leyes de la naturaleza. Esto le inquietaba a Kant, pero pensaba que sería capaz de señalar la absoluta validez de las leyes de la naturaleza mostrando que en realidad estamos hablando de las leyes para el conocimiento humano.

—¿Un niño pequeño daría la vuelta para averiguar quién ha tirado la pelota?

—Tal vez no. Pero Kant señala que la razón en un niño no se desarrolla totalmente hasta que no tiene material de los sentidos con el que trabajar. En realidad no tiene ningún sentido hablar de una razón vacía.

—No, sería una extraña razón.

—Entonces podemos hacer una especie de resumen. Según Kant hay dos cosas que contribuyen a cómo las personas perciben el mundo. Una son las condiciones exteriores, de las cuales no podemos saber nada hasta que las percibimos. A esto lo podemos llamar el *material* del conocimiento. La segunda son las condiciones internas del mismo ser humano, por ejemplo, el que todo lo percibimos como sucesos en el tiempo y en el espacio y además como procesos que siguen una ley causal inquebrantable. Esto lo podríamos llamar la *forma* del conocimiento.

Alberto y Sofía se quedaron sentados mirando un instante por la ventana. De pronto Sofía vio a una niña que apareció entre los árboles al otro lado del lago.

—¡Mira! —dijo Sofía—. ¿Quién es?

—No lo sé.

Apareció solamente durante unos instantes, luego desapareció. Sofía se dio cuenta de que llevaba algo rojo en la cabeza.

—De todas formas no debemos dejarnos distraer por cosas así.

—Continúa entonces.

—Kant también señaló que está claramente delimitado lo que el hombre puede conocer mediante la razón. Podríamos decir quizás que las «lentes» de la razón ponen algunos de esos límites.

—¿Cómo?

—¿Recuerdas que los filósofos anteriores a Kant discutieron las «grandes» cuestiones filosóficas, por ejemplo si el hombre tiene un alma inmortal, si hay un dios, si la naturaleza está formada por partículas pequeñas indivisibles o si el universo es finito o infinito?

—Sí.

—Kant pensaba que el ser humano no puede obtener conocimientos seguros sobre tales cuestiones, lo cual no significa que rechace ese tipo de planteamientos. Al contrario. Si hubiera rechazado esas cuestiones sin más, no podríamos considerarlo un auténtico filósofo.

—¿Entonces qué hizo?

—Tienes que tener un poco de paciencia. Cuando se refiere a las grandes cuestiones filosóficas, Kant opina que la razón opera fuera de los límites del conocimiento humano. Al mismo tiempo es inherente a la naturaleza del hombre, o a su razón, una necesidad fundamental de plantear precisamente cuestiones de este tipo. Pero cuando preguntamos, por ejemplo, si el universo es finito o infinito, planteamos una pregunta sobre una unidad de la que nosotros mismos formamos una pequeña parte. Por lo tanto jamás podremos conocer plenamente esa unidad.

—¿Por qué no?

—Cuando te pusiste las gafas rojas demostramos que según Kant hay dos elementos que contribuyen a nuestro conocimiento del mundo.

—La percepción y la razón.

—Sí, el material de nuestros sentidos nos viene a través de los sentidos, pero el material también se adapta a las cualidades de la razón. Forma parte, por ejemplo, de las cualidades de la razón el preguntar por la causa de un suceso.

—Como por ejemplo el por qué una pelota rueda por el suelo.

—Si quieres. Pero cuando nos preguntamos de dónde procede el mundo y discutimos las posibles respuestas, entonces la razón está en cierta manera vacía, porque no tiene ningún material de los sentidos que «tratar», no tiene ninguna experiencia en la que apoyarse. Porque no hemos percibido jamás toda aquella inmensa realidad de la que constituimos una pequeña parte.

—De alguna manera somos una pequeña parte de la pelota que rueda por el suelo. Y entonces no podemos saber de dónde viene.

—Pero una cualidad de la razón humana siempre será el *preguntar* de dónde viene la pelota. Por eso preguntamos constantemente, esforzándonos al máximo por encontrar respuestas a las cuestiones últimas. Pero nunca obtenemos respuestas seguras porque la razón no tiene material para contestar.

—Desde luego. Es una sensación que conozco muy bien.

—En cuanto a esas cuestiones fundamentales referentes a toda la realidad, Kant mostró que ocurrirá siempre que dos puntos de vista sean igualmente probables o improbables partiendo de lo que nos pueda decir la razón humana.

—Ejemplos, por favor.

—Tan sensato resulta decir que el mundo tiene que tener un principio, como decir que no tiene tal principio, porque ambas posibilidades son igualmente imposibles de imaginar por la razón. Podemos afirmar que el mundo ha existido siempre, ¿pero puede algo haber existido desde siempre sin que nunca haya tenido un principio? Ahora estamos obligados a asumir el punto de vista contrario. Decimos que el mundo tiene que haber surgido alguna vez y entonces tiene que haber surgido de la nada, si no, simplemente habríamos hablado de un cambio de un estado a otro. ¿Pero puede algo surgir de la nada, Sofía?

—No, las dos posibilidades resultan igualmente inconcebibles. Al mismo tiempo una tiene que ser correcta y la otra equivocada.

—Recordarás que Demócrito y los materialistas señalaron que la naturaleza tenía que estar compuesta por unas partes muy pequeñas de las cuales todas las cosas están compuestas. Otros, por ejemplo Descartes, pensaban que la realidad extensa siempre debe poder dividirse en partes cada vez más pequeñas. ¿Pero quién de ellos tenía razón?

—Los dos... ¿o ninguno?

—Por otra parte muchos filósofos han señalado la libertad de la persona como una de sus cualidades más importantes. Al mismo tiempo nos hemos encontrado con filósofos, entre los que están Spinoza y los estoicos, que opinan que todo sucede de acuerdo con las leyes necesarias de la naturaleza. También en lo referente a este punto,

Kant pensaba que la razón del ser humano no es capaz de emitir ningún juicio seguro.

—Tan razonable como irrazonable sería afirmar cualquiera de las dos cosas.

—Y finalmente, también fracasaremos si mediante la razón intentamos probar la existencia de Dios. Sobre este tema, los racionalistas, por ejemplo Descartes, habían intentado demostrar que tiene que haber un dios simplemente porque tenemos una idea de un «ser perfecto». Otros, por ejemplo Aristóteles y Santo Tomás de Aquino, dedujeron que tiene que haber un dios porque todas las cosas tienen que tener una causa inicial.

—¿Y qué opina Kant?

—Rechaza las dos pruebas de la existencia de Dios. Ni la razón ni la experiencia poseen ningún fundamento seguro para poder afirmar que existe un dios. Para la razón es tan probable como improbable que haya un dios.

—Pero empezaste diciendo que Kant quiso salvar los fundamentos de la fe cristiana.

—Sí, efectivamente abre la posibilidad de una dimensión religiosa. Donde fracasan la experiencia y la razón surge un vacío que puede llenarse de fe religiosa.

—¿Y de esa manera salvó el cristianismo?

—Puedes expresarlo así, si quieres. Hay que tener en cuenta que Kant era protestante. Desde la Reforma un rasgo característico del cristianismo protestante es que se ha basado en la fe. Desde la Edad Media la Iglesia católica ha tenido más confianza en que la razón pueda servir de apoyo a la fe.

—Entiendo.

—Pero Kant no se contentó con afirmar que estas cuestiones últimas tienen que dejarse en manos de la fe del hombre, sino que también era prácticamente necesario para la moral de los hombres suponer que *tienen un alma inmortal*, que *hay un dios*, y que el hombre *tiene libre albedrío*.

—Entonces hace casi como Descartes. Primero estuvo muy crítico, según estamos viendo. Luego mete por la puerta de atrás a Dios y a algo más.

—Pero al contrario que Descartes, Kant no deja de señalar clarísimamente que no es la razón la que ha llevado a este punto de vista, sino la fe. A esta fe en un alma inmortal, en la existencia de un dios y en en el libre albedría la denomina *postulados prácticos*.

—¿Y qué significa eso?

—«Postular» significa afirmar algo que no se puede probar. Con «postulado práctico», Kant se refiere a algo que hay que afirmar para la «práctica» del hombre, es decir para la moral del hombre. «Es moralmente necesario suponer la existencia de Dios», decía.

De pronto alguien llamó a la puerta. Sofía se levantó, pero al ver que Alberto no hacía ningún ademán de levantarse, ella dijo:

—¿Tendremos que abrir, no?

Alberto se encogió de hombros, pero finalmente se levantó él también. Abrieron la puerta y vieron fuera una niña que llevaba un vestido blanco de verano y una capucha roja en la cabeza. Era la misma niña que habían visto al otro lado del pequeño lago. Llevaba una cesta con comida colgada del brazo.

—Hola —dijo Sofía—. ¿Quién eres tú?

—¿No ves que soy Caperucita Roja?

Sofía miró a Alberto, y Alberto asintió.

—¿Has oído lo que acaba de decir?

—Estoy buscando la casa de mi abuela —dijo la niña—. Está vieja y enferma y le traigo comida.

—No es aquí —dijo Alberto—. Así que debes darte prisa y seguir tu camino.

Lo dijo haciendo un gesto con la mano que a Sofía le recordó al gesto que se hace para ahuyentar a una mosca molesta.

—Pero tengo que entregar una carta —continuó la niña de la capucha roja.

Sacó un pequeño sobre que dio a Sofía. A continuación, prosiguió su camino.

—¡Cuídate del lobo! —gritó Sofía.

Alberto estaba ya entrando en la salita de nuevo. Sofía le siguió y se sentó en el mismo sillón de antes.

—Fíjate, era Caperucita Roja —dijo Sofía.

—Y no sirve de nada avisarla. Ahora irá a casa de su abuela, y allí la comerá el lobo. No aprenderá nunca, todo esto se repetirá eternamente.

—Pero nunca he oído decir que llamara a otra puerta antes de llegar a casa de su abuela.

—Un detalle insignificante, Sofía.

Entonces Sofía se fijó en el sobre que la niña le había dado. Fuera ponía «Para Hilde». Abrió el sobre y leyó en voz alta:

Querida Hilde. Si el cerebro del ser humano fuera tan sencillo que lo pudiéramos entender, entonces seríamos tan estúpidos que tampoco lo entenderíamos.

Abrazos, papá.

Alberto asintió.

—Es verdad. Y creo que Kant podría haber dicho algo parecido. No podemos esperar entender lo que *somos*. Quizás podamos llegar a entender plenamente una flor o un insecto, pero jamás podremos entendernos del todo a nosotros mismos. Y aún menos debemos esperar que vayamos a entender todo el universo.

Sofía volvió a leer la extraña frase una y otra vez, pero Alberto continuó.

—Habíamos dicho que no nos dejaríamos estorbar por monstruos marinos y cosas por el estilo. Antes de acabar hoy, quiero explicarte la ética de Kant.

—Date prisa, porque tengo que irme a casa pronto.

—El escepticismo de Hume sobre lo que nos pueden decir la razón y los sentidos obligó a Kant a reflexionar de nuevo sobre algunas de las cuestiones vitales, entre ellas las del campo de la moral.

—Hume dijo que no se puede probar lo que es bueno y lo que es malo, porque del «es» no podemos deducir el «debe ser».

—Según Hume no eran ni nuestra razón ni nuestros sentidos los que decidían la diferencia entre el bien y el mal. Eran simplemente los sentimientos. Este fundamento le pareció poco sólido a Kant.

—Lo comprendo muy bien.

—Kant partía ya del punto de vista de que la diferencia entre el bien y el mal es algo verdaderamente real. En eso estaba de acuerdo con los racionalistas, quienes habían señalado que es inherente a la razón del hombre el saber distinguir entre el bien y el mal. Todos los seres humanos sabemos lo que está bien y lo que está mal, y lo sabemos no sólo porque lo hemos aprendido, sino porque es inherente a nuestra mente. Según Kant todos los seres humanos tenemos una «razón práctica», es decir una capacidad de razonar que en cada momento nos dirá lo que es bueno y lo que es malo moralmente.

—¿Entonces es algo innato?

—La capacidad de distinguir entre el bien y el mal es

tan innata como las demás cualidades de la razón. De la misma manera que todos los seres humanos tienen las mismas formas de razón, por ejemplo el que percibamos todo como algo determinado causalmente, todos tenemos también acceso a la misma *ley moral universal*. Esta ley moral tiene la misma validez absoluta que las leyes físicas de la naturaleza. Tan fundamental es para nuestra vida moral que todo tenga una causa como para nuestra vida racional que $7 + 5 = 12$.

—¿Y qué dice esa ley moral?

—Dado que es anterior a cualquier experiencia, es «formal», es decir, no está relacionada con determinadas situaciones de elección moral. Es válida para todas las personas en todas las sociedades y en cualquier época. No te dice, por tanto, que no debes hacer esto o aquello si te encuentras en esta o aquella situación. Te dice cómo debes actuar en *todas* las situaciones.

—¿Pero de qué nos sirve tener dentro una «ley moral» si no nos dice nada sobre cómo debemos actuar en situaciones determinadas?

—Kant formuló la ley moral como un *imperativo categórico*, con lo cual quiso decir que la ley moral es «categórica», es decir, válida en todas las situaciones. Además es un «imperativo», es decir, es «preceptiva» o, en otras palabras, completamente ineludible.

—Vale...

—No obstante, Kant formula este «imperativo categórico» de varias maneras. En primer lugar dice que «siempre debes actuar de modo que al mismo tiempo desees que la regla según la cual actúas pueda convertirse en una ley general».

—Quiere decir que cuando yo hago algo tengo que asegurarme de que desearía que todos los demás hicieran lo mismo si se encontrasen en la misma situación. ¿Es eso?

—Exactamente. Sólo así actúas de acuerdo con la ley moral que tienes dentro. Kant también formuló el imperativo categórico diciendo que «siempre debes tratar a las personas como si fueran una finalidad en sí y no sólo un medio para otra cosa».

—¿No debemos «utilizar» a otras personas con el fin de conseguir ventajas para nosotros mismos?

—Eso es. Pues toda persona es una finalidad en sí. Pero no sólo se refiere a los demás, también es válido para uno mismo. Tampoco tienes derecho a usarte a ti mismo como un mero medio para conseguir algo.

—Esto recuerda un poco la «regla de oro» que dice que debes hacer a los demás lo que quieres que los demás te hagan a ti.

—Sí, y es una norma formal que en el fondo abarca a todas las situaciones de elección ética. También puedes decir que la «regla de oro» expresa lo que Kant llama «ley moral».

—Pero todo son simplemente afirmaciones. Hume tenía razón en decir que no podemos probar con la razón lo que es bueno y lo que es malo.

—Según Kant, la ley moral es tan absoluta y de validez tan general como por ejemplo la ley de causalidad, que tampoco puede ser probada mediante la razón, y que sin embargo es totalmente ineludible. Nadie desea refutarla.

—Tengo la sensación de que en realidad estamos hablando de la conciencia. Porque todo el mundo tendrá una conciencia, ¿no?

—Sí. Cuando Kant describe la ley moral, es la conciencia del hombre lo que describe. No podemos probar lo que dice la conciencia, pero de todos modos lo sabemos.

—Algunas veces a lo mejor sólo soy buena con los demás porque me merece la pena. Puede ser una manera de hacerse popular, por ejemplo.

—Pero si compartes algo con los demás sólo con el fin de hacerte popular, entonces no actúas por respeto a la ley moral. A lo mejor actúas de acuerdo con ella, y eso está bien, pero para que algo pueda llamarse «acto moral», tiene que ser el resultado de una superación personal. Si haces algo sólo porque piensas que es tu *obligación* cumplir la ley moral, se puede hablar de un acto moral. Por eso la ética de Kant se suele denominar *ética de obligación*.

—Yo puedo sentir que es mi obligación recoger dinero para Cáritas y Manos Unidas.

—Sí, y lo decisivo es que lo harías porque opinas que es lo correcto. Aunque el dinero recogido desapareciera en el camino, o no llegara a alimentar a aquellos a los que estaba destinado, habrías cumplido con la ley moral. Habrías actuado con una actitud correcta, y según Kant es la actitud lo que es decisivo para poder determinar si se trata o no de un acto moral. No son las consecuencias del acto las que son decisivas. Por ello también llamamos a la ética de Kant *ética de intención*.

—¿Por qué era tan importante para él saber si actuabas respetando la ley moral? ¿Lo más importante no es que lo que hagamos sirva a los demás?

—Pues sí, Kant no estaría en desacuerdo con eso. Pero sólo cuando sabemos que actuamos respetando la ley moral actuamos en *libertad*.

—¿Sólo cumpliendo una ley actuamos en libertad? ¿No suena eso un poco extraño?

—Según Kant no lo es. Recordarás que tuvo que «postular» que el hombre tiene libre albedrío. Éste es un punto importante, porque Kant también pensaba que todo sigue la ley causal. ¿Entonces cómo podemos tener libre albedrío?

—A mí no me lo preguntes.

—Kant divide al hombre en dos, y lo hace de una manera que recuerda a Descartes y al hombre como «ser doble», porque tiene a la vez un cuerpo y una razón. Como seres con sentidos estamos totalmente expuestos a las inquebrantables leyes causales, pensaba Kant. Nosotros no decidimos lo que percibimos, las percepciones nos llegan necesariamente y nos caracterizan, lo queramos o no. Pero los seres humanos no somos únicamente seres con sentidos, sino que también somos seres con razón.

—¡Explícate!

—Como seres que percibimos pertenecemos plenamente a la naturaleza. Por lo tanto también estamos sometidos a la ley causal. Y en ese sentido no tenemos libre albedrío. Pero como seres de la razón formamos parte de lo que Kant llama «das Ding an sich», es decir del mundo tal como es en sí, independientemente de nuestras percepciones. Únicamente cuando cumplimos nuestra «razón práctica», que hace que podamos realizar elecciones morales, tenemos libre albedrío. Porque cuando nos doblegamos ante la ley moral somos nosotros mismos los que creamos la ley por la que nos guiamos.

—Sí, eso es de alguna manera verdad. Soy yo, o algo dentro de mí, la que dice que no debo comportarme mal con los demás.

—Cuando eliges no comportarte mal, aun cuando pueda perjudicar tus propios intereses, entonces actúas en libertad.

—Lo que está claro es que no se es libre ni independiente cuando uno simplemente se deja guiar por sus deseos.

—Se puede uno volver «esclavo» de muchas cosas. Incluso de su propio egoísmo. Pues se requiere independencia y libertad para elevarse por encima de los deseos de uno.

—¿Y los animales, qué? Ellos sí siguen sus deseos y sus necesidades. ¿No tienen ninguna libertad para cumplir una ley moral?

—No. Precisamente esa libertad es la que nos convierte en seres humanos.

—Pues sí, ahora lo entiendo.

—Finalmente podemos mencionar que Kant logró sacar a la filosofía del embrollo en que se había metido en cuanto a la disputa entre racionalistas y empiristas. Con Kant muere por tanto una época de la historia de la filosofía. Él murió en 1804, justo cuando comienza a florecer la época llamada Romanticismo. En su tumba en Königsberg se puede leer una de sus más famosas citas. Hay dos cosas que llenan su mente cada vez de más admiración y respeto, pone, y es «el cielo estrellado encima de mí y la ley moral dentro de mí». Y continúa: «Son para mí pruebas de que hay un Dios por encima de mí y un Dios dentro de mí».

Alberto se echó hacia atrás en el sillón.

—Ya está —dijo—. Creo que hemos dicho lo más importante sobre Kant.

—Además son las cuatro y cuarto.

—Pero hay algo más, espera un momento, por favor.

—Nunca me voy de la clase hasta que el profesor ha dicho que ha acabado.

—¿Dije que Kant piensa que no tenemos ninguna libertad si sólo vivimos como seres perceptivos?

—Sí, dijiste algo por el estilo.

—Pero si nos dejamos guiar por la razón universal, entonces seremos libres e independientes. ¿También dije eso?

—Sí. ¿Por qué lo repites ahora?

Alberto se inclinó hacia Sofía mirándola a los ojos y susurró:

—No te dejes impresionar por todo lo que veas, Sofía.

—¿Qué quieres decir con eso?

—Date la vuelta, hija mía.

—No te entiendo.

—Es corriente decir «Si no lo veo, no lo creo». Pero ni aun entonces deberás creerlo.

—Algo así me dijiste antes.

—Referente a Parménides, sí.

—Pero sigo sin entender lo que quieres decir.

—¡Vaya! Pues que estábamos sentados allí fuera en la escalera charlando. Y entonces un «monstruo marino» comenzó a moverse en el agua.

—¿Y eso no era extraño?

—En absoluto. Luego llega Caperucita Roja y llama a la puerta. «Estoy buscando la casa de mi abuelita.» Es una vergüenza, Sofía. No es más que el teatro puesto en escena por el mayor. Igual que los comunicados dentro de plátanos y tormentas imprudentes.

—Crees...

—Pero te dije que tengo un plan. Mientras sigamos nuestra propia razón él no logrará engañarnos. Entonces somos libres de algún modo. Porque, aunque él nos pueda hacer «percibir» muchas cosas, nada me va a sorprender. Si llega a oscurecer el cielo con elefantes voladores apenas haré un gesto con la boca. Pero siete más cinco *son* doce. Ése es un conocimiento que sobrevive a cualquier efecto de dibujos animados. La filosofía es lo contrario del cuento.

Sofía se quedó un instante mirándole asombrada.

—Ya te puedes marchar —dijo Alberto finalmente—. Te convocaré a una nueva reunión sobre el Romanticismo. Vamos a hablar sobre Hegel y Kierkegaard. Pero sólo falta una semana para que el mayor aterrice en el aeropuerto de Kjevik. Antes de esa fecha tendremos que librarnos de su pegajosa imaginación. No digo nada más, Sofía. Pero debes saber que estoy trabajando en un maravilloso plan para los dos.

—Entonces me voy.

—Espera. Tal vez nos hemos olvidado de lo más importante.

—¿De qué?

—La canción de cumpleaños, Sofía. Hoy Hilde cumple quince años.

—Y yo también.

—Tú también, sí. Cantemos.

Se levantaron los dos y cantaron:

—¡Cumpleaños feliz! ¡Cumpleaños feliz! ¡Te deseamos todos, cumpleaños feliz!

Eran las cuatro y media. Sofía bajó corriendo al lago y cruzó remando hasta la otra orilla. Arrastró la barca hasta los juncos y comenzó a correr a través del bosque.

Ya en el sendero vio de repente moverse algo entre los troncos de los árboles. Se acordó de Caperucita Roja, que había ido sola por el bosque para visitar a su abuela, pero la figura que vio entre los árboles era mucho más pequeña.

Sofía se acercó. La figura no era más grande que una muñeca, era de color marrón, y llevaba un jersey rojo.

Sofía se quedó parada cuando se dio cuenta de que era un osito de peluche.

El que alguien se hubiera dejado un osito de peluche en el bosque no era en sí nada misterioso. Pero este osito estaba vivo, al menos estaba haciendo alguna cosa.

—¿Hola? —dijo Sofía.

El pequeño osito se giró bruscamente.

—Yo me llamo Winnie Pooh. Desgraciadamente me he perdido en este bosque en este día que, de otra manera, habría sido un día estupendo. A ti nunca te había visto antes.

—Quizás es que nunca he estado aquí antes —dijo Sofía—. En ese caso puede que tú estés en tu Bosque de los Cien Metros.

—No, ese problema de matemáticas es demasiado difícil para mí. Recuerda que sólo soy un oso con poca razón.

—He oído hablar de ti.

—Serás tú a la que llaman Alicia. Christopher Robin me habló de ti. Bebiste tanto de una botella que te hiciste más y más pequeña. Pero luego bebiste de otra botella y entonces volviste a crecer. Hay que tener cuidado con lo que uno se mete en la boca. Yo una vez comí tanto que me quedé atascado en una madriguera de conejos.

—Yo no soy Alicia.

—No importa nada quiénes somos. Lo que importa es qué somos. Lo dice el Búho, y él tiene mucha razón. Siete más cuatro son doce, dijo una vez en un día de sol completamente normal. Mis amigos y yo nos sentimos muy avergonzados porque los números son muy difíciles de utilizar. Es mucho más fácil calcular el tiempo.

—Yo me llamo Sofía.

—Me alegro, Sofía. Supongo que debes de ser nueva en este bosque. Pero ahora me tengo que ir a buscar al Cerdito, porque vamos a una fiesta en el jardín de la casa de otro amigo.

Le dijo adiós con una pata y Sofía descubrió que llevaba una notita en la otra.

—¿Qué tienes ahí? —preguntó ella.

Winnie Pooh levantó la notita y dijo:

—Por culpa de esto me perdí.

—Pero si sólo es un papelito.

—No, no es en absoluto «sólo un papelito». Es una carta para la Hilde del Espejo.

—Ah bueno, entonces la puedo coger yo.

—¿Pero tú no eres la chica del espejo, no?

—No, pero...

—Una carta siempre debe entregarse a la persona en cuestión. Ayer mismo me lo tuvo que explicar Christopher Robin.

—Pero yo conozco a Hilde.

—No importa. Aunque conozcas muy bien a una persona no debes leer sus cartas.

—Quiero decir que se la puedo dar a Hilde.

—Ah, eso es otra cosa. Toma, Sofía. Si me libro de la carta, encontraré la casa del Cerdito. Para que tú encuentres a Hilde, primero tendrás que encontrar un gran espejo. Pero eso no te resultará fácil por aquí.

Y el osito le dio a Sofía el papelito que llevaba en la mano. A continuación comenzó a correr bosque adentro con sus patitas. Cuando hubo desaparecido, Sofía desdobló la nota y leyó su contenido:

Querida Hilde. Me parece vergonzoso que Alberto no contara a Sofía que Kant abogó por la creación de una «federación de los pueblos». En su escrito «A la paz eterna» escribió que todos los países deberían unirse en una «federación de los pueblos» que se ocuparía de conseguir una pacífica coexistencia entre las distintas naciones.

Aproximadamente 125 años después de la publicación de este escrito en 1795, se creó la llamada «Sociedad de Naciones» tras la Primera Guerra Mundial. Al finalizar la Segunda Guerra Mundial la Sociedad de Naciones fue sustituida por las Naciones Unidas. Se podría decir que Kant es una especie de padrino de la idea de la ONU. Kant pensaba que la «razón práctica» de los hombres impone a los Estados que se salgan de ese «estado natural» que causa tantas guerras, y que creen un nuevo sistema de derecho internacional que las impida. Aunque el camino hasta la creación de una sociedad sea largo, es nuestra obligación trabajar a favor de un «generalizado y duradero seguro de paz». Para Kant la creación de una sociedad tal era una meta muy lejana, casi podríamos decir que era la máxima meta de la filosofía. Yo, por mi parte, me encuentro en la actualidad en el Líbano.

Abrazos, papá.

Sofía se metió la notita en el bolsillo y continuó hacia casa. Contra estos encuentros en el bosque le había advertido Alberto. Pero ella tampoco podía dejar que el osito errara eternamente por el bosque buscando a la Hilde del espejo.

El Romanticismo

...el camino secreto va hacia dentro...

Hilde dejó caer la carpeta grande de anillas. Primero sobre sus rodillas y luego al suelo.

Ya había más luz en la habitación que cuando se acostó. Miró el reloj. Eran casi las tres. Se dio la vuelta en la cama para dormir. En el momento de dormirse pensó en por qué su padre había escrito sobre Caperucita Roja y Winnie Pooh...

Durmió hasta las once del día siguiente. Le parecía que había estado soñando intensamente toda la noche, pero era incapaz de acordarse de lo que había soñado. Tenía la sensación de haber estado en una realidad completamente diferente.

Bajó a la cocina y se hizo el desayuno. Su madre se había puesto el mono azul. Iba a bajar a la caseta a arreglar el barco un poco. Aunque no le diera tiempo de llevarlo al agua, al menos debería estar listo para cuando el padre de Hilde volviera del Líbano.

—¿Bajas a echarme una mano?

—Primero tengo que leer un poco más. Luego puedo bajar té y bocadillos, si quieres.

Después de desayunar, Hilde volvió a subir a su habitación, hizo su cama y se puso cómoda con la carpeta de anillas sobre las rodillas.

Sofía se metió por el seto y de nuevo se encontró en ese gran jardín que una vez había comparado con el jardín del Edén...

Ahora se dio cuenta de que había hojas y ramas sueltas por todas partes tras la tormenta de la noche anterior.

Tenía la sensación de que existía una relación entre la tormenta y las ramas sueltas, por un lado, y el encuentro con Caperucita Roja y Winnie Pooh, por el otro.

Se fue al balancín y lo limpió de agujas de pino y ramas. Menos mal que tenía cojines de plástico, porque así no hacía falta meterlos en casa cada vez que caía un chaparrón.

Entró en casa. Su madre acababa de volver, y estaba metiendo algunas botellas en la nevera. Sobre la mesa de la cocina había dos tartas.

—¿Van a venir invitados? —preguntó Sofía. Casi se había olvidado de que era su cumpleaños.

—Haremos la gran fiesta en el jardín el sábado, pero me pareció que deberíamos celebrarlo hoy también.

—¿Qué?

—He invitado a Jorunn y a sus padres.

Sofía se encogió de hombros.

—Como quieras.

Los invitados llegaron un poco antes de la siete y media. El ambiente estaba tenso, porque la madre de Sofía no conocía muy bien a los padres de Jorunn.

Sofía y Jorunn subieron a la habitación de Sofía a redactar la invitación para la fiesta del jardín. Ya que también iban a invitar a Alberto Knox, a Sofía se le ocurrió que podían llamarla «Fiesta filosófica en el jardín». Jorunn no protestó, pues la fiesta era de Sofía, y últimamente se habían puesto muy de moda las llamadas «fiestas temáticas».

Por fin acabaron de redactar la invitación. Habían tardado dos horas y estaban muertas de risa.

Querido ——————————

Te invitamos a una fiesta filosófica en el jardín del Camino del Trébol 3, el sábado 23 de junio (San Juan) a las

19.00 horas. En el transcurso de la fiesta, esperamos poder solucionar el misterio de la vida. Tráete una chaqueta de lana y buenas ideas que puedan contribuir a una pronta solución de los enigmas de la filosofía. Desgraciadamente está prohibido encender hogueras de San Juan debido al gran peligro de incendio, pero las llamas de la imaginación podrán arder libremente. Habrá incluso un auténtico filósofo entre los invitados. Se reserva el derecho de admisión. (¡Nada de prensa!)

Un cordial saludo,

Jorunn Ingebrigtsen
(comisión de festejos)
y Sofía Amundsen (anfitriona)

Bajaron para reunirse con los mayores, que ahora charlaban con un poco más de soltura que cuando Sofía y Jorunn se refugiaron en el piso de arriba. Sofía le dio la invitación, que estaba escrita con una estilográfica, a su madre.

—Anda, por favor, dieciocho copias —dijo. A veces le pedía a su madre que le sacara alguna fotocopia en el trabajo.

La madre repasó rápidamente la invitación, y luego se la dio al asesor fiscal.

—Ya veis. Está completamente chiflada.

—Esto parece emocionante —dijo el asesor fiscal, y dio la hoja a su mujer—. A mí me gustaría mucho participar en esta fiesta.

Ahora le tocó el turno a la Barbie.

—¡Pero qué emocionante! ¿Nos dejas venir, Sofía?

—Pues entonces, veinte copias.

—Estás como una cabra —dijo Jorunn.

Antes de acostarse, Sofía se quedó un largo rato junto

a la ventana. Se acordó de la noche en que, hacía más de un mes, había visto la silueta de Alberto en la oscuridad. Ahora también era de noche, pero era una luminosa noche de verano.

No supo nada de Alberto hasta el martes por la mañana. Llamó por teléfono justo después de que su madre se marchara a trabajar.

—Sofía Amundsen.

—Alberto Knox.

—Ya me lo figuraba.

—Lamento no haber llamado antes, pero he estado trabajando intensamente en nuestro plan. Sólo cuando el mayor se concentra plenamente en ti, yo tengo ocasión de estar solo y trabajar sin que me interrumpan.

—Qué raro.

—Entonces aprovecho para esconderme en algún sitio, ¿sabes? Incluso la mejor vigilancia del mundo tiene sus límites cuando la lleva una sola persona... He recibido una tarjeta tuya.

—¿Una invitación, quieres decir?

—¿Y te atreves?

—¿Por qué no?

—No es fácil saber lo que puede pasar en una fiesta así.

—¿Vendrás?

—Claro que iré. Pero hay otra cosa. ¿Has pensado en que es el mismo día en que el padre de Hilde vuelve del Líbano?

—No, a decir verdad, no había caído en eso.

—No creo que sea pura casualidad el que te haga organizar una fiesta filosófica en el jardín el mismo día que él vuelve a su casa de Bjerkely.

—Como te digo, no se me había ocurrido.

—Pero a él sí. Bueno, ya hablaremos. ¿Puedes venir a la Cabaña del Mayor esta mañana?

—Debería arrancar las malas hierbas del jardín.

—Digamos entonces a las dos. ¿Vas a poder?

—Iré.

También esta vez Alberto estaba sentado en los escalones cuando llegó Sofía.

—Siéntate aquí —dijo. Hoy fue derecho al grano—. Hasta ahora hemos hablado del Renacimiento, de la época barroca y de la Ilustración. Hoy vamos a hablar del Romanticismo, la última gran época cultural europea. Nos estamos acercando al final de una larga historia, hija mía.

—¿Tanto tiempo duró el Romanticismo?

—Empezó muy a finales del siglo XVIII y duró hasta mediados del siglo pasado. No obstante, después de 1850 ya no tiene sentido hablar de «épocas» enteras que abarquen literatura y filosofía, arte, ciencia y música.

—¿Pero el Romanticismo fue una época así?

—Se ha dicho que el Romanticismo fue la última «postura común» ante la vida en Europa. Surgió en Alemania como una reacción contra el culto a la razón de la Ilustración. Después de Kant y su fría razón, era como si los jóvenes alemanes respiraran aliviados.

—¿Y qué pusieron en lugar de la razón?

—Los nuevos lemas fueron «sentimiento», «imaginación», «vivencia» y «añoranza». También algunos de los filósofos de la Ilustración habían señalado la importancia de los sentimientos, como por ejemplo Rousseau, pero en ese caso como una crítica contra la importancia exclusiva que se daba a la razón. Ahora esta subcorriente se convirtió en la corriente principal de la vida cultural alemana.

—Entonces, ¿Kant había perdido partidarios?

—Sí y no. Muchos románticos se consideraron herederos de Kant, pues el maestro había afirmado que lo que podemos saber sobre «das Ding an sich» es muy limitado. Por otro lado, había señalado lo importante que es la aportación del «yo» al conocimiento. Ahora cada individuo tenía libertad para dar su propia interpretación de la existencia. Los románticos aprovecharon esta libertad, convirtiéndola en un culto casi desenfrenado al «yo», lo cual también condujo a una revalorización del genio artístico.

—¿Había muchos genios de ésos?

—Un ejemplo es *Beethoven*, en cuya música nos encontramos con un ser que expresa sus propios sentimientos y añoranzas. En ese sentido Beethoven era un creador «libre», al contrario que los maestros del Barroco, por ejemplo Bach y Händel, quienes compusieron sus obras en honor a Dios y, muy a menudo, conforme a reglas muy severas.

—Yo sólo conozco la «Sonata del Claro de Luna» y la «Quinta sinfonía».

—Pues entonces puedes apreciar lo romántica que es la «Sonata del Claro de Luna» y lo dramática que es la expresión que emplea Beethoven en la «Quinta sinfonía».

—Dijiste que también los humanistas del Renacimiento eran individualistas.

—Sí. De hecho hay muchos rasgos comunes entre el Renacimiento y el Romanticismo, quizás sobre todo en la importancia que otorgaban, unos y otros, al arte y a su significado para el conocimiento del hombre. En este campo Kant aportó lo suyo. En su estética había investigado qué es lo que sucede cuando nos sentimos abrumados por algo muy hermoso; por ejemplo, por una obra de arte. Cuando nos entregamos a una obra de arte sin servir a otros intereses que a la propia vivencia artística, nos acercamos a una percepción de «das Ding an sich».

—¿Eso quiere decir que el artista es capaz de transmitir algo que los filósofos no pueden expresar?

—Así opinaron los románticos. Según Kant, el artista juega libremente con su capacidad de conocimiento. El poeta alemán *Schiller* continuó desarrollando las ideas de Kant. Escribe que la actividad del artista es como un juego, y que el hombre sólo es libre cuando juega, porque entonces hace sus propias leyes. Los románticos opinaban que solamente el arte podía llevarnos más cerca de «lo inefable». Algunos fueron hasta el final y compararon al artista con Dios.

—Porque el artista crea su propia realidad exactamente de la misma manera que Dios ha creado el mundo.

—Se decía que el artista tiene una «fuerza imaginativa de creación del mundo». En su entusiasmo artístico podía llegar a sentir desaparecer la frontera entre sueño y realidad. *Novalis*, que era uno de los jóvenes genios, dijo que «el mundo se convierte en sueño, el sueño en mundo». Escribió una novela medieval que se titulaba *Heinrich von Ofterdingen*. El escritor no pudo dejarla acabada cuando murió, en 1801, pero tuvo de todas formas una gran importancia. La novela cuenta la historia del joven Heinrich, que está buscando aquella «flor azul» que un día vio en un sueño y que desde entonces siempre ha añorado. El romántico inglés *Coleridge* expresó la misma idea de esta manera:

What if you slept? And what if, in your sleep, you dreamed? And what if, in your dream, you went to heaven and there plucked a rare and beautiful flower? And what if, when you awoke, you had the flower in your hand? Ah, what then?[13]

—Qué bonito.

—Esta añoranza de algo lejano e inaccesible era típica de los románticos. Algunos también añoraron los tiempos pasados, por ejemplo la Edad Media, que ahora se revalorizó frente a la evaluación tan negativa de la Ilustración. Los románticos también añoraban culturas lejanas, por ejemplo Oriente y sus misterios. También se sentían atraídos por la noche, por el amanecer, por viejas ruinas y por lo sobrenatural. Se interesaban por lo que podríamos llamar los «aspectos oscuros» de la existencia, es decir, lo enigmático, lo tétrico y lo misterioso.

—A mí me suena como una época interesante. ¿Quiénes eran en realidad esos románticos?

—El Romanticismo era ante todo un fenómeno urbano. Precisamente en la primera parte del siglo pasado tuvo lugar un florecimiento de la cultura urbana en muchos lugares de Europa, y muy marcadamente en Alemania. Los «románticos» típicos eran hombres jóvenes, muchos de ellos estudiantes, aunque quizás no se ocuparan demasiado de los estudios en sí. Tenían una mentalidad expresamente antiburguesa y solían hablar de la policía o de sus caseras como «filisteos» o simplemente como «el enemigo».

—En ese caso yo no me habría atrevido a ser casera de ningún romántico.

—La primera generación de románticos vivió su ju-

---

[13] ¿Y si durmieras? ¿Y si en tu sueño, soñaras? ¿Y si soñaras que ibas al cielo y allí recogías una extraña y hermosa flor? ¿Y si cuando despertaras tuvieras la flor en tu mano? ¿Ah, entonces qué? *(N. de las T.)*

ventud alrededor del año 1800, y podemos llamar al movimiento romántico la primera insurrección juvenil de Europa. Los románticos tenían varios rasgos comunes con la cultura hippie que surgió ciento cincuenta años más tarde.

—¿Flores y pelo largo, música de guitarra y pereza?

—Sí, se ha dicho que «la ociosidad es el ideal del genio y la pereza la virtud romántica». Era la obligación del romántico vivir la vida, o soñar para alejarse de ella. El comercio cotidiano y los quehaceres de todos los días eran cosa de los filisteos.

—¿Henrik Wergeland era un romántico?

—Tanto *Wergeland* como *Welhaven*[14] eran románticos. Wergeland también defendió muchos de los ideales de la Ilustración, pero su comportamiento, caracterizado por una obstinación inspirada pero desordenada, tenía casi todos los rasgos típicos de un romántico, por ejemplo, sus exaltados enamoramientos. Su «Stella», a quien dedica sus poemas de amor, era tan distante e inaccesible como la «flor azul» de Novalis. El propio Novalis se comprometió con una joven que sólo tenía catorce años. Ella murió cuatro días después de cumplir los quince, pero Novalis continuó amándola el resto de su vida.

—¿Has dicho que se murió sólo cuatro días después de cumplir los quince años?

—Sí.

—Yo tengo hoy quince años y cuatro días.

—Es verdad...

—¿Cómo se llamaba?

—Se llamaba Sofía.

—¿Qué has dicho?

---

[14] Henrik Wergeland (1805-1845), gran poeta noruego. Eterno antagonista de otro gran poeta noruego, Johann Sebastian Welhaven (1807-1783). *(N. de las T.)*

—Bueno...

—¡Me estás asustando! ¿Es esto una coincidencia?

—No sé, Sofía, pero ella se llamaba Sophia.

—¡Sigue!

—El propio Novalis murió a los 29 años. Fue uno de los «jóvenes muertos». Pues muchos de los románticos murieron jóvenes, muchos a causa de la tuberculosis. Algunos se suicidaron.

—¡Vaya!

—Aquellos que llegaron a viejos dejaron más bien de ser románticos alrededor de los 30 años. Muchos se volvieron muy burgueses y conservadores.

—¡Entonces se pasaron al campo del enemigo!

—Sí, tal vez. Pero hablamos del enamoramiento romántico. El amor inaccesible había sido introducido ya por *Goethe* en su novela epistolar titulada *Los sufrimientos del joven Werther,* publicada en 1772. El pequeño libro acaba con que el joven Werther se pega un tiro porque no consigue a la mujer a la que ama...

—¿No era eso un poco exagerado?

—Resultó que el número de suicidios aumentó después de publicarse el libro, y durante algún tiempo estuvo prohibido en Dinamarca y Noruega. Como ves, no carecía de peligro ser romántico. Se ponían en marcha fuertes sentimientos.

—Al oír la palabra «romántico», pienso en grandes pinturas de paisajes, bosques misteriosos y naturaleza salvaje... preferiblemente envuelta en niebla.

—Uno de los rasgos más importantes del romanticismo era precisamente la añoranza de la naturaleza y la mística de la misma. Y, como ya he dicho, esas cosas no surgen en el campo. Te acordarás de Rousseau, que lanzó esa consigna de «vuelta a la naturaleza», que finalmente tuvo éxito en el Romanticismo. El Romanticismo representa, entre otras cosas, una reacción contra el universo mecánico de la Ilustración. Se ha dicho que el Romanticismo implicaba un renacimiento de la antigua *conciencia cósmica.*

—¡Explícate!

—Significa que la naturaleza se consideró una unidad. En este punto los románticos conectaban con Spinoza, pero también con Plotino y filósofos del Renacimiento como Jacob Böhme y Giordano Bruno. Éstos tuvieron en común su vivencia de un «yo» divino en la naturaleza.

—Eran panteístas...

—Tanto Descartes como Hume habían hecho una fuerte distinción entre el yo, por un lado, y la realidad extensa por el otro. También Kant había hecho una clara separación entre el «yo» que conoce, y la naturaleza «en sí». Ahora se decía que la naturaleza era un enorme yo. Los románticos también empleaban la expresión «alma universal» o «espíritu universal».

—Entiendo.

—El filósofo romántico dominante fue *Schelling*, que vivió desde 1775 a 1854. Intentó anular la mismísima distinción entre «espíritu» y «materia». Toda la naturaleza, tanto las almas de los seres humanos, como la realidad física, son expresiones del único Dios o del «espíritu universal», dijo él.

—Bueno, me recuerda a Spinoza.

—«La naturaleza es el espíritu visible, el espíritu es la naturaleza invisible», dijo Schelling. Porque en todas partes de la naturaleza intuimos un «espíritu estructurador». También dijo que «la materia es inteligencia adormecida».

—Esto me lo tendrás que explicar más detenidamente.

—Schelling vio un «espíritu universal» en la naturaleza, pero también vio el mismo espíritu en la conciencia del hombre. En este sentido la naturaleza y la conciencia humana son en realidad dos expresiones de lo mismo.

—Sí, ¿por qué no?

—Es decir, que uno puede buscar el «espíritu universal» tanto en la naturaleza como en la mente de uno mismo. Por eso Novalis dijo que «el camino secreto va hacia dentro». Pensaba que el hombre lleva todo el universo dentro y que la mejor manera de percibir el secreto del mundo es entrar en uno mismo.

—Es una idea hermosa.

—Para muchos románticos la filosofía, la investigación de la naturaleza y la literatura se elevan a una unidad superior. Estar sentado en un estudio escribiendo inspirados poemas o estudiando la vida de las flores y la composición de las piedras eran en realidad dos lados del mismo asunto. Porque la naturaleza no es un mecanismo muerto, es un «espíritu universal» vivo.

—Si sigues hablando así, creo que me hago romántica.

—El científico nacido en Noruega, *Henrik Steffens*, llamado por Wergeland «la hoja de laurel, desaparecido de Noruega con el viento», porque se había ido a vivir a Alemania, llegó en 1801 a Copenhague para dar conferencias sobre el Romanticismo alemán. Caracterizó el movimiento romántico con las siguientes palabras: «Cansados de los eternos intentos de atravesar la materia cruda, elegimos otro camino y quisimos apresurarnos hacia lo infinito. Entramos en nosotros mismos y creamos un nuevo mundo...».

—¿Cómo consigues acordarte de tantas palabras de memoria?

—No tiene importancia, hija mía.

—Sigue.

—Schelling también vio una evolución en la naturaleza de tierra y piedra a la conciencia del hombre. Señaló transiciones muy graduales de naturaleza muerta a formas de vida cada vez más complicadas. La visión de la naturaleza de los románticos reflejaba que la naturaleza se entendía como un solo organismo, es decir, como una unidad que constantemente va desarrollando sus posibilidades inherentes. La naturaleza es como una planta que abre sus hojas y sus pétalos. O como un poeta que despliega sus poemas.

—¿No recuerda esto un poco a Aristóteles?

—Pues sí. La filosofía de la naturaleza del Romanticismo tiene rasgos aristotélicos y neoplatónicos. Pues Aristóteles tenía una visión más orgánica de los procesos naturales que los materialistas mecanicistas.

—Entiendo.

—También encontramos pensamientos parecidos en su nueva visión de la Historia. Muy importante para los románticos sería el filósofo e historiador *Herder*, que vivió desde 1744 a 1803. Opinó también que el transcurso de la Historia se caracteriza por el contexto, el crecimiento y la orientación. Decimos que tenía una visión *dinámica* de la Historia porque la vivía como un proceso. Los filósofos de la Ilustración habían tenido a menudo una visión *estática* de la Historia. Para ellos sólo existía una razón universal y general, que fluctuaba según los tiempos. Herder señaló que toda época histórica tiene su propio valor. De la misma manera cada pueblo tiene sus particularidades o su «alma popular». La cuestión es si somos capaces de identificarnos con las condiciones de otras culturas.

—De la misma manera que tenemos que identificarnos con la situación de otra persona para entenderla mejor, también debemos identificarnos con otras culturas para comprenderlas.

—Supongo que hoy en día eso es más o menos evidente. Pero en el Romanticismo era algo nuevo. El Romanticismo contribuyó también a reforzar los sentimientos de identidad de cada una de las naciones. No es una casualidad que nuestra propia lucha por la independencia nacional floreciera precisamente en 1814.

—Entiendo.

—Ya que el Romanticismo implicaba orientaciones nuevas en tantos campos, lo normal ha sido distinguir entre dos clases de Romanticismo. Por «Romanticismo» entendemos, ante todo, lo que llamamos *Romanticismo universal*. Pienso entonces en aquellos románticos que se preocuparon por la naturaleza, el alma universal y el genio artístico. Esta forma de romanticismo floreció primero, y de un modo muy especial, en la ciudad de Jena alrededor del año 1800.

—¿Y la otra clase de Romanticismo?

—La otra es la llamada *Romanticismo nacional*, que floreció un poco más tarde, especialmente en la ciudad de Heidelberg. Los románticos nacionales se interesaban sobre todo por la historia del «pueblo», por la lengua del «pueblo» y en general por la cultura «popular». Y también el «pueblo» fue considerado un organismo que desdobla sus posibilidades inherentes, precisamente como la naturaleza y la historia.

—Dime dónde vives, y te diré quién eres.

—Lo que unificó al Romanticismo universal y al nacional fue ante todo la consigna «organismo». Los románticos consideraban tanto una página, como un pueblo, «organismos vivos», de manera que también una obra literaria era un organismo vivo. La lengua era un organismo, incluso la naturaleza se consideraba un solo organismo. Por ello no hay una diferenciación bien definida entre el Romanticismo universal y el Romanticismo nacional. El espíritu universal estaba presente en el pueblo, así como en la cultura popular y en la naturaleza y el arte.

—Comprendo.

—Herder ya había recopilado canciones populares de muchos países, y había publicado la colección bajo el elocuente título *Stimmen der Völker in Liedern* (Las Voces de los Pueblos en sus Canciones). Caracterizó la literatura popular como «lengua materna de los pueblos». En Heidelberg se comenzaron a recopilar canciones y cuentos populares. Tal vez hayas oído hablar de los cuentos de los hermanos *Grimm*.

—Ah sí, «Blancanieves» y «Caperucita Roja», «Cenicienta» y «Hansel y Gretel»...

—Y muchos, muchos más. En Noruega teníamos a *Asbjornsen* y *Moe*, que viajaron por todo el país recogiendo la «literatura propia del pueblo». Era como cosechar una jugosa fruta que de repente se había descubierto como algo rico y nutritivo. Y corría prisa, porque la fruta ya estaba cayéndose de los árboles. *Landstad* recopiló canciones e *Ivar Aasen* recopiló la propia lengua noruega. Desde mediados del siglo pasado también se redescubrieron los viejos mitos de los tiempos paganos. Compositores de toda Europa comenzaron a incorporar la música folklórica a sus composiciones. De esa manera intentaron construir un puente entre la música popular y la artística.

—¿La música artística?

—Por música artística se entiende música compuesta por una sola persona, por ejemplo Beethoven. La música popular, por otra parte, no la había compuesto una persona determinada, sino el propio pueblo. Por eso tampoco sabemos exactamente cuándo se compusieron las melodías populares. Y de la misma manera se distingue entre cuentos populares y cuentos artísticos.

—¿Qué significa «cuento artístico»?

—Un cuento que ha sido creado por un determinado escritor, por ejemplo *Hans Christian Andersen*. Precisamente el género cuentístico fue cultivado con gran pasión por los románticos. Uno de los maestros alemanes fue *Hoffmann*.

—Creo que he oído hablar de los cuentos de *Hoffmann*.

—El cuento fue el gran ideal literario entre los románticos, más o menos de la misma manera que el teatro había sido la forma artística preferida de los barrocos. Proporcionaba al escritor grandes posibilidades de jugar con su propia fuerza creativa.

—Podía jugar a Dios ante un mundo imaginado.

—Exactamente. Y ahora podríamos hacer un breve resumen.

—¡Venga!

—Los filósofos románticos entendieron el «alma universal» como un «yo» que, en un estado más o menos onírico, crea las cosas en el mundo. El filósofo *Fichte* señala que la naturaleza procede de una actividad imaginativa superior e inconsciente. Schelling dijo que el mundo «está en Dios». Pensaba que Dios es consciente de algunas cosas, pero también hay aspectos de la naturaleza que representan lo inconsciente en Dios. Porque también Dios tiene un «lado oscuro».

—Es una idea que me asusta y me fascina a la vez.

—De la misma manera se consideró la relación entre el autor y su obra de creación. El cuento proporcionó al escritor la posibilidad de jugar con su propia «fuerza imaginativa». El mismo acto de la creación no era siempre consciente. Al escritor le podía ocurrir que el cuento que estaba escribiendo saliera empujado por una fuerza inherente. A veces estaba como hipnotizado mientras escribía.

—De acuerdo.

—Pero luego el mismo escritor podía romper la ilusión. Podía intervenir en el relato con pequeños comentarios irónicos al lector, para que éste, al menos esporádicamente, recordara que el cuento sólo era un cuento.

—Entiendo.

—De esta manera el escritor también podía recordar al lector que su propia vida era de cuento. Esta clase de ruptura de la ilusión la solemos llamar «ironía romántica». Nuestro propio *Ibsen,* por ejemplo, deja decir a uno de los personajes en su obra *Peer Gynt* que «uno no muere en medio del quinto acto».

—Creo que entiendo que esa réplica tiene algo de divertido. Porque al mismo tiempo dice que simplemente es un soñador.

—La frase es tan paradójica que podemos marcarla con un punto y aparte.

—¿Qué quieres decir?

—Nada, nada, Sofía. Pero luego dijimos que la amada de Novalis se llamaba Sofía, como tú, y que además murió cuando tenía quince años y cuatro días...

—Comprenderás que me asustara, ¿no?

Alberto se quedó sentado mirando algo fijamente. Prosiguió:

—Pero no debes temer que vayas a tener el mismo destino que la amada de Novalis.

—¿Por qué no?

—Porque aún quedan muchos capítulos.

—¿Qué dices?

—Digo que la persona que lea esta historia de Sofía y Alberto sabe que aún quedan muchas páginas de este cuento. Sólo hemos llegado al Romanticismo.

—¡Me mareas!

—En realidad se trata del mayor, que intenta marear a Hilde. ¡Qué feo por su parte!, ¿verdad Sofía? ¡Punto y aparte!

Alberto aún no había acabado la frase cuando un chico salió corriendo del bosque. Vestía ropa árabe y en la cabeza llevaba un turbante. En la mano llevaba una lámpara de aceite.

Sofía se agarró al brazo de Alberto.

—¿Quién es ése? —preguntó.

El chico contestó por su cuenta:

—Me llamo Aladino, vengo del Líbano.

Alberto le miró con severidad.

—¿Y qué tienes en tu lámpara, chico?

El chico empezó a frotar la lámpara. De ella salió un espeso vapor, y del vapor iba saliendo la figura de un hombre, que tenía barba negra y boina azul como Alberto. Flotando en el aire sobre la lámpara, dijo lo siguiente:

—¿Me oyes, Hilde? Supongo que llego tarde para felicitarte. Sólo quiero decirte que para mí Bjerkely y la región en la que vives me parecen un verdadero cuento. Nos veremos dentro de pocos días.

Y con esto, la figura de hombre volvió a diluirse en el vapor, y toda la nube fue absorbida por la lámpara de aceite. El chico del turbante se puso la lámpara bajo el brazo, volvió a meterse en el bosque y desapareció.

—Es... increíble —dijo Sofía, finalmente.

—No es más que una tontería, hija mía.

—El espíritu hablaba exactamente como el padre de Hilde.

—Porque es su espíritu.

—Pero...

—Tú y yo y todo lo que nos rodea tiene lugar muy dentro de nuestra conciencia. Es el 28 de abril por la noche, y alrededor del mayor, que está despierto, están dormidos todos los Cascos Azules, y él mismo está a punto de dormirse. Pero tiene que acabar el libro que va a regalarle a Hilde en su decimoquinto cumpleaños. Por eso tiene que trabajar, Sofía, por eso el pobre hombre apenas puede descansar.

—¡Madre mía!

—¡Punto y aparte!

Sofía y Alberto se quedaron sentados mirando al pequeño lago. Alberto estaba como petrificado. Al cabo de un rato Sofía se atrevió a darle en la espalda.

—¿Te has distraído?

—Sí, en esto intervino directamente. Los últimos párrafos estaban inspirados por él hasta la última letra. Debería sentirse avergonzado. Pero a la vez se descubrió, dejándose ver completamente. Ahora sabemos que vivimos nuestras vidas en un libro que el padre de Hilde manda a su casa como regalo de cumpleaños. ¿Oíste lo que dije, no? Bueno, en realidad no fui en absoluto *yo* quien lo dijo.

—Si todo esto es verdad intentaré escaparme del libro y escoger mi propio camino.

—En eso consiste exactamente mi plan secreto. Pero antes tenemos que conseguir hablar con Hilde, porque ella está leyendo cada palabra que estamos diciendo. En cuanto logremos escaparnos de aquí será mucho más difícil volverse a poner en contacto con ella. Esto quiere decir que tenemos que aprovechar la oportunidad ahora mismo.

—¿Qué le vamos a decir?

—Creo que el mayor está a punto de dormirse junto a la máquina de escribir, aunque sus dedos siguen corriendo por el teclado con una velocidad febril...

—Resulta curioso pensar en ello.

—Precisamente puede que ahora esté escribiendo cosas de las que más adelante se arrepentirá. Y no tiene tinta blanca correctora, Sofía. Eso forma una parte importante de mi plan. Pobre de aquel que se atreva a regalar al mayor Albert Knag un frasquito de tinta correctora.

—De mí no recibirá nada.

—Aquí y ahora desafío a la pobre chica a que se rebele contra su propio padre. Debería avergonzarse de permitir que su padre la entretenga con siluetas y sombras. Si estuviese aquí, le habríamos dejado notar en su propio cuerpo nuestra indignación.

—Pero no está aquí.

—Está presente en espíritu y alma, al mismo tiempo que está sentado en el Líbano. Porque todo lo que nos rodea es el «yo» del mayor.

—Pero él también es algo más de lo que vemos aquí, a nuestro alrededor.

—Porque simplemente somos sombras del alma del mayor, y a una sombra no le resulta fácil atacar a su maestro, Sofía. Requiere perspicacia y reflexión madura. Pero tenemos una posibilidad de influir sobre Hilde. Sólo un ángel puede rebelarse contra un dios.

—Podemos pedirle a Hilde que le haga la burla en cuanto vuelva a casa. Puede decirle que es un canalla. Puede destrozarle su barca, o al menos su linterna.

Alberto consintió. Luego prosiguió.

—Además puede fugarse. Para ella es mucho más fácil que para nosotros. Puede abandonar la casa del mayor y no volver a aparecer jamás. Se lo merecería este mayor, que está jugando con su «fuerza imaginativa de crear mundos» a nuestra costa.

—Me lo imagino. El mayor viajando por el mundo en busca de Hilde. Pero Hilde ha desaparecido porque no podía aguantar vivir con un padre que se burlaba de Alberto y Sofía.

—Se cree gracioso. Eso es lo que quería decir cuando te dije que nos usa para entretenimiento de un cumpleaños. Pero debería tener cuidado, Sofía, y Hilde también.

—¿Qué quieres decir con eso?

—¿Estás cómoda?

—Con tal de que no aparezcan más espíritus de lámparas.

—Intenta imaginarte que todo lo que vivimos tiene lugar en la conciencia de otra persona. Nosotros *somos* esa conciencia. No tenemos ninguna alma propia, somos el alma de otro. Hasta aquí nos encontramos sobre un camino filosófico conocido. Berkeley y Schelling hubieran aguzado el oído.

—¿Sí?

—Luego puede ser que esa alma sea el padre de Hilde Møller Knag. Está sentado escribiendo un libro de filosofía para el decimoquinto cumpleaños de su hija. Cuando Hilde se despierta el 15 de junio, se encuentra con el libro sobre la mesilla, y ahora ella y otros pueden leer acerca de nosotros. Durante mucho tiempo el padre ha estado insinuando que «el regalo» puede ser compartido con otros.

—Me acuerdo.

—Esto que te estoy diciendo ahora lo está leyendo Hilde después de que su padre estuviera una vez sentado en el Líbano imaginándose que yo te contaba que él estaba en el Líbano... imaginándose que yo te contaba que él estaba sentado en el Líbano...

Sofía se estaba mareando. Intentó pensar en lo que había oído sobre Berkeley y los románticos. Alberto Knox prosiguió:

—Pero no deberían sentirse demasiado seguros. Y menos aún deberían reírse, porque una risa puede fácilmente atragantarse.

—¿A quién?

—A Hilde y a su padre. ¿No estamos hablando de ellos?

—¿Pero por qué no deben sentirse seguros?

—Porque no se puede descartar en absoluto la posibilidad de que también ellos sean sólo conciencia.

—¡Cómo podría ser eso posible!

—Si era posible para Berkeley y los románticos, también será posible para ellos. Quizás también el mayor es una imagen de sombras en un libro que trata sobre él y Hilde, y naturalmente también de nosotros dos, ya que formamos una pequeña parte de su vida.

—Eso sería aún peor. En ese caso sólo seríamos imágenes de sombras de imágenes de sombras.

—Pero también puede ser que un escritor totalmente diferente esté escribiendo un libro que trata sobre el mayor de los Cascos Azules Albert Knag que escribe un libro para su hija Hilde. Este libro trata de un tal «Alberto Knox» que de repente empieza a enviar unas modestas reflexiones filosóficas a Sofía Amundsen, en el Camino del Trébol número 3.

—¿Tú crees?

—Simplemente digo que es posible. Para nosotros ese escritor será un «dios oculto», Sofía. Aunque todo lo que somos y todo lo que decimos y hacemos emane de él, porque *somos* él, nunca sabremos nada de él. Nos han metido en la caja de más adentro.

Alberto y Sofía se quedaron pensando mucho tiempo. Al final Sofía rompió el silencio:

—Pero si de verdad hay un escritor que se inventa la historia sobre el padre de Hilde en el Líbano, de la misma manera que él se ha inventado nuestra historia...

—¿Sí?

—...entonces puede ser que él tampoco se sienta tan seguro.

—¿Qué quieres decir?

—Allí está con Hilde y conmigo metidas en un lugar muy adentro de su cabeza. ¿Pero no es posible que también viva su vida en una conciencia superior?

Alberto asintió con la cabeza.

—Desde luego, Sofía. También es posible eso. Y si es así, él nos ha dejado tener esta conversación precisamente para insinuar esa posibilidad. En ese caso ha querido señalar que también él es una imagen indefensa de sombras y que este libro en el que Hilde y Sofía viven sus vidas es, en realidad, un libro de texto de filosofía.

—¿Un libro de texto?

—Todas las conversaciones que hemos tenido, Sofía, todos los diálogos...

—¿Sí?

—Son en realidad un monólogo.

—Me parece que ahora todo se ha disgregado en conciencia y espíritu. Menos mal que aún nos quedan algunos filósofos. Aquella filosofía que comenzó tan magníficamente con Tales, Empédocles y Demócrito no puede naufragar aquí, ¿verdad?

—Qué va. Hablaré de Hegel. Fue el primer filósofo que intentó salvar la filosofía después de que el Romanticismo hubiera reducido todo a espíritu.

—Espero con ilusión.

—Para que no nos interrumpan más espíritus o imágenes de sombras, sugiero que volvamos adentro.

—Además, ya hace un poco de fresco.

—Capítulo nuevo.

Hegel

...lo que es «sensato» es lo que tiene posibilidad de sobrevivir...

Hilde dejó caer con un chasquido la carpeta al suelo, y se quedó tumbada en la cama mirando al techo, donde había algo que daba vueltas.

Papá sí que había conseguido marearla. ¡El granuja! ¿Cómo *podía* hacer algo así...?

Sofía había intentado hablarle directamente a ella. Le pedía que se rebelara contra su padre. Y de hecho había conseguido sembrar en ella una idea. Un plan...

Sofía y Alberto no tenían posibilidad de hacerle ni un rasguño a su padre. Pero Hilde sí podía. De esta manera le sería posible a Sofía acercarse a su padre a través de ella.

Estaba de acuerdo con Sofía y Alberto en que Albert había ido demasiado lejos en su juego con imágenes de sombras. Aunque sólo se había inventado a Alberto y a Sofía, había límites en las manifestaciones de poder que podía permitirse.

¡Pobres Sofía y Alberto! Estaban tan indefensos ante las fantasías del mayor como la pantalla del cine ante el proyector.

¡Hilde sí iba a dar un escarmiento a su padre cuando volviera! Estaba planeando ya la broma que le iba a gastar.

Se fue hacia la ventana y miró la bahía. Eran casi las dos. Abrió la ventana y gritó hacia la caseta:

—¡Mamá!

La madre salió en seguida.

—Bajaré los bocadillos dentro de una hora. ¿Te parece bien?

—Vale.

—Sólo voy a leer acerca de Hegel.

Alberto y Sofía se habían sentado cada uno en su sillón delante de la ventana que daba al pequeño lago.

—*Georg Wilhelm Friedrich Hegel* fue un verdadero hijo del Romanticismo —comenzó Alberto—. Casi se puede decir que siguió el espíritu alemán conforme éste se iba desarrollando en Alemania. Nació en Stuttgart en 1770 y comenzó a estudiar teología en Tubinga a los 18 años. A partir de 1799 colaboró con Schelling en Jena, justo cuando el movimiento romántico se encontraba en su florecimiento más explosivo. Después de ser profesor en Jena fue nombrado catedrático en Heidelberg, que era el centro del Romanticismo nacional alemán. Fue nombrado catedrático en Berlín en 1818, precisamente en la época en la que esta ciudad estaba a punto de convertirse en un centro espiritual de Alemania. Murió de cólera en el mes de noviembre de 1831, pero para entonces el «hegelianismo» ya contaba con una gran adhesión en casi todas las universidades de Alemania.

—De modo que llegó a vivirlo casi todo.

—Sí, y ése es también el caso de su filosofía. Hegel unificó y continuó casi todas las distintas ideas que se habían desarrollado entre los románticos. Pero al mismo tiempo fue un perspicaz crítico de la filosofía de Schelling, por ejemplo.

—¿Qué fue lo que criticó?

—Tanto Schelling como los demás románticos habían pensado que el fondo de la existencia se encontraba en lo que llamaban el «espíritu universal». También Hegel emplea la expresión «espíritu universal», pero le da un nuevo contenido. Al hablar de «espíritu universal» o de «razón universal», Hegel se refiere a la suma de todas las manifestaciones humanas. Porque sólo el ser humano tiene «espíritu». Con este significado, habla del curso del espíritu universal a través de la Historia. Pero no debemos olvidar que nos está hablando de las vidas de los seres humanos, de las ideas de los seres humanos y de la cultura de los seres humanos.

—Y entonces este espíritu se vuelve inmediatamente un poco menos fantasmal. No está ya al acecho como una «inteligencia adormecida» en piedras y árboles.

—Recordarás que Kant habló de algo que él llamaba «la cosa en sí». Aunque rechazara que los hombres pudieran tener algún conocimiento claro del secreto más íntimo de la naturaleza, señaló que existe una especie de «verdad» inalcanzable. Hegel dijo que «la verdad es subjetiva», con lo que rechazó la existencia de una «verdad» por encima o fuera de la razón humana. Opinó que todo conocimiento es conocimiento humano.

—De alguna manera, ¿tuvo que volver a bajar la filosofía a la tierra, verdad?

—Pues sí, a lo mejor se puede expresar así. La filosofía de Hegel es tan polifacética y tan variada que aquí y ahora nos contentaremos con subrayar algunos de sus puntos más importantes. Es además hasta cierto punto dudoso que Hegel tuviera una «filosofía» propia. Lo que llamamos la filosofía de Hegel es ante todo un *método* para entender el curso de la Historia. Por lo tanto, no se puede hablar de Hegel sin hablar de la Historia de la humanidad. La filosofía de Hegel no nos enseña esto ni aquello sobre la «naturaleza más íntima de la existencia», pero nos puede enseñar a pensar de un modo fecundo.

—Eso también es muy importante.

—Todos los sistemas filosóficos anteriores a Hegel habían intentado fijar criterios eternos sobre lo que el hombre puede saber sobre el mundo. Así lo hicieron Descartes y Spinoza, Hume y Kant. Cada uno de ellos había intentado investigar cuál es la base del conocimiento humano. Pero todos se pronunciaron sobre las condiciones *eternas* del conocimiento humano sobre el mundo.

—¿Pero no es ésa la obligación del filósofo?

—Hegel opinó que eso era imposible. Pensaba que la base del conocimiento humano varía de generación en generación. No existe ninguna «verdad eterna». No existe ninguna «razón eterna». El único punto fijo al que puede agarrarse el filósofo es a la propia Historia.

—Me tendrás que explicar esto más a fondo. La Historia está en constante cambio, ¿cómo puede entonces ser un punto fijo?

—También un río está en constante cambio, pero no por eso deja de ser un río. Pero no puedes preguntar por la parte más «auténtica» del río.

—Claro, porque el río es tan río en un sitio como en otro.

—Para Hegel la Historia era como el curso de un río. Cada pequeño movimiento del agua en un punto dado del río está en realidad determinado por la caída del agua y por sus remolinos más arriba. Pero también está determinado por las piedras y los meandros del río justo en ese lugar donde tú lo estás mirando.

—Creo que lo entiendo.

—También la historia del pensamiento, o de la razón, se puede comparar al curso de un río. Todos los pensamientos que vienen «manando» de las tradiciones de personas que han vivido antes que tú, y las condiciones materiales que rigen en tu propia época, contribuyen a determinar tu manera de pensar. Por lo tanto, no puedes afirmar que una determinada idea sea correcta para siempre. Pero puede ser correcta en la época y el lugar en que te encuentras.

—¿Pero no significa que todo es igual de malo o que todo es igual de bueno?

—No, no, algo sólo puede ser bueno o malo en relación con un contexto histórico. Si en 1990 te hubieras puesto a hacer propaganda a favor de la esclavitud, hubieras sido, en el mejor de los casos, un payaso. No resultó tan estúpido hace 2.500 años, aunque incluso en aquella época había voces progresistas que hablaban en favor de abolir la esclavitud. Pero miremos un ejemplo más cercano. Hace sólo cien años no se consideraba tan «irrazonable» quemar grandes zonas de bosques con el fin de allanar la tierra para poderla cultivar. Pero hoy en día resulta enormemente irrazonable hacerlo. Contamos con una información mucho más amplia para realizar tales evaluaciones.

—Ya lo había entendido.

—En cuanto a la reflexión filosófica, Hegel señaló que la razón es algo dinámico, por no decir un proceso. Y la «verdad» es ese proceso en sí. Porque no existe ningún criterio fuera del propio proceso histórico que pueda decidir lo que es lo más «verdadero» o lo más «razonable».

—¡Ejemplos, por favor!

—No puedes extraer distintas ideas de la Antigüedad o la Edad Media, el Renacimiento y la Ilustración y decir que esto o aquello era correcto o equivocado. Por lo tanto, tampoco puedes decir que Platón se equivocó, o que Aristóteles tenía razón. Y tampoco puedes decir que Hume se equivocó y que Kant o Schelling tuvieron razón. Es una manera no-histórica de pensar.

—No suena demasiado bien.

—En general no puedes arrancar a ningún filósofo, ni a ninguna idea en general, del contexto histórico de este filósofo o de esta idea. Pero, y ahora me estoy acercando a un nuevo punto, debido a que constantemente se van añadiendo cosas nuevas, la razón es «progresiva», lo cual significa que el conocimiento del hombre está en constante ampliación y de esa manera «progresa».

—¿Entonces la filosofía de Kant resulta ser más correcta que la de Platón a pesar de todo?

—Sí, el «espíritu universal» ha evolucionado y se ha ampliado desde Platón a Kant. ¡Faltaría más! Si volvemos al río podemos decir que ha entrado más agua en él, pues han pasado más de dos mil años. Kant no creía que sus «verdades» fueran a quedar en la orilla como piedras inmutables. Y sus ideas seguirían elaborándose, y su «razón» sería objeto de crítica por parte de la generación siguiente. Eso fue precisamente lo que pasó de verdad.

—Pero ese río...

—¿Sí?

—¿Hacia dónde fluye?

—Hegel señaló que el espíritu universal evoluciona hacia una conciencia de sí mismo cada vez mayor. Los ríos se hacen cada vez más anchos, conforme se acercan al mar. Según Hegel, la Historia trata de que el espíritu universal despierte lentamente para concienciarse de sí mismo. El mundo ha estado aquí siempre, pero, a través de la cultura y las actividades del hombre, el espíritu universal se hace cada vez más consciente de su particularidad.

—¿Cómo podía estar tan seguro de ello?

—Lo señalaba como una realidad histórica. Es decir, no pretendía predecir nada. Cualquier persona que haya estudiado la Historia verá que la humanidad ha ido hacia un conocimiento cada vez mayor de sí misma y también hacia un «despliegue de energías» cada vez mayor. Según Hegel, un estudio de la Historia muestra que la humanidad se mueve hacia una *racionalidad* y *libertad* cada vez mayores, lo cual quiere decir que la evolución histórica, a pesar de todos sus rodeos, «avanza». Decimos que la Historia «sobrepasa sus propios límites» y que tiene un «objetivo».

—Hay una evolución, eso se entiende fácilmente.

—Sí, la Historia es, como ya he dicho, una larga cadena de reflexiones. Hegel también señaló ciertas reglas que rigen para esta cadena de reflexiones. Alguien que estudie detalladamente la Historia, se dará cuenta de que cualquier idea se sustenta sobre la base de otra idea anterior. Así, en cuanto se presenta una idea, ésta será contradicha por otra, produciéndose una fusión entre dos maneras opuestas de pensar. Esta tensión se anulará en cuanto surja una tercera idea, que recoja lo mejor de los puntos de vista de las dos precedentes. A esto Hegel lo llama *evolución dialéctica.*

—¿Tienes algún ejemplo?

—A lo mejor te acuerdas de que los presocráticos discutían la cuestión de la materia primaria y del cambio...

—Más o menos.

—Luego, los eleatos dijeron que cualquier cambio era en realidad imposible, y por lo tanto se vieron obligados a negar su existencia, aun cuando sus sentidos los captaran. Los eleatos habían expuesto una afirmación, es decir, un punto de vista, que Hegel llamaba *tesis.*

—¿Y?

—Pero, cada vez que se expone una afirmación tan audaz, se producirá una nueva afirmación, a la que Hegel denomina *negación.* El que negó la filosofía de los eleatos fue Heráclito, quien dijo que «todo fluye». Tenemos ya establecida una tensión entre dos maneras distintas de pensar. No obstante, esta tensión fue anulada por Empédocles, al señalar que los dos tenían algo de razón y que los dos se habían equivocado en algo.

—Bueno, creo que empiezo a entenderlo...

—Los eleatos tuvieron razón en decir que en realidad nada cambia, pero se equivocaron al decir que *no* nos podemos fiar de nuestros propios sentidos. Heráclito tenía razón en que podemos fiarnos de nuestros sentidos, pero no tenía razón en que *todo* fluye.

—Porque había más de un elemento. Sólo cambiaba la composición, no los elementos en sí.

—Exactamente. El punto de vista de Empédocles, tal como se presenta, entre los dos puntos de vista opuestos, fue llamado por Hegel *negación de la negación.*

—¡Qué palabras!

—A las tres fases del conocimiento las llamó «tesis», «antítesis» y «síntesis». Podemos decir por ejemplo que el racionalismo de Descartes era una *tesis*, que fue contradicha por la *antítesis* empírica de Hume. Ahora bien, este antagonismo, la misma tensión entre las dos maneras de pensar, se elevó en la *síntesis* de Kant. Kant daba la razón en algunas cosas a los racionalistas y en otras a los empiristas. También mostró que los dos grupos se habían equivocado en puntos importantes. Pero la Historia no acaba con Kant. Ahora la «síntesis» de Kant constituiría el punto de partida de una nueva cadena de reflexiones llevada en tres direcciones, o una tríada. Pues también la «síntesis» es recibida por una nueva «antítesis».

—Eso me resulta muy teórico.

—Sí que lo es. Pero Hegel no tiene la intención de emplear a la fuerza ningún «esquema» para la Historia, sino que opinaba que se podía sacar esa dialéctica leyendo la propia Historia, y señaló que había descubierto ciertas leyes para el desarrollo de la razón, o, en otras palabras, para el curso del «espíritu universal» a través de la Historia.

—Entiendo.

—Ahora bien, la dialéctica de Hegel no es aplicable sólo a la Historia. También cuando discutimos algo pensamos dialécticamente. Intentamos trazar los fallos de una manera de pensar; lo cual, en palabras de Hegel, es «pensar negativamente». Pero al buscar fallos en una manera de pensar conservamos a la vez lo mejor.

—¡Ejemplo!

—Cuando un socialista y un conservador se sientan para resolver un problema social, se producirá rápidamente una tensión entre los dos modos de pensar. Esto no significa que uno tenga toda la razón y el otro se equivoque del todo. De hecho puede ser que los dos tengan algo de razón y que los dos se equivoquen en algunas cosas. Según evoluciona la discusión habrá una conservación crítica de lo mejor de la argumentación de ambos.

—Eso espero.

—Pero cuando nos encontramos en medio de una discusión de ese tipo, no resulta siempre fácil constatar qué es lo más sensato. Lo que es bueno y lo que es malo, tocará a la Historia demostrarlo. Lo que es «sensato» es lo que tiene posibilidad de sobrevivir.

—Es decir, que lo que sigue vivo es lo correcto.

—O al revés: lo correcto es lo que sigue vivo.

—¿Podrías ponerme un pequeño ejemplo para que lo vea más claro?

—Hace ciento cincuenta años hubo mucha gente que luchó en favor de los derechos de la mujer. También había muchos que luchaban en contra. Si hoy en día estudiamos los argumentos de las dos partes no nos resulta difícil ver cuáles eran los argumentos más «razonables». Pero no debemos olvidarnos de que tenemos la ventaja de juzgar con mucha más información de la que se tenía en aquella época. Resultó que los que lucharon a favor tenían razón. Muchos se avergonzarían de ver impreso lo que su abuelo había dicho al respecto.

—Pues sí, me imagino. ¿Qué opinaba el propio Hegel?

—¿Sobre los derechos de la mujer?

—¿No es de eso de lo que estamos hablando?

—¿Quieres oír una cita?

—¡De acuerdo!

—«La diferencia entre el hombre y la mujer es igual a la que existe entre el animal y la planta», escribió Hegel. «El animal se asemeja al carácter del hombre, y la planta al de la mujer, porque su evolución consiste más bien en un tranquilo despliegue de energía, que tiene como principio la unidad indeterminada del sentimiento. Si las mujeres están al frente del gobierno, el Estado está en peligro, porque no actúan conforme a las demandas del público, sino que siguen inclinaciones y opiniones casuales. También las mujeres se están, de alguna manera, cultivando —no se sabe cómo— casi como si absorbiesen las ideas más a través de la vida que mediante la adquisición de conocimientos. El hombre, por otra parte, tiene que alcanzar su posición luchando por adquirir ideas y mediante enormes esfuerzos técnicos.»

—¡Basta, basta! Prefiero no oír más citas de ese tipo.

—Pero la cita es un ejemplo magnífico de que la opinión de lo que es «razonable» va cambiando constantemente. Muestra que también Hegel fue un hijo de su época. Y nosotros también lo somos. Nuestros juicios «evidentes» tampoco aguantarán la prueba de la Historia.

—¿Puedes ponerme algún ejemplo?

—No, de esto no.

—¿Por qué no?

—Porque en ese caso hubiera señalado algo que ya está cambiando. Por ejemplo no podría señalar que es estúpido ir en coche porque el coche contamina la naturaleza. Ya hay mucha gente que opina lo mismo, de modo que sería un mal ejemplo. Pero la Historia demostrará que mucho de lo que para nosotros son evidencias, no aguantarán el juicio de la posteridad.

—Entiendo.

—Además conviene tomar nota de lo siguiente: precisamente porque tantos hombres de la época de Hegel ensartaron largos discursos sobre la inferioridad de la mujer, contribuyeron al mismo tiempo a acelerar la liberación de la mujer.

—¿Cómo?

—Presentaron una «tesis» o «postura». La razón por la que se vieron obligados a ello era que las mujeres ya habían empezado a levantarse. Sobre aquello que todo el mundo está de acuerdo no hace falta opinar. Cuanto más virulentas eran las declaraciones sobre la inferioridad de la mujer, más fuertes se hacían las «negaciones».

—Creo que lo entiendo.

—De modo que se puede decir que lo mejor es tener adversarios enardecidos. Cuanto más extremistas sean los adversarios, más fuerte será la reacción con la que serán contestados. Hay un refrán que habla de «echar leña al fuego».

—Desde luego yo noto que mi propio fuego arde intensamente en este momento.

—También en un sentido lógico o filosófico habrá a menudo una tensión dialéctica entre dos conceptos.

—¡Ejemplo, por favor!

—Si yo reflexiono sobre el concepto «ser», inevitablemente tendré que introducir también el concepto contrario, es decir el «no ser», pues no se puede reflexionar sobre el ser sin, acto seguido, recordarse a uno mismo que no se «es» para siempre. La tensión entre «ser» y «no ser» se disuelve en el concepto «nacimiento». Porque el que algo nazca significa en cierta manera que es y no es.

—Entiendo.

—De modo que la razón de Hegel es una *razón diná-mica*. La realidad está llena de contradicciones y por lo tanto también una descripción de la realidad tendrá que estar llena de contradicciones. Te pondré un par de ejemplos: se dice que el físico nuclear danés *Niels Bohr* tenía una herradura colgada encima de su puerta.

—Da buena suerte.

—Pero es pura superstición, y de hecho Niels Bohr era de todo menos supersticioso. Una vez que recibió la visita de un amigo, éste comentó sobre la herradura: «¿Tú no creerás en esas cosas?», dijo. «No», contestó Niels Bohr, «pero he oído decir que es muy eficaz de todos modos».

—Me has dejado atónita.

—Pero la respuesta es bastante dialéctica, algunos dirían incluso contradictoria. Niels Bohr, que igual que nuestro propio poeta Vinje, era conocido por su ambivalencia, dijo en otra ocasión lo siguiente: existen dos clases de verdades, las verdades superficiales en las que queda evidente que lo contrario es incorrecto y las verdades profundas en las que lo contrario es igual de correcto.

—¿Qué clase de verdades pueden ser ésas?

—Si por ejemplo digo que la vida es corta...

—Entonces estoy de acuerdo.

—Pero en otra ocasión puedo decir que la vida es larga.

—Tienes razón, también eso es verdad.

—Finalmente te pondré un ejemplo de cómo una tensión dialéctica puede desencadenar una acción espontánea que a su vez conduce a un cambio repentino.

—¡Cuenta!

—Imagínate una niña que siempre diga a su madre: «Sí, mamá», «De acuerdo mamá», «Como tú quieras mamá», «Lo haré en seguida, mamá».

—Me produce escalofríos.

—Con el tiempo, a la madre le irrita tanta obediencia por parte de la hija. Finalmente exclama: «¡No seas tan obediente!». Y la niña contesta: «Como quieras, mamá».

—Yo le daría una bofetada.

—¿Verdad que sí? ¿Pero qué hubieras hecho si en lugar de eso hubiera contestado: «¡Sí, *quiero* ser obediente!»?

—Hubiera sido una extraña respuesta. A lo mejor le habría dado una bofetada también en ese caso.

—Es decir que la situación no tenía salida. La tensión dialéctica estaba tan recrudecida que *tendría* que llegarse a un desenlace.

—¿Te refieres a la bofetada?

—Debemos mencionar un último rasgo de la filosofía de Hegel.

—Aquí estoy.

—Recordarás que señalamos que los románticos eran individualistas.

—«El camino secreto va hacia dentro.»

—Precisamente este individualismo se encontró con su «negación» o antagonismo en la filosofía de Hegel. Hegel subrayó lo que él llamaba *poderes objetivos,* con los cuales se refería a la familia y al Estado. Pensaba que el individuo era una parte orgánica de la comunidad. La razón o el «espíritu universal» era algo que no se hacía visible hasta la interacción entre los seres humanos.

—¡Explícate!

—La razón aparece ante todo en el lenguaje, y el lenguaje es algo a lo que nacemos. El idioma noruego se arregla perfectamente sin el señor Hansen, pero el señor Hansen no se arregla sin el idioma noruego. El idioma no es creado por el individuo, sino que es el idioma el que crea al individuo.

—Pues sí, se puede expresar así.

—De la misma manera que el individuo nace a un lenguaje también nace a sus condiciones históricas. Nadie puede tener una relación «libre» con esas condiciones. La persona que no encuentre su lugar en el Estado es, por tanto, una persona «no histórica». Te acordarás de que esta idea también era muy importante para los grandes filósofos de Atenas. De la misma manera que no se concibe al Estado sin ciudadanos, tampoco se concibe al individuo sin el Estado.

—Comprendo.

—Según Hegel el Estado es algo «más» que cada ciudadano. Es incluso más que la suma de todos los ciudadanos. Según Hegel no es posible, por lo tanto, «darse de baja en la sociedad». Uno que se encoge de hombros ante la sociedad en la que vive y que quiere buscarse a sí mismo, se convierte en un payaso.

—No sé si estoy totalmente de acuerdo con eso, pero vale.

—Según Hegel no es el individuo el que se «encuentra a sí mismo», sino el «espíritu universal».

—¿El espíritu universal se encuentra a sí mismo?

—Hegel dijo que el espíritu universal vuelve a sí mismo en tres escalones.

—Me puedes explicar la escalera entera, si quieres.

—Primero el espíritu universal se conciencia de sí mismo en el individuo, a lo cual Hegel llama *razón subjetiva*. En la familia, la sociedad y el Estado, el espíritu universal alcanza una mayor conciencia, a la cual Hegel denomina *razón objetiva*, porque es una razón que actúa en interacción entre las personas. Pero queda aún un escalón...

—¡Qué emoción!

—La más elevada forma de autoconocimiento la alcanza el espíritu universal en la *razón absoluta*. Y esta «razón absoluta» es el arte, la religión y la filosofía. Y de éstos la filosofía es la forma más elevada de razón porque, en la filosofía, el espíritu universal reflexiona sobre su propia actividad en la Historia. Como ves, el espíritu universal no se encuentra consigo mismo hasta llegar a la filosofía. Podríamos decir que la filosofía es el espejo del espíritu universal.

—Esto es tan misterioso que necesito un poco de tiempo para digerirlo. Pero me ha gustado lo último que has dicho.

—Dije que la filosofía es el espejo del espíritu universal.

—Es bonito. ¿Crees que tiene algo que ver con el espejo de latón?

—Sí, ya que preguntas.

—¿Qué quieres decir con eso?

—Supongo que ese «espejo de latón» tiene un significado especial, ya que siempre sale a relucir.

—Entonces también tendrás alguna idea del significado que puede tener.

—No, no. Sólo digo que el espejo no se hubiera sacado a relucir tan a menudo si no tuviera un significado especial para Hilde y su padre. Pero sólo Hilde puede decirnos cuál es ese significado.

—Esto es ironía romántica.

—Una pregunta imposible, Sofía.

—¿Por qué?

—Nosotros no nos dedicamos a esas cosas. Somos simplemente *víctimas* indefensas de tal ironía. Si un niño dibuja algo en un papel no puedes preguntar al papel qué es lo que muestra el dibujo.

—Me dan escalofríos.

Kierkegaard

...Europa camina hacia la bancarrota...

Hilde miró el reloj. Eran más de las cuatro. Puso la carpeta de anillas sobre el escritorio y bajó corriendo a la cocina. Tenía que llevar los bocadillos a la caseta antes de que su madre dejara ya de esperarla. Al salir de la habitación echó un vistazo al espejo de latón.

Se apresuró a poner agua a hervir para el té y preparó a toda prisa unos bocadillos.

Sí que le gastaría una broma a su padre. Hilde se sentía cada vez más cómplice de Sofía y Alberto. La broma empezaría en Copenhague.

Al cabo de un rato bajó a la caseta con una gran bandeja.

—Aquí llegan los bocadillos —dijo.

Su madre tenía una lija en una mano, y con la otra se apartó el pelo de la frente, que estaba lleno de arena.

—Bueno, entonces nos saltamos la comida.

Se sentaron en el borde del muelle para comer.

—¿Cuándo llega papá? —preguntó Hilde al cabo de un rato.

—El sábado. Ya lo sabías, ¿no?

—¿Pero a qué hora? ¿No dijiste que iría vía Copenhague?

—Sí... llegará a Copenhague sobre las cinco. El avión para Kristiansand no sale hasta las ocho y cuarto, creo, y aterriza aquí sobre las nueve y media.

—Entonces pasará unas horas en el aeropuerto de Copenhague...

—¿Por qué?

—Por nada... sólo me preguntaba por dónde vendría.

454

Comieron. Tras lo que le pareció una prudente pausa, Hilde dijo:

—¿Has tenido noticias de Anne y Ole últimamente?

—Bueno, llaman de vez en cuando. En julio vendrán de vacaciones algunos días.

—¿Antes no?

—No, no creo.

—¿Entonces estarán en Copenhague esta semana?

—¿De qué se trata, Hilde?

—De nada. De algo tenemos que hablar, ¿no?

—Has mencionado Copenhague dos veces.

—¿Ah sí?

—Hemos dicho que papá hace escala...

—Seguramente por eso pensé de repente en Anne y Ole.

Hilde volvió a poner los platos y las tazas en la bandeja.

—Tengo que seguir leyendo, mamá.

—Supongo que sí...

¿Había un tono de reproche en esa respuesta? Habían estado hablando de arreglar la barca juntas antes de que volviera papá.

—Papá medio me ha hecho prometer que habría acabado de leer el libro para cuando él volviera.

—Eso me parece un poco exagerado. Una cosa es que esté lejos, pero no tendría por qué organizar y dirigir las cosas aquí en casa también.

—Deberías saber hasta qué extremos dirige —dijo Hilde misteriosamente—. Y no te puedes imaginar cómo disfruta haciéndolo.

Subió de nuevo a su habitación y siguió leyendo.

De repente Sofía oyó que alguien llamaba a la puerta. Alberto le lanzó una severa mirada.

—No nos dejemos interrumpir.

Volvieron a sonar los golpes en la puerta.

—Te hablaré de un filósofo danés al que había escandalizado mucho la filosofía de Hegel —dijo Alberto.

De pronto llamaron con tanta fuerza que la puerta tembló.

—Seguro que es el mayor, que ha enviado a algún personaje fantástico para ver si nos dejamos engañar —prosiguió Alberto—. Esas cosas no le cuestan ningún esfuerzo.

—Pero si no abrimos para ver quién es, tampoco le costará ningún esfuerzo que tiren la casa.

—Quizás tengas razón. Supongo que tendremos que abrir.

Se acercaron a la puerta. Como los golpes eran tan fuertes, Sofía esperaba encontrarse con una persona grande. Pero delante de la puerta sólo había una niña con un vestido de flores y el pelo largo y rubio. En la mano llevaba dos botellas, una roja y otra azul.

—Hola —dijo Sofía—. ¿Quién eres?

—Soy Alicia —dijo la niña, e hizo tímidamente una reverencia.

—Lo que me imaginaba —dijo Alberto—. Es Alicia en el País de las Maravillas.

—¿Pero cómo ha encontrado el camino hasta aquí? Alicia contestó:

—El País de las Maravillas es un país sin límites. Significa que el País de las Maravillas está en todas partes, más o menos como las Naciones Unidas. Por eso nuestro país debería ser miembro de honor de las Naciones Unidas. Deberíamos tener representantes en todas las comisiones, porque también las Naciones Unidas provienen del país de las maravillas de la gente.

—Ja, ja, allí tenemos al mayor —se burló Alberto.

—¿Y qué te trae por aquí? —preguntó Sofía.

—He venido a darle a Sofía estas botellas filosóficas.

Entregó las botellas a Sofía. Las dos eran de cristal transparente, pero en una había un líquido rojo y en la otra un líquido azul. En la botella roja ponía «BÉBEME», y en la azul, «BÉBEME A MÍ TAMBIÉN».

En ese instante pasó corriendo por la cabaña un conejo blanco, erguido sobre las patas traseras y vestido con chaleco y chaqueta. Se paró justo delante de la cabaña, sacó del chaleco un reloj de bolsillo y dijo: «Ay, ay, voy a llegar tarde».

Y continuó la carrera. Alicia le siguió, pero antes hizo otra reverencia y dijo:

—Ahora empieza de nuevo.

—Da recuerdos a Dina y a la reina —gritó Sofía tras ella.

Y Alicia desapareció. Alberto y Sofía se quedaron mirando las botellas.

—BÉBEME y BÉBEME A MÍ TAMBIÉN —leyó Sofía—. No sé si atreverme. Quizás sea veneno.

Alberto se limitó a encogerse de hombros.

—Pues viene del mayor y todo lo que procede de él es conciencia. Simplemente, zumo del pensamiento.

Sofía desenroscó el tapón de la botella roja y se la acercó con cuidado a la boca. El zumo sabía dulce y algo extraño, pero eso era lo de menos. Al mismo tiempo comenzó a suceder algo con todo lo que había a su alrededor.

Fue como si el lago, el bosque y la cabaña comenzaran a extenderse. Pronto pareció que todo lo que veía era una sola persona, y esa persona era la propia Sofía. Miró a Alberto, pero era como si él también fuera una parte del alma de Sofía.

—Qué raro —dijo Sofía—. Veo todo como antes,

pero ahora es como si todo estuviera conectado. Tengo la sensación de que todo es una sola conciencia.

Alberto asintió, pero era como si Sofía dijera que sí a sí misma.

—Es el panteísmo, o la filosofía unitaria —dijo él—. Es el espíritu universal de los románticos, quienes veían todo como un solo «yo». También es Hegel, que miraba de reojo al individuo y que veía todo como una manifestación de la razón universal.

—¿Bebo de la otra también?

—Eso pone en la botella.

Sofía desenroscó el tapón de la botella azul y bebió un gran trago. Este zumo sabía un poco más refrescante y más ácido que el rojo. También ahora tuvo lugar un rápido cambio en todo lo que había a su alrededor.

En el transcurso de un instante desapareció el efecto de la bebida roja, de manera que las cosas volvieron a su antiguo lugar. Alberto volvió a ser Alberto, los árboles del bosque volvieron a ser los árboles del bosque y el agua volvió a aparecer como un pequeño lago.

Pero esto sólo duró un segundo, porque ahora todo lo que Sofía podía ver se estaba separando. El bosque ya no era bosque, sino que cada arbolito aparecía como un mundo aparte; cada ramita era como un pequeño cuento sobre el que se podrían contar mil cuentos.

De pronto el pequeño lago se había transformado en un inmenso mar, no en anchura o profundidad, sino en detalles resplandecientes y sutiles sinuosidades. Sofía entendió que podía haber empleado toda una vida sólo en contemplar esta agua, e incluso cuando la vida un día llegara a su fin, el agua seguiría siendo un misterio inescrutable.

Posó la mirada sobre la copa de un árbol donde tres pequeños gorriones estaban ocupados en un extraño juego. De alguna manera Sofía sabía que los pajaritos estaban en este árbol incluso cuando miró a su alrededor después de haber bebido de la botella roja, pero, de todos modos, no los había visto de verdad. La botella roja había borrado todos los contrastes y todas las diferencias individuales.

Sofía se inclinó sobre la hierba. Descubrió un nuevo mundo, más o menos como cuando uno bucea a mucha profundidad y abre los ojos debajo del agua por primera vez. En el musgo, entre hierbas y pajas, pululaba un sinfín de detalles vivos. Sofía vio una araña que lentamente y a su aire buscaba su camino por el musgo... un gusanito rojo que subía y bajaba a toda prisa por una paja... y todo un pequeño ejército de hormigas trabajando en la hierba. Pero incluso cada una de las hormigas levantaba las patas a su manera.

Y sin embargo, lo más curioso de todo fue lo que vio cuando se volvió a levantar y miró a Alberto, que seguía de pie delante de la cabaña. En Alberto vio a una persona extraña, era como un ser de otro planeta, o como un personaje de otro cuento. Al mismo tiempo sentía de una manera insólita que ella misma era una persona única. No era solamente un ser humano, no era solamente una chica de quince años. Era Sofía Amundsen y sólo ella era eso.

—¿Qué ves? —preguntó Alberto.

—Veo que eres un tipo raro.

—¿Ah sí?

—Creo que nunca llegaré a entender lo que es ser otra persona, porque no hay ninguna persona en todo el mundo que sea idéntica a otra.

—¿Y el bosque?

—No está relacionado entre sí. Es como un universo entero de maravillosos cuentos.

—Entonces es como pensaba. La botella azul es el individualismo. Es por ejemplo la reacción de *Sören Kierkegaard* a la filosofía unitaria del Romanticismo. Pero también lo es otro danés contemporáneo de Kierkegaard, el famoso autor de cuentos H. C. Andersen. Él tenía una vista muy aguda para la increíble riqueza de detalles de la naturaleza. El filósofo alemán *Leibniz* había visto lo mismo cien años antes. Él había reaccionado contra la filosofía unitaria de Spinoza, de la misma manera que Soren Kierkegaard reaccionó contra Hegel.

—Estoy escuchando lo que dices, pero al mismo tiempo te veo tan raro que me entran ganas de reírme.

—Entiendo. Entonces debes beber un poco de la botella roja. Sentémonos aquí, en el escalón. Hablaremos un poco de Kierkegaard antes de dejarlo por hoy.

Sofía se sentó en el escalón junto a Alberto y bebió un pequeño trago de la botella roja. Ahora las cosas volvieron a juntarse. De hecho, casi se fundieron demasiado, porque de nuevo Sofía tuvo la sensación de que ninguna diferencia tenía importancia. Entonces volvió a meter la lengua en el cuello de la botella azul, y el mundo volvió a ser más o menos como era antes de que Alicia se presentara con las dos botellas.

—¿Pero qué es lo verdadero? —preguntó Sofía—. ¿Es la botella roja o es la azul la que proporciona la vivencia correcta?

—Tanto la azul como la roja, Sofía. No podemos decir que los románticos se equivocaron, porque sólo existe una realidad. Pero a lo mejor fueron un poco maniáticos.

—¿Y la botella azul?

—Creo que es la botella de la que Kierkegaard habría bebido largos sorbos. Al menos valoraba enormemente la importancia del individuo. No somos solamente «hijos de nuestra época». Cada uno de nosotros también es un individuo único que vive solamente esta única vez.

—A Hegel esto no le había importado gran cosa, ¿verdad?

—No, a él le interesaban más las grandes líneas de la Historia. Y precisamente esto indignó a Kierkegaard, que pensaba que tanto la filosofía unitaria de los románticos, como el historicismo de Hegel, habían ahogado la responsabilidad del individuo sobre su propia vida. Para Kierkegaard, Hegel y los románticos eran más o menos la misma cosa.

—Comprendo que se enfadara.

—Soren Kierkegaard nació en 1813 y fue educado muy severamente por su padre, de quien también había heredado su melancolía religiosa.

—No suena muy bien.

—Precisamente por su carácter triste y melancólico, se sintió obligado a romper un compromiso matrimonial, lo que fue muy mal visto por la burguesía de Copenhague. De ese modo, pronto se convirtió en un hombre marginado y burlado, aunque con el tiempo aprendió a defenderse. Se convirtió cada vez más en lo que Ibsen llamaría más adelante un «enemigo del pueblo».

—¿Por haber roto el compromiso?

—No, no sólo por eso. Fue, sobre todo, porque al final de su vida elaboró una intensa crítica cultural. «Toda Europa camina hacia la bancarrota», dijo. Pensaba que vivía en una época totalmente carente de pasión y dedicación. Reaccionó especialmente contra la falta de entusiasmo dentro de la Iglesia, y criticó vivamente lo que nosotros llamamos «religión de domingo».

—Hoy en día se podría hablar de «religión de la confirmación». La gran mayoría de los jóvenes de hoy se confirman sólo por los regalos que van a recibir.

—Pues eso es. Para Kierkegaard el cristianismo era tan abrumador y tan irracional que tenía que ser «lo uno o lo otro». No se puede ser «un poco» cristiano, o «hasta cierto punto». Porque o Jesús resucitó el Domingo de Pascua o no. Y si realmente resucitó de entre los muertos por nosotros, esto es entonces tan inmenso que tiene que inundar nuestras vidas.

—Entiendo.

—Pero Kierkegaard observó que tanto la Iglesia como la mayoría de la gente tenían una postura de sabelotodo ante las cuestiones religiosas. Para Kierkegaard la religión y la razón eran como fuego y agua. No basta con creer que el cristianismo es lo «verdadero». La fe cristiana consiste en seguir las huellas de Cristo.

—¿Qué tenía que ver esto con Hegel?

—Puede que hayamos empezado por el final.

—Entonces sugiero que des marcha atrás y arranques de nuevo.

—Kierkegaard empezó a estudiar teología cuando contaba sólo 17 años, pero poco a poco se iba interesando cada vez más por las cuestiones filosóficas. A los 27 años, presentó su tesis *Sobre el concepto de la ironía,* en la que se despachó a sus anchas contra la ironía romántica y contra el juego sin compromiso de los románticos con la ilusión. Como contrapartida a esta forma de ironía puso la «ironía socrática». También Sócrates había empleado la ironía como recurso, pero en su caso fue para provocar una seria reflexión. Al contrario que los románticos, Sócrates era lo que Kierkegaard llamaba un «pensador existente», es decir, un pensador que incluye toda su existencia en su reflexión filosófica.

—Bien.

—Tras romper su compromiso matrimonial, Kierkegaard se marchó en 1841 a Berlín, donde asistió a las clases de Schelling, entre otras.

—¿Llegó a conocer a Hegel?

—No, Hegel había muerto diez años antes, pero su espíritu seguía siendo el dominante, tanto en Berlín como en muchas partes de Europa. Su «sistema» se utilizaba como una especie de explicación total a toda clase de cuestiones. Kierkegaard señaló que las «verdades objetivas» por las que se interesaba la filosofía hegeliana no tenían ninguna importancia para la existencia del individuo.

—¿Y cuáles son las verdades importantes o esenciales?

—Más importante que la «Verdad con V mayúscula» es, según Kierkegaard, encontrar la «verdad para mí». De esa manera colocó al individuo contra el «sistema». Kierkegaard opinaba que Hegel se había olvidado de que él mismo era un ser humano. Así describe al típico profesor hegeliano: «Mientras el meditabundo y respetado señor profesor explica la totalidad de la existencia, se olvida, en su distracción, de cómo se llama, de lo que es un ser humano, simplemente un ser humano, no unos ficticios 3/8 de párrafo».

—¿Y qué es un ser humano según Kierkegaard?

—Es una pregunta que no se puede contestar generalizando. Para Kierkegaard no tiene ningún interés hacer una descripción general de la naturaleza o del ser humano. Es la existencia de cada uno la que es esencial. Y el hombre no percibe su propia existencia detrás de un escritorio. Cuando el ser humano actúa, y especialmente cuando toma importantes decisiones, es cuando se relaciona con su propia existencia. Se cuenta una anécdota sobre Buda que puede ilustrar lo que quería decir Kierkegaard.

—¿Sobre Buda?

—Sí, porque también la filosofía de Buda tomó como

punto de partida la existencia del hombre: érase una vez un monje que pensaba que Buda daba respuestas muy poco claras a preguntas importantes sobre lo que es el mundo y lo que es el hombre. Buda contestó con un ejemplo de un hombre herido por una flecha venenosa. El herido no preguntaría por curiosidad intelectual de qué estaba hecha la flecha, qué veneno tenía o desde qué ángulo había sido disparada.

—Más bien desearía que alguien le sacara la flecha y le curase la herida.

—¿Verdad que sí? Eso es lo que era existencialmente importante para él. Tanto Buda como Kierkegaard tenían una fuerte sensación de existir sólo durante un breve instante. Y como ya hemos señalado: entonces no se sienta uno detrás de un escritorio para meditar sobre la naturaleza del espíritu universal.

—Entiendo.

—También dijo Kierkegaard que la verdad es «subjetiva». Pero no quería decir con ello que da lo mismo lo que creamos u opinemos. Quería decir que las verdades realmente importantes son *personales*. Solamente esas verdades son «una verdad para mí».

—¿Puedes ponerme un ejemplo de una verdad subjetiva?

—Una cuestión importante es, por ejemplo, la de si el cristianismo es lo verdadero. Ésta no es una cuestión ante la que se pueda tomar una postura teórica o académica. Para uno que «se entiende a sí mismo en términos de existencia», se trata de vida o muerte. No es algo que uno se siente a discutir por discutir. Es algo que uno trata con la máxima pasión y fervor.

—Entiendo.

—Si te caes al agua no adoptas una postura teórica

ante la cuestión de si te vas a ahogar o no. En ese caso no es ni «interesante» ni «poco interesante» si hay cocodrilos en el agua. Es cuestión de vida o muerte.

—Pues sí.

—Tenemos que distinguir entre la cuestión filosófica de si existe un dios y la relación del individuo con la misma cuestión. Ante cuestiones de este tipo, cada individuo se encuentra totalmente solo. Y a preguntas semejantes sólo nos podemos aproximar mediante la fe. Las cosas que podemos saber mediante la razón son, según Kierkegaard, completamente inesenciales.

—Eso me lo tienes que explicar mejor.

—8 + 4 = 12, Sofía. Eso es algo que podemos saber con seguridad. Es un ejemplo de esas «verdades de la razón» de las que todos los filósofos después de Descartes se habían ocupado. ¿Pero debemos incluirlas en nuestras oraciones? ¿Son cosas sobre las que meditaremos cuando estemos a punto de morir? No, las verdades de ese tipo pueden ser «objetivas» y «generales», pero por ello también resultan totalmente indiferentes para la existencia de cada uno.

—¿Y la fe?

—No puedes saber si una persona te ha perdonado cuando has hecho algo malo. Precisamente por eso es importante para ti existencialmente. Es una cuestión con la que tienes una relación viva. Tampoco puedes saber si otra persona te quiere o no. Sólo es algo que puedes creer o esperar. Pero eso es más importante para ti que el que la suma de los ángulos de un triángulo sea 180 grados. Y nadie piensa precisamente en la «ley causal», ni en las «formas conceptuales», en el momento de recibir su primer beso.

—No, sería de locos.

—Ante todo es importante la fe cuando se trata de cuestiones religiosas. Kierkegaard escribió: «Si puedo entender a Dios objetivamente no creo; pero precisamente porque no puedo, por eso tengo que creer. Y si quiero conservarme en la fe, tendré que cuidarme siempre de conservar la incertidumbre objetiva, de estar a 70.000 fanegas de profundidad en esta incertidumbre objetiva, y sin embargo creer».

—Me parece que lo expresa de un modo un poco pesado.

—Anteriormente muchos habían intentado probar la existencia de Dios, o al menos captarla con la razón. Pero si uno se da por satisfecho con ese tipo de pruebas de Dios o argumentos de la razón, se pierde lo que es la propia fe, y con ello también el fervor religioso. Porque lo esencial no es si el cristianismo es o no lo verdadero, sino si es lo verdadero para mí. En la Edad Media esta misma idea se expresó mediante la fórmula «credo quia absurdum».

—¿Ah sí?

—Significa: «Creo porque es absurdo». Si la religión cristiana hubiese apelado a la razón, y no a otras partes de nosotros, entonces no se habría tratado de una cuestión de fe.

—Eso ya lo he entendido.

—Hemos visto lo que Kierkegaard entendía por «existencia», lo que entendía por «verdad objetiva» y lo que incluía en el concepto «fe». Estos tres conceptos se formularon como una crítica de la tradición filosófica, y especialmente de Hegel. Pero también contenía una crítica de toda una cultura. En las modernas sociedades urbanas, el ser humano se había convertido en «público», decía Kierkegaard, y la característica más destacada de la multitud era toda esa «palabrería» sin compromiso alguno. Hoy en día a lo mejor utilizaríamos la expresión «conformismo», es decir que todo el mundo opina y defiende lo mismo, sin tener ninguna relación apasionada con el tema en cuestión.

—Estoy pensando que tal vez Kierkegaard podría haber dicho algunas verdades a los padres de Jorunn.

—Pero no era siempre tan indulgente en sus apreciaciones. Tenía una pluma aguda y una ironía amarga. A veces lanzaba sutilezas tales como que «la multitud es la mentira» o que «la verdad siempre está en la minoría». Señalaba además que la mayor parte de la gente tenía una relación de juego con la existencia.

—Una cosa es coleccionar muñecas Barbie, pero es casi peor que una misma sea una muñeca Barbie...

—Lo cual nos lleva a la teoría de Kierkegaard sobre las tres fases en el camino de la vida.

—¿Qué has dicho?

—Kierkegaard opinaba que existen tres actitudes vitales diferentes. Él utiliza la palabra *fases* y las llama «fase estética», «fase ética» y «fase religiosa». Utiliza la palabra «fase» para marcar que se puede vivir en las fases inferiores y de pronto dar el «salto» hasta una fase superior. Pero mucha gente vive en la misma fase toda la vida.

—Apuesto a que pronto llegará una explicación. Además empiezo a sentir curiosidad por saber en qué fase me encuentro yo.

—Quien vive en la *fase estética* vive el momento y busca en todo momento conseguir el placer. Lo que es bueno es lo que es hermoso, bello o grato. En ese aspecto se vive totalmente en el mundo de los sentidos. El estético se convierte en un juguete de sus propios placeres y estados de ánimo. Lo negativo es lo «aburrido», lo «pesado».

—Pues sí, conozco bien esa actitud.

—El típico romántico es por lo tanto el típico estético. Porque no se trata solamente de placeres sensuales. También quien tiene una relación de juego con la realidad o, por ejemplo, con el arte o la filosofía con los que él o ella trabajan, vive en la fase estética. Se puede tener una relación estética o de «observador» incluso con el dolor y el sufrimiento. Es la vanidad la que domina. Ibsen dibujó al típico estético en su personaje Peer Gynt.

—Creo que entiendo lo que quieres decir.

—¿Te reconoces?

—No del todo. Pero me recuerda un poco al mayor.

—Quizás sí, Sofía... Aunque éste ha sido un ejemplo más de esa pegajosa ironía romántica. Deberías enjuagarte la boca.

—¿Qué has dicho?

—Bueno, tú no tienes la culpa.

—¡Sigue!

—Uno que vive en la fase estética puede llegar a sentir pronto angustia y vacío. Pero en ese caso también hay esperanza. Según Kierkegaard la *angustia* es algo casi positivo. Es una expresión de que uno se encuentra en una «situación existencial». Ahora el estético puede optar por dar el gran «salto» hasta una fase superior. Pero o sucede o no sucede. No sirve de nada estar a punto de saltar si no se hace del todo. Aquí se trata de un «o lo uno o lo otro». Pero nadie puede dar el salto por ti. Tú mismo tienes que elegir.

—Eso me recuerda un poco a lo de dejar de fumar o de consumir droga.

—Sí, tal vez. Al describir esta «categoría de la decisión» Kierkegaard nos recuerda a Sócrates, que señaló que todo verdadero conocimiento viene desde dentro. También la *elección* que conduce a que un ser humano salte de una actitud vital estética a una actitud vital ética o religiosa tiene que surgir desde dentro. Esto lo describe Ibsen en *Peer Gynt*. Otra descripción magistral de cómo la elección existencial emana de una desesperación y miseria interiores la ofrece Dostoievski en la gran novela *Crimen y castigo*.

—En el mejor de los casos se elige otra actitud vital.

—Y de esa manera a lo mejor se empieza a vivir en la *fase ética*, la cual se caracteriza por la seriedad y elecciones consecuentes según criterios morales. Esta actitud ante la vida puede recordar a la ética del deber de Kant. Se intenta vivir de acuerdo con la ley moral. Igual que Kant, Kierkegaard pone su atención ante todo en la disposición mental de la persona. Lo esencial no es exactamente lo que uno opina que es lo correcto y lo que uno opina que es malo. Lo esencial es que uno elija tener una actitud ante lo que es «correcto o equivocado». Lo único que le interesa al estético es si una cosa es «divertida o aburrida».

—¿Y no se corre el riesgo de convertirse en una persona demasiado seria viviendo de este modo?

—Pues sí. Según Kierkegaard tampoco la «fase ética» es la más satisfactoria. También en la fase ética puede uno llegar a aburrirse de ser tan cumplidor y minucioso. Muchas personas, cuando se hacen mayores, llegan a experimentar una gran sensación de cansancio. Algunos pueden volver a caer en la vida de juego de la fase estética. Pero algunos dan un nuevo salto hasta la *fase religiosa*, alcanzando así «la profundidad de 70.000 fanegas» de la fe. Eligen la fe ante el placer estético y los deberes de la razón. Y aunque puede ser «terrible caer en las manos del Dios vivo», como expresa Kierkegaard, es cuando por fin el ser humano encuentra la conciliación.

—El cristianismo.

—Sí. Para Kierkegaard, la «fase religiosa» era la religión cristiana. Pero también tendría una gran importancia para pensadores no cristianos. En el siglo xx surgió una extensa «filosofía existencialista» inspirada en el pensador danés.

Sofía miró el reloj.

—Son casi las siete. Tengo que irme corriendo. Habrá que oír a mamá.

Dijo adiós con la mano a su profesor de filosofía y bajó corriendo al agua y al bote.

Marx

...un fantasma recorre Europa...

Hilde se levantó de la cama y se puso junto a la ventana que daba a la bahía. Había empezado el sábado leyendo sobre el cumpleaños de Sofía. El día anterior había sido su propio cumpleaños.

Si su padre había calculado que le iba a dar tiempo a leer hasta el cumpleaños de Sofía, había calculado muy por lo alto. No hizo otra cosa que leer durante todo el día anterior. Pero había tenido razón en que sólo faltaba por llegar una última felicitación. Era cuando Alberto y Sofía habían cantado «Cumpleaños feliz». A Hilde le había dado un poco de vergüenza.

Luego Sofía había hecho las invitaciones para su «fiesta filosófica en el jardín», que se celebraría el mismo día en que el padre de Hilde regresaba del Líbano. Hilde estaba convencida de que ese día sucedería algo que ni ella ni su padre tenían bajo control.

Una cosa sí era segura: antes de que su padre volviera a Bjerkely, le daría un pequeño susto. Era lo menos que podía hacer por Sofía y Alberto. Le habían pedido ayuda.

Su madre seguía en la caseta. Hilde bajó de puntillas al piso de abajo y fue a la mesita del teléfono. Buscó el teléfono de Anne y Ole en Copenhague y marcó todos los números, uno por uno.

—Anne Kvamsdal.

—Hola, soy Hilde.

—¡Qué sorpresa! ¿Qué tal va todo por Lillesand?

—Muy bien, de vacaciones. Y sólo falta una semana para que papá vuelva del Líbano.

—¡Qué contenta estarás, Hilde!

—Sí, me hace mucha ilusión. Sabes, en realidad llamo por eso...

—¿Ah sí?

—Creo que su avión llega a Copenhague sobre las cinco el día 23. ¿Estaréis en Copenhague ese día?

—Creo que sí.

—Quería pediros un pequeño favor.

—¡Faltaría más!

—Pero es un poco especial, ¿sabes?; no sé si se puede hacer.

—Suena muy interesante...

Y Hilde comenzó a explicarle. Habló de la carpeta de anillas, de Alberto y Sofía y todo lo demás. Varias veces tuvo que volver a empezar porque ella o su tía, al otro lado del teléfono, se echaban a reír. Cuando por fin colgó, su plan estaba en marcha.

Luego tendría que hacer algunos preparativos allí mismo, pero aún no corría prisa.

Hilde pasó el resto de la tarde y noche con su madre. Fueron al cine a Kristiansand, porque tenían que «recuperar» un poco del día anterior, que no había sido un verdadero cumpleaños. Al pasar por la entrada del aeropuerto, Hilde colocó algunas piezas más en el rompecabezas que tenía presente constantemente.

Por fin, cuando ya tarde se fue a acostar, pudo seguir leyendo en la gran carpeta de anillas.

Eran casi las ocho cuando Sofía se metió por el Callejón. Su madre estaba con las plantas delante de la casa cuando Sofía llegó.

—¿De dónde vienes?

—Vengo por el seto.

—¿Por el seto?

—¿No sabes que hay un sendero al otro lado?

—¿Pero dónde has estado, Sofía? Una vez más, no me has avisado de que no vendrías a comer.

—Lo siento. Hacía tan bueno. He dado un paseo larguísimo.

Su madre se levantó de la maleza y miró fijamente a su hija.

—¿No habrás vuelto a ver a ese filósofo?

—Pues sí. Ya te dije que le gusta mucho dar paseos.

—¿Vendrá a la fiesta?

—Sí, le hace mucha ilusión.

—A mí también. Estoy contando los días que faltan, Sofía.

¿Había un matiz irónico en la voz? Para asegurarse dijo:

—Menos mal que también he invitado a los padres de Jorunn. Si no, hubiera sido un poco violento.

—Bueno... de cualquier forma, yo quiero tener una conversación privada con ese Alberto, una conversación de adultos.

—Os dejaré mi cuarto. Estoy segura de que él te va a gustar.

—Hay algo más. Ha llegado una carta para ti.

—Bueno...

—Lleva el matasellos del Batallón de las Naciones Unidas.

—Es del hermano de Alberto.

—Pero Sofía, ¡ya está bien!

Sofía pensó febrilmente. Y en un par de segundos le llegó una respuesta oportuna. Fue como si alguien le hubiera inspirado, echándole una mano.

—Le dije a Alberto que coleccionaba matasellos raros. Y a los hermanos se les puede utilizar para muchas cosas, ¿sabes?

Con esta respuesta consiguió tranquilizar a su madre.

—La comida está en el frigorífico —dijo la madre en un tono un poco más conciliador.

—¿Dónde esta la carta?

—Encima del frigorífico.

Sofía se apresuró a entrar en la casa. La fecha del matasellos era 15.6.90. Abrió el sobre, y encontró dentro una pequeña nota.

¿De qué sirve esa constante creación a ciegas
si todo lo creado simplemente desaparecerá?

Sofía no tenía ninguna respuesta a esa pregunta. Antes de sentarse a comer, dejó la nota en el armario junto con todas las demás cosas que había ido recogiendo durante las últimas semanas. Ya se enteraría de por qué le habían hecho esa pregunta.

A la mañana siguiente, Jorunn fue a hacerle una visita. Primero jugaron al badmington y luego se pusieron a hacer planes sobre la fiesta filosófica en el jardín. Tendrían que tener algunas sorpresas preparadas por si la fiesta decaía en algún momento.

Cuando su madre volvió del trabajo, seguían hablando de la fiesta. La madre repetía una y otra vez: «Esta vez no se escatimará en nada». Y no lo decía en un sentido irónico.

Era como si pensara que una «fiesta filosófica» era exactamente lo que Sofía necesitaba para volver a bajar a tierra después de esas intranquilas semanas de intensa formación filosófica.

Aquella noche lo planearon todo, desde las tartas y los farolillos chinos, hasta concursos filosóficos con un libro de filosofía para jóvenes de premio. Si es que había algún libro para jóvenes..., Sofía no estaba muy segura.

El jueves 21 de de junio, cuando sólo quedaban dos días para San Juan, volvió a llamar Alberto.

—Sofía.

—Alberto.

—¿Qué tal?

—Perfectamente. Creo que he encontrado una salida.

—¿Una salida a qué?

—A lo que tú sabes. A esta prisión espiritual en la que ya llevamos demasiado tiempo.

—Ah, eso...

—Pero no puedo decir nada sobre el plan hasta no haberlo puesto en marcha.

—¿Y eso no será muy tarde? Tendré que saber en qué estoy participando, ¿no?

—Ay, qué ingenua eres. ¿No sabes que están escuchando todo lo que decimos? Lo más sensato sería, pues, callarse.

—¿Tan mal está?

—Claro que sí, hija mía. Lo más importante tiene que suceder cuando no hablemos entre nosotros.

—Ah...

—Vivimos nuestras vidas en una realidad ficticia detrás de las palabras de un cuento muy largo. Cada palabra es tecleada por el mayor en una barata máquina de escribir portátil. Por lo tanto, de lo que está escrito nada escapa a su atención.

—Entiendo. ¿Pero entonces cómo podríamos hacer algo a escondidas de él?

—¡Chsss...!

—¿Qué?

—También sucede algo entre líneas. Allí es donde intento moverme con todo lo que tengo de doble fondo.

—Entiendo.

—Pero tenemos que emplear juntos el tiempo que nos queda hoy y mañana. El sábado estallará. ¿Puedes venir en seguida?

—Iré ahora.

Sofía dio de comer a los pájaros y a los peces, buscó una gran hoja de lechuga para Govinda y abrió una lata de comida de gatos para Sherekan. Antes de irse, dejó el plato con la comida del gato en la escalera.

Luego se metió por el seto y cogió el sendero al otro lado. Cuando llevaba algún tiempo andando vio de repente un gran escritorio en medio de la maleza. Detrás del escritorio había un señor mayor. Parecía como si estuviera calculando algo. Sofía se le acercó y le preguntó su nombre.

El hombre ni siquiera se molestó en levantar la vista.

—Scrooge —dijo, y volvió a inclinarse sobre los papeles.

—Yo me llamo Sofía. ¿Eres un hombre de negocios?

Él asintió con la cabeza.

—E inmensamente rico. No quiero perder ni una corona, por eso tengo que concentrarme en la contabilidad.

—¡Qué aburrido!

Sofía le dijo adiós con la mano y prosiguió su camino. Pero había avanzado pocos metros cuando vio a una niña que estaba sentada completamente sola debajo de uno de los altos árboles. Iba vestida con harapos y parecía pálida y enfermiza. Al pasar Sofía, la niña metió la mano en una bolsita y sacó una caja de cerillas.

—¿Me compras una caja de cerillas? —preguntó.

Sofía buscó en el bolsillo para ver si llevaba dinero encima. Sí, por lo menos tenía una moneda de una corona.

—¿Cuánto cuestan?

—Una corona.

Sofía dio la moneda a la niña y se quedó parada con la caja de cerillas en la mano.

—Eres la primera persona que me ha comprado algo en más de cien años. Algunas veces me muero de hambre, otras me muero congelada.

Sofía pensó que no era extraño que no vendiera cerillas ahí en el bosque, pero luego se acordó del rico hombre de negocios al que acababa de ver. No era necesario que esa niña muriera de hambre, cuando ese hombre tenía tanto dinero.

—Ven aquí —dijo Sofía.

Cogió a la niña de la mano y la llevó hasta el rico hombre de negocios.

—Tendrás que procurar que esta niña tenga una vida mejor —dijo.

El hombre, sin levantar apenas la vista de los papeles, contestó:

—Eso cuesta dinero, ya te he dicho que no quiero perder ni una sola corona.

—Pero es injusto que tú seas tan rico y que esta niña sea tan pobre —insistió Sofía.

—¡Tonterías! La justicia sólo se practica entre iguales.

—¿Qué quieres decir con eso?

—Yo empecé con las manos vacías, tiene que merecer la pena trabajar. ¡Eso es el progreso!

—¡Por favor!

—Si no me ayudas me moriré —dijo la niña pobre.

El hombre de negocios volvió a levantar la mirada de los papeles y golpeó la mesa con su pluma.

—No eres una partida en mi contabilidad. Vete a la casa de beneficencia.

—Si no me ayudas, incendiaré el bosque —prosiguió la niña pobre.

Finalmente el señor de detrás del escritorio se levantó, pero la niña ya había encendido una cerilla y la había acercado a unas pajas secas, que empezaron a arder instantáneamente.

El hombre rico levantó los brazos.

—¡Socorro! —gritó—. ¡El gallo rojo está cantando!

La niña le miró con una sonrisa burlona.

—Al parecer no sabías que soy comunista.

De repente habían desaparecido la niña, el hombre de negocios y el escritorio. Sofía se quedó sola, pero las llamas ardían cada vez con más intensidad en la hierba seca. Intentó ahogarlas pisándolas, y al cabo de un rato había logrado apagar todo.

—¡Gracias a Dios! —Sofía miró las hierbas ennegrecidas. En la mano tenía una caja de cerillas.

¿No habría sido ella misma la que provocó el incendio?

Cuando se encontró con Alberto delante de la cabaña le contó lo que le había pasado.

—Scrooge era un tacaño capitalista en *Cuento de Navidad* de Charles Dickens. Y a la niña de las cerillas la conocerás del cuento de H. C. Andersen.

—¿No es un poco extraño que me encontrara con ellos aquí en el bosque?

—En absoluto. Éste no es un bosque normal y corriente, y ahora toca hablar de *Karl Marx*. Conviene que hayas visto un ejemplo de las enormes diferencias entre clases a mediados del siglo pasado. Entremos. Así estaremos, al fin y al cabo, uno poco más resguardados de la intervención del mayor.

Se sentaron de nuevo delante de la mesa junto a la ventana que daba al pequeño lago. Sofía todavía recordaba la sensación que había experimentado al ver el lago, después de haber bebido de la botella azul.

Las dos botellas estaban sobre la repisa de la chimenea. En la mesa habían colocado una pequeña copia de un templo griego.

—¿Qué es eso? —preguntó Sofía.

—Todo a su debido tiempo, hija mía.

Y con esto Alberto comenzó a hablar de Marx.

—Cuando Kierkegaard llegó a Berlín en 1841, puede que se sentara al lado de Karl Marx para escuchar las clases de Schelling. Kierkegaard había escrito una tesis sobre Sócrates, y Karl Marx había escrito en la misma época una tesis doctoral sobre Demócrito y Epicuro, es decir sobre el materialismo de la Antigüedad. De este modo los dos habían señalado las direcciones de sus propias filosofías.

—¿Porque Kierkegaard se hizo filósofo existencialista y Marx materialista?

—Marx fue lo que se suele llamar un *materialista histórico*. Volveremos sobre este tema más adelante.

—¡Continúa!

—Tanto Kierkegaard como Marx utilizaron, aunque cada uno a su manera, a Hegel como punto de partida. Los dos están marcados por la manera de pensar hegeliana, pero los dos se oponen a su «espíritu universal», o a lo que llamamos *idealismo* de Hegel.

—Sería demasiado vago para ellos.

—Decididamente. Generalizando, decimos que la época de los grandes sistemas acaba con Hegel. Después de él, la filosofía toma caminos muy distintos. En lugar de

grandes sistemas especulativos surgió una llamada «filosofía existencialista» o «filosofía de la acción». Marx observó
que «los filósofos simplemente han interpretado el mundo
de modos distintos; lo que hay que hacer ahora es cam-
biarlo». Precisamente estas palabras señalan un importante
giro en la historia de la filosofía.

—Después de haberme encontrado con Scrooge y la
niña de las cerillas, no me cuesta nada comprender lo que
Marx quería decir.

—La filosofía de Marx tiene por tanto una finalidad
práctica y política. También conviene recordar que no sólo
era filósofo, sino también historiador, sociólogo y econo-
mista.

—¿Y fue un pionero en los tres campos?

—Al menos no hay ningún otro filósofo que haya tenido tanta importancia para la política práctica. Por otra
parte, debemos cuidarnos de identificar todo lo que se
llama «marxismo» con el pensamiento del propio Marx.
De Marx se dice que se convirtió en marxista a mediados
de 1840, pero más tarde también tuvo a veces necesidad de
señalar que no era marxista.

—¿Jesús era cristiano?

—También eso se puede discutir, claro.

—Sigue.

—Desde el principio, su amigo y colega, *Friedrich
Engels*, contribuyó a lo que más tarde se llamaría el «marxismo». En nuestro propio siglo Lenin, Stalin, Mao y muchos otros han hecho sus aportaciones al marxismo o «mar-
xismo-leninismo».

—Entonces sugiero que nos atengamos al propio
Marx. ¿Dijiste que era un «materialista histórico»?

—No era un «materialista filosófico», como los ato-
mistas de la Antigüedad y el materialismo mecanicista de

los siglos XVII y XVIII, pero pensaba que en gran medida son las condiciones materiales de la sociedad las que deciden cómo pensamos. También para la evolución histórica son decisivas las condiciones materiales.

—Bastante diferente al «espíritu universal» de Hegel.

—Hegel había señalado que la evolución histórica se mueve hacia adelante por una tensión entre contrastes, que a su vez es sustituida por un cambio brusco. Esta idea es continuada por Marx. Pero según Marx, Hegel lo expresaba al revés.

—¿Durante toda su vida?

—A la fuerza que impulsa la Historia hacia adelante, Hegel la llamaba «espíritu universal». Es esto lo que, según Marx, es poner las cosas al revés. Él quería mostrar que los cambios materiales son los decisivos. Por lo tanto, no son las «condiciones espirituales» las que crean los cambios materiales, sino al revés. Son los cambios materiales los que crean las nuevas condiciones espirituales. Marx subrayó especialmente las fuerzas económicas de la sociedad como las que crean los cambios y, de esa manera, impulsan la Historia hacia adelante.

—¿No puedes ponerme un ejemplo?

—La filosofía y la ciencia de la Antigüedad tenían una finalidad meramente teórica. No se tenía mucho interés por aplicar los conocimientos a mejoras prácticas.

—¿Y?

—Eso tenía que ver con la organización de la vida cotidiana económica en sí. La producción estaba más o menos basada en el trabajo de los esclavos. Por eso los ciudadanos finos no tenían necesidad de mejorar la producción mediante inventos prácticos. Éste es un ejemplo de cómo las condiciones materiales contribuyen a marcar la reflexión filosófica de la sociedad.

—Entiendo.

—A estas condiciones materiales, económicas y sociales de la sociedad, Marx las llamó *base* de la sociedad. A cómo se piensa en una sociedad, qué clase de instituciones políticas se tienen, qué leyes y, lo que no es menos importante, qué religión, moral, arte, filosofía y ciencia, Marx lo llama *supraestructura* de la sociedad.

—Base y supraestructura, entonces.

—Ahora alcánzame el templo griego, por favor.

—Aquí lo tienes.

—Esto es una copia reducida del viejo templo del Partenón de la Acrópolis. También lo has visto en la realidad.

—En vídeo, quieres decir.

—Ves que el edificio tiene un tejado muy elegante y elaborado. Puede incluso que en lo primero que uno se fije sea en el propio tejado y en la fachada. Eso es lo que podríamos llamar la «supraestructura». Pero el tejado no puede flotar en el aire.

—Está sostenido por columnas.

—Todo el edificio tiene ante sí un sólido fundamento, o una «base», que soporta toda la construcción. De la misma manera Marx opinaba que las condiciones materiales levantan, en cierto modo, todo lo que hay de pensamientos e ideas en la sociedad. En este sentido la supraestructura de una sociedad es el reflejo de la base de la misma.

—¿Quieres decir que la teoría de las Ideas de Platón es un reflejo de la producción de vasijas y del cultivo de vino?

—No, no es tan sencillo, y Marx lo subraya muy claramente. Hay una influencia recíproca entre la base y la supraestructura de la sociedad. Si hubiera negado esta reciprocidad, habría sido un «materialista mecanicista». Pero Marx reconoce que hay una relación recíproca o «dialéctica» entre la base y la supraestructura, y por eso decimos que es un *materialista dialéctico*. Por otra parte puedes tomar nota de que Platón no trabajó ni como alfarero ni como viticultor.

—Entiendo. ¿Pero vas a decir algo más sobre el templo?

—Sí, un poco más. Estudia detenidamente la base del templo e intenta describírmela.

—Las columnas reposan sobre una base que consta de tres niveles o escalones.

—De la misma manera también podemos distinguir tres niveles en la base de la sociedad. Lo más básico es lo que podemos llamar «condiciones de producción» de la sociedad, es decir las condiciones y los recursos naturales que existen en la sociedad, todo aquello que tiene que ver con el clima y las materias primas. Todo esto constituye los cimientos de la sociedad, y estos cimientos ponen límites clarísimos sobre qué tipo de producción puede tener esta sociedad. Y con ello, también se ponen límites muy claros sobre qué tipo de sociedad y qué tipo de cultura se puede llegar a tener en general.

—Por ejemplo no se pueden pescar arenques en el Sáhara, y tampoco se pueden cultivar dátiles en el norte de Noruega.

—Justo. Lo has entendido. Pero también hay mucha diferencia entre la manera de pensar de la gente de una cultura nómada y la de un pueblecito pesquero del norte de Noruega. El siguiente nivel abarca las «fuerzas productivas» que existen en la sociedad. Marx se refiere con esto a la clase de herramientas y máquinas que se tienen.

—Antiguamente se pescaba con barcas de remo, hoy se pesca con grandes barcos de arrastre.

—Ya estás tocando el siguiente nivel de la base de la

sociedad, es decir quién es el propietario de los medios de producción. A la propia organización del trabajo, es decir, a la división del trabajo y a las relaciones de propiedad, Marx las llamó *relaciones de producción* de la sociedad.

—Entiendo.

—Hasta aquí podemos concluir y decir que es el *modo de producción* de una sociedad el que decide las condiciones políticas e ideológicas que hay en esa sociedad. No es una casualidad que hoy en día pensemos de un modo algo distinto, y que tengamos una moral distinta a la que existía en una antigua sociedad feudal.

—Entonces Marx no creía en un derecho natural vigente en todos los tiempos.

—No, la cuestión de lo que es moralmente correcto es, según Marx, un producto de la base de la sociedad. No es, por ejemplo, una casualidad el que en las viejas sociedades campesinas fueran los padres los que decidieran con quién se iban a casar sus hijos, ya que entraba en juego la cuestión de quién iba a heredar la granja. En una ciudad moderna las relaciones sociales son distintas. Aquí te puedes encontrar con tu futuro esposo o esposa en una fiesta o en una discoteca, y si uno está suficientemente enamorado, encontrará, de alguna manera, un sitio donde vivir.

—Yo nunca hubiera consentido que mis padres decidieran con quién tengo que casarme.

—No, porque tú también eres hija de tu época. Marx señaló además que, por regla general, es la clase dominante de una sociedad la que decide lo que es bueno y lo que es malo. Porque toda la Historia es una historia de luchas de clases. Es decir, que la Historia trata, sobre todo, de quién va a ser propietario de los medios de producción.

—¿No contribuyen también los pensamientos e ideas de la gente a cambiar la Historia?

—Sí y no. Marx era consciente de que las relaciones de la supraestructura de la sociedad pueden actuar sobre la base de la sociedad, pero rechazó la idea de que la supraestructura de la sociedad tuviera una historia independiente. Lo que ha impulsado a la Historia a evolucionar desde las sociedades de esclavos de la Antigüedad, hasta las sociedades industriales de nuestra época, han sido sobre todo los cambios que han tenido lugar en la base de la sociedad.

—Sí, eso ya lo has dicho.

—En todas las fases de la Historia ha habido, según Marx, un antagonismo entre las dos clases sociales dominantes. En la *sociedad de esclavitud* de la Antigüedad, el antagonismo estaba entre el ciudadano libre y el esclavo; en la *sociedad feudal* de la Edad Media entre el señor feudal y el siervo; y más adelante entre el noble y el burgués. Pero en la época del propio Marx, en lo que él llama una sociedad burguesa o *capitalista*, los antagonismos están ante todo entre el capitalista y el obrero o proletario. Existe, pues, un antagonismo entre los que poseen y los que no poseen los medios de producción. Y como la «clase superior» no quiere ceder su predominio, un cambio sólo puede tener lugar mediante una revolución.

—¿Qué sucede con la sociedad comunista?

—A Marx le interesaba especialmente la transición de una sociedad capitalista a una sociedad comunista. También realiza un análisis detallado del modo de producción capitalista. Pero antes de centrarnos en este tema, tenemos que decir algo sobre la visión que tenía Marx del *trabajo* de las personas.

—¡Venga!

—Antes de convertirse en comunista, el joven Marx estuvo interesado en saber qué le ocurre al ser humano cuando trabaja. También Hegel había analizado este tema. Hegel pensaba que hay una relación recíproca o dialéctica entre el ser humano y la naturaleza. Cuando el hombre trabaja la naturaleza, al mismo hombre también se le trabaja. O dicho de un modo un poco diferente: cuando el hombre trabaja, interviene en la naturaleza y deja en ella su huella. Pero en este proceso laboral también la naturaleza interviene en el hombre y deja huella en su conciencia.

—Dime qué clase de trabajo realizas y te diré quién eres.

—Ésta es, muy resumida, la tesis de Marx. El cómo trabajamos marca nuestra conciencia, pero nuestra conciencia también marca nuestro modo de trabajar. Se puede decir que hay una relación recíproca entre la «mano» y el «espíritu». Así, la conciencia del hombre está en estrecha relación con su trabajo.

—Entonces tiene que resultar bastante terrible estar en el paro.

—Sí, porque el que no tiene trabajo está de alguna manera vacío. Hegel ya había pensado en esto. Tanto para Hegel como para Marx, el trabajo es algo positivo, es algo íntimamente relacionado con el hecho de ser persona.

—Entonces también debe ser algo positivo ser obrero.

—Sí, en un principio sí. Pero precisamente en este punto Marx lanza su terrible crítica sobre la forma capitalista de producción.

—¡Cuéntame!

—En el sistema capitalista el obrero trabaja para otro. Así el trabajo se convierte en algo fuera de él. El obrero es un extraño a su propio trabajo y por tanto también se convierte en un extraño a sí mismo. Pierde su propia realidad humana. Marx dice con una expresión hegeliana que el obrero se siente *alienado*.

—Yo tengo una tía que lleva veinte años en una fábrica empaquetando bombones, de modo que no me cuesta nada entender lo que dices. Dice que odia tener que ir al trabajo todas las mañanas.

—Pero si odia su trabajo, Sofía, entonces, en cierta manera, también debe de odiarse a sí misma.

—Desde luego, odia los bombones.

—En la sociedad capitalista el trabajo está organizado de manera que el obrero está realizando, en realidad, un trabajo de esclavo para otra clase social. Así, el obrero transfiere su propia fuerza laboral, y con ello toda su existencia humana, a la burguesía.

—¿Tan terrible es?

—Estamos hablando de Marx. Tenemos que tener presentes las condiciones sociales existentes a mediados del siglo pasado. Y la respuesta es un sonoro «sí». El obrero tenía fácilmente una jornada laboral de doce horas, en unas frías naves de producción. La paga era a menudo tan escasa que también tenían que trabajar los niños y las mujeres que acababan de dar a luz. Todo esto llevó a condiciones sociales indescriptibles. En algunos lugares, parte del salario se pagaba en forma de aguardiente barato, y muchas mujeres se veían obligadas a prostituirse. Los clientes eran los «señores de la ciudad». En pocas palabras: precisamente mediante lo que sería la marca de nobleza del hombre, es decir, el trabajo, al obrero se le convertía en un animal.

—Es indignante.

—Para Marx también lo era. Al mismo tiempo, los hijos de la burguesía podían tocar el violín en grandes y cálidos salones tras un baño refrescante, o sentarse al piano antes de una espléndida cena de cuatro platos. Bueno, el violín y el piano también podían tocarse por la tarde tras un estupendo paseo a caballo.

—¡Qué injusto!

—Así opinó Marx también. En 1848 publicó, junto con Engels, un *manifiesto*. La primera frase de ese manifiesto dice así: «Un fantasma recorre Europa, el fantasma del comunismo».

—Me entra hasta miedo.

—A la burguesía también. Porque todo el proletariado había empezado a levantarse. ¿Quieres saber cómo acaba este manifiesto?

—Con mucho gusto.

—«Los comunistas desprecian mantener en secreto sus propias opiniones e intenciones. Declaran abiertamente que su meta sólo podrá alcanzarse cuando el régimen social hasta ahora vigente sea derribado por la fuerza. Que las clases dominantes tiemblen a la vista de una revolución comunista. El proletariado no tiene nada que perder excepto sus cadenas. Tiene un mundo por ganar. *¡Proletarios del mundo entero, uníos!*»

—Si las condiciones eran tan malas como dices, creo que yo habría firmado ese manifiesto. Hoy en día son diferentes las condiciones, ¿no?

—En Noruega sí, pero no en todas partes. Sigue habiendo gente que vive en condiciones infrahumanas, al mismo tiempo que se producen mercancías que hacen cada vez más ricos a los capitalistas. Esto es lo que Marx llama *explotación*.

—Entiendo.

—El capitalista puede luego invertir parte de las ganancias en nuevo capital, por ejemplo, en la modernización de las instalaciones de producción. Lo hace con la esperanza de poder producir la mercancía aún más barata y, por consiguiente, aumentar las ganancias en el futuro.

—Es lógico.

—Sí, puede parecer lógico, pero tanto en este punto como en otros, a la larga no sucederá lo que se imagina el capitalista.

—¿Qué quieres decir?

—Marx opinaba que había varias contradicciones en la manera de producción capitalista. El capitalismo es un sistema económico autodestructivo, porque carece de una dirección racional.

—Eso es, en cierta manera, bueno para los oprimidos.

—Sí, es inherente al sistema capitalista el caminar hacia su propia perdición. De esa manera el capitalismo es «progresivo», o está «dirigido hacia el futuro», porque es una fase en el camino hacia el comunismo.

—¿Puedes poner un ejemplo sobre lo de que el capitalismo es autodestructivo?

—Acabamos de mencionar al capitalista al que le sobra un buen montón de dinero y que usa parte de ese superávit para modernizar la empresa; pero algo se gastará también en clases de violín, además de hacer frente a los caros hábitos que su mujer ha ido adquiriendo.

—¿Ah, sí?

—Compra maquinaria nueva y no necesita ya tantos empleados. Esto lo hace con el fin de aumentar su capacidad de competitividad.

—Entiendo.

—Pero él no es el único que piensa así, lo que significa que todo el sector de producción se hace más eficaz. Las fábricas se hacen cada vez más grandes, y se van concentrando en menos manos cada vez. ¿Entonces qué ocurre, Sofía?

—Pues...

—Entonces se necesitará cada vez menos mano de obra, y habrá más y más parados. Consecuentemente, crecerán los problemas sociales y esas *crisis* constituyen un aviso de que el capitalismo se está acercando a su fin. Pero también hay otros rasgos de autodestrucción del capitalismo. Cuando hay que sacar cada vez más ganancias al sistema de producción sin que se cree un excedente suficientemente grande como para seguir produciendo a precios competitivos...

—¿Sí?

—¿Entonces qué hace el capitalista? ¿Me lo puedes decir?

—No, no lo sé.

—Imagínate que eres la dueña de una fábrica. Tienes problemas económicos. Estás a punto de arruinarte. Y yo te pregunto: ¿qué puedes hacer para ahorrar dinero?

—¿Bajar los sueldos, tal vez?

—¡Muy lista! Pues sí, es lo más inteligente que puedes hacer. Pero si todos los capitalistas son igual de listos que tú, y lo son, dicho sea de paso, los obreros serán tan pobres que ya no podrán comprar nada. Decimos que baja el poder adquisitivo. Y ahora nos encontramos dentro de un círculo vicioso. «A la propiedad privada capitalista le ha llegado su hora», dice Marx. Pronto nos encontraremos en una situación revolucionaria.

—Entiendo.

—Para resumir, acaba con que se levantan los proletarios asumiendo la propiedad de los medios de producción.

—¿Y entonces qué pasa?

—Durante un cierto período tendremos una nueva «sociedad de clases» en la que los proletarios mantendrán sometida por la fuerza a la burguesía. A esta etapa Marx la llamó *dictadura del proletariado*. Pero tras un período de transición, la dictadura del proletariado será sustituida por una «sociedad sin clases», o *comunismo*. En esta sociedad los medios de producción serán propiedad de «todos», es decir del propio pueblo. En una sociedad así cada uno «rendirá según su capacidad y recibirá según su necesidad». Además ahora el trabajo pertenecerá al propio pueblo, y cesará la «alienación» capitalista.

—Todo esto suena maravillosamente bien, ¿pero cómo fue luego? ¿Llegó la revolución?

—Sí y no. Hoy los economistas pueden afirmar que Marx se equivocó en varios puntos importantes, por ejemplo en su análisis de las crisis del capitalismo. Marx tampoco tuvo suficientemente en cuenta la explotación de la naturaleza, que hoy en día vivimos cada vez con más gravedad. Pero... y hay un pero muy grande...

—¿Sí?

—El marxismo condujo de todos modos a grandes cambios. No cabe duda de que el *socialismo* ha logrado combatir, en gran medida, una sociedad inhumana. Al menos, en Europa, vivimos en una sociedad más justa y más solidaria que en los tiempos de Marx. Y esto se debe en gran parte al propio Marx y a todo el movimiento socialista.

—¿Qué pasó?

—Después de Marx el movimiento socialista se dividió en dos tendencias principales. Por un lado surgió la *socialdemocracia* y por otro el *leninismo*. La socialdemocracia, que había abogado por una aproximación pacífica al socialismo, fue el camino elegido por la Europa Occidental. Este proceso lo podríamos llamar «revolución lenta». El leninismo, que conservó la fe de Marx en que sólo la revolución podía combatir la vieja sociedad de clases, tuvo una gran importancia en Europa Oriental, Asia y África. Pero los dos movimientos, cada uno desde su lado, han combatido la miseria y la represión.

—¿Pero no se creó una nueva forma de represión? Por ejemplo en la Unión Soviética y la Europa del Este.

—Sin duda, y aquí vemos de nuevo que todo lo que tocan los seres humanos se convierte en una mezcla de bueno y malo. Por otra parte, sería muy injusto echar la culpa a Marx de las condiciones negativas en los llamados países comunistas, cincuenta o incluso cien años después de su muerte. Pero tal vez Marx no pensó que también eran humanos aquellos que luego iban a administrar el comunismo. No habrá nunca ningún «país de la suerte», supongo. Los hombres siempre crearán nuevos problemas contra los que luchar.

—Seguro.

—Y con esto terminamos el capítulo sobre Marx, Sofía.

—¡Espérate un momento! ¿No dijiste algo de que la justicia sólo se cumple entre iguales?

—No, lo dijo Scrooge.

—¿Cómo puedes saber que lo dijo?

—Bueno, porque tú y yo somos obra del mismo autor. En ese sentido estamos mucho más relacionados el uno con el otro de lo que pueda parecer a primera vista.

—¡Maldito irónico!

—Doble, Sofía, es una ironía doble.

—Pero volvamos a lo de la justicia. Dijiste que Marx opinaba que la sociedad capitalista era injusta. ¿Cómo definirías una sociedad justa?

—Un filósofo moralista inspirado por el marxismo, *John Rawls*, intentó decir algo al respecto con el siguiente ejemplo: imagínate que eres miembro de un consejo muy serio que va a elaborar todas las leyes de una futura sociedad.

—Me encantaría estar en ese consejo.

—Tendrían que evaluar absolutamente todo, pues

nada más haber llegado al acuerdo y haber firmado las leyes, se morirían.

—¡Qué dices!

—Pero después volverían a despertarse inmediatamente en esa sociedad para la que elaboraron las leyes. El punto clave es que no tendrían la más leve idea sobre *qué* lugar ocuparían en la sociedad.

—Entiendo.

—Una sociedad de ese tipo sería una sociedad justa. Porque habría surgido entre «hombres iguales».

—Y mujeres.

—Es una condición evidente. No se sabría si se iba a despertar como hombre o como mujer. Como habría el cincuenta por ciento de probabilidad, esto significa que la sociedad sería igual de buena para las mujeres que para los hombres.

—Suena fascinante.

—Dime, ¿fue Europa una sociedad así en la época de Marx?

—¡No!

—Entonces a lo mejor puedes señalar una sociedad de ese tipo hoy en día.

—Bueno, no sé...

—Piénsalo un poco. Por ahora no habrá más sobre Marx.

—¿Qué has dicho?

—¡Final del capítulo!

Darwin

*...un barco que navega por la vida
cargado de genes...*

El domingo por la mañana, un golpe seco despertó a Hilde. Era la carpeta de anillas, que había caído al suelo. Había estado tumbada en la cama leyendo acerca de Sofía y Alberto, que hablaban de Marx. Luego se había dormido boca arriba con la carpeta en el edredón. La lamparita que tenía sobre la cama había estado encendida toda la noche.

El despertador en el escritorio marcaba las 8.59 con cifras verdes.

Había soñado con grandes fábricas y ciudades llenas de humo y hollín. Sentada en una esquina, una niña vendía cerillas. Gente bien vestida, con largos abrigos, simplemente había pasado flotando.

Al incorporarse en la cama se acordó de aquellos legisladores que despertarían en una sociedad hecha por ellos mismos. Ella podía estar contenta de vivir en Bjerkely.

¿Se habría atrevido a despertarse en Noruega sin saber en qué parte lo haría?

Pero no sólo era cuestión del lugar donde despertaría. También podría haberse despertado en una época completamente distinta.

En la Edad Media, por ejemplo, o en una sociedad de la Edad de Piedra de hace diez o veinte mil años. Hilde intentó imaginarse sentada delante de la puerta de una caverna. Tal vez estaría preparando una piel.

¿Como viviría una chica de quince años antes de que existiera lo que llamamos cultura? ¿Cómo habría pensado entonces?

Hilde se puso un jersey, cogió la carpeta y se sentó para continuar la lectura de la larga carta de su padre.

Justo en el instante en que Alberto acababa de decir «final del capítulo», alguien llamó a la puerta de la Cabaña del Mayor.

—¿No tenemos opción, verdad? —dijo Sofía.

—Supongo que no —gruñó Alberto.

Fuera había un hombre muy viejo con pelo y larga barba blancos. En la mano derecha llevaba un bastón, y en la izquierda una gran lámina de un barco. A bordo de éste se podía ver toda clase de animales.

—¿Y quién es este viejo señor? —interrogó Alberto.

—Me llamo Noé.

—Me lo imaginaba.

—Tu propio progenitor, hijo mío. Pero supongo que ya no está de moda acordarse de los progenitores.

—¿Qué llevas en la mano? —preguntó Sofía.

—Es una lámina de todos los animales que se salvaron del gran diluvio. Toma, hija mía, es para ti.

Sofía cogió la gran ilustración y el viejo dijo:

—Tendré que ir a casa a regar mis parras...

Dio un pequeño salto juntando los pies en el aire, de la forma que sólo saben hacerlo hombres muy mayores de muy buen humor.

Sofía y Alberto volvieron a entrar y se sentaron. Sofía empezó a mirar la lámina, pero Alberto se la quitó con autoridad.

—Primero vamos a centrarnos en las grandes líneas —dijo.

—Empieza.

—Nos olvidamos de decir que Marx vivió los últimos treinta y cuatro años de su vida en Londres, adonde se trasladó en 1849, y murió en 1883. Durante todo ese período también vivió Charles Darwin en las afueras de Londres. Murió en 1882 y fue enterrado solemnemente en Westminster Abbey como uno de los grandes hijos de Inglaterra. Pero Marx y Darwin no sólo se cruzan en el tiempo y en el espacio. Marx intentó dedicar a Darwin la edición inglesa de su gran obra *El capital*, pero Darwin no accedió. Al morir Marx, al año siguiente de Darwin, su amigo Friedrich Engels dijo: «De la misma manera que Darwin descubrió las leyes del desarrollo de la naturaleza orgánica, Marx descubrió las leyes del desarrollo histórico de la humanidad».

—Entiendo.

—Otro importante pensador que también deseaba relacionar su actividad con Darwin, fue el psicólogo Sigmund Freud. También él vivió el último año de su vida en Londres. Freud señaló que tanto la teoría de la evolución de Darwin, como su propio psicoanálisis habían supuesto un agravio al «ingenuo amor propio del ser humano».

—Son ya muchos nombres, pero estamos hablando de Marx, Darwin y Freud, ¿no?

—En un sentido más amplio se puede hablar de una corriente *naturalista* desde mediados del siglo XIX, hasta muy adentrado nuestro propio siglo. Por *naturalismo* se entiende un concepto de la realidad que no admite ninguna otra realidad que la naturaleza y el mundo perceptible. Un naturalista considera, por lo tanto, al hombre como una parte de la naturaleza. Un investigador naturalista se basará exclusivamente en hechos dados por la naturaleza, es decir, ni en especulaciones racionalistas, ni en ninguna otra forma de revelación divina.

—¿Esto es válido para Marx, Darwin y Freud?

—Decididamente sí. Las palabras clave de mediados del siglo pasado son «naturaleza», «ambiente», «historia», «evolución» y «crecimiento». Marx había señalado que la ideología de los seres humanos es un producto de la base material de la sociedad. Darwin demostró que el ser humano es el resultado de un largo desarrollo biológico, y el estudio de Freud del subconsciente mostró que los actos de los hombres se derivan, a menudo, de ciertos instintos animales.

—Creo que entiendo lo que quieres decir con «naturalismo», ¿pero no sería mejor hablar de una cosa cada vez?

—Vamos a hablar de Darwin, Sofía. Supongo que te acordarás de que los presocráticos buscaban *explicaciones naturales* a los procesos de la naturaleza. De la misma manera que ellos tuvieron que librarse de las viejas explicaciones mitológicas, Darwin tuvo que librarse de la visión de la Iglesia sobre la creación de animales y hombres.

—¿Pero fue en realidad un filósofo?

—Darwin era biólogo e investigador de la naturaleza. Pero fue el científico de los tiempos modernos que más que ningún otro desafió la visión de la Biblia sobre el lugar del hombre en la Creación de Dios.

—Entonces me vas a hablar un poco de la teoría de la evolución de Darwin, ¿no?

—Empecemos con el propio *Darwin*. Nació en la pequeña ciudad de Shrewsbury en 1809. Su padre, el doctor Robert Darwin, era un conocido médico del lugar y muy severo en cuanto a la educación de su hijo. Cuando Charles era alumno del Instituto de Bachillerato de Shrewsbury, el director dijo de él que andaba por ahí hablando tonterías y presumiendo sin méritos, que no hacía absolutamente nada útil. Por «útil» este director de instituto entendía aprenderse de memoria los verbos latinos y griegos. Con «andar por ahí» quería decir que Charles iba y venía coleccionando escarabajos de todas clases.

—Llegaría a arrepentirse de aquellas palabras.

—También mientras estudiaba teología se interesaba más por cazar pájaros y atrapar insectos que por los estudios. No obtuvo, por tanto, buenos resultados en lo que a teología se refiere. Pero aparte de los estudios de teología logró labrarse cierta reputación como investigador de la naturaleza. También se interesó por la geología, que tal vez fuera la ciencia más expansiva de la época. Después de obtener su título de teología en Cambridge en el mes de abril de 1831, se puso a viajar por el norte de Gales para estudiar formaciones de piedras y fósiles. En el mes de agosto del mismo año, cuando tenía veintidós años, recibió una carta que marcaría el rumbo del resto de su vida...

—¿Qué ponía en esa carta?

—La carta venía de su amigo y profesor John Steven Henslow. Decía: «Me han pedido... recomendar a un investigador de la naturaleza para acompañar al capitán Fitzroy, que ha recibido el encargo del Gobierno de investigar el extremo sur de América. Yo dije que te consideraba a ti la persona más cualificada que conozco para encargarse de una tarea de esta clase. En cuanto a las condiciones de sueldo, no sé nada. El viaje durará dos años...».

—¡Madre mía, todo lo que sabes de memoria!

—Un detalle sin importancia, Sofía.

—¿Y contestó que sí?

—Se moría de ganas por aprovechar esta oportunidad, pero en aquella época los jóvenes no hacían nada sin el consentimiento de sus padres. Tras largas consideraciones, el padre dijo que sí, y al final sería él quien pagaría el viaje del hijo. En cuanto a las «condiciones de sueldo», resultó que no había tal cosa.

—Ah...

—El barco era el buque de guerra *H.M.S Beagle*. El 27

de septiembre de 1831, salió de Plymouth rumbo a Sudamérica y no volvió a Inglaterra hasta el mes de octubre de 1836, lo que quiere decir que los dos años se convirtieron en cinco. Por otra parte, el viaje a Sudamérica se convirtió en una vuelta al mundo. Estamos ante el viaje científico más importante de los tiempos modernos.

—¿Dieron realmente la vuelta al mundo?

—Literalmente, sí. Desde Sudamérica continuaron viaje por el Pacífico hasta Nueva Zelanda, Australia y sur de África. Luego volvieron hasta Sudamérica, antes de regresar finalmente a Inglaterra. Darwin escribió que «el viaje en el *Beagle* ha sido, decididamente, el suceso más importante de mi vida».

—No sería fácil ser investigador de la naturaleza en el mar.

—Los primeros años, el *Beagle* navegaba bordeando la costa de Sudamérica, lo que proporcionó a Darwin una magnífica oportunidad para conocer el continente también por tierra. Importantísimas fueron también sus incursiones en las islas Galápagos en el Pacífico, al oeste de Sudamérica. Así pudo recoger y coleccionar un amplio material que se iba enviando a Inglaterra. No obstante, conservó para sí sus muchas reflexiones sobre la naturaleza y la historia de los seres vivos. Cuando volvió a su patria, con sólo 27 años era ya un famoso investigador de la naturaleza. Tenía ya en su mente una idea clara de lo que sería su teoría de la evolución. Pero pasarían muchos años hasta que publicara su obra más importante. Darwin era un hombre prudente, Sofía; como debe serlo un investigador de la naturaleza.

—¿Cómo se titulaba esa obra?

—Bueno, en realidad fue más de una. Pero el libro que incitó el debate más enardecido en Inglaterra fue *El origen de las especies,* que salió en 1859. El título completo era: *On the Origin of Species by Means of Natural Selection or the Preservation of Favoured Races in the Struggle for Life.* Este título tan largo resume toda la teoría de Darwin.

—¿Y qué significa eso?

—«El origen de las especies mediante la selección natural y la supervivencia de las razas favorecidas en la lucha por la vida.»

—Pues sí, ese título tiene mucho contenido.

—Pero lo vamos a ver punto por punto. En *El origen de las especies* Darwin presentó dos teorías o tesis: En primer lugar dijo que todas las plantas y animales actuales descendían de formas anteriores más primitivas. Mantuvo que tiene lugar una evolución biológica. Y lo segundo que defendió fue que la evolución se debía a la «selección natural».

—Porque sobreviven los más fuertes, ¿verdad?

—Pero primero nos centraremos en la propia idea de la evolución. La idea en sí no era muy original. En determinados círculos, la fe en una evolución biológica había comenzado a extenderse ya desde principios del siglo XIX. El más influyente fue el zoólogo francés Lamarck. Y antes de él, el propio abuelo de Darwin, Erasmus Darwin, había insinuado que las plantas y los animales habían evolucionado de unas pocas especies primitivas. Pero ninguno de ellos había dado una explicación de *cómo* ocurre esa evolución y, por lo tanto, tampoco fueron peligrosos adversarios de los hombres de la Iglesia.

—Pero Darwin sí lo fue.

—Sí, y no sin razón. Tanto los hombres de la Iglesia, como muchos sectores de los ambientes científicos, se atenían a la doctrina de la Biblia, según la cual las distintas especies de plantas y animales eran inalterables. La idea era que cada especie animal fue creada de una vez por todas mediante un determinado acto de creación. Esta visión cristiana también armonizaba con Platón y Aristóteles.

—¿Cómo?

—La teoría de las Ideas de Platón implicaba que todas las especies animales eran inalterables porque estaban formadas según las Ideas o formas eternas. El que las especies animales fueran inalterables constituía también una piedra angular en la filosofía de Aristóteles. No obstante, precisamente en la época de Darwin se realizaron varias observaciones y hallazgos que pusieron nuevamente a prueba las ideas tradicionales.

—¿Qué observaciones y hallazgos fueron éstos?

—En primer lugar, se encontraban cada vez más fósiles, y además se encontraron grandes restos de huesos de animales extinguidos. El propio Darwin se había asombrado por los hallazgos de restos de animales marinos tierra adentro. En Sudamérica, incluso en lo alto de los Andes, hizo hallazgos de este tipo. Sofía, ¿tú me puedes explicar esto?

—No.

—Algunos opinaban que simplemente las personas o los animales los habían tirado por allí. Otros pensaban que Dios había creado esos fósiles y restos de animales marinos sólo con el fin de engañar a los impíos.

—¿Qué opinaba la ciencia?

—La mayor parte de los geólogos defendió la «teoría de la crisis», en el sentido de que la Tierra había sido asolada varias veces por grandes inundaciones, terremotos y otras catástrofes que extinguieron toda clase de vida. También la Biblia narra una catástrofe de ese tipo. Estoy pensando en el Diluvio y en el Arca de Noé. Con cada catástrofe, Dios había renovado la vida de la Tierra creando plantas y animales nuevos y más perfectos.

—¿Y entonces los fósiles eran huellas de formas anteriores de vida, formas que se extinguieron tras alguna terrible catástrofe?

—Exactamente. Se decía, por ejemplo, que los fósiles eran huellas de animales que no consiguieron sitio en el Arca de Noé. Pero cuando Darwin se marchó de Inglaterra en el *Beagle*, se llevó consigo el primer tomo de la obra *Principios de Geología*, del geólogo inglés *Charles Lyell*. Este científico opinaba que la geografía actual, con montañas altas y valles profundos, era el resultado de una evolución inmensamente larga y lenta. La idea era que cambios muy pequeños pueden conducir a enormes cambios geográficos, si se tienen en cuenta los grandísimos espacios de tiempo transcurridos.

—¿En qué cambios pensaba él?

—Pensaba en las mismas fuerzas que actúan hoy: el sol, el viento, la lluvia, la nieve, el deshielo, los terremotos y los elevamientos de la tierra. Se suele decir que la gota horada la piedra, no mediante la fuerza, sino mediante el continuo goteo. Lyell pensaba que esos cambios pequeños y graduales durante largos espacios de tiempo pueden llegar a transformar la naturaleza completamente. Pero esta tesis sola, no podía explicar por qué Darwin había encontrado restos de animales marinos en lo alto de los Andes, aunque él no abandonó nunca esta idea de que *cambios pequeños y graduales* podían dar lugar a grandes cambios, transcurridos ya espacios de tiempo inmensamente largos.

—¿Pensaría que también se podía emplear una explicación parecida para la evolución de los animales?

—Sí, se preguntaba precisamente eso. Pero como ya he indicado, Darwin era un hombre prudente, e hizo la pregunta mucho antes de atreverse a aventurar alguna respuesta. En este aspecto, emplea exactamente el mismo método que todos los verdaderos filósofos. Es importante preguntar, pero no siempre hay que tener prisa por contestar.

—Entiendo.

—Un factor decisivo de la teoría de Lyell era la edad de la Tierra. En la época de Darwin se suponía generalmente que habían pasado unos 6.000 años desde que Dios creara el mundo. Se había llegado a esa cifra contando las generaciones desde Adán y Eva hasta ese momento.

—¡Qué ingenuidad!

—Bueno, eso es fácil de decir para nosotros, ahora que tenemos tanta información. Darwin llegó a la conclusión de que la Tierra tenía unos 300 millones de años, pues una cosa quedaba totalmente clara, y era que ni la teoría de Lyell sobre la evolución gradual, ni la del propio Darwin tendrían ningún sentido si no se contaba con períodos enormemente largos.

—¿Y qué edad tiene verdaderamente la Tierra?

—Hoy sabemos que la Tierra tiene 4.600 millones de años.

—Ya está bien...

—Hasta ahora nos hemos centrado en uno de los argumentos de Darwin sobre la evolución biológica: la *existencia estratificada de fósiles* en las distintas capas de una montaña. Otro argumento era la *repartición geográfica* de las especies vivas. En este aspecto, el viaje de investigación del propio Darwin contribuyó con un material nuevo e inmensamente rico. Observó con sus propios ojos que, de una región a otra, las distintas especies animales podían distinguirse por muy pequeñas diferencias. Sobre todo hizo unas interesantes observaciones al respecto en las islas Galápagos, al oeste de Ecuador.

—¡Cuéntame!

—Estamos hablando de un denso grupo de islas volcánicas. Por lo tanto no había grandes diferencias ni en la fauna ni en la flora. Pero a Darwin le interesaban precisamente esas pequeñas diferencias que existían. En todas esas islas se topaba con tortugas gigantes, pero variaban *un poco* de isla a isla. ¿Verdaderamente había creado Dios una raza de tortugas gigantes distinta para cada una de las islas?

—Lo dudo.

—Aún más importantes fueron las observaciones que hizo Darwin sobre los pájaros en las Galápagos. Había claras diferencias de isla a isla entre las distintas clases de pinzones, por ejemplo en lo que se refiere a la forma del pico. Darwin demostró que estas variaciones estaban estrechamente unidas a lo que los pinzones comían en las distintas islas. El pinzón de tierra, de pico puntiagudo, se alimentaba de piñones; el pequeño pinzón cantor, de insectos; el pinzón carpintero, de insectos que cogía en los troncos y las ramas de los árboles... Cada una de las clases tenía un pico perfectamente adaptado a los alimentos que tomaba. ¿Provenían todos esos pinzones de la misma especie de pinzones? ¿Se había ido adaptando esa especie al entorno de las distintas islas, manera que al final habían aparecido nuevas especies de pinzones?

—Tal vez llegara a esa conclusión.

—Sí, quizás Darwin se convirtiera en «darvinista» precisamente en las islas Galápagos. También se dio cuenta de que la fauna en el pequeño archipiélago se parecía a mucha de la que había observado en América del Sur. ¿Podía ser que definitivamente Dios hubiera creado esos animales un poco distintos entre ellos, o es que había tenido lugar una evolución? Dudaba cada vez más de que las especies fueran inalterables. Pero aún no tenía ninguna explicación satisfactoria sobre *cómo* tal evolución o adaptación podía haberse producido. Quedaba aún otro argumento a favor de la teoría de que todos los animales de la Tierra estaban emparentados.

—¿Cuál?

—El que se refiere al *desarrollo del feto* en los mamíferos. Si se comparan fetos de perro, murciélago, conejo y ser humano en una fase temprana, son tan parecidos que casi no se percibe la diferencia. Hasta que el feto no está mucho más desarrollado, no se puede distinguir el feto humano del feto de conejo. Esto debería indicar que somos parientes lejanos, ¿no?

—¿Pero seguía sin encontrar la explicación a cómo se había producido el desarrollo?

—Reflexionaba constantemente sobre la teoría de Lyell de que los cambios minúsculos podían dar lugar a grandes variaciones después de espacios de tiempo inmensamente largos. Pero no encontró ninguna explicación que pudiera servir de principio universal. Conocía también la teoría del zoólogo francés *Lamarck*. Lamarck había señalado que cada una de las especies animales había evolucionado según sus necesidades. Las jirafas, por ejemplo, tenían el cuello tan largo porque durante muchas generaciones lo habían estirado con el fin de llegar a las hojas de los árboles. Lamarck opinaba que las cualidades que cada individuo va adquiriendo poco a poco gracias a sus propios esfuerzos también son heredadas por los hijos. No obstante, Darwin dejó esta teoría de las «cualidades adquiridas» a un lado, simplemente porque Lamarck no tenía ninguna prueba de sus atrevidas aseveraciones. Pero había otro aspecto, mucho más próximo, en el que Darwin pensaba cada vez más. Podríamos decir que tenía el propio mecanismo de la evolución de las especies delante de sus narices.

—Estoy esperando.

—Pero prefiero que tú misma descubras ese mecanismo. Por eso te pregunto: si tienes tres vacas, pero sólo tienes comida para alimentar a dos de ellas, ¿qué harías entonces?

—Puede que tuviera que sacrificar a una de ellas.

—¿Sí...? ¿Y a qué vaca matarías?

—Seguramente mataría a la vaca que diera menos leche.

—¿Ah, sí?

—Sí, es lógico.

—Y precisamente eso es lo que la gente ha hecho durante miles de años. Pero no dejemos todavía a las dos vacas. Y si quisieras que una de ellas tuviera terneros, ¿a cuál de ellas elegirías para tenerlos?

—A la que diera más leche, porque lo más seguro es que también el ternero se convirtiera en una buena vaca lechera.

—De modo que prefieres las buenas vacas lecheras a las malas. Entonces bastará con un ejercicio más. Si vas de caza y tienes dos perros cazadores, pero tienes que deshacerte de uno de ellos, ¿con cuál de ellos te quedarías?

—Evidentemente me quedaría con el que fuera mejor cazador.

—De esa manera favorecerías al perro cazador más hábil, ¿verdad? Y ése, Sofía, ha sido el procedimiento que ha utilizado la humanidad para criar animales durante más de diez mil años. Las gallinas no siempre han puesto cinco huevos a la semana, las ovejas no han tenido siempre tanta lana, y los caballos no han sido siempre tan fuertes y rápidos. La gente ha ido haciendo una *selección artificial*. Y lo mismo ha pasado dentro del reino vegetal. No se siembran patatas malas si se tiene acceso a mejores semillas. Nadie se ocupa de cortar espigas que no llevan trigo. El punto clave de Darwin es que ninguna vaca, ninguna espiga de trigo, ningún perro o ningún pinzón son idénticos a otros ejemplares de su misma especie. La naturaleza muestra un enorme abanico de variaciones. Incluso dentro de la misma especie, ningún individuo es idéntico a otro. De eso seguramente te diste cuenta cuando probaste la bebida azul.

—Ya lo creo.

—Darwin tuvo que preguntarse a sí mismo: ¿podría existir un mecanismo semejante también en la naturaleza? ¿Podría ser que la naturaleza realizara una «selección natural» de individuos «aptos» para vivir? Y finalmente, pero no por ello menos importante: ¿podría un mecanismo de ese tipo crear muy a la larga especies totalmente nuevas de animales y plantas?

—Me imagino que la respuesta es que sí.

—Darwin seguía sin poderse imaginar del todo cómo se podía realizar tal «selección natural». Pero en el mes de octubre de 1838, exactamente dos años después de volver en el *Beagle*, se encontró por pura casualidad con un pequeño libro del especialista en población *Thomas Malthus*, titulado *An Essay on the Principle of Population* (Ensayo sobre el principio de la población). Fue Benjamin Franklin, el americano que entre otras cosas inventó el pararrayos, quien le dio la idea del libro a Malthus. Franklin había señalado que si no hubiese factores delimitadores en la naturaleza, una sola planta o especie se habría extendido por toda la Tierra. Pero como hay varias especies, se mantienen en jaque entre ellas.

—Entiendo.

—Malthus continuó desarrollando esta idea y la

aplicó a la situación de la población de la Tierra. Señaló que la capacidad procreadora de los humanos es tan grande que siempre nacen más niños de los que tienen posibilidad de que vivan. Opinaba que ya que la producción de alimentos nunca podrá llegar a alcanzar el crecimiento de la población, un gran número está destinado a sucumbir en la lucha por la vida. Los que sobrevivan, y, por consiguiente, saquen adelante la raza, serán los que mejor se defiendan en la lucha por la existencia.

—Suena lógico.

—Pero éste era ese mecanismo universal que buscaba Darwin. De pronto tuvo la explicación de cómo sucede la evolución. Se debe a la *selección natural* en la lucha por la vida y, en esa lucha, el que mejor se adapte al entorno es el que sobrevivirá y llevará la raza adelante. Ésta era la segunda teoría que presentó en el libro *El origen de la especies*. Escribió: «El elefante es, de todos los animales conocidos, el que más despacio se reproduce, pero si todas sus crías sobreviviesen habría, después de 750 años, cerca de diecinueve millones de elefantes descendientes de la primera pareja».

—Por no hablar de todos los miles de huevas de bacalao de un solo bacalao.

—Darwin señaló que la lucha por la existencia es a menudo más dura entre especies cercanas, porque tienen que luchar por los mismos alimentos. Es entonces cuando actúan las pequeñas ventajas, es decir, las pequeñas y positivas variaciones con respecto a la media. Cuanto más dura sea la lucha por la existencia, más rápida será la evolución de nuevas especies. En esos casos solamente sobrevivirán los que estén mejor adaptados, todos los demás morirán.

—Cuanto menos alimento haya y más numerosas sean las camadas, ¿más rápida será la evolución?

—Sí, pero no se trata únicamente de alimentos. Puede ser igual de importante evitar ser presa de otros animales. En este sentido puede ser una ventaja, por ejemplo, tener un color de «camuflaje», o la capacidad de correr deprisa, o de detectar animales hostiles, o, en el peor de los casos, saber mal. Tampoco es de despreciar un veneno que mate a los animales de rapiña. No es una casualidad que muchos cactus sean venenosos, Sofía. En el desierto crece casi únicamente el cactus, razón por la cual es una planta muy expuesta a los animales herbívoros.

—La mayoría de los cactus tiene además pinchos.

—También la capacidad de reproducción es evidentemente de importancia primordial. Darwin estudió detalladamente lo ingeniosa que llega a ser en muchos casos la polinización. Las plantas irradian sus maravillosos colores y emiten sus dulces aromas precisamente con el fin de atraer a insectos que contribuyan a la polinización. Por la misma razón los pájaros entonan sus hermosos gorgoritos. Un buey perezoso o melancólico no tiene como tal ningún interés para la historia de su especie. Tales cualidades aberrantes desaparecerán casi instantáneamente. Porque la única misión que tiene el individuo es crecer y alcanzar la madurez sexual y reproducirse para continuar la especie. Es como una larga carrera de relevos. Aquellos que, por alguna razón, no consiguen llevar adelante sus genes, serán eliminados durante la selección. De esta forma la especie siempre irá mejorando. La resistencia a las enfermedades es una importante cualidad que siempre van recogiendo y conservando las variantes que sobreviven.

—¿Quiere decir eso que todo mejora cada vez más?

—La selección constante hace que los que estén mejor adaptados a un *determinado ambiente*, o a una determinada celda ecológica, sean los que a la larga continúen la especie dentro de ese ambiente. No obstante, lo que es una ventaja en un ambiente no tiene por qué serlo en otro. Para algunos de los pinzones de las islas Galápagos la destreza voladora era muy importante. Pero no es tan importante volar bien si la comida hay que buscarla en la tierra. En el transcurso de los tiempos, han surgido tantas especies animales precisamente por existir tantas celdas distintas en la naturaleza.

—Pero, en cambio sólo hay una especie humana

—Sí, porque los humanos tienen una fantástica capacidad de adaptarse a las más diversas condiciones de vida. Esto fue algo que asombró a Darwin cuando vio cómo los indios de la Tierra de Fuego sobrevivían en aquel clima tan frío. Pero no significa que todos los humanos sean iguales. Los que viven alrededor del ecuador, tienen la piel más oscura que los que habitan las regiones más al norte, y esto se debe a que la piel morena protege mejor contra la luz solar. Personas blancas que se exponen mucho al sol están, por ejemplo, más expuestas a padecer cáncer de piel.

—¿Es una ventaja tener la piel blanca si vives en el norte?

—Pues sí, porque en el caso contrario, las personas habrían tenido la piel oscura en todas partes. Pero la piel blanca desarrolla más fácilmente vitaminas solares, lo que puede ser una gran ventaja en lugares con poco sol. Hoy en día esto no es muy importante porque podemos procurarnos suficientes vitaminas solares con lo que comemos. Pero no hay nada que sea casual en la naturaleza. Todo se debe a los minúsculos cambios que han ido teniendo lugar durante innumerables generaciones.

—En realidad es fantástico.

—¿Verdad que sí? Entonces, por ahora, podemos resumir la teoría de la evolución de Darwin de la siguiente forma...

—¡Venga!

—Podemos decir que la «materia prima» que se halla detrás de la evolución de la vida en la Tierra son las constantes *variaciones* entre los individuos dentro de la misma especie, y también las *enormes camadas* que hacen que sólo una pequeña parte consiga sobrevivir. El propio «mecanismo» o fuerza motriz de la evolución es la *selección natural* en la lucha por la existencia. Esta selección hace que siempre sean los más fuertes o los «mejor adaptados» los que sobrevivan.

—Me parece tan lógico como un ejercicio de matemáticas. ¿Cómo fue recibido el libro sobre el «origen de las especies»?

—Hubo algunas luchas bastante feroces. La Iglesia protestó enérgicamente, y la ciencia británica se dividió en dos. En realidad no era de extrañar, pues Darwin había alejado a Dios del acto de la Creación. Ahora bien, algunos señalaron que era mucho más grandioso crear algo que llevara inherentes sus propias posibilidades de evolución que crear en detalle todas las cosas de una sola vez.

De pronto Sofía se levantó de la silla de un salto.

—¡Mira! —exclamó.

Señaló a la ventana. Junto al lago andaban una mujer y un hombre cogidos de la mano. Estaban totalmente desnudos.

—Son Adán y Eva —dijo Alberto—. Poco a poco tuvieron que resignarse a compartir su destino con el de Caperucita Roja y Alicia en el País de las Maravillas. Por eso aparecen aquí.

Sofía se acercó a la ventana para verlos mejor. Pronto desaparecieron entre los árboles.

—Porque Darwin pensaba que los humanos descendían de los animales, ¿no?

—En 1871 publicó el libro *Descent of man*, o *La descedencia humana*, en el que señala todos los grandes parecidos entre humanos y animales; y que los humanos y los monos antropoideos en algún momento del pasado tienen que haberse desarrollado del mismo progenitor. Por entonces también se habían encontrado los primeros fósiles de cráneos de una clase extinguida de humanos, primero en una cantera en el peñón de Gibraltar y unos años más tarde en Neanderthal, en Alemania. Curiosamente las protestas fueron menores en 1871 que en 1859, cuando Darwin publicó *El origen de las especies*, pero la idea de que el hombre desciende de los animales ya estaba implícita en aquel primer libro. Y, como ya he dicho, cuando murió Darwin en 1882 fue enterrado con todos los honores como un pionero del mundo de la ciencia.

—De modo que al final recibió los honores que se merecía.

—Al final sí. Pero al principio fue caracterizado como el «hombre más peligroso de Inglaterra».

—¡Madre mía!

—«Esperemos que no sea verdad», dijo una noble señora, «pero si resulta ser verdad, esperemos que no se llegue a saber públicamente». Un reconocido científico de la época dijo algo parecido: «Un humillante descubrimiento; cuanto menos se hable de él, mejor».

—¡Ellos casi aportaron la prueba de que los humanos están emparentados con los avestruces!

—Pues sí, es verdad. Pero es fácil para nosotros saberlo todo a posteriori. De pronto mucha gente se sintió obligada a revisar su visión del Génesis de la Biblia. El joven escritor John Ruskin lo expresó así: «Ojalá los geólogos me dejaran en paz. Al final de cada versículo de la Biblia oigo sus martillazos».

—¿Y los martillazos eran el dudar de la palabra de Dios?

—Supongo que era eso lo que quiso decir. Porque no sólo se desmoronó la interpretación literal del Génesis, sino que la teoría de Darwin implicaba que eran variaciones completamente *casuales* las que al fin y al cabo habían producido al hombre. Y más que eso: Darwin había convertido al ser humano en un producto de algo tan poco emocional como la «lucha por la existencia».

—¿Darwin dijo algo de cómo se producen estas «variaciones casuales»?

—Estás tocando el punto más débil de su teoría. Darwin tenía sólo vagas nociones de genética. Algo se produce mediante el cruce. Un padre y una madre nunca llegan a tener dos hijos totalmente iguales; ya ahí se produce una cierta variación. Por otra parte, tampoco se puede conseguir algo verdaderamente nuevo de esa manera. Además hay plantas y animales que son gemíparos, o que se reproducen mediante división celular. En cuanto a la cuestión de cómo se producen las variaciones, el llamado *neodarvinismo* ha completado la teoría de Darwin.

—¡Cuéntame!

—Todo lo que sea vida y reproducción se trata, en último término, de división celular. Al dividirse una célula en dos, se producen dos células idénticas con exactamente los mismos genes. Por división celular se entiende, por tanto, el que una célula se copia a sí misma.

—¿Sí?

—Pero algunas veces ocurren minúsculos fallos en este proceso, de modo que la célula copiada no sale exactamente igual a la célula madre. A este fenómeno la biología moderna lo llama *mutación*. Tales mutaciones pueden carecer totalmente de importancia, pero otras pueden conducir a cambios acentuados de las cualidades del individuo. Algunas pueden ser directamente dañinas, y esos «mutantes» se eliminan constantemente de las grandes camadas mediante la selección. Muchas enfermedades se deben en realidad a una mutación. Ahora bien, algunas veces una mutación también puede aportar al individuo precisamente aquella cualidad positiva que este individuo necesita para defenderse mejor en la lucha por la existencia.

—¿Por ejemplo un cuello más largo?

—La explicación de Lamarck sobre el cuello largo de la jirafa, era que las jirafas se habían estirado. Pero según el darvinismo, ninguna cualidad de ese tipo es hereditaria. Darwin pensó que era una variación natural de la longitud del cuello del progenitor de la jirafa. El neodarvinismo completa este punto señalando una clara *causa* de que se produzcan esas variaciones.

—¿Eran las mutaciones?

—Sí. Cambios completamente accidentales en los genes proporcionaron a algunos de los antepasados de las jirafas un cuello un poco más largo que la media. Cuando había escasez de comida podía resultar muy importante. El que llegaba más alto en los árboles, tenía las mayores posibilidades de sobrevivir. Podemos además imaginarnos que algunas de las jirafas primitivas hubieran desarrollado la capacidad de hurgar en la tierra para encontrar comida. Después de muchísimo tiempo, una especie de animales extinguida puede, como ves, dividirse en dos especies de animales.

—Entiendo.

—Vamos a ver unos ejemplos más recientes de cómo funciona la selección natural. Es un principio muy sencillo.

—¡Venga, cuéntame!

—En Inglaterra vive una determinada especie de mariposas llamada medidor de abedul. Como su nombre indica, viven en los claros troncos de los abedules. Si retrocedemos al siglo XVIII veremos que la gran mayoría de medidores de abedules era de un color gris claro. ¿Por qué, Sofía?

—Porque así los pájaros no las veían fácilmente.

—Pero de vez en cuando nacían algunos ejemplares oscuros, debido a mutaciones completamente accidentales. ¿Cómo crees que se defendieron estas variantes oscuras?

—Serían más fáciles de ver, y por consiguiente también más fáciles de atrapar por pájaros hambrientos.

—Porque en este ambiente, es decir en los claros troncos de abedul, el color oscuro era una cualidad desfavorable. Por lo tanto, eran siempre las mariposas blancas las que aumentaban. Pero de pronto sucedió algo en el ambiente. Debido a la industrialización, en algunos lugares los troncos blancos se volvieron completamente oscuros por el hollín. ¿Qué crees que sucedió entonces?

—Supongo que ahora eran las mariposas oscuras las que se defendían mejor.

—Sí, y no tardaron mucho en aumentar en cantidad. Entre 1848 y 1948 el porcentaje de medidores negros de abedules aumentó del uno al noventa y nueve por ciento en algunos sitios. El ambiente había sido modificado, y ya no era ninguna ventaja ser claro en la lucha por la existencia. ¡Más bien al contrario! Los «perdedores» blancos eran eliminados, con la ayuda de los pájaros, nada más aparecer en los árboles. No obstante volvió a suceder un importante cambio. Una reducción en la utilización de carbón y un mejor equipo de limpieza en las fábricas ha dado como resultado un medio ambiente mucho más limpio en los últimos años.

—¿De modo que los troncos se están volviendo blancos?

—Por eso las mariposas están a punto de volver al color blanco. Eso es lo que se llama *adaptación*. Estamos ante una ley de la naturaleza.

—Entiendo.

—Pero hay más ejemplos sobre cómo las personas intervienen en el medio ambiente.

—¿En qué estás pensando?

—Se ha intentado combatir las alimañas con distintas materias venenosas. En un principio puede dar buenos resultados. Pero cuando se pulveriza un campo o un huerto con venenos contra los insectos, se causa una pequeña catástrofe ecológica para aquellas alimañas que uno desea combatir. Una serie de mutaciones puede dar lugar a que aparezca un grupo de alimañas que sea más resistente al veneno empleado. Ahora esos «ganadores» tienen el campo libre, y de esa manera las alimañas se vuelven cada vez más difíciles de combatir precisamente por los intentos humanos de exterminarlas. Son, como ya sabes, las variantes más resistentes las que sobreviven.

—¡Qué horror!

—Al menos da que pensar. También en nuestro propio cuerpo intentamos combatir parásitos dañinos. Estoy pensando en las bacterias.

—Utilizamos penicilina u otros antibióticos.

—Y una cura de penicilina es precisamente una «catástrofe ecológica» para los pequeños diablos. Pero conforme íbamos derrochando penicilina también nos hacíamos resistentes a ciertas bacterias. De esa forma hemos ido creando bacterias que son mucho más difíciles de combatir que antes. Nos vemos obligados a utilizar antibióticos cada vez más fuertes, pero al final...

—Al final nos saldrán las bacterias por la boca, ¿no? ¿Quizás tengamos que empezar a pegarles tiros?

—Eso quizás sea un poco exagerado. Pero está claro

516

que la medicina moderna ha creado un serio dilema. No se trata sólo de que algunas bacterias se hayan vuelto más agresivas. Antes había muchos niños que no llegaban a adultos porque sucumbían a diferentes enfermedades, e incluso se puede decir que sólo sobrevivían unos pocos. Ahora bien, la medicina moderna ha dejado esta selección natural de alguna manera fuera de juego. Lo que ayuda a un individuo a superar una mala racha de salud, puede a la larga llegar a debilitar las resistencias de la humanidad contra diversas enfermedades. Si no consideramos en absoluto lo que llamamos «higiene de la herencia», eso puede conducir a una degeneración de la humanidad. Con esto se quiere decir que se debilitan las condiciones genéticas para evitar enfermedades graves.

—Son perspectivas bastante siniestras.

—Sí, pero un verdadero filósofo no puede dejar de señalar lo «siniestro» si cree que es verdad. Intentemos resumir de nuevo.

—¡Adelante!

—Puedes decir que la vida es como una gran lotería en la que solamente los décimos ganadores son visibles.

—¿Qué quieres decir con eso?

—Los que han perdido en la lucha por la existencia han desaparecido. Detrás de cada especie de plantas y animales de la Tierra hay millones de años de selección de «décimos ganadores». Y los «décimos perdedores» sólo aparecen una vez, lo cual quiere decir que no existe hoy en día ninguna especie de plantas o animales que no puedan llamarse «décimos ganadores» en la gran lotería de la vida.

—Porque sólo se conserva lo mejor.

—Así puedes expresarlo si quieres. Ahora me puedes alcanzar aquella lámina que trajo ese... bueno, ese vigilante de fieras.

Sofía le dio la lámina. Por un lado estaba dibujada el Arca de Noé; por el otro lado se había dibujado un árbol genealógico para todas las especies animales. Éste era el lado que Alberto le quería enseñar.

—La lámina muestra el reparto de las distintas especies de plantas y animales. ¿Ves cómo cada una de las distintas especies pertenece a grupos, clases y series?

—Sí.

—Junto con los monos, los hombres pertenecemos a los llamados primates. Los primates son mamíferos, y todos los mamíferos pertenecen a los vertebrados, que a su vez pertenecen a los animales pluricelulares.

—Casi recuerda a Aristóteles.

—Es verdad. Pero esta lámina no sólo nos dice algo de la división de las diferentes especies hoy, sino que también dice algo de la historia de la evolución de la vida. ¿Ves por ejemplo que los pájaros se separaron una vez de los reptiles, y que los reptiles se separaron por su parte de los anfibios y que los anfibios lo hicieron de los peces?

—Sí, queda claro.

—Cada vez que una de las líneas se divide en dos, han surgido mutaciones que han conducido a nuevas especies. Así surgieron también con los años las diferentes clases y series de animales. Esta lámina está muy simplificada. En realidad hoy viven en el mundo más de un millón de especies animales, y ese millón sólo es una fracción de todas las especies animales que han vivido en la Tierra. ¿Ves por ejemplo que un grupo de animales llamados trilobites está totalmente extinguido?

—Y más abajo están los animales unicelulares.

—Algunos de los cuales tal vez no hayan cambiado en un par de millones de años. ¿Ves que va una línea de esos organismos unicelulares al reino vegetal? Pues también las plantas probablemente descienden de la misma célula primigenia que todos los animales.

—Lo comprendo, pero hay algo que me gustaría saber.

—Dime.

—¿De dónde vino esa «célula primigenia»? ¿Tenía Darwin alguna respuesta a esa pregunta?

—Te he dicho ya que Darwin era un hombre muy prudente. No obstante, sobre este punto que mencionas, se aventuró a adivinar. Escribió: «...si pudiéramos imaginarnos una pequeña charca cálida en la que se encontraran toda clase de sales, en la que hubiera amoniaco y fósforo, luz, calor, electricidad, etc., y que se formase químicamente un compuesto proteínico en esta charca, dispuesto a someterse a cambios aún más complicados...».

—¿Sí, qué?

—Darwin filosofa sobre cómo la primera célula podría haber surgido en una materia inorgánica. Y vuelve a dar en el clavo. La ciencia de hoy se imagina precisamente que la primera y primitiva forma de vida surgió en esa charquita cálida que describió Darwin.

—¡Cuenta!

—Bastará con un esbozo superficial, y recuerda que estamos a punto ya de despedirnos de Darwin. Vamos a dar el salto hasta lo más nuevo en la investigación sobre el origen de la vida en la Tierra.

—Estoy a punto de ponerme nerviosa. Nadie conoce la respuesta a cómo ha surgido la vida, ¿no?

—Quizás no, pero se han ido colocando cada vez más piezas en ese rompecabezas sobre *cómo* pudo haber comenzado la vida.

—¡Sigue!

—Afirmemos en primer lugar que toda clase de vida en la Tierra, plantas y animales, está construida alrededor de exactamente las mismas sustancias. La definición más sencilla de «vida» es que vida es una sustancia que en una disolución nutritiva tiene la capacidad de dividirse en dos partes idénticas. Este proceso es dirigido por una sustancia que llamamos ADN. Con el ADN se indican los cromosomas o materiales genéticos que se encuentran en todas las células vivas. También hablamos de la molécula ADN, porque el ADN es en realidad una complicada molécula, o una macromolécula. La cuestión es cómo se produjo la primera molécula ADN.

—¿Sí?

—La Tierra se formó cuando surgió el sistema solar hace 4.600 millones de años. Al principio era una masa incandescente, pero poco a poco la corteza terrestre se fue enfriando. La ciencia moderna opina que la vida se produjo hace entre 3.000 y 4.000 millones de años.

—Suena completamente improbable.

—Eso no lo puedes decir hasta no haber oído el resto. En primer lugar tienes que darte cuenta de que el planeta tenía un aspecto muy distinto al que tiene hoy. Como no había vida, tampoco había oxígeno en la atmósfera. El oxígeno libre no se forma hasta la fotosíntesis de las plantas. El hecho de que no hubiera oxígeno es muy importante. Es impensable que los ladrillos de la vida, que a su vez pueden formar el ADN, hubieran podido surgir en una atmósfera que contuviera oxígeno.

—¿Por qué?

—Porque el oxígeno es un elemento muy reactivo. Mucho antes de haberse podido formar moléculas tan complicadas como la de ADN, los ladrillos de la molécula ADN se habrían oxidado.

—Vale.

—Por eso sabemos también con seguridad que no

surge nueva vida hoy en día, ni siquiera una bacteria o un virus. Esto quiere decir que toda la vida en la Tierra tiene que tener la misma edad. Un elefante tiene un cuadro genealógico tan largo como la bacteria más simple. Podrías decir que un elefante, o una persona, en realidad son una continua colonia de animales unicelulares. Porque en cada célula del cuerpo tenemos exactamente el mismo material genético. Toda la receta sobre quiénes somos se encuentra, por lo tanto, escondida en cada célula minúscula del cuerpo.

—Es curioso.

—Uno de los grandes enigmas de la vida es que las células de un animal pluricelular sean capaces de especializar su función. Porque todas las distintas propiedades genéticas no están activas en todas las células. Algunas de esas propiedades, o genes, están «apagadas» y otras están «encendidas». Una célula del hígado produce unas proteínas diferentes a las que produce una neurona o una célula de la piel. Pero tanto en la célula del hígado, como en la neurona y en la célula de la piel, existe la misma molécula ADN, que contiene, como ya indicamos, toda la receta del organismo del que estamos hablando.

—¡Sigue!

—Cuando no había oxígeno en la atmósfera, tampoco había ninguna capa protectora de ozono alrededor del planeta. Es decir, que no había nada que obstaculizara las radiaciones del universo. Esto es muy importante, porque precisamente esta radiación jugaría un papel relevante en la formación de las primeras moléculas complicadas. Esa radiación cósmica fue la propia energía que hizo que las distintas sustancias químicas de la tierra comenzaran a unirse en complicadas macromoléculas.

—Vale.

—Puntualizo: para que esas moléculas complicadas

de las que está compuesta toda clase de vida pudieran formarse, tuvieron que haberse cumplido al menos dos condiciones: *no pudo existir oxígeno en la atmósfera, y tuvo que haber existido la posibilidad de radiación del universo.*

—Entiendo.

—En la «pequeña charca cálida», o «caldo primigenio», como la suelen llamar los científicos de hoy en día, se formó en una ocasión una macromolécula enormemente complicada, la cual tenía la extraña cualidad de poder dividirse en dos partes idénticas. Y con ello se pone en marcha esa larga evolución, Sofía. Si simplificamos un poco, vemos que ya estamos hablando del primer material genético, el primer ADN o la primera célula viva. Ésta se dividió y se volvió a dividir, pero desde el principio ocurrieron también constantes mutaciones. Después de un tiempo inmensamente largo ocurrió que esos organismos unicelulares se unieron para formar organismos pluricelulares más complicados. Así se puso también en marcha la fotosíntesis de las plantas, y se formó una atmósfera que contenía oxígeno. Esta atmósfera tuvo una doble importancia: en primer lugar, debido a ella, se pudieron desarrollar los animales que respiraban con pulmones. La atmósfera defendió, además, la vida contra las radiaciones dañinas del universo. Porque precisamente esa radiación, que quizás fuera una importante «chispa» para la formación de la primera célula, también es muy dañina para toda clase de vida.

—Pero supongo que la atmósfera no se formó de un día para otro, ¿no?

—La vida se produjo primero en ese pequeño «mar» que hemos llamado «caldo primigenio». Allí se podía vivir protegido contra la peligrosa radiación. Mucho más tarde, y después de que la vida del mar hubiese formado una atmósfera, subieron a tierra firme los primeros anfibios. Y de todo lo demás ya hemos hablado. Estamos sentados en una cabaña del bosque mirando hacia atrás a un proceso que ha durado unos tres o cuatro mil millones de años. Precisamente en nosotros el largo proceso ha llegado a tomar conciencia de sí mismo.

—¿Pero tú crees, a pesar de todo, que todo esto ha sucedido por pura casualidad?

—No, yo no he dicho eso. La lámina muestra que la evolución puede tener una *dirección*. En el curso de millones de años se han ido formando animales con un sistema nervioso cada vez más complicado y poco a poco también con un cerebro cada vez más grande. Personalmente no creo que esto sea casual. ¿Tú qué crees?

—El ojo humano no puede haber sido creado por pura casualidad. ¿No crees que significa algo el que podamos ver el mundo que nos rodea?

—Lo del desarrollo del ojo también asombró a Darwin. No le encajaba muy bien que una cosa tan maravillosa como un ojo pudiera surgir solamente por la selección natural.

Sofía se quedó mirando a Alberto. Pensó en lo extraño que era que viviera justo en este momento, que viviera solamente esta vez y que jamás volviera a la vida. De pronto exclamó:

—«¡Qué significa la eterna Creación, si todo lo creado ha de desaparecer para siempre!»

Alberto la miró severamente.

—No deberías hablar así, hija mía. Son palabras del diablo.

—¿Del diablo?

—O de Mefisto, del *Fausto* de Goethe: «Was soll uns denn das ewge Schaffen! / Geschaffenes zu nichts hinwegzuraffen!».

—¿Pero qué significan exactamente esas palabras?

—Justo en el instante antes de morir, Fausto mira hacia atrás en su larga vida, y exclama triunfante:

Detente, eres tan hermosa.
La huella de mi vida
no puede quedar envuelta en la nada.
Basta el presentimiento de aquella
felicidad sublime
para hacerme gozar mi hora inefable.

—¡Qué palabras tan bonitas!
—Pero luego le toca al diablo. En cuanto Fausto expira, Mefisto exclama:

¡Acabó!
¡Estúpida palabra!
¿Por qué acabó?
¿No equivale esto a decir que todo quedó
reducido a la nada?
¡Qué significa la eterna Creación,
si todo lo creado ha de desaparecer para siempre!
El mundo, al dejar de existir,
será como si no hubiese existido nunca,
y, sin embargo, lo vemos agitarse incesante
como si realmente fuese algo.
En verdad, prefiero aún mi eterno vacío.

—¡Qué pesimista! Me ha gustado más la primera cita. Aunque su vida acababa, Fausto veía un significado en las huellas que dejaba tras sí.
—¿No es también una consecuencia de la teoría de la evolución de Darwin que formamos parte de algo grande, y que cada minúscula forma de vida tiene importancia para el

gran contexto? ¡Nosotros somos el planeta vivo, Sofía! Somos el gran barco que navega alrededor de un sol ardiente en el universo. Pero cada uno de nosotros también es un barco que navega por la vida cargado de genes. Si logramos llevar esta carga al próximo puerto, entonces no habremos vivido en vano. Bjørnstjerne Bjørnson expresó la misma idea en el poema «Psalmo II»:

> *¡Honremos la primavera eterna de la vida*
> *que todo lo creó!;*
> *hasta lo minúsculo tiene su creación merecida,*
> *sólo la forma se perdió.*
> *De estirpes nacen estirpes*
> *que alcanzan mayor perfección;*
> *de especies nacen especies,*
> *millones de años de resurrección.*
>
> *¡Alégrate tú que tuviste la suerte de participar*
> *como flor en su primer abril*
> *y, en honor a lo eterno, el día disfrutar*
> *como ser humano*
> *y de poner tu grano*
> *en la tarea de la eternidad;*
> *pequeño y débil inhalarás*
> *un único soplo*
> *del día que no acaba jamás!*

—¡Qué bonito!

—Bueno, entonces no decimos nada más por hoy. Yo digo simplemente «Final del capítulo».

—Pero entonces tienes que dejar esa ironía tuya.

—¡«Final del capítulo»!, he dicho. Debes obedecer mis palabras.

Freud

...ese terrible deseo egoísta que había surgido en ella...

Hilde Møller Knag se levantó de la cama de un salto, con la pesada carpeta de anillas en los brazos. Dejó la carpeta sobre el escritorio, cogió su ropa volando y se la llevó al baño, donde se metió dos minutos debajo de la ducha. Finalmente se vistió en un abrir y cerrar de ojos, y bajó corriendo a la cocina.

—Ya está el desayuno, Hilde.

—Antes tengo que salir a remar un poco.

—¡Pero Hilde!

Salió de la casa y bajó a toda prisa por el jardín. Soltó la barca y se metió en ella de un salto. Empezó a remar. Dio una vuelta por toda la bahía a remo; al principio, estaba muy excitada, luego se fue calmando.

«¡Nosotros somos el planeta vivo, Sofía! Somos el gran barco que navega alrededor de un sol ardiente en el universo. Pero cada uno de nosotros también es un barco que navega por la vida cargado de genes. Si logramos llevar esta carga al próximo puerto, entonces no habremos vivido en vano...» Sabía esa frase de memoria. Se había escrito para ella; no para Sofía, sino para ella. Todo lo que había en la carpeta de anillas era una carta de papá a Hilde.

Soltó los remos de las horquillas y los puso dentro. De esta manera la barca quedó balanceándose sobre el agua. Sonaban suaves chasquidos contra el fondo.

La barca flotaba en la superficie de una pequeña bahía en Lillesand, y ella misma no era más que una cáscara de nuez en la superficie de la vida.

¿Dónde encajaban Sofía y Alberto en todo esto? Bueno, ¿dónde estaban Alberto y Sofía?

No le pegaba que sólo fueran unos «impulsos electromagnéticos» del cerebro del padre. No le cuadraba que sólo fuesen papel y tinta de una cinta impresora de la máquina de escribir portátil de su padre. Entonces igual podría decir que ella misma era simplemente una acumulación de compuestos proteínicos que en algún momento se habían unido en una «pequeña charca cálida». Pero ella era algo más. Era Hilde Møller Knag.

Claro que la gran carpeta de anillas era un regalo de cumpleaños fantástico. Y claro que su padre había dado en un núcleo eterno dentro de ella con este regalo. Pero lo que no le gustaba del todo era ese tono un poco descarado que utilizaba cuando hablaba de Sofía y Alberto.

Pero Hilde le daría qué pensar ya en el viaje de vuelta a casa. Se lo debía a esos dos personajes. Hilde se imaginaba a su padre en el aeropuerto de Copenhague. Tal vez se quedara por allí vagando como un tonto.

Pronto Hilde se había serenado del todo. Volvió remando hasta el muelle y amarró la barca. Luego se quedó mucho tiempo sentada junto a la mesa del desayuno con su madre.

Muy tarde aquella noche volvió por fin a sacar la carpeta de anillas. Ya no quedaban muchas páginas.

De nuevo sonaron golpes en la puerta.

—Podríamos taparnos los oídos, ¿no? —dijo Alberto—. Y así tal vez dejen de golpear.

—No, quiero ver quién es.

Alberto la siguió.

Fuera había un hombre desnudo. Se había colocado en una postura muy solemne, pero lo único que llevaba puesto era una corona en la cabeza.

—¿Bien? —preguntó—. ¿Qué opinan los señores del nuevo traje del emperador?

Alberto y Sofía estaban atónitos, lo cual desconcertó un poco al hombre desnudo.

—¡No me hacen ustedes reverencias! —exclamó.

Alberto hizo de tripas corazón y dijo:

—Es verdad, pero el emperador está totalmente desnudo.

El hombre desnudo se quedó en la misma postura solemne. Alberto se inclinó sobre Sofía y le susurró al oído:

—Cree que es una persona decente.

El rostro del hombre desnudo adquirió una expresión de enfado.

—¿Acaso se practica en esta casa algún tipo de censura? —preguntó.

—Lo siento —dijo Alberto—. En esta casa estamos completamente despiertos y en nuestro sano juicio en todos los sentidos. No podemos permitir al emperador que entre en esta casa en el estado tan vergonzoso en que se encuentra.

A Sofía ese hombre desnudo y a la vez tan solemne le resultaba tan cómico que se echó a reír. Como si esto hubiera sido una contraseña secreta, el hombre de la corona en la cabeza descubrió finalmente que no llevaba ninguna ropa puesta. Se tapó con las dos manos, se fue corriendo hacia el bosque y desapareció. Tal vez se encontrara allí con Adán y Eva, Noé, Caperucita Roja y Winnie Pooh.

Alberto y Sofía se quedaron delante de la puerta muertos de risa. Al final, Alberto dijo:

—Ya podemos sentarnos dentro otra vez. Te hablaré de Freud y de su doctrina sobre el subconsciente.

Volvieron a sentarse delante de la ventana. Sofía miró el reloj y dijo:

—Son ya las dos y media, y yo tengo un montón de cosas que hacer para la fiesta en el jardín.

—Yo también. Sólo diremos unas pocas palabras sobre Sigmund Freud.

—¿Era filósofo?

—Al menos podemos llamarlo «filósofo cultural». *Freud* nació en 1856 y estudió medicina en la universidad de Viena, ciudad en la que vivió gran parte de su vida. Esta época coincidió con un período de gran florecimiento en la vida cultural de Viena. Freud se especializó pronto en la rama de la medicina que llamamos *neurología*. Hacia finales del siglo pasado, y muy entrado nuestro siglo, elaboró su «psicología profunda», o «psicoanálisis».

—Supongo que lo vas a explicar más detalladamente.

—Por «psicoanálisis» se entiende tanto una descripción de la mente humana en sí, como un método de tratamiento de enfermedades nerviosas y psíquicas. No presentaré una imagen completa ni del propio Freud ni de sus actividades. Pero su teoría sobre el subconsciente es totalmente imprescindible si uno quiere entender lo que es el ser humano.

—Ya has despertado mi interés. ¡Venga!

—Freud pensaba que siempre existe una tensión entre el ser humano y el entorno de este ser humano. Mejor dicho, existe una tensión, o un conflicto, entre los instintos y necesidades del hombre y las demandas del mundo que le rodea. Seguramente no es ninguna exageración decir que fue Freud quien descubrió el mundo de los instintos del hombre. Esto le convierte en un exponente de las corrientes naturalistas tan destacadas a finales del siglo pasado.

—¿Qué quieres decir con «el mundo de los instintos»?

—No siempre es la razón la que dirige nuestros actos.

Es decir, que el hombre no es un ser tan racional como se lo habían imaginado los racionalistas del siglo XVIII. Son a menudo impulsos irracionales los que deciden lo que pensamos, soñamos y hacemos. Esos impulsos irracionales pueden ser la expresión de instintos o necesidades profundas. Los instintos sexuales del ser humano, son, por ejemplo, tan fundamentales como la necesidad en el bebé de chupar.

—Entiendo.

—Esto no fue en realidad ningún descubrimiento nuevo. Pero Freud demostró que esas necesidades básicas o fundamentales pueden «disfrazarse» o «enmascararse» y, de ese modo, dirigir nuestros actos sin que nos demos cuenta de ello. Señala además que los niños pequeños también tienen una especie de sexualidad. Esta demostración de una «sexualidad infantil» hizo reaccionar a la gran burguesía de Viena con gran aversión, y Freud se convirtió en un hombre muy poco apreciado.

—No me extraña.

—Recuerda que estamos en la llamada «época victoriana», en la que todo lo que tenía que ver con la sexualidad era tabú. Freud se dio cuenta de la sexualidad infantil a través de su trabajo como psicoterapeuta, y tenía, aparte, una base empírica para sus afirmaciones. También observó que muchas formas de neurosis o enfermedades psíquicas podían tener su origen en conflictos en la infancia. Poco a poco fue elaborando un método de tratamiento que podríamos llamar una especie de «arqueología mental».

—¿Qué significa eso?

—Un arqueólogo intenta encontrar huellas de un lejano pasado, excavando su camino a través de las diferentes capas de cultura. Tal vez encuentre un cuchillo del siglo XVIII; profundizando más en la tierra quizás encuentre un peine del siglo XIV, y aún más adentro una vasija del siglo V.

—¿Sí?

—De la misma manera puede el psicoterapeuta, con la ayuda del paciente, excavar el camino en la conciencia de éste para recoger aquellas vivencias que en alguna ocasión le originaron esos sufrimientos psíquicos. Porque, según Freud, todos los recuerdos del pasado se guardan muy dentro de nosotros.

—Ahora lo entiendo.

—Y entonces puede que encuentre una vivencia desagradable, que el paciente durante años ha intentado olvidar, pero que a pesar de todo ha estado oculta en el fondo, corroyendo sus recursos. Sacando a la conciencia una experiencia «traumática» de este tipo, mostrándola de alguna manera al paciente, él o ella pueden «acabar de una vez por todas» con el trauma en cuestión y así curarse.

—Suena lógico.

—Pero voy demasiado deprisa. Veamos primero la descripción que presenta Freud de la mente humana. ¿Has observado alguna vez a un niño pequeño?

—Tengo un primo de cuatro años.

—Cuando nacemos, damos salida sin inhibiciones y muy directamente a todas nuestras necesidades físicas y psíquicas. Si no nos dan leche gritamos. También lloramos cuando el pañal está mojado, y emitimos señales muy directas de que deseamos una proximidad física y calor corporal. Este «principio de los instintos» o de «placer» dentro de nosotros mismos Freud lo llama *el ello*.

—¡Sigue!

—«El ello», o el principio de los instintos, siempre lo llevamos con nosotros, también cuando nos hacemos mayores. Pero con el tiempo aprendemos a regular nuestros instintos y, con ello, a adaptarnos a nuestro entorno. Aprendemos a ajustar el principio de los instintos con arreglo al «principio de la realidad». Freud dice que nos construimos un *yo* que tiene esta función reguladora. Aunque nos apetezca una cosa no podemos sentarnos y gritar sin más hasta que nuestros deseos o necesidades hayan sido satisfechos.

—Claro que no.

—Así pues, puede ocurrir que deseemos algo muy intensamente, y que ese algo el entorno no esté dispuesto a aceptarlo. Entonces puede suceder que *reprimamos* nuestros deseos, lo cual significa que intentemos dejarlos a un lado y olvidarlos.

—Entiendo.

—Pero Freud contaba con otra «entidad» en la mente humana. Desde pequeños nos topamos con las demandas morales de nuestros padres y del mundo que nos rodea. Cuando hacemos algo mal, los padres dicen: «¡No, así no!» o «¡Qué malo eres!». Incluso de mayores arrastramos un eco de ese tipo de demandas morales y de esas condenas. Es como si las expectativas morales del entorno nos hubieran penetrado hasta dentro, convirtiéndose en una parte de nosotros mismos. Eso es lo que Freud llama el *super-yo*.

—¿Quería decir la conciencia?

—En lo que él llama el «super-yo» también está la propia conciencia. No obstante, Freud opinaba que el super-yo nos avisa cuando tenemos deseos «sucios» o «impropios». Esto es sobre todo aplicable a deseos eróticos y sexuales. Y, como ya he indicado, Freud señaló que estos deseos impropios o «indecorosos» comienzan ya en una fase temprana de la infancia.

—¡Explica!

—Hoy en día sabemos y vemos que a los niños pequeños les gusta tocar sus órganos sexuales. Es algo que podemos observar en cualquier playa. En la época de Freud una «conducta» así podía dar lugar a un pequeño cachete sobre los dedos de ese niño de dos o tres años, o quizás a que la madre dijera: «¡Malo!» o «¡Eso no se hace!» o «Pon las manos encima del edredón».

—Es completamente enfermizo.

—De esta forma surge el sentimiento de culpabilidad relacionado con todo aquello que tiene que ver con los órganos sexuales o con la sexualidad en general. Debido a que este sentimiento de culpabilidad se queda en el super-yo, muchas personas, según Freud, arrastran durante toda su vida un sentimiento de culpabilidad relacionado con el sexo. Al mismo tiempo Freud señaló que los deseos y necesidades sexuales constituyen una parte natural e importante del ser humano. Ya ves, Sofía, tenemos todos los ingredientes para un conflicto tan largo como la misma vida, entre el placer y la culpabilidad.

—¿No crees que este conflicto se ha moderado algo desde los tiempos de Freud?

—Seguramente. Pero muchos de los pacientes de Freud vivieron este conflicto con tanta fuerza que desarrollaron lo que Freud llamó *neurosis*. Una de sus muchas pacientes estaba, por ejemplo, secretamente enamorada de su cuñado. Cuando murió su hermana, a causa de una enfermedad, ella pensó: «Ahora está libre y se puede casar conmigo». Pero este pensamiento chocaba al mismo tiempo con su super-yo. Le resultaba tan monstruoso, dice Freud, que inmediatamente lo *reprimió*. Quiere decir que lo empujó hacia el subconsciente. Freud escribe: «La joven enfermó y manifestó serios síntomas histéricos, y cuando vino a mi consulta para ser tratada, resultó que se había olvidado totalmente de la escena junto a la cama de la hermana y de ese terrible deseo egoísta que había surgido en ella. Pero sí se acordó durante el tratamiento; en un estado de fuerte agitación mental reprodujo el momento patológico y se curó con este tratamiento».

—Ahora entiendo mejor lo que quieres decir con «arqueología mental».

—Entonces podemos dar una descripción general de la psique del ser humano. Tras una larga experiencia en el tratamiento de pacientes, Freud llegó a la conclusión de que la *consciencia* del hombre sólo constituye una pequeña parte de la mente humana. Lo consciente es como la pequeña punta de un iceberg que asoma por encima de la superficie. Debajo de la superficie, o debajo del umbral de la consciencia, está el *subconsciente*.

—¿Entonces el subconsciente es todo aquello que está dentro de nosotros pero que hemos olvidado, o que no recordamos?

—No tenemos siempre en la parte consciente todas nuestras experiencias y vivencias. A esas cosas que hemos pensado o vivido, y que recordamos si nos «ponemos a pensar», Freud las llamó «lo preconsciente». La expresión «lo subconsciente» la utilizó para cosas que hemos «reprimido», es decir, cosas que hemos intentado olvidar porque nos eran «desagradables», «indecorosas» o «repulsivas». Si tenemos deseos y fantasías que resultan intolerables a la consciencia, o para el super-yo, los empujamos hasta el sótano, para que se quiten de la vista.

—Entiendo.

—Este mecanismo funciona en todas las personas sanas. Pero a algunos les puede costar tanto esfuerzo mantener alejados de la consciencia los pensamientos desagradables o prohibidos que les causa enfermedades nerviosas. Porque lo que se procura reprimir de esta forma, intenta volver a emerger a la consciencia por propia iniciativa. Algunas personas necesitan por tanto emplear cada vez más energía para mantener esos impulsos alejados de la crítica de la consciencia. Cuando Freud estuvo en América en 1909, dando conferencias sobre psicoanálisis, puso un ejemplo de cómo funciona este mecanismo de represión.

—¡Venga!

—Dijo: «Supongamos que en esta sala... se encontrara un individuo que se comportara de modo que estorbara y desviara mi atención en esta conferencia, riéndose groseramente, hablando y haciendo ruido con los pies. Digo que no puedo seguir en tales condiciones, y unos hombres fuertes se levantan y echan al intruso tras un breve forcejeo. Él ha sido "reprimido" y yo puedo seguir mi conferencia. Para que esta interrupción no se repita, en caso de que el hombre vuelva a entrar en la sala, los señores que ejecutaron mi voluntad llevan sus sillas hasta la puerta y se colocan allí como "resistencia" después de la represión cumplida. Si han captado ustedes el interior y el exterior de la sala como lo "consciente" y lo "subconsciente", tendrán un buen ejemplo del proceso de la represión».

—Estoy de acuerdo en que es un buen ejemplo.

—Pero ese «intruso» quiere volver a entrar, Sofía. Y ése es el caso de los pensamientos e impulsos reprimidos. Vivimos con una constante «presión» de pensamientos reprimidos que luchan por emerger del subconsciente. A menudo decimos o hacemos cosas sin que haya sido ésa «nuestra intención». De ese modo, las reacciones subconscientes pueden dirigir nuestros sentimientos y actos.

—¿Puedes poner algún ejemplo?

—Freud opera con varios mecanismos de ese tipo. Un ejemplo es lo que él llamaba *reacciones erróneas*. Quiere decir que decimos o hacemos cosas que algún día intentamos reprimir. El propio Freud menciona el ejemplo de un capataz que iba a brindar por su jefe; este jefe no era muy apreciado. Era lo que vulgarmente se diría «una mierda».

—¿Y?

—El capataz se puso de pie, levantó la copa solemnemente y dijo: «¡Propongo una mierda para el jefe!».

—Me has dejado atónita.

—También se quedaría atónito el capataz. En realidad sólo había dicho lo que sentía. Pero no había sido su intención decirlo. ¿Quieres otro ejemplo más?

—Con mucho gusto.

—En la familia de un pastor protestante que tenía muchas hijas y eran todas muy buenas, se esperaba la visita de un obispo. Daba la casualidad de que ese obispo tenía una nariz increíblemente larga. Por eso las hijas recibieron la orden de no hacer ningún comentario sobre la nariz. Ya sabes que muy a menudo a los niños se les escapan comentarios espontáneos precisamente porque el mecanismo de represión no es muy fuerte.

—¿Sí?

—El obispo llegó a casa del pastor, cuyas encantadoras hijas se esforzaron al máximo para no hacer ningún comentario sobre la nariz. Y más que eso: intentaron por todos los medios no mirar la nariz, tendrían que ignorarla. Se concentraron en ello. Luego una de las niñas sirvió los terroncitos de azúcar para el café. Se colocó delante del solemne obispo y dijo: ¿le apetece una poco de azúcar en la nariz?

—¡Qué corte!

—Algunas veces también *racionalizamos*; lo que quiere decir que damos a los demás y a nosotros mismos razones de lo que hacemos que no son las verdaderas. Y eso es precisamente porque la verdadera razón es demasiado embarazosa.

—¡Un ejemplo, por favor!

—Te puedo hipnotizar para que abras una ventana. En el transcurso de la hipnosis te digo que cuando yo empiece a dar en la mesa con las yemas de los dedos, tú tendrás que levantarte e ir a abrir la ventana. Yo doy con los dedos en la mesa, y tú abres la ventana. Luego yo pregunto por qué abriste la ventana. Quizás contestes que lo hiciste porque te parecía que hacía calor. Pero ésa no es la verdadera razón. No quieres admitirte a ti misma que has hecho algo bajo mi orden hipnótica. En ese caso «racionalizarías», Sofía.

—Comprendo.

—Así nos «comunicamos doblemente» casi todos los días.

—Mencioné antes a mi primo de cuatro años. Creo que no tiene a muchos con quien jugar; por lo menos se pone muy contento cuando voy a su casa. Una vez le dije que tenía que irme pronto a casa porque mi mamá me estaba esperando. ¿Sabes lo que me contestó?

—¿Qué?

—«Ella es tonta» —dijo.

—Sí, ése es otro ejemplo de lo que queremos decir con racionalización. El niño no quería decir lo que dijo. Lo que quería decir es que era una tontería que tú te tuvieras que ir. Algunas veces también *proyectamos*.

—Traduce.

—«Proyección» significa que transferimos a otras personas diferentes cualidades que intentamos reprimir en nosotros mismos. Una persona muy tacaña, por ejemplo, no suele tardar mucho en caracterizar a otros como tacaños. Uno que no quiere admitir su fijación por el sexo, es el primero en indignarse ante otros como él.

—Comprendo.

—Freud pensó que abundan los ejemplos de esos actos inconscientes en nuestra vida cotidiana. A lo mejor ocurre que nos olvidamos constantemente del nombre de una determinada persona, quizás manoseamos constantemente nuestra ropa mientras hablamos o movemos cosas aparentemente casuales en la habitación. También es muy corriente tartamudear y tener lapsus al hablar que pueden parecer totalmente inocentes. Freud opina que un lapsus nunca es ni tan casual ni tan inocente como creemos. Opinaba que tienen que ser evaluados como *síntomas*. Esos «actos erróneos» o «actos casuales» pueden revelar los secretos más íntimos.

—A partir de ahora voy a pensar muy bien cada palabra que pronuncie.

—Pero de todos modos no lograrías escapar de tus impulsos subconscientes. El arte es precisamente no emplear demasiados esfuerzos en empujar las cosas desagradables hacia el subconsciente. Es como cuando se intenta tapar el agujero que hace una rata de agua. Puedes estar segura de que la rata vuelve a emerger por otro sitio del jardín. Lo sano es tener una puerta a medio abrir entre la consciencia y el subconsciente.

—¿Y si uno cierra la puerta, se puede contraer alguna enfermedad psíquica?

—Sí. Un neurótico es justamente una persona que emplea demasiada energía en mantener «lo desagradable» alejado de la consciencia. Se trata a menudo de experiencias o vivencias especiales que esta persona a toda costa necesita reprimir. A esas experiencias o vivencias especiales Freud las llamó *traumas*. La palabra «trauma» es griega y significa «herida».

—Comprendo.

—En el tratamiento de los pacientes era importante para Freud intentar abrir la puerta cerrada con mucho cuidado, o quizás abrir una puerta nueva. Colaborando con el paciente intentó volver a sacar a la luz las vivencias reprimidas. Pues el paciente no es consciente de lo que reprime, y sin embargo puede estar muy interesado en que el médico le ayude a buscar los traumas ocultos.

—¿Qué método emplea el médico?

—Freud desarrolló lo que él llamó *técnica de las asociaciones libres*. Consistía en que dejaba que el paciente se tumbara en una postura cómoda y que luego hablara de lo que se le ocurriera, independientemente de lo insustancial, casual, desagradable o embarazoso que pudiera parecer. Se trataba de intentar destruir aquella «tapadera» o «control» que se había colocado encima de los traumas. Porque son precisamente los traumas los que tienen interés para el paciente. Están constantemente en acción, pero no en la consciencia.

—¿Cuanto más se esfuerza uno por olvidarse de algo, más se piensa en ello en el subconsciente?

—Exactamente. Por eso es importante escuchar las señales del subconsciente. Según Freud, el «camino real» hacia el subconsciente lo son nuestros sueños. Y su libro más importante es la gran obra *La interpretación de los sueños,* publicada en 1900, y en la que mostró que no es casual lo que soñamos. Nuestros pensamientos subconscientes intentan comunicarse con la consciencia a través de los sueños.

—¡Sigue!

—Después de recopilar sus experiencias con pacientes durante muchos años, y también después de haber analizado sus propios sueños, Freud afirma que todos los sueños *cumplen deseos*. Esto se observa fácilmente en los niños, dice, pues los niños sueñan con helado y cerezas. Pero en el caso de los adultos sucede a menudo que los deseos, que a su vez serán cumplidos en los sueños, están disfrazados. Porque también cuando dormimos hay una severa *censura* que decide lo que nos podemos permitir. Ahora bien, durante el sueño dicha censura o mecanismo represivo está debilitado respecto del estado de vigilia, pero aún así es lo suficientemente fuerte como para que en el sueño reprimamos deseos que no queremos reconocer.

—¿Entonces hay que interpretar los sueños?

—Freud dice que tenemos que distinguir entre el propio sueño, tal como lo recordamos por la mañana, y el verdadero significado del sueño. A las propias imágenes del sueño, es decir a la «película» o el «vídeo» que soñamos, Freud las llamó *contenido manifiesto del sueño*. Este contenido «aparente» del sueño siempre recoge su material de sucesos ocurridos el día anterior. Pero el sueño también tiene un significado más profundo que está oculto a la consciencia. Este significado Freud lo llamó *ideas latentes del sueño*, y estas ideas o pensamientos ocultos de los que trata en realidad el sueño pueden datar de muy atrás en el tiempo, incluso de la infancia más temprana.

—Tenemos que analizar el sueño antes de poder entender de qué trata.

—Sí, y cuando se trata de personas enfermas, hay que hacerlo junto con el terapeuta. Ahora bien, no es el terapeuta el que interpreta el sueño. Sólo lo puede hacer con la ayuda del paciente. En esta situación el médico actúa como una especie de «comadrona» socrática que está presente y asiste durante la interpretación.

—Comprendo.

—Freud llamó a la transformación de las «ideas latentes del sueño» en el «contenido manifiesto del sueño» el *trabajo del sueño*. Se trata de un «enmascaramiento» o «codificación» de aquello de lo que trata realmente el sueño. La interpretación del sueño consiste en el proceso inverso. Hay que «desenmascarar» o «recodificar» el «motivo» del sueño con el fin de encontrar el «tema» del mismo.

—¿Puedes ponerme algún ejemplo?

—El libro de Freud está lleno de ejemplos de ese tipo. Pero podemos poner un ejemplo muy sencillo y muy freudiano. Si un joven sueña con que su prima le regala dos globos...

—¿Sí?

—Ahora te toca a ti interpretar.

—Mmm... Entonces el «contenido manifiesto del sueño» es exactamente lo que acabas de decir: recibe dos globos de su prima.

—¡Continúa!

—Luego dijiste también que todos los ingredientes del sueño se han recogido de lo ocurrido el día anterior. De modo que estuvo el día anterior en el parque de atracciones o vio una foto de globos en el periódico.

—Sí, es posible, pero basta con que simplemente haya visto la palabra «globo», o algo que pueda recordar a globos.

—¿Pero cuáles son las «ideas latentes del sueño», es decir aquello de lo que realmente trata el sueño?

—Eres tú la intérprete del sueño.

—Quizás desee simplemente tener un par de globos.

—No, eso no sirve. Tienes razón en que el sueño también debe cumplir un deseo, pero es poco probable que un hombre adulto desee ardientemente tener dos globos. Y si lo hubiera deseado, no habría tenido la necesidad de soñar con ellos.

—Creo que ya lo tengo: lo que quería era a su prima, y los dos globos eran sus pechos.

—Pues sí, ésa es una explicación más probable. La condición es que él considere este deseo como algo embarazoso.

—¿Porque también cuando soñamos damos rodeos, como los de los globos y cosas así?

—Sí, Freud pensaba que el sueño era un «cumplimiento disfrazado de deseos reprimidos». Pero desde los tiempos en los que Freud ejercía de médico en Viena, puede haber cambiado considerablemente aquello que procuramos reprimir, aunque el propio mecanismo del disfraz del contenido del sueño pueda seguir intacto.

—Comprendo.

—El psicoanálisis de Freud tuvo una gran repercusión en la década de los años veinte, sobre todo en el tratamiento de pacientes psiquiátricos. Su doctrina sobre el subconsciente tuvo, además, una gran importancia para el arte y la literatura.

—¿Quieres decir que los artistas se interesaron más por la vida mental subconsciente de los seres humanos?

—Exactamente. Aunque ese interés florecía ya en la literatura en las últimas décadas del siglo pasado, es decir antes de conocerse el psicoanálisis de Freud. Esto muestra simplemente que tampoco es una casualidad que el psicoanálisis de Freud surgiese hacia 1890.

—¿Quieres decir que era algo que flotaba en el aire?

—Freud tampoco reclamó haber «inventado» fenómenos como la represión, las reacciones erróneas o la racionalización. Simplemente fue el primero en incorporar estas experiencias humanas a la psiquiatría. Es además un verdadero artista utilizando ejemplos literarios para ilustrar su propia teoría. Pero como ya he indicado, desde la década de los años veinte, el psicoanálisis de Freud tendría una influencia más directa sobre el arte y la literatura.

—¿Cómo?

—Poetas y pintores intentaron usar las fuerzas subconscientes en su obra creativa. Particularmente ése es el caso de los llamados *surrealistas*.

—¿Y qué significa eso?

—«Surrealismo» es una palabra francesa que se puede traducir por «sobrerrealismo». En 1924 *André Breton* publicó su *Manifiesto surrealista,* en el que señaló que el arte debe brotar del subconsciente. Así, el artista recogería en una libre inspiración sus imágenes soñadas y llegaría a una «sobrerrealidad» en la que ya no existe distinción entre el sueño y la realidad. También puede ser importante para un artista derrumbar la censura de la consciencia con el fin de dejar correr libremente las palabras y las imágenes.

—Comprendo.

—En cierta manera Freud había presentado una prueba de que todos los seres humanos son artistas, pues un sueño es una pequeña obra de arte. Con el fin de interpretar los sueños de los pacientes, a menudo Freud se vio obligado a manejar una gran cantidad de símbolos, más o menos como cuando intepretamos un cuadro o un texto literario.

—¿Y soñamos cada noche?

—Las investigaciones más recientes muestran que soñamos aproximadamente el veinte por ciento del tiempo que dormimos, es decir dos o tres horas todas las noches. Si se nos estorba en la fase del sueño, nos ponemos nerviosos e irritables. Esto significa nada menos que todos los seres humanos tenemos una necesidad innata de elaborar una expresión artística de nuestra situación existencial, pues de nosotros trata el sueño. Nosotros somos el director de la película, los que recogemos todos los ingredientes y los que interpretamos todos los papeles. El que diga que no entiende nada de arte, no se conoce a sí mismo.

—Comprendo.

—Además Freud había entregado una impresionante prueba de lo fantástica que es la consciencia humana. El trabajo que llevó a cabo con pacientes le mostró que en algún sitio muy dentro de la consciencia conservamos todo lo que hemos visto y vivido, y que todas esas impresiones pueden volver a sacarse a la luz. Cuando nos quedamos «en blanco» y luego lo tenemos «en la punta de la lengua» y más tarde «de pronto nos acordamos», estamos hablando precisamente de algo que ha estado en el subconsciente y que de repente se mete por la puerta entreabierta hacia la consciencia.

—Pero algunas veces va muy lentamente.

—Eso es algo que conocen todos los artistas. Y luego es como si de pronto todas las puertas y todos los cajones del archivo se abriesen de par en par. Llegan a chorros, y podemos recoger exactamente las palabras y las imágenes que necesitamos. Eso ocurre cuando hemos «levantado un poco la tapadera» del subconsciente. Eso es lo que podemos llamar *inspiración*, Sofía. Es como si lo que se dibuja o lo que se escribe no viniera de nosotros mismos.

—Tiene que ser una sensación maravillosa.

—Seguro que tú misma la has vivido. Por ejemplo, en niños agotados es fácil estudiar esos estados «inspirados». Como sabes, los niños están a veces tan cansados y con tanto sueño que parecen exageradamente despiertos. De pronto empiezan a contar cosas, es como si recogiesen palabras que aún no han aprendido. Pero claro que las han aprendido; las palabras y los pensamientos han estado *latentes* en su consciencia, pero ahora, por fin, cuando el cuidado y la censura se aflojan, emergen. También para el artista puede ser importante que la razón y la reflexión no puedan controlar una actividad más o menos inconsciente. ¿Quieres que te cuente un pequeño cuento que ilustra esto?

—¡Ah, sí!

—Es un cuento muy serio y muy triste.

—Puedes empezar cuando quieras.

—Érase una vez un ciempiés que bailaba estupendamente con sus cien pies. Cuando bailaba, todos los animales del bosque se reunían para verlo. Y todos quedaban muy impresionados con el exquisito baile. Pero había un animal al que no le gustaba ver bailar al ciempiés. Era un sapo...

—Sería un envidioso...

—¿Qué puedo hacer para que el ciempiés deje de bailar?, pensó el sapo. No podía decir simplemente que no le gustaba el baile. Tampoco podía decir que él mismo bailaba mejor; decir algo así no tendría ni pies ni cabeza. Entonces concibió un plan diabólico.

—¡Cuéntame!

—Se sentó a escribir una carta al ciempiés. «Ah, inigualable ciempiés», escribió. «Soy un devoto admirador de tu maravillosa forma de bailar. Me encantaría aprender tu método. ¿Levantas primero el pie izquierdo n.º 78 y luego el pie derecho n.º 47? ¿O empiezas el baile levantando el pie izquierdo n.º 23 antes de levantar el pie derecho n.º 18? Espero tu contestación con mucha ilusión. Atentamente, el sapo.»

—¡Caray!

—Cuando el ciempiés recibió la carta se puso inmediatamente a pensar en qué era lo que realmente hacía cuando bailaba. ¿Cuál era el primer pie que movía? ¿Y cuál era el siguiente? ¿Qué crees que pasó?

—Creo que el ciempiés no volvió a bailar jamás.

—Sí, así acabó el cuento. Eso pasa cuando la imaginación es ahogada por la reflexión de la razón.

—Estoy de acuerdo en que es una triste historia.

—Para los artistas es muy importante dar rienda suelta a la imaginación. Los surrealistas intentaron colocarse a sí mismos en un estado en el que las cosas simplemente venían por su cuenta. En una hoja en blanco comenzaban a escribir sin pensar en qué escribían. Lo llamaban *escritura automática*, una expresión tomada prestada del espiritismo, en el que un «médium» pensaba que era el espíritu de un muerto el que dirigía la pluma. Pero de esas cosas hablaremos más mañana.

—Muy bien.

—También el artista surrealista es en cierta manera un «médium», es decir un medio o un intermediario de su propio subconsciente. Pero tal vez haya un elemento del subconsciente en todo proceso creativo, porque ¿qué es en realidad lo que llamamos «creatividad»?

—No tengo ni idea. ¿No significa que se crea algo nuevo?

—De acuerdo. Y eso ocurre precisamente mediante un delicado equilibrio de fuerzas entre la imaginación y la razón. Muy a menudo ocurre que la razón ahoga la imaginación, lo cual es muy grave, porque sin la imaginación no surge nunca nada realmente nuevo. Yo pienso que la imaginación es como un sistema darvinista.

—Lo lamento, pero no te entiendo.

—El darvinismo señala que en la naturaleza surge un mutante tras otro. Pero la naturaleza sólo puede utilizar algunos de ellos. Sólo unos pocos tienen derecho a la vida.

—¿Sí?

—Así es también cuando pensamos, cuando estamos inspirados y recibimos un montón de nuevas ideas. Si no nos imponemos a nosotros mismos una severa censura van surgiendo en nuestra consciencia «pensamientos mutantes», uno tras otro. Pero sólo se pueden emplear algunos de esos pensamientos. Aquí es donde entra en juego la razón, pues ella también desempeña una importante función. Cuando tenemos la cosecha del día sobre la mesa, no debemos olvidarnos de hacer la selección.

—Es una comparación bastante inteligente.

—Imagínate si todo aquello que «se nos ocurre», es decir todos los impulsos, tuviera ocasión de pasar por nuestros labios. O de salir del bloc de notas, o del cajón del escritorio. Entonces el mundo se habría ahogado en caprichos casuales. Entonces no se habría hecho ninguna «selección», Sofía.

—¿Y es la razón la que hace la selección?

—Sí. ¿No crees? Tal vez sea la imaginación la que crea algo nuevo, pero no es la imaginación la que realiza la propia selección. No es la imaginación la que «compone». Una composición, lo que es, en definitiva, cualquier obra de arte, surge de una extraña interacción entre la imaginación y la razón, o entre el espíritu y la reflexión. Siempre hay algo casual en un proceso creador. En una fase puede ser importante no cerrar la puerta a caprichos casuales. Pues hay que soltar a las ovejas antes de llevarlas a los pastos.

Alberto se quedó sentado mirando por la ventana. Sofía vio de pronto mucho movimiento junto a la orilla del pequeño lago... Había un sinfín de figuras de Walt Disney de todos los colores.

—Allí está el Lobo —dijo—. Y el Pato Donald y sus sobrinos... y el tío Gilito... Y allí está... ¡Alberto, no oyes lo que te estoy diciendo! Veo a Mickey Mouse y...

Alberto se volvió hacia ella.

—Sí, es triste hija mía.

—¿Qué quieres decir?

—Que estemos aquí y seamos víctimas de ese espectáculo del mayor. Pero yo tengo la culpa, desde luego. Yo he sido el que ha hablado de caprichos.

—No debes culparte.

—Quise decir que la imaginación también es importante para los filósofos. Para poder pensar algo nuevo, nosotros también tenemos que dar rienda suelta a nuestra imaginación. Pero esto es demasiado.

—No te preocupes tanto.

—Hubiese querido decir algo sobre la importancia de la reflexión silenciosa. Y se nos presentan con esta ridiculez en color. Debería estar avergonzado.

—¿Ahora estás siendo irónico?

—Él es el irónico, no yo. Pero tengo un consuelo, y ese consuelo constituye la piedra angular de mi plan.

—No entiendo nada.

—Hemos hablado de los sueños, lo cual tiene en sí algo de irónico, pues ¿qué somos tú y yo, sino imágenes de los sueños del mayor?

—Ah...

—Y sin embargo hay algo en lo que no ha pensado.

—¿Qué podría ser?

—Quizás sea muy consciente de su propio sueño. Sabe todo lo que decimos y todo lo que hacemos, de la misma manera que el soñador se acuerda del contenido manifiesto del sueño. Es el que escribe la historia. Pero aunque se acuerde de todo lo que decimos, aún no está totalmente despierto.

—¿Qué quieres decir con eso?

—No conoce los contenidos latentes del sueño,

Sofía. Se olvida de que también esto es un sueño disfrazado.

—Hablas de un modo muy extraño.

—Lo mismo opina el mayor. Es porque no entiende su propio lenguaje de los sueños. De eso debemos alegrarnos, porque nos da un mínimo de margen para actuar. Con esa libertad vamos a luchar por salir de su fangosa conciencia, como gotas de agua que salen al sol un cálido día de verano.

—¿Crees que podremos?

—Tendremos que poder. En un par de días te ofreceré un nuevo cielo. Entonces el mayor ya no sabrá dónde están las ratas de agua ni dónde volverán a aparecer.

—Pero aunque seamos imágenes, yo también soy hija, y son las cinco. Tengo que irme a casa para preparar la fiesta del jardín.

—Mmm... ¿Me puedes hacer un pequeño favor en el camino de vuelta?

—¿Qué es?

—Intenta atraer su atención. Tienes que procurar que el mayor te siga con la mirada durante todo el camino. Intenta pensar en él cuando llegues a tu casa, entonces él también pensará en ti.

—¿Y de qué serviría?

—Así yo podría seguir trabajando en el plan secreto sin que nadie me estorbe. Voy a meterme en lo más profundo del subconsciente del mayor, Sofía. Allí me quedaré hasta que nos volvamos a ver.

Nuestra época

...el hombre está condenado a ser libre...

El despertador marcaba las 23.55. Hilde se quedó tumbada mirando al techo, dejando que las asociaciones flotaran libremente. Cada vez que se paraba en medio de un círculo de pensamientos, se preguntaba por qué no podía seguir pensando en la misma línea.

¿Sería acaso algo que estaba intentando reprimir?

Si hubiera conseguido desprenderse de toda clase de censura, ¿habría, quizás, comenzado a soñar despierta? La sola idea, le daba un poco de miedo.

Cuanto más lograba relajarse y abrirse a los pensamientos e imágenes, más viva era la sensación de que se encontraba en la Cabaña del Mayor, junto al pequeño lago, en el bosque que rodeaba la cabaña.

¿Qué estaría tramando Alberto? Bueno, naturalmente era su padre el que estaba tramando que Alberto tramara algo. ¿Sabría él lo que Alberto podía llegar a hacer? Quizás estuviese intentando darse tanta libertad a sí mismo que al final sucediera algo que hasta a él le sorprendiera.

Ya no quedaban muchos días. ¿Y si echara un vistazo a la última hoja? No, eso sería hacer trampa. Pero aún había algo más: Hilde no estaba totalmente convencida de que ya se hubiera decidido lo que ocurriría en la última página.

¿No era ése un extraño pensamiento? Si la carpeta de anillas estaba ahí, el padre no podría añadir nada. Si Alberto no inventara algo por su cuenta: una sorpresa...

Ella misma se ocuparía de un par de sorpresas. Su padre

no tenía ningún control sobre ella. ¿Pero y ella? ¿Tenía ella control sobre sí misma?

¿Qué era la conciencia? ¿No era ése uno de los mayores enigmas del universo? ¿Qué era la memoria? ¿Qué es lo que nos hace «recordar» todo lo que hemos visto y vivido?

¿Cuál es ese mecanismo que cada noche nos hace tener, como por arte de magia, sueños maravillosos?

Estando así, tumbada, cerraba de vez en cuando los ojos. Luego los volvía a abrir. Al final se olvidó de volverlos a abrir.

Se había dormido.

Cuando unos enfurecidos gritos de gaviotas la despertaron, eran las 6.66. ¿No era un número extraño? Hilde se levantó de la cama y, como todos los días, se acercó a la ventana para mirar la bahía. Eso ya se había convertido en una costumbre, tanto en verano como en invierno.

De repente fue como si dentro de su cabeza estallara una caja de colores. Se acordó de lo que había soñado, pero era algo más que un sueño corriente; sus colores y su fondo eran completamente vivos.

Había soñado que su padre volvía del Líbano, y todo el sueño había sido como una prolongación del sueño de Sofía en el que encontró su cruz de oro en el muelle.

Hilde estaba sentada en el borde del muelle, exactamente como en el sueño de Sofía. Y una voz muy débil le susurró: «Me llamo Sofía». Hilde se quedó sentada muy quieta para ver si podía enterarse de dónde venía la voz. Luego el ruido continuó como un débil rumor. Era como si le estuviera hablando un insecto. «Pareces ciega y sorda.» Al instante siguiente, su padre entró en el jardín vestido con uniforme de las Naciones Unidas. «¡Hildecita!», la llamó, y Hilde se fue corriendo hacia él para echarse en sus brazos. Y entonces acabó el sueño.

Se acordó de unos versos del poeta noruego Arnulf Overland:

Me despertó una noche un sueño extraño
sentí como si una voz me hablara a mí
lejana como una corriente subterránea
y yo me levanté: ¿Qué quieres de mí?

Mientras estaba junto a la ventana, su madre entró en la habitación.

—¡Hola! ¿Ya estás despierta?

—No lo sé.

—Volveré sobre las cuatro, como siempre.

—Vale.

—Que tengas un buen día de vacaciones, Hilde.

—Hasta luego.

Cuando Hilde oyó que su madre cerraba la puerta de abajo, se volvió a meter en la cama y abrió la carpeta.

«...voy a meterme en lo más profundo del subconsciente del mayor, Sofía. Allí me quedaré hasta que nos volvamos a ver.»

¡Allí! Hilde continuó leyendo. El dedo índice de su mano derecha le estaba avisando de que ya quedaban pocas hojas.

Cuando Sofía salió de la Cabaña del Mayor, aún pudo ver a algunos personajes de Disney junto al lago, pero era como si se fueran disolviendo conforme ella se iba acercando. Cuando llegó a la barca, ya habían desaparecido del todo.

Mientras remaba, y una vez que hubo subido la barca entre los juncos de la otra orilla, gesticulaba y movía los brazos. Se trataba de atraer la atención del mayor para que Alberto pudiera estar tranquilo en la cabaña.

Mientras corría por el sendero, daba pequeños brincos, y un poco más adelante, intentó andar como una muñeca de cuerda. Para que el mayor no se aburriera, también empezó a cantar.

Se quedó un momento meditando sobre el plan de Alberto que ella no conocía. Luego le remordía tanto la conciencia por haberse olvidado de su tarea que se subió a un árbol como compensación.

Trepó hasta muy arriba, y cuando casi había llegado a la cima, tuvo que admitir que no sabía cómo volver a bajar. Lo intentaría al cabo de un rato, pero, mientras tanto, tenía que inventar algo, porque el mayor podía cansarse de mirarla y empezar a vigilar a Alberto y descubrir lo que estaba haciendo.

Sofía agitó los brazos, un par de veces intentó cantar como un gallo y finalmente comenzó a cantar a la tirolesa. Teniendo en cuenta que era la primera vez que lo intentaba, en sus quince años de vida, quedó bastante satisfecha del resultado.

Hizo un nuevo intento de bajar pero no pudo. De repente, un enorme ganso fue a posarse en una de las ramas a las que Sofía estaba agarrada. Después de haber visto un montón de figuras de Disney, Sofía no se sorprendió en absoluto cuando el ganso empezó a hablar.

—Me llamo Morten —dijo el ganso—. En realidad soy un ganso manso, pero en esta ocasión he venido del Líbano con los gansos salvajes. Al parecer, necesitas ayuda para bajar del árbol.

—Eres demasiado pequeño para ayudarme —dijo Sofía.

—Una conclusión sacada precipitadamente, señorita. Eres tú la que eres demasiado grande.

—Bueno, a los efectos da igual, ¿no?

—Deberías saber que he transportado a un niño campesino de tu misma edad por toda Suecia. Se llama Nils Holgersson.

—Yo tengo quince años.

—Nils tenía catorce. Un año más o menos no tiene ninguna importancia a efectos del transporte.

—¿Cómo lograste levantarle?

—Le di una pequeña bofetada para que se desmayara. Cuando se volvió a despertar, no era más grande que un pulgar.

—En ese caso tendrás que darme una bofetada a mí también, porque no puedo quedarme aquí sentada el resto de mi vida. Además, el sábado voy a dar una fiesta filosófica en mi jardín.

—Muy interesante. Entonces supongo que esto es un libro de filosofía. Cuando volaba sobre Suecia con Nils Holgersson, hicimos escala en Mårbacka, en Värmland. Allí Nils se encontró con una señora mayor que tenía planeado escribir un libro sobre Suecia. Sería un libro que los niños podrían leer en los colegios; tenía que ser instructivo y verídico, dijo. Al oír todo lo que le había pasado a Nils, decidió escribir un libro sobre lo que él había visto a lomos del ganso.

—Muy extraño.

—A decir verdad, era un poco irónico, porque ya estábamos dentro de ese libro.

Sofía notó de pronto que algo le golpeaba la mejilla. De repente, se había vuelto minúscula. El árbol era como un bosque entero, y el ganso tenía el tamaño de un caballo.

—Vamos —dijo el ganso.

Sofía caminó por la rama y se subió al lomo del ganso. Sus plumas eran suaves, pero como ahora ella era tan pequeña, más que hacerle cosquillas, le pinchaban.

En cuanto se hubo acomodado, el ganso comenzó a

volar. Volaba muy alto por encima de los árboles. Sofía miró al pequeño lago y a la Cabaña del Mayor. Allí dentro estaría Alberto haciendo complicados planes.

—Bastará con una pequeña gira turística —dijo el ganso batiendo las alas.

Y con esto se preparó para el aterrizaje al pie del árbol que Sofía hacía breves momentos había comenzado a trepar. Al tomar tierra, Sofía salió rodando. Después de un par de volteretas por el brezo, se incorporó. Observó con gran asombro que había recuperado su tamaño natural.

El ganso se pavoneó un par de veces alrededor de ella.

—Muchas gracias por tu ayuda —dijo Sofía.

—No ha sido nada. ¿Dijiste que esto es un libro de filosofía?

—Lo dijiste tú.

—Bueno, da lo mismo. Si de mí hubiera dependido, te habría llevado gustosamente volando a través de toda la historia de la filosofía, de la misma manera que llevé a Nils por Suecia. Podríamos haber sobrevolado Mileto y Atenas, Jerusalén y Alejandría, Roma y Florencia, Londres y París, Jena y Heidelberg, Berlín y Copenhague...

—Ya basta.

—Pero incluso para un ganso muy irónico habría sido muy complicado volar a través de los siglos. Es mucho más fácil cruzar los condados suecos.

El ganso cogió velocidad y ascendió.

Sofía estaba completamente agotada, pero cuando se metió por el seto pensó que Alberto estaría satisfecho con esta maniobra de despiste. El mayor no habría tenido mucho tiempo para pensar en Alberto durante la última hora, y si lo había hecho, estaría aquejado de un grave desdoblamiento de personalidad.

Sofía tuvo el tiempo justo para meterse en casa antes de que su madre llegara de trabajar. Así no tuvo que explicar que un ganso manso la había ayudado a bajarse de un árbol.

Después de comer, empezaron a preparar la fiesta. Bajaron al jardín un tablero de tres o cuatro metros de largo que había en el ático, y caballetes para poner debajo.

Colocarían la mesa debajo de los árboles frutales. La última vez que se utilizó el tablero había sido en el décimo aniversario de boda de los padres de Sofía. Ella sólo tenía ocho años entonces, pero se acordaba muy bien de la gran fiesta al aire libre, a la que habían acudido todos los familiares y amigos.

El pronóstico del tiempo era inmejorable. No había llovido ni una gota después de aquella terrible tormenta el día anterior al cumpleaños de Sofía. De todos modos tendrían que esperar al sábado por la mañana para decorar y poner la mesa, pero su madre quería tener el tablero y los caballetes ya preparados en el jardín.

Un poco más tarde hicieron panecillos y pan francés con dos masas diferentes. Habría pollo y ensaladas. Y Coca-Cola y Fanta. A Sofía le daba un poco de miedo que alguno de los chicos trajera cerveza, porque no quería problemas.

Antes de acostarse Sofía, su madre quiso asegurarse una vez más de que Alberto iría de verdad a la fiesta.

—Claro que va a venir. Incluso ha prometido hacer un juego de manos filosófico.

—¿Un juego de manos filosófico? ¿Y eso qué es?

—No sé... si fuera prestidigitador podría haber hecho un truco de esos de magia. Quizás hubiera sacado un conejo blanco de un sombrero de copa negro...

—¿Otra vez?

—...pero como es filósofo, hará un juego de manos filosófico. Como va a ser una fiesta filosófica...

—Eres una muchacha muy respondona.

—¿Tú has pensado en contribuir con algo a la fiesta?

—Sí, Sofía. Algo haré.

—¿Un discurso?

—No digo nada. ¡Buenas noches!

A la mañana siguiente, la madre de Sofía despertó a su hija antes de ir a trabajar. Le dio una lista de cosas que tenía que comprar en el centro.

Nada más irse su madre, sonó el teléfono. Era Alberto. Al parecer ya sabía exactamente cuándo estaba sola en casa y cuándo no.

—¿Cómo van tus secretos?

—¡Chsss...! ¡No digas nada! No le des ocasión de meditar sobre ello.

—Creo que logré llamar su atención ayer.

—Muy bien.

—¿Queda más curso de filosofía?

—Por eso te llamo. Ya hemos llegado a nuestro siglo. A partir de ahora deberías saber orientarte por tu cuenta. Lo importante ha sido la base. No obstante, debemos vernos para tener también una pequeña charla sobre nuestra época.

—Ahora tengo que ir al centro.

—Muy bien. Ya te dije que íbamos a hablar de nuestra época.

—¿Sí?

—Estaremos bien allí, quiero decir.

—¿Quieres que vaya a tu casa?

—No, no, aquí no. Está todo patas arriba. He estado buscando micrófonos ocultos por todas partes.

—Ah...

—Hay un nuevo café al otro lado de la Plaza Mayor.
Se llama Café Pierre. ¿Sabes dónde está?

—Sí, sí. ¿Cuándo quieres que vaya?

—¿Te parece bien a las doce?

—A las doce en el café.

—Será mejor no decir nada más ahora.

—Hasta luego.

Pasaban unos minutos de las doce, cuando Sofía se
asomó por el Café Pierre. Era uno de esos cafés de moda
con mesas redondas y sillas negras, baguettes y boles individuales con ensalada.

No era un local grande, y lo primero en lo que Sofía
se fijó fue en que Alberto no estaba. A decir verdad, fue lo
único en lo que se fijó. Había mucha gente en las mesas,
pero Alberto no estaba.

No estaba acostumbrada a ir sola a los cafés. ¿Debería salir y volver al cabo de un rato para ver si Alberto había llegado?

Se acercó al mostrador de mármol y pidió un té con
limón. Se llevó la taza a una de las mesas libres. Miraba
constantemente a la puerta de entrada. Mucha gente entraba y salía, pero Sofía sólo estaba pendiente de Alberto.

¡Ojalá hubiera tenido un periódico!

Pasado un tiempo, no pudo evitar mirar un poco a su
alrededor. Algunos le devolvían la mirada. Por un instante
Sofía se sintió una joven mujer. Sólo tenía quince años, pero
podría pasar por diecisiete, o al menos dieciséis y medio.

¿Qué pensaría toda esta gente del café sobre eso de
existir? Tenían pinta de simplemente estar, como si se hubiesen sentado de mentira. Hablaban y gesticulaban intensamente, pero no parecían hablar de nada importante.

De repente se acordó de Kierkegaard, que había dicho que la característica más destacada de la multitud era esa «palabrería sin compromiso». ¿Toda esa gente vivía en la fase estética, o qué? ¿O había, al fin y al cabo, algo que era existencialmente importante para ellos?

En una de sus primeras cartas, Alberto había dicho que existía un fuerte parentesco entre niños y filósofos. Y de nuevo Sofía pensó en que tenía miedo de hacerse mayor. ¿Y si también ella llegara a meterse dentro de la piel del conejo blanco que se saca del negro sombrero de copa del universo?

Mientras estaba pensando en todo esto, miraba fijamente a la puerta de entrada. De pronto entró Alberto vagando desde la calle. Aunque era verano llevaba una boina negra y un abrigo bastante largo. La vio en seguida y fue derecho hacia ella. Sofía pensó que era algo nuevo tener una cita con él así, en público.

—Son más de las doce y cuarto, tardón.

—Eso se llama «margen de cortesía». ¿Puedo ofrecerle algo de comer a la joven señorita?

Alberto se sentó y la miró directamente a los ojos. Sofía se encogió de hombros.

—Me da igual. Una medianoche, tal vez.

Alberto se acercó al mostrador. Al instante volvió con una taza de café y dos grandes baguettes con queso y jamón.

—¿Ha sido caro?

—Nada, Sofía.

—Tendrás al menos una excusa para haber llegado tan tarde.

—No, no la tengo, porque he venido tarde a propósito. Me explicaré.

Dio un par de grandes mordiscos al bocadillo y dijo:

—Vamos a hablar de nuestro siglo.

—¿Ha sucedido algo de importancia filosófica en este siglo?

—Mucho. Tanto que diverge en todas las direcciones. Primero diremos unas palabras sobre una corriente importante: el *existencialismo*, que es una denominación común que abarca varias corrientes filosóficas que toman como punto de partida la situación existencial del hombre. Solemos denominarla «filosofía existencialista del siglo xx». A algunos de los filósofos existencialistas les sirvió de base Kierkegaard, pero también Hegel y Marx.

—Entiendo.

—Otro filósofo que tendría una gran importancia para el siglo xx fue el alemán *Friedrich Nietzsche*, que vivió desde 1844 a 1900. También Nietzsche reaccionó frente a la filosofía de Hegel y el «historicismo» alemán. Contra un anémico interés por lo que él llamaba «una moral de esclavos cristiana», exalta la vida misma. Quería hacer una «revaluación de todos los valores» para que el despliegue vital de los fuertes no fuera impedido por los débiles. Según Nietzsche, tanto el cristianismo como la tradición filosófica habían dado la espalda al mundo real, señalando hacia el «cielo» o el «mundo de las Ideas». No obstante, precisamente este mundo, que había sido considerado el «verdadero» mundo, es en realidad «un mundo» en apariencia. «Sed fieles a la Tierra», dijo. «No escuchéis a aquellos que os ofrecen esperanzas celestiales.»

—Bueno...

—El filósofo existencialista alemán *Martin Heidegger* estaba influenciado por Kierkegaard y por Nietzsche. Pero ahora nos vamos a centrar en el existencialista francés *Jean-Paul Sartre*, que vivió entre 1905 y 1980. Fue el más conocido de los existencialistas, al menos entre el gran público. Su existencialismo se desarrolló particularmente en los años cuarenta, justo después de finalizar la Segunda Guerra Mundial. Más tarde se adhirió al movimiento marxista francés, pero nunca fue miembro de ningún partido.

—¿Por eso querías que nos viéramos en un café francés?

—No ha sido totalmente casual, no. El propio Sartre era un asiduo de los cafés. En un café como éste, se encontró con su compañera *Simone de Beauvoir*, que también era filósofa existencialista.

—¿Una mujer filósofa?

—Correcto.

—Me consuela ver que la humanidad haya empezado por fin a civilizarse.

—Aunque nuestra época también es una época de nuevas preocupaciones.

—Ibas a hablar del existencialismo.

—Sartre dijo que «el existencialismo es un humanismo», con lo cual quería decir que los existencialistas no toman como punto de partida otra cosa que el propio ser humano. Tal vez debamos añadir que se trata de un humanismo con una visión mucho más sombría de la situación del hombre de la que tenía el humanismo que conocimos en el Renacimiento.

—¿Por qué?

—Tanto Kierkegaard como algunos de los filósofos existencialistas de nuestro siglo eran cristianos. Sartre, por otra parte, pertenece a lo que podemos llamar el existencialismo ateo. Su filosofía puede considerarse como un despiadado análisis de la situación del hombre cuando «Dios ha muerto». La expresión «Dios ha muerto» viene de Nietzsche.

—¡Sigue!

—La palabra clave de la filosofía de Sartre es, como

para Kierkegaard, la palabra «existencia». Ahora bien, no se entiende por existencia lo mismo que por «ser». Las plantas y los animales también «son», pero no tienen que preocuparse por lo que esto significa. El hombre es el único ser vivo que es consciente de su propia existencia. Sartre dice que las cosas físicas solamente son «en ellas mismas», pero el ser humano también es «para él mismo». Ser persona es algo muy diferente a ser cosa.

—En eso estoy de acuerdo.

—Sartre dice que la existencia del hombre precede a cualquier significado que pueda tener. El que yo exista precede, por lo tanto, a *lo que soy*. «La existencia precede a la esencia», dice.

—Es una frase muy enredada.

—Por «esencia» entendemos aquello de lo que algo consta, es decir la naturaleza de una cosa. Pero, según Sartre, el hombre no tiene una naturaleza innata. Por tanto el hombre tiene que crearse a sí mismo. Tiene que crear su propia naturaleza o «esencia» porque esto no es algo que venga dado de antemano.

—Creo que entiendo lo que quieres decir.

—A través de toda la historia de la filosofía, los filósofos han intentado dar una respuesta a qué es el hombre, o qué es la naturaleza humana. Pero Sartre pensaba que el hombre no tiene una tal «naturaleza» eterna en que refugiarse. Por eso tampoco sirve preguntar por el «sentido» de la vida en general. Estamos, en otras palabras, condenados a improvisar. Somos como actores que entran en el escenario sin tener ningún papel estudiado de antemano, ningún cuaderno con el argumento, ningún apuntador que nos pueda susurrar al oído lo que debemos hacer. Tenemos que elegir por nuestra cuenta cómo queremos vivir.

—En cierta manera es verdad. Si en la Biblia, o en un

libro de texto de filosofía, pudiéramos consultar cómo debemos vivir, estaría muy bien.

—Has cogido el significado. Pero cuando el hombre se da cuenta de que existe y de que va a morir, y de que no tiene nada a lo que agarrarse, entonces esto crea *angustia*, según Sartre. Recordarás que la angustia también era característica de la descripción de Kierkegaard de un hombre que se encuentra en una situación existencial.

—Sí.

—Sartre dice además que el hombre se siente *extranjero* en un mundo sin sentido. Al describir la «alienación» del hombre, recoge al mismo tiempo pensamientos centrales de Hegel y Marx. La sensación del hombre de ser un extranjero en el mundo, crea un sentimiento de desesperación, aburrimiento, asco y absurdo.

—Sigue siendo bastante corriente sentirse «deprimido» o pensar que todo es «un rollo».

—Sí, Sartre describió al ser urbano del siglo xx. Recordarás que los humanistas del Renacimiento habían señalado casi triunfalmente la libertad y la independencia del ser humano. Sartre, por el contrario, consideró la libertad del hombre como una condena. «El hombre está condenado a ser libre», dijo. «Condenado porque no se ha creado a sí mismo y sin embargo es libre. Porque una vez que ha sido arrojado al mundo es responsable de todo lo que hace.»

—No hemos pedido a nadie que nos cree como individuos libres.

—Éste es precisamente el punto clave de Sartre. Pero somos individuos libres, y debido a nuestra libertad estamos condenados a elegir durante toda la vida. No existen valores o normas eternas por las que nos podamos regir. Precisamente por eso resultan tan importantes las *eleccio-*

nes que hacemos. Porque somos completamente *responsables* de todos nuestros actos. Sartre destaca precisamente que el hombre jamás debe eludir la responsabilidad de sus propios actos. Por eso tampoco podemos librarnos de nuestra responsabilidad amparándonos en que «tenemos que ir al trabajo» o que «tenemos que» dejarnos dirigir por ciertas normas burguesas sobre cómo debemos vivir. La persona que, de esta forma, va entrando en la masa anónima, se convierte en un hombre impersonal de esa masa. Él o ella se ha refugiado en la mentira de la vida. Porque la libertad humana nos exige poner algo de nosotros mismos, existir «auténticamente».

—Comprendo.

—Esto es aplicable ante todo a nuestras elecciones éticas. No podemos echar nunca la culpa a la «naturaleza humana», a la «fragilidad humana» o cosas parecidas. Ocurre de vez en cuando que hombres algo entrados en años se comportan como cerdos y que en último término echan la culpa al «viejo Adán». Pero un tal «viejo Adán» no existe. No es más que una figura a la que nos agarramos para eludir la responsabilidad de nuestros propios actos.

—No hay nada de lo que no se eche la culpa al pobre.

—Aunque Sartre mantiene que la existencia no tiene ningún sentido inherente, no significa que a él le guste que sea así. No es lo que llamamos un «nihilista».

—¿Qué es eso?

—Es alguien que opina que nada importa nada y que todo está permitido. Sartre opina que la vida *debe* tener algún sentido. Es un imperativo. Y somos nosotros los que tenemos que darle ese sentido a nuestra propia vida. Existir es crear tu propia existencia.

—¿Podrías explicar esto con un poco más de detalle?

—Sartre intenta demostrar que la conciencia no es

nada en sí misma antes de percibir algo. Porque la conciencia siempre es conciencia de algo. Y ese «algo» es tanto nuestra propia aportación como la del entorno. También nosotros participamos en decidir lo que percibimos, ya que seleccionamos lo que tiene importancia para nosotros.

—¿No puedes poner un ejemplo?

—Dos personas pueden estar presentes en el mismo lugar y sin embargo captarlo todo de forma completamente diferente. Es porque cuando percibimos el entorno, contribuimos con nuestra propia opinión, o nuestros propios intereses. Por ejemplo, puede ser que una mujer embarazada tenga la sensación de ver a mujeres embarazadas por todas partes. No significa que no hayan estado allí antes, sino que, simplemente, su embarazo le ha proporcionado una nueva realidad. Alguien que esté enfermo, por ejemplo, tal vez vea ambulancias por todas partes...

—Entiendo.

—Nuestra propia existencia contribuye a decidir cómo percibimos las cosas en el espacio. Si algo es inesencial para mí, no lo veo. Y ahora puedo explicarte por qué he llegado tarde aquí, al café.

—Dijiste que fue a propósito.

—Dime qué fue lo primero que viste al entrar en el café.

—Lo primero que vi fue que tú no estabas.

—¿No es un poco curioso que lo primero que vieras en este local fuese algo que no estaba aquí?

—Puede ser, pero era contigo con quien tenía una cita.

—Sartre utiliza precisamente una visita a un café como éste para demostrar cómo «liquidamos» lo que no tiene importancia para nosotros.

—¿Llegaste tarde únicamente para demostrar eso?

—Sí, para que entendieras este punto tan importante

de la filosofía de Sartre. Puedes considerarlo como un deber de alumno.

—¡Pues vaya!

—Si estás enamorada y estás esperando que tu amado te llame por teléfono, entonces «oyes» tal vez toda la noche que no llama. Captas precisamente el hecho de que no llama. Si vas a esperarlo al tren, y sale un montón de gente al andén sin que tú veas a tu amado, entonces no ves a todos esos otros. No hacen más que estorbar, no significan nada para ti. Incluso puede ser que te resulten directamente repugnantes, pues ocupan mucho espacio. Lo único que captas es que él no está allí.

—Comprendo.

—Simone de Beauvoir intentó emplear el existencialismo también en los papeles sexuales. Sartre había señalado que los seres humanos no tienen ninguna «naturaleza» eterna en la que refugiarse. Somos nosotros mismos quienes creamos lo que somos.

—¿Sí?

—Lo mismo ocurre con la manera en la que concebimos los sexos. Simone de Beauvoir señaló que no existe una eterna «naturaleza de mujer» o «naturaleza de hombre», pero la opinión tradicional siempre ha utilizado esas categorías. Por ejemplo, se ha dicho muy a menudo que el hombre tiene una naturaleza «trascendente e ilimitada», y que por lo tanto busca un sentido y un destino fuera del hogar. De la mujer se ha dicho que su orientación en la vida es contraria a la del hombre. Es «inmanente», es decir, quiere estar donde está. De esa manera protegerá a la familia, la naturaleza y las cosas cercanas. Hoy en día solemos decir que la mujer se interesa más que el hombre por los detalles.

—¿De verdad ella pensaba así?

—No me escuchas. Simone de Beauvoir pensaba precisamente que *no* existía ninguna «naturaleza femenina» o «naturaleza masculina». Al contrario. Pensaba que mujeres y hombres deben librarse de estos arraigados prejuicios e ideales.

—Estoy de acuerdo.

—Su libro más importante salió en 1949 y se titulaba *El segundo sexo.*

—¿Qué quería decir con ese título?

—Se refería a la mujer. En nuestra cultura se la ha convertido en «el segundo sexo». Sólo el hombre aparece como sujeto, y la mujer se convierte en un objeto del hombre. De esta manera, se le quita la responsabilidad de su propia vida.

—¡Sí!

—Ella tiene que reconquistar esta responsabilidad. Tiene que recuperarse a sí misma y no sólo atar su identidad al hombre. Porque no es sólo el hombre el que reprime a la mujer. Al no responsabilizarse de su propia vida, la mujer se reprime a sí misma.

—Somos exactamente tan libres y tan independientes como decidimos ser.

—Así lo puedes expresar, si quieres. El existencialismo tendría una gran influencia sobre la literatura, desde los años cuarenta hasta hoy. Éste es también en gran medida el caso del teatro. Sartre escribió novelas y obras de teatro. Otros nombres importantes son el francés *Camus*, el irlandés *Beckett*, el rumano *Ionesco* y el polaco *Gombrowicz*. Característico de éstos, y de muchos otros escritores modernos, es lo que solemos llamar *el absurdo*. La palabra se emplea especialmente en «teatro del absurdo».

—Bien.

—¿Sabes lo que quiere decir «absurdo»?

—Se usa para algo que no tiene sentido o que es irracional, ¿no?

—Exactamente. El «teatro del absurdo» surgió como una reacción al «teatro realista» y su intención era mostrar en el escenario la falta de sentido de la vida, y de esa manera hacer reaccionar al público. El objetivo no era, por lo tanto, cultivar esta falta de sentido. Todo lo contrario: mostrando y revelando lo absurdo, por ejemplo en sucesos totalmente cotidianos, el público se vería obligado a buscar una existencia más auténtica y más verdadera.

—Sigue.

—El teatro del absurdo expone a veces situaciones completamente triviales, y puede por ello considerarse una especie de «hiperrealismo». Se muestra al ser humano exactamente como es. Pero si representas en un escenario justamente lo que sucede en un cuarto de baño una mañana cualquiera en un hogar cualquiera, entonces el público empieza a reírse. Esta risa puede interpretarse como una defensa al verse expuesto en el escenario.

—Comprendo.

—El teatro del absurdo también puede tener rasgos surrealistas. A veces los personajes del escenario se enredan en las situaciones más improbables e irracionales, como en los sueños. Cuando los personajes aceptan esto sin ningún asombro, es el público el que tiene que reaccionar con asombro justamente ante esta falta de asombro. Es el mismo caso de las películas mudas de *Charles Chaplin*. Lo cómico de esas películas es muchas veces la falta de asombro de Chaplin ante las situaciones tan absurdas en las que se enreda. De esa manera, el público se verá obligado a meterse en sí mismo y buscar algo más auténtico y más verdadero.

—A veces resulta increíble lo que la gente acepta sin reaccionar.

—A veces puede estar muy bien pensar que «esto es

algo de lo que tengo que huir», aunque uno aún no sepa a dónde ir.

—Si la casa está ardiendo hay que huir de ella, aunque no se tenga otra casa donde meterse.

—¿Verdad que sí? ¿Quieres otra taza de té? ¿O una coca-cola?

—Vale. Sigo pensando que no deberías haber llegado tarde.

—Bueno, es un reproche a pesar del cual lograré sobrevivir.

Alberto volvió con una taza de café y una coca-cola. Mientras tanto Sofía había llegado a la conclusión de que le empezaba a gustar la vida en el café. Y tampoco estaba ya tan convencida de que todas las conversaciones en las demás mesas fueran tan insignificantes.

Alberto dejó la botella de coca-cola sobre la mesa dando un gran golpe. Varias personas levantaron la vista para ver qué había sido eso.

—Y con ello hemos llegado al final del camino —dijo.

—¿Quieres decir que la historia de la filosofía acaba con Sartre y el existencialismo?

—No, decir eso sería una exageración. La filosofía existencialista tuvo una importancia fundamental para mucha gente en todo el mundo. Como ya hemos visto, tiene raíces muy atrás en la Historia, pasando por Kierkegaard y hasta Sócrates. Ahora bien, el siglo xx también ha visto un florecimiento y una renovación de otras corrientes filosóficas que hemos estudiado antes.

—¿Tienes algún ejemplo?

—Una corriente de ese tipo es el *neotomismo*, es decir ideas que pertenecen a la tradición de Santo Tomás de Aquino. Otra corriente es la llamada *filosofía analítica*, o *empirismo lógico*, que tiene sus raíces en Hume, pero que también está relacionada con la lógica de Aristóteles. Por lo demás, se puede decir que el siglo xx se ha caracterizado por lo que llamamos *neomarxismo* en una rica ramificación de diferentes corrientes. Ya mencionamos el *neodarvinismo*. Y hemos señalado la importancia del *psicoanálisis*.

—Entiendo.

—Una última corriente que debe mencionarse es el *materialismo*, que también tiene muchas raíces históricas. Gran parte de la ciencia moderna tiene sus orígenes en los esfuerzos presocráticos. Por ejemplo, se sigue buscando la «partícula elemental» indivisible de la que todo está compuesto. Nadie ha podido dar aún una respuesta unificada a lo que es la «materia». Las ciencias naturales modernas, por ejemplo la física nuclear o la bioquímica, son tan fascinantes que para muchas personas constituyen una parte importante de su concepto de la vida.

—¿Viejo y nuevo, todo en uno?

—Si, algo así. Porque las mismas preguntas con las que empezamos este curso, siguen sin contestarse. En este contexto Sartre decía algo muy importante cuando señalaba que las cuestiones existenciales no pueden contestarse de una vez por todas. Una cuestión filosófica es, por definición, algo a lo que cada generación, o mejor dicho, cada ser humano, tiene que enfrentarse una y otra vez.

—Resulta un poco desolador pensar en ello.

—No sé si estoy de acuerdo en eso. ¿No es precisamente cuando nos preguntamos esas cosas cuando nos sentimos vivos? Y además se puede decir que cuando los hombres se han esforzado por encontrar respuestas a las preguntas últimas, han encontrado respuestas claras y definitivas a otras cuestiones. Las ciencias, la investigación y la tecnología surgieron de la reflexión filosófica de las personas. ¿No fue, al fin y al cabo, la extrañeza de la existencia la que llevó al hombre a la Luna?

—Sí, es verdad.

—Cuando Armstrong puso el pie en la Luna dijo: «Un paso pequeño para un ser humano, pero un gran paso para la humanidad». De esta manera, al resumir cómo se sentía al poner el pie en la Luna, incluía a todas las personas que habían existido antes que él. Pues no era él el único que tenía mérito.

—Claro que no.

—Nuestra época ha tenido que enfrentarse a problemas totalmente nuevos, sobre todo los enormes problemas de medio ambiente. Una importante corriente filosófica del siglo XX es en consecuencia la *ecofilosofía*. Muchos ecofilósofos occidentales han señalado que toda la civilización de Occidente va por muy mal camino, por no decir que está a punto de llegar al tope de lo que puede tolerar el Planeta. Han intentado llegar hasta el fondo, no quedándose sólo en los resultados concretos de contaminación y destrucción medioambiental. Dicen que hay algo profundamente erróneo en toda la manera de pensar occidental.

—Yo creo que tienen razón.

—Los ecofilósofos han puesto en cuestión la propia idea de la evolución, que se basa en que el hombre es el que está «más arriba», es decir que somos nosotros los dueños de la naturaleza. Este modo de pensar podrá resultar fatal para la vida en este Planeta.

—Me indigna pensar en ello.

—Para su crítica de esta manera de pensar, muchos ecofilósofos han recurrido a ideas y pensamientos de otras culturas, por ejemplo la India. También han estudiado ideas y costumbres de los llamados «pueblos naturales», o de poblaciones «autóctonas», como por ejemplo los indios, con el fin de reencontrar algo que nosotros ya hemos perdido.

—Entiendo.

—También dentro de los círculos científicos han surgido personas, durante los últimos años, que han señalado que toda nuestra manera científica de pensar se encuentra ante un «cambio de paradigmas», es decir, ante un cambio fundamental en la propia manera científica de pensar. Esto ya ha dado fruto en algunos campos. Hemos visto muchos ejemplos de los llamados «movimientos alternativos», que abogan por una filosofía global y por un nuevo estilo de vida.

—Eso está bien.

—Pero al mismo tiempo siempre ocurre que allí donde está el hombre hay que separar la paja del grano. Algunos han señalado que estamos entrando en una época totalmente nueva, «New Age». Pero tampoco todo lo nuevo es bueno, y no hay que rechazar todo lo viejo. Ésa es una de las razones por la cual te he ofrecido este curso de filosofía. Ahora tendrás una base histórica para cuando tú misma tengas que orientarte en la existencia.

—Te agradezco tu atención.

—Seguramente te darás cuenta de que mucho de lo que se incluye en el término «New Age», es engaño y charlatanería. También lo que llamamos «neorreligiosidad», «neoocultismo» o «superstición moderna» ha tenido una fuerte presencia en las últimas décadas, convirtiéndose en una verdadera industria. Como consecuencia de la pérdida de adeptos del cristianismo han proliferado, como hongos, nuevas ofertas en el mercado sobre conceptos de la vida.

—¿Puedes ponerme algunos ejemplos?

—La lista es tan larga que no me atrevo a empezarla.

Además no es fácil describir tu propio tiempo. Pero ahora te propongo que demos una vuelta por el centro. Quiero enseñarte algo.

Sofía se encogió de hombros.

—No puedo quedarme mucho tiempo. ¿No habrás olvidado la fiesta de mañana?

—De ninguna manera. Ocurrirán cosas maravillosas. Pero primero tenemos que acabar el curso de filosofía de Hilde, porque el mayor no ha pensado más allá, ¿sabes? Con eso también pierde algo de su ventaja.

Volvió a levantar la botella de coca-cola, que ahora estaba vacía, para dejarla caer de nuevo sobre la mesa con un gran golpe.

Salieron a la calle. La gente iba y venía deprisa como hormigas afanosas en un hormiguero. Sofía se preguntaba qué era lo que Alberto quería enseñarle.

Alberto se detuvo delante del escaparate de una tienda de aparatos eléctricos, donde vendían de todo, desde televisores, vídeos y antenas parabólicas hasta teléfonos móviles, ordenadores y faxes.

Alberto señaló el gran escaparate y dijo:

—He aquí el siglo xx, Sofía. Podemos decir que el mundo estalló a partir del Renacimiento. Con los grandes descubrimientos, los europeos empezaron a viajar por todo el mundo. Hoy ocurre lo contrario. Podemos llamarlo «un estallido al revés».

—¿Qué quieres decir?

—Quiero decir que el mundo entero se absorbe en una sola red de comunicaciones. No hace mucho tiempo los filósofos tenían que viajar con carro y caballo para orientarse en la vida, o para encontrarse con otros pensadores. Hoy en día podemos estar en cualquier lugar del planeta y recoger toda la experiencia humana a través de la pantalla de un ordenador.

—Es fantástico, pero casi da un poco de miedo.

—La cuestión es si la Historia se está aproximando a su fin o si, por el contrario, nos encontramos en el umbral de una nueva era. Ya no somos solamente ciudadanos de una ciudad, o de un determinado Estado. Vivimos en una civilización planetaria.

—Es verdad.

—La evolución tecnológica, sobre todo en lo que se refiere a la comunicación, casi ha sido más importante en los últimos treinta o cuarenta años que en todo el resto de la Historia. Y tal vez hayamos visto sólo el principio...

—¿Era esto lo que ibas a enseñarme?

—No, está al otro lado de esa iglesia.

Justo cuando se marchaban apareció una imagen en una pantalla del escaparate. Era una imagen de unos soldados de las Naciones Unidas.

—¡Mira! —dijo Sofía.

Enfocaron a uno de los soldados. Tenía la barba casi igual de negra que la de Alberto. De pronto sacó un papelito en el que ponía: «¡Pronto llegaré, Hilde!». Dijo adiós con una mano y luego desapareció.

—¡Vaya tipo!

—¿Era el mayor?

—Ni siquiera quiero contestar.

Pasaron por el parque que había delante de la iglesia y salieron a una nueva calle principal. Alberto estaba un poco irritado; al cabo de un rato señaló una librería que se llamaba Libris y que era la más grande de la ciudad.

—¿Es aquí donde vas a enseñarme algo?

—Entremos.

Dentro de la librería Alberto señaló una de las paredes más grandes, donde había tres secciones: NEW AGE, ESTILO DE VIDA ALTERNATIVA y MISTICISMO.

En las estanterías había libros con títulos muy interesantes tales como: *¿Una vida después de la muerte?*, *Los secretos del espiritismo*, *Tarot*, *El fenómeno de los OVNIS*, *Vuelven los dioses*, *Has estado aquí antes*, *¿Qué es la astrología?*, etc., etc. Había centenares de títulos diferentes.

—Esto también es el siglo xx, Sofía. Es el templo de nuestra época.

—Tú no crees en esas cosas, ¿no?

—Aquí hay mucho de engaño. Pero se vende tan bien como la pornografía. De hecho, mucho de esto podría considerarse como una especie de pornografía. Aquí los jóvenes pueden comprar exactamente los libros que les ponen más cachondos. Pero la relación entre la verdadera filosofía y los libros como éstos es más o menos como la diferencia entre verdadero amor y pornografía.

—Exageras un poco, ¿no?

—Sentémonos en el parque.

Salieron de la librería y se sentaron en un banco vacío delante de la iglesia. Debajo de los árboles andaban las palomas, y entre ellas había algún gorrión que otro.

—Lo llaman *parapsicología* —empezó Alberto—. Lo llaman telepatía, clarividencia y telequinesia. Lo llaman espiritismo, astrología y ufología. Así pues, tiene muchas denominaciones.

—Pero contéstame ya, ¿crees de verdad que todo es mentira?

—No sería muy correcto por parte de un auténtico filósofo medir a todos con el mismo rasero. Pero no excluyo que esas palabras que acabo de mencionar dibujen un mapa detallado de un paisaje que no existe. Al menos hay aquí muchas de esas quimeras que Hume habría entregado a las llamas. En muchos de esos libros no hay ni una experiencia que sea auténtica.

—¿Y cómo es posible que se escriban tantísimos libros sobre esas cosas?

—Se trata del negocio más rentable del mundo. Es lo que quiere mucha gente.

—¿Y por qué crees que lo quieren?

—Es sin duda la expresión de una añoranza, de un deseo de algo «místico», de algo que es «diferente y que rompe con lo cotidiano». Pero eso es complicarse la vida, Sofía, o cruzar el río para coger agua, como decimos los noruegos.

—¿Qué quieres decir?

—Estamos caminando por un maravilloso cuento. A nuestros pies se levantan las grandes obras de la Creación. A plena luz del día, Sofía. ¿No te parece increíble?

—Sí.

—¿Entonces por qué vamos a acudir a «consultas» de gitanas o trastiendas académicas para experimentar algo «emocionante» o algo «más allá de los límites»?

—¿Pero entonces crees que los que escriben esos libros son todos unos tramposos y unos mentirosos?

—No, eso no lo he dicho. Pero aquí también se trata de un «sistema darvinista».

—¡Explícate!

—Piensa en todo lo que ocurre en el curso de un día. Incluso puedes delimitarlo a un día en tu propia vida. Piensa en todo lo que ves y oyes y haces.

—¿Sí?

—Algunas veces te suceden extrañas coincidencias. Por ejemplo vas a la tienda a comprar algo que cuesta veintiocho coronas. Un poco más tarde llega Jorunn para devolverte veintiocho coronas que te había pedido prestadas hace tiempo. Luego os vais al cine y a ti te dan el asiento veintiocho.

—Pues sí, sería una misteriosa coincidencia.

—Lo que está claro es que no dejaría de ser una coincidencia. Lo que ocurre es que la gente colecciona esas coincidencias. Coleccionan experiencias misteriosas o inexplicables. Cuando esas experiencias de las vidas de unos miles de millones de personas se recopilan en libros, puede dar la impresión de ser un material muy convincente. Y sigue aumentando en cantidad. Pero también en este caso nos encontramos ante una lotería en la que solamente se ven los décimos ganadores.

—¿No existen personas videntes o médiums que viven esas cosas con mucha frecuencia?

—Pues sí. Si excluimos a los tramposos, encontramos otra importante explicación a todas esas «experiencias místicas».

—¡Cuenta!

—Te acordarás de que hablamos de la teoría de Freud sobre el subconsciente.

—¿Cuántas veces tendré que decirte que no soy una despistada?

—Ya Freud señaló que muchas veces podemos actuar como una especie de médiums de nuestro propio subconsciente. De repente nos damos cuenta de que pensamos o hacemos algo sin entender del todo por qué lo hacemos. La razón es que tenemos muchísimas más experiencias, pensamientos y vivencias interiores de las que somos conscientes.

—¿Sí?

—También hay personas que hablan y andan mientras duermen. Lo podemos llamar una especie de «automatismo mental». Y bajo hipnosis hay personas que dicen y hacen cosas automáticamente. Y te acordarás de que los surrealistas intentaron escribir con «escritura automática». De ese modo intentaban actuar como médiums de su propio subconsciente.

—De eso también me acuerdo.

—A intervalos regulares durante este siglo ha estado de moda el *espiritismo*. La idea es que un médium puede llegar a establecer contacto con un muerto. O hablando con la voz del muerto, o por ejemplo mediante una escritura automática, el médium ha recibido un mensaje por ejemplo de una persona que vivió hace muchos centenares de años. Estos sucesos se han utilizado como prueba de que existe una vida después de la muerte, o de que los seres humanos vivimos muchas vidas.

—Comprendo.

—No quiero decir que todos esos médiums hayan sido unos estafadores. Algunos han actuado de buena fe, de eso no cabe duda. Es cierto que han sido médiums, pero sólo de su propio subconsciente. Hay varios ejemplos de investigaciones meticulosas de médiums que en un estado de trance han revelado conocimientos y capacidades que ni ellos mismos ni otros entienden cómo han podido adquirir. Alguien que no conocía el hebreo, por ejemplo, empezó a emitir un mensaje en ese idioma. Entonces tendría que haber vivido antes, Sofía. O haber estado en contacto con un espíritu muerto.

—¿Tú qué crees?

—Resultó que cuando era pequeña la había cuidado una mujer judía.

—Ah...

—¿Estás decepcionada? Pero en sí es fantástica la capacidad que tienen algunas personas para almacenar experiencias anteriores en el subconsciente.

—Entiendo lo que quieres decir.

—También otras curiosidades cotidianas pueden explicarse mediante la teoría de Freud sobre el subconsciente. Si de repente recibo una llamada de un amigo al que no he visto en muchos años, y yo mismo acabo de estar buscando su teléfono...

—Me dan escalofríos.

—La explicación puede ser, por ejemplo, que los dos oímos una vieja melodía en la radio, una melodía que oímos la última vez que estuvimos juntos. Lo que pasa es que no se es consciente de esta conexión oculta.

—¿O trampa... o el efecto del décimo ganador... o el subconsciente?

—Al menos es sano acercarse a ese tipo de estanterías con cierto escepticismo. En cualquier caso, es muy importante para un filósofo. En Inglaterra existe una asociación especial para los escépticos. Hace muchos años prometieron un sustancioso premio económico a la primera persona que les pudiera mostrar un modesto ejemplo de algo sobrenatural. No tenía que ser ningún gran milagro, bastaba con un pequeño ejemplo de telepatía. Pero hasta ahora no se ha presentado nadie.

—Entiendo.

—Además hay muchas cosas que los seres humanos no entendemos. A lo mejor tampoco conocemos las leyes de la naturaleza. En el siglo pasado había muchos que a fenómenos como el magnetismo y la electricidad los consideraban como una clase de magia. Supongo que mi propia bisabuela se habría asombrado si le hubiera hablado de la televisión o de los ordenadores.

—¿Entonces no crees en nada sobrenatural?

—De eso hemos hablado antes. La propia expresión «sobrenatural» también es un poco extraña. No, supongo que yo sólo creo en una sola naturaleza, que, en cambio, es muy extraña.

—¿Pero esas cosas misteriosas de aquellos libros que me enseñaste...?

—Todos los auténticos filósofos tienen que tener los ojos bien abiertos. Aunque no hayamos visto nunca una corneja blanca, no debemos dudar nunca de que existen. Y un día puede que incluso un escéptico como yo tenga que aceptar un fenómeno en el cual no ha creído antes. Si no hubiera dejado abierta esta posibilidad, habría sido un dogmático. Y entonces no habría sido un verdadero filósofo.

Alberto y Sofía se quedaron sentados en el banco sin decir nada. Las palomas estiraban la nuca y arrullaban. A veces se asustaban con una bicicleta o con un movimiento brusco.

—Tendré que irme a casa a preparar la fiesta —dijo finalmente Sofía.

—Pero antes de despedirnos te enseñaré una corneja blanca. Está más cerca de lo que pensamos.

Alberto se levantó del banco e hizo señas para que volvieran a entrar en la librería.

Esta vez pasaron de largo todas los estantes con libros sobre fenómenos sobrenaturales. Alberto se detuvo delante de un frágil estante al fondo de la librería. Encima del estante había un letrero que decía: «FILOSOFÍA».

Alberto señaló un determinado libro, y Sofía se sobrecogió al ver el título: *EL MUNDO DE SOFÍA*.

—¿Quieres que te lo compre?

—No sé si me atrevo.

Pero un poco más tarde se encontraba en el camino de vuelta a casa, con el libro en una mano y una bolsa con cosas para la fiesta en la otra.

La fiesta en el jardín

...una corneja blanca...

Hilde estaba como petrificada en la cama. Notaba los brazos rígidos, y las manos, con las que tenía sujeta la carpeta, le temblaban.

Eran casi las once. Había estado leyendo durante más de dos horas. Alguna que otra vez, había levantado la vista de la carpeta riéndose a carcajadas, pero también pasaba hojas gimoteando. Menos mal que no había nadie en casa.

¡Todo lo que había leído en dos horas! Empezó con que Sofía tenía que despertar la atención del mayor cuando regresaba a casa después de haber estado en la Cabaña del Mayor. Al final se había subido a un árbol, y entonces llegó Morten, el ganso que venía del Líbano, como un ángel liberador.

Hilde se acordaba siempre de que su padre le había leído cuando era pequeña *El maravilloso viaje de Nils Holgersson*. Durante muchos años, ella y su padre habían tenido un idioma secreto relacionado con aquel libro. Y ahora su padre volvía a sacar a relucir al viejo ganso.

Luego Sofía estuvo sola, por primera vez, en un café. A Hilde le llamó especialmente la atención lo que Alberto contó sobre Sartre y el existencialismo. Casi había conseguido convertirla, pero también era verdad que había estado a punto de convertirla en muchas otras ocasiones durante la lectura.

Hacía un año Hilde había comprado un libro sobre astrología. En otra ocasión había llevado a casa unas cartas de tarot. Y otra vez se había presentado con un pequeño libro sobre espiritismo. Todas las veces, su padre le había echado un pequeño sermón, utilizando palabras como «sentido crítico» y «superstición», pero hasta ahora no se había vengado. Y lo había preparado bien. Estaba claro que su hija no iba a hacerse mayor sin haber sido seriamente advertida contra esas cosas. Para estar totalmente seguro, la había saludado con la mano a través de un televisor en una tienda de electrodomésticos. Se podría haber ahorrado eso último...

Lo que más le intrigaba era la chica del pelo negro.

Sofía... ¿quién eres, Sofía? ¿De dónde vienes? ¿Por qué te has cruzado en mi camino?

Al final Sofía había recibido un libro sobre ella misma. ¿Sería el mismo libro que Hilde tenía en las manos en ese momento, y que no era más que una carpeta? Pero, de todos modos, ¿cómo era posible encontrarse con un libro sobre una misma en un libro sobre una misma? ¿Qué ocurriría si Sofía empezaba a leer ese libro?

¿Qué iba a ocurrir ahora? ¿Qué *podía* ocurrir ahora?

Hilde notó con los dedos que quedaban ya muy pocas hojas.

Al volver a casa, Sofía se encontró con su madre en el autobús. ¡Qué mala suerte! ¿Qué diría cuando viera el libro que llevaba en la mano?

Sofía intentó meterlo en la bolsa con los confetis y los globos que había comprado para la fiesta, pero no le dio tiempo.

—¡Hola, Sofía! ¡Qué casualidad que hayamos cogido el mismo autobús! ¡Qué bien!

—Hola...

—¿Has comprado un libro?

—No exactamente.

—*El mundo de Sofía,* qué curioso.

Sofía se dio cuenta de que ni siquiera tenía una mínima posibilidad de mentir.

—Me lo ha regalado Alberto.

—Ya me lo figuro. Bueno, como ya he dicho antes, tengo muchas ganas de conocer a ese hombre. ¿Me dejas ver?

—Mamá, ¿no puedes esperar por lo menos hasta que lleguemos a casa? Es *mi* libro.

—Sí, sí, es tu libro. Sólo quiero mirar la primera página. Pero... «Sofía Amundsen volvía a casa después del instituto».

—¿Lo pone de verdad?

—Sí, Sofía, lo pone. Está escrito por alguien que se llama Albert Knag. Es desconocido. ¿Cómo se llama ese Alberto tuyo?

—Knox.

—Tal vez ese extraño hombre haya escrito un libro entero sobre ti, Sofía. Puede que haya usado lo que se llama un pseudónimo.

—No es él, mamá. Déjalo, de todos modos no vas a entender nada.

—Bueno, si tú lo dices. Mañana será por fin la fiesta. Ya verás como todo se arregla.

—Alberto Knag vive en otra realidad. Este libro es una corneja blanca.

—Por favor, déjalo ya. ¿No era un conejo blanco?

—¡Basta!

La conversación entre madre e hija no dio más de sí, antes de que tuvieran que bajarse en Camino del Trébol. Allí se encontraron con una manifestación.

—¡Qué fastidio! —exclamó Helene Amundsen—. Creía que por lo menos en este barrio nos libraríamos del «parlamento callejero».

No había más que diez o doce personas. En las pancartas ponía: «PRONTO LLEGARÁ EL MAYOR», «SÍ A LA

RICA COMIDA EN SAN JUAN» y «MÁS PODER PARA LAS NACIONES UNIDAS».

A Sofía casi le daba pena su madre.

—No te preocupes por ellos, mamá —dijo.

—Pero qué manifestación tan rara, ¿no, Sofía? Casi un poco absurda.

—No es nada.

—El mundo cambia cada vez más deprisa. En realidad, ni siquiera me sorprende.

—Por lo menos debería sorprenderte el hecho de que no te sorprenda.

—En absoluto. Siempre que no sean violentos. Espero que no hayan pisado los rosales. No veo la necesidad de hacer una manifestación en un jardín.

—Ha sido una manifestación filosófica, mamá. Los filósofos auténticos no pisan los rosales.

—¿Sabes una cosa, Sofía? No sé si creo en los filósofos auténticos. En nuestros días casi todo es sintético.

Pasaron la tarde haciendo preparativos. A la mañana siguiente, decoraron la mesa y el jardín. Luego llegó Jorunn.

—¡Madre mía! Mis padres vendrán con los otros. Es culpa tuya que vengan, Sofía.

Media hora antes de llegar los invitados, todo estaba preparado. Los árboles del jardín estaban decorados con confetis y farolillos japoneses. Habían metido cables alargadores por una ventana del sótano. La verja, los árboles de la entrada y la fachada de la casa estaban decorados con globos. Sofía y Jorunn habían estado toda la tarde soplando para hincharlos.

En la mesa había pollo y ensaladas, panecillos y pan trenzado. En la cocina había bollos, rosquillas y tartas de nata y chocolate, pero en medio de la mesa ya habían colocado un gran pastel de veinticuatro anillas [15]. En lo alto del pastel, su madre había colocado la figurita de una muchacha vestida para la confirmación [16]. La madre había dicho que la figura no tenía por qué representar a una muchacha de confirmación, pero Sofía estaba convencida de que la había colocado sólo porque ella había dicho, en alguna ocasión, que no sabía si se iba a confirmar o no. Para su madre era como si con ese pastel y con esa fiesta estuvieran celebrando la confirmación de Sofía.

—Esta vez no hemos escatimado en nada —dijo varias veces durante la última media hora antes de llegar los invitados.

Llegaron los invitados. Primero llegaron tres de las chicas de la clase, con blusas veraniegas, faldas largas, chaquetas de punto y un poco de rímel. Un poco más tarde aparecieron por allí Jørgen y Lasse. Entraron por la puerta del jardín con una mezcla de timidez y arrogancia típica de los chicos de su edad.

—¡Felicidades!

—Por fin, tú también te has hecho mayor.

Sofía se dio cuenta de que Jorunn y Jørgen ya se estaban mirando disimuladamente. Había algo en el aire. Y además era San Juan.

Todo el mundo traía regalos, y como se trataba de una fiesta filosófica, varios de los invitados habían intentado averiguar lo que era la filosofía. Aunque no todos habían conseguido encontrar regalos filosóficos, la mayoría

---

[15] Pastel típico noruego, compuesto por anillas hechas de pasta de almendras, que forman un cono, cuya cima se adorna con figuras relativas a la celebración de que se trate. (*N. de las T.*)

[16] En la Iglesia Protestante, el rito de la confirmación tiene la misma importancia social que la primera comunión. (*N. de las T.*)

de ellos se había esforzado en escribir algo filosófico en la tarjeta. Le regalaron un diccionario de filosofía y un diario con llave en el que ponía: «MIS ANOTACIONES FILO-SÓFICAS PERSONALES».

Conforme iban llegando los invitados, la madre de Sofía les servía sidra en copas altas de vino blanco.

—Bienvenido... ¿Cómo se llama este joven?... A ti no te conozco... Cuánto me alegro de verte, Cecilie.

Cuando todos los jóvenes habían llegado y estaban bajo los árboles frutales con sus copas, el Mercedes blanco de los padres de Jorunn aparcó delante de la casa. El asesor fiscal vestía un correcto traje gris de irreprochable corte. La señora llevaba un traje pantalón rojo con lentejuelas de color rojo oscuro. Sofía habría jurado que la señora había entrado en una tienda de juguetes a comprar una muñeca Barbie que llevara ese traje pantalón. Luego le había dado la muñeca a un sastre, encargándole que le hiciera uno idéntico. También podría ser que el asesor fiscal hubiese comprado la muñeca y que se la hubiese entregado a un mago para que la convirtiera en una mujer de carne y hueso. Pero esta posibilidad era tan improbable que Sofía la rechazó.

Bajaron del Mercedes y, al entrar en el jardín, los jóvenes se quedaron mudos de asombro. El asesor fiscal en persona, de parte de toda la familia Ingebrigtsen, entregó a Sofía un paquete largo y estrecho. Sofía intentó no perder los estribos cuando resultó ser una... sí eso... una muñeca Barbie.

—¿Estáis tontos o qué? ¡Sofía ya no juega con muñecas!

La señora Ingebrigtsen acudió en seguida, haciendo tintinear las lentejuelas.

—Es para que la tenga de adorno, claro está.

—Bueno, muchas gracias —dijo Sofía intentando suavizar la situación.

La gente empezaba a circular alrededor de la mesa.

—Entonces ya sólo falta Alberto —dijo la madre de Sofía en un tono ligeramente excitado, intentando ocultar su preocupación. Ya entre los demás invitados había corrido el rumor sobre ese invitado tan especial.

—Ha prometido venir, y vendrá.

—Entonces no nos podemos sentar antes de que venga, ¿no?

—Sí, sentémonos.

Helene Amundsen se puso a colocar a los invitados alrededor de la larga mesa, cuidando de que quedara una silla libre entre ella y Sofía. Hizo algún comentario sobre lo que iban a comer, sobre el tiempo, y sobre el hecho de que Sofía era ya una mujer adulta.

Llevaban ya media hora en la mesa cuando un hombre de mediana edad, con perilla y boina, llegó andando por el Camino del Trébol. Traía un gran ramo con quince rosas rojas.

—¡Alberto!

Sofía se levantó de la mesa y fue a recibirle. Le dio un fuerte abrazo y cogió el ramo. Él contestó a la bienvenida hurgando en los bolsillos de su chaqueta, de donde sacó un par de grandes petardos a los que prendió fuego y lanzó al aire. Luego se colocó en el sitio libre entre Sofía y su madre.

—¡Felicidades de todo corazón! —dijo.

El grupo estaba atónito. La señora Ingebrigtsen lanzó una elocuente mirada a su marido. La madre de Sofía, por el contrario, experimentó tal alivio al ver que el hombre había venido, que podría perdonarle cualquier cosa. La homenajeada tuvo que reprimir la risa que le estaba haciendo cosquillas en la tripa.

Helene Amundsen pidió la palabra y dijo:

—Doy la bienvenida también a Alberto Knox a esta fiesta filosófica. Él no es mi nuevo amante; aunque mi marido esté siempre viajando no tengo ningún amante. Este extraño señor es el nuevo profesor de filosofía de Sofía. Además de saber lanzar petardos, sabe muchas más cosas. Este hombre es capaz de sacar un conejo vivo de un sombrero negro de copa. ¿O era una corneja, Sofía?

—Gracias, muchas gracias —dijo Alberto, y se sentó.

—¡Salud! —dijo Sofía, y todos levantaron sus copas con coca-cola.

Estuvieron sentados comiendo durante mucho tiempo. De pronto Jorunn se levantó de la mesa, se acercó con paso decidido a Jorgen y le dio un sonoro beso en la boca, a lo que él respondió intentando tumbarla sobre la mesa para poder agarrarla mejor y devolverle el beso.

—Creo que voy a desmayarme —exclamó la señora Ingebrigtsen.

—En la mesa no, hijos míos —fue el único comentario de la señora Amundsen.

—¿Por qué no? —preguntó Alberto volviéndose hacia ella.

—¡Qué pregunta tan extraña!

—Para un auténtico filósofo nunca está de más preguntar.

Y entonces, algunos de los chicos que no habían recibido ningún beso empezaron a tirar huesos de pollo al tejado. Esto también provocó un comentario de la madre de Sofía:

—No hagáis eso, por favor. Resulta muy molesto tener huesos de pollo en los canalones.

—Pedimos disculpas —dijo uno de los chicos. Y comenzaron a tirar los huesos de pollo al otro lado de la verja.

—Creo que ha llegado la hora de recoger los platos y sacar el postre —dijo finalmente la señora Amundsen—. ¿Cuántos quieren café?

Los señores Ingebrigtsen, Alberto y otros dos invitados levantaron la mano.

—Sofía y Jorunn, ¿queréis ayudarme?

En el camino hacia la cocina, las dos amigas pudieron charlar un poco.

—¿Por qué le besaste?

—Estaba mirando su boca, y de repente me entraron muchas ganas de besarle. No pude resistirme.

—¿A qué te supo?

—Un poco distinto de lo que me había imaginado, pero...

—¿Era la primera vez?

—Pero no será la última.

En seguida estuvieron sobre la mesa el café y las tartas. Alberto había empezado a repartir petardos entre los chicos, pero la madre de Sofía pidió la palabra otra vez.

—No haré un gran discurso —dijo—. Pero sólo tengo una hija, y ha pasado exactamente una semana y un día desde que cumplió quince años. Como podéis ver, no hemos escatimado en nada. En el pastel hay veinticuatro anillas, así que por lo menos hay una anilla para cada uno. Los que se sirvan primero, pueden coger dos anillas, porque empezamos desde arriba, y las anillas se hacen cada vez más grandes. Lo mismo pasa con nuestras vidas. Cuando Sofía era pequeña, daba pasitos en redondo en círculos pequeños y modestos. Pero con los años, los círculos han ido ensanchándose cada vez más. Ahora van desde casa hasta el casco viejo y luego vuelven otra vez a casa. Y como además tiene un padre que viaja mucho, ella llama por teléfono a todo el mundo. ¡Felicidades, Sofía!

—¡Qué delicia! —exclamó la señora Ingebrigtsen.

Sofía no sabía si se refería a la madre, al discurso en sí, al pastel de anillas o a la propia Sofía.

El grupo aplaudía, y un chico lanzó un petardo a un peral. Jorunn se levantó de la mesa e intentó levantar a Jørgen de su silla. Él se dejó llevar, se tumbaron en la hierba y siguieron besándose. Al cabo de un rato, rodaron por el suelo bajo unos groselleros.

—Hoy en día son las chicas las que llevan la iniciativa —dijo el asesor fiscal.

Dicho esto, se levantó de la mesa y se fue hacia los groselleros, donde se quedó para estudiar el fenómeno de cerca.

Todos los invitados siguieron su ejemplo. Sólo Sofía y Alberto se quedaron sentados en sus sitios. Pronto los invitados estaban formando un semicírculo alrededor de Jorunn y Jørgen, que ya habían abandonado los inocentes besos, para pasar a una forma más descarada de caricias.

—No hay manera de pararlos —dijo la señora Ingebrigtsen, no sin cierto orgullo.

—Cierto —dijo su marido—. Las generaciones siguen a las generaciones.

Miró a su alrededor para ver si sus acertadas palabras habían sido bien recibidas. Como sólo se encontró con cabezas mudas, añadió:

—¡Qué remedio!

Desde lejos, Sofía vio que Jørgen intentaba desabrochar la blusa de Jorunn, que ya estaba bastante manchada de hierba. Ella estaba manoseando el cinturón de él.

—A ver si os vais a acatarrar —dijo la señora Ingebrigtsen.

Sofía miró abatida a Alberto.

—Esto avanza más deprisa de lo que yo había pensado —dijo él—. Tenemos que marcharnos de aquí; pero antes, quiero decir algunas palabras.

Sofía comenzó a dar palmas.

—¿Queréis volver a sentaros? Alberto va a decir algo.

Todos, menos Jorunn y Jørgen, se acercaron a la mesa y se sentaron.

—¿Nos va a hablar? —dijo Helene Amundsen—. ¡Qué amable!

—Gracias a usted.

—Y luego le encanta pasear, ¿verdad que sí? Dicen que es muy importante mantenerse en forma. Resulta muy simpático, en mi opinión, llevarse al perro de paseo. Se llama Hermes, ¿no?

Alberto se levantó y pidió la palabra.

—Querida Sofía —dijo—, creo recordar que ésta es una fiesta filosófica y, por lo tanto, voy a dar un discurso filosófico.

Y fue interrumpido por un aplauso.

—En esta desenfrenada fiesta no vendría mal un poco de razón. Pero no nos olvidemos de felicitar a la anfitriona, que ha cumplido quince años.

Aún no había acabado la frase, cuando se oyó el ruido de un avión que se estaba acercando. Pronto se encontraba volando muy bajo sobre el jardín. El avión llevaba una especie de bandera muy larga en la que ponía: «¡Felicidades en tu decimoquinto cumpleaños!».

Más aplausos y más fuertes.

—Ya véis —exclamó la señora Amundsen—. Este hombre sabe otras cosas aparte de lanzar petardos.

—Gracias, no ha sido nada. Durante las últimas semanas, Sofía y yo hemos realizado una investigación filosófica de gran envergadura. Deseo aquí y ahora exponer los resultados a los que hemos llegado. Vamos a desvelar los secretos más íntimos de la existencia.

De pronto se hizo tal silencio que se oía el canto de los pájaros. También se oían sonoros besos que venían de los groselleros.

—¡Continúa! —dijo Sofía.

—Tras profundas indagaciones, que han abarcado desde los primeros filósofos griegos hasta hoy, nos hemos encontrado con que vivimos nuestras vidas en la conciencia de un mayor. Este señor presta en la actualidad sus servicios como observador de las Naciones Unidas en el Líbano, pero también ha escrito un libro a su hija, que vive en Lillesand. Ella se llama Hilde Møller Knag y cumplió quince años el mismo día que Sofía. El libro, que trata sobre todos nosotros, estaba encima de su mesilla cuando ella se despertó temprano en la mañana del día 15 de junio. En realidad se trata de una carpeta de anillas. Y justo en este momento está notando que las últimas hojas le hacen cosquillas en los dedos.

Una especie de nerviosismo había comenzado a extenderse alrededor de la mesa.

—Nuestra existencia no es ni más ni menos que una especie de entretenimiento para el cumpleaños de Hilde Møller Knag. Porque todos hemos sido creados por la imaginación del mayor, sirviéndole como una especie de fondo para la enseñanza filosófica que ha recibido su hija. Esto quiere decir, por ejemplo, que el Mercedes blanco que hay en la puerta no vale un céntimo. No es nada. No vale más que todos esos Mercedes blancos que ruedan y ruedan por la cabeza de un pobre mayor de las Naciones Unidas, que en este momento acaba de sentarse a la sombra de una palmera, con el fin de evitar una insolación. Hace mucho calor en el Líbano, amigos míos.

—¡Tonterías! —exclamó el asesor fiscal—. No son más que disparates.

—La palabra es libre, desde luego —dijo Alberto, que seguía imperturbable—. Pero la verdad es que lo que es un disparate es esta fiesta, y la única pequeña dosis de razón en todo esto es mi discurso.

Entonces el asesor fiscal se levantó y dijo:

—Uno intenta llevar adelante sus negocios de la mejor manera posible. Y además procura tener cuidado en todos los sentidos. Y encima tiene que tolerar que venga un sinvergüenza vago que, con ciertas aseveraciones «filosóficas», intenta derribar todo lo que has conseguido.

Alberto asintió con la cabeza.

—Contra este tipo de comprensión filosófica no sirve ningún seguro. Estamos ante algo peor que las catástrofes naturales, señor asesor fiscal. Como usted sabe, el seguro tampoco cubre ese tipo de catástrofes.

—Esto no es ninguna catástrofe de la naturaleza.

—No, es una catástrofe existencial. Eche usted un vistazo a los groselleros y comprenderá lo que quiero decir. Uno no puede asegurarse contra el derrumbamiento de su existencia. Tampoco puede asegurarse contra el apagón del sol.

—¿Tenemos que tolerar esto? —dijo el padre de Jorunn mirando a su mujer.

Ella dijo que no con la cabeza y lo mismo hizo la madre de Sofía.

—Qué pena —dijo—. Y aquí era donde no se había escatimado en nada.

Sin embargo, los jóvenes tenían las miradas clavadas en Alberto. Pues suele ocurrir que la juventud está más abierta a nuevos pensamientos e ideas que la gente que ya ha vivido bastantes años.

—Nos gustaría seguir oyéndote —dijo un chico de pelo rubio rizado y gafas.

—Gracias, pero en realidad no queda mucho por decir. Cuando se ha llegado a la certeza de que se es una imagen soñada en la conciencia adormecida de otra persona, entonces, en mi opinión, es más sensato callarse. Pero puedo concluir recomendando a los jóvenes un pequeño curso sobre la historia de la filosofía. Así desarrollaréis una postura crítica ante el mundo en el que vivís. Es muy importante adoptar una postura crítica ante los valores de la generación de los padres. Si en algo me he esforzado, es en enseñarle a Sofía a pensar críticamente. Hegel lo llamó «pensar negativamente».

El asesor fiscal aún no se había vuelto a sentar. Se había quedado de pie dando pequeños golpes en la mesa con las yemas de los dedos.

—Este agitador intenta destruir todas esas posturas sanas ante la escuela y la Iglesia que intentamos inculcar en las nuevas generaciones, pues ellos son los que tienen la vida por delante, y los que algún día heredarán nuestras propiedades. Si este agitador no abandona inmediatamente la fiesta, llamaré a mi abogado. Él sabrá lo que hay que hacer.

—Poco importa lo que quiera hacer, pues usted no es más que una imagen de sombras. Por otra parte, Sofía y yo abandonaremos la fiesta dentro de un instante. Pues el curso de filosofía no ha sido simplemente un proyecto filosófico. También ha tenido su lado práctico. Cuando llegue el momento, desapareceremos por arte de magia. De esa manera también queremos salirnos a escondidas de la conciencia del mayor.

Helene Amundsen agarró a su hija por el brazo.

—¡No irás a dejarme, Sofía!

Sofía abrazó a su madre. Miró a Alberto y dijo:

—Mamá se pondrá muy triste...

—No, eso es una tontería. No debes olvidar lo que has aprendido. Es precisamente de esa tontería de la que debemos librarnos. Tu madre es una mujer tan agradable y simpática como la cesta de Caperucita Roja, que estaba llena de comida para su abuelita. Pero su tristeza no es mayor que la necesidad que tiene ese avión que acaba de pasar de coger combustible.

—Creo que entiendo lo que quieres decir —admitió Sofía. Se volvió hacia su madre—: Por eso tengo que dejarte, mamá. Algún día tendría que hacerlo.

—Te echaré de menos —dijo la madre—. Pero si hay un cielo por encima de éste, más vale que vueles. Me ocuparé de Govinda. ¿Debo ponerle una o dos hojas de lechuga al día?

Alberto le puso una mano en el hombro.

—Ni tú ni nadie más nos echaréis de menos, y la razón es simplemente que no existís. Y entonces tampoco tenéis ningún mecanismo con el que echarnos de menos.

—¡Ésta es la ofensa más grave que pueda imaginarse! —exclamó la señora Ingebrigtsen.

El asesor fiscal le dio la razón.

—De cualquier forma, le cogeremos por injurias. A lo mejor es comunista. Quiere quitarnos todo aquello que apreciamos. Es un canalla. Un malvado grosero...

Tras esto, Alberto y el asesor fiscal se sentaron. Este último estaba rojo de ira. Jorunn y Jørgen vinieron a sentarse a la mesa. Sus ropas estaban sucias y arrugadas. El pelo rubio de Jorunn estaba lleno de barro y tierra.

—Mamá, estoy embarazada —dijo.

—Bueno, pero espera a que lleguemos a casa.

En seguida recibió el apoyo de su marido.

—Tendrá que aguantarse. Y si el bautismo es esta noche, tendrá que arreglárselas ella sola.

Alberto lanzó una seria mirada a Sofía.

—Ha llegado la hora.

—¿Por qué no nos haces un poco de café antes de irte? —dijo la madre.

—Sí, mamá, lo haré.

Sofía se llevó el termo a la cocina y se puso a hacer más café. Mientras esperaba a que se hiciera el café, dio de comer a los pájaros y a los peces. También entró en el baño para dar una hoja de lechuga a Govinda. Al gato no lo vio, pero abrió una lata grande de comida para gatos y la echó en un plato hondo que puso delante de la puerta. Notó que tenía los ojos humedecidos.

Cuando volvió al jardín, se dio cuenta de que la fiesta parecía ya más una fiesta infantil que la de alguien que acabara de cumplir quince años. Había botellas volcadas, habían untado por toda la mesa un trozo de tarta de chocolate, la fuente de los bollos estaba tirada en el suelo. En el momento de salir Sofía, un chico estaba poniendo un petardo en la tarta de nata. Estalló y toda la nata se esparció entre la mesa y los invitados. El más perjudicado fue el traje pantalón de la señora Ingebrigtsen.

Lo curioso fue que tanto ella, como todos los demás, lo tomaron con la mayor naturalidad del mundo. Jorunn cogió un gran trozo de tarta de chocolate y le untó la cara a Jørgen. Después, empezó a lamerle.

La madre de Sofía y Alberto se habían sentado en el balancín, un poco alejados de los demás. Llamaron a Sofía.

—Por fin habéis podido hablar a solas —dijo Sofía.

—Y tú tenías toda la razón —dijo la madre, entusiasmada—. Alberto es una persona muy generosa. Te dejo en sus fuertes brazos.

Sofía se sentó entre ellos.

Dos de los chicos habían logrado llegar al tejado. Una chica se dedicaba a pinchar todos los globos con una horquilla. También llegó en moto un huésped no invitado. Traía vino y aguardiente. Fue recibido por algunos que se prestaron gustosamente a ayudarle a descargar.

El asesor fiscal se levantó de la mesa. Dio unas palmadas y dijo:

—¿Vamos a jugar, niños?

Se aseguró una de las botellas de cerveza, la vació y la colocó en medio de la hierba. Luego volvió a la mesa y cogió las últimas cinco anillas del pastel. Mostró a los invitados cómo había que tirar las anillas por encima de la botella.

—¡Qué pueril! —dijo Alberto—. Tenemos que escaparnos antes de que el mayor ponga el punto final y Hilde cierre la carpeta.

—Entonces vas a tener que recoger todo tú sola, mamá.

—No importa, hijita. Esto no es vida para ti. Si Alberto te puede proporcionar una existencia mejor, nadie se alegrará más que yo. ¿Dijiste que tenía un caballo blanco?

Sofía miró al jardín. Estaba irreconocible. Botellas y huesos de pollo, bollos y globos estaban pisoteados en la hierba.

—Esto fue mi pequeño paraíso —dijo.

—Y ahora serás expulsada del paraíso —contestó Alberto.

Uno de los chicos se había sentado dentro del Mercedes blanco. Arrancó y se precipitó por la puerta cerrada del jardín, entró en el camino de gravilla y bajó al jardín.

Sofía notó que alguien la agarraba fuertemente por el brazo. Algo la llevó hacia el Callejón. Oyó la voz de Alberto que decía:

—¡Ahora!

Al mismo tiempo, el Mercedes blanco destrozó un manzano. Las manzanas verdes rodaron por el capó.

—¡Esto es demasiado! —gritó el asesor fiscal—. Exijo una sustanciosa indemnización.

Recibió el apoyo incondicional de su encantadora mujer.

—La culpa la tiene ese grosero. ¿Dónde está?

—Es como si se los hubiera tragado la tierra —dijo Helene Amundsen, y lo dijo no sin cierto orgullo.

Se enderezó, se acercó a la mesa manchada y comenzó a recoger algo de la fiesta filosófica del jardín.

—¿Quiere alguien más café?

Contrapunto

...dos o más melodías que suenan
al mismo tiempo...

Hilde se incorporó en la cama. Se acabó la historia de Sofía y Alberto. ¿Pero qué había sucedido en realidad?

¿Por qué había escrito su padre ese último capítulo? ¿Había sido sólo para mostrar su poder sobre el mundo de Sofía?

Absorta en una profunda meditación se metió en el baño para vestirse. Después de un rápido desayuno, bajó al jardín y se sentó en el balancín.

Estaba de acuerdo con Alberto en que lo único sensato de la fiesta del jardín había sido su discurso. ¿No pensaría su padre que el mundo de Hilde era tan caótico como la fiesta de Sofía? ¿O que también el mundo de ella se disolvería?

Y luego estaban Sofía y Alberto. ¿Qué había pasado con el plan secreto?

¿Le tocaba ahora a Hilde inventar el resto? ¿O habían logrado salirse de la historia de verdad?

Pero, en ese caso, ¿dónde estaban?

De repente se dio cuenta de algo: si Alberto y Sofía habían logrado salirse de la historia, no pondría nada de eso en las hojas de la carpeta de anillas, porque todo lo que estaba escrito en ella, era de sobra sabido por su padre.

¿Podía haber algo entre líneas? Algo así se había insinuado. Hilde comprendió que tendría que volver a leer toda la historia una y otra vez.

En el instante en que el Mercedes se metía por el jardín, Alberto se llevó a Sofía hasta el Callejón. Luego se fueron corriendo por el bosque hacia la Cabaña del Mayor.

—¡Rápido! —gritó Alberto—. Tiene que ser antes de que comiencen a buscarnos.

—¿Estamos ahora fuera de la atención del mayor?

—Estamos en la región fronteriza.

Cruzaron el lago a remo y se metieron a toda prisa en la Cabaña del Mayor. Una vez en el interior, Alberto abrió una trampilla que daba al sótano. Empujó a Sofía dentro. Todo se volvió negro.

Durante los días siguientes, Hilde continuó trabajando en su propio plan. Envió varias cartas a Anne Kvamsdal en Copenhague, y la llamó un par de veces por teléfono. En Lillesand iba pidiendo ayuda a amigos y conocidos; casi la mitad de su clase del instituto fue reclutada para la tarea.

Entretanto releía *El mundo de Sofía*. Era una historia que había que leer más de una vez. Constantemente se le ocurrían nuevas ideas sobre lo que pudo haberles pasado a Sofía y a Alberto, después de que desaparecieran de la fiesta.

El sábado 23 de junio se despertó de pronto sobre las nueve. Sabía que su padre ya había dejado el campamento en el Líbano. Ahora sólo quedaba esperar. Había calculado hasta el último detalle del final del último día de su padre en el Líbano.

En el curso de la mañana comenzó con su madre los preparativos para la noche de San Juan. Hilde no podía dejar de pensar en cómo Sofía y su madre también habían estado preparando *su* fiesta de San Juan.

¿Pero era algo que *ya habían* hecho? ¿No lo estarían preparando ahora?

Sofía y Alberto se sentaron en el césped delante de dos edificios grandes, con unas ventanas muy feas y conductos de aire en la fachada. Una pareja salía de uno de los edificios; él llevaba una cartera marrón y ella, un bolso en bandolera rojo. Por un pequeño camino al fondo pasó un coche rojo.

—¿Qué ha pasado? —preguntó Sofía.

—Lo conseguimos.

—¿Pero dónde estamos?

—Se llama Cabaña del Mayor [17].

—¿Pero... Cabaña del Mayor...?

—Es en Oslo.

—¿Estás seguro?

—Completamente. Uno de estos edificios se llama Chateau Neuf, que significa «nuevo castillo». Allí se estudia música. El otro edificio es la Facultad de Teología. Más arriba, en la colina, se estudia ciencias, y todavía más arriba se estudian literatura y filosofía.

—¿Hemos salido del libro de Hilde y del control del mayor?

—Sí, las dos cosas. Aquí no nos encontrará jamás.

—¿Pero dónde estábamos cuando corríamos por el bosque?

—Mientras el mayor estaba ocupado en hacer estrellar el coche del asesor fiscal contra un manzano, nosotros aprovechamos la oportunidad para escondernos en el Callejón. Entonces nos encontrábamos en la fase fetal, Sofía. Pertenecíamos al viejo y al nuevo mundo a la vez. Pero al mayor no se le ocurrió pensar que podíamos escondernos allí.

—¿Por qué no?

—Entonces no nos habría soltado con tanta facilidad. Todo fue tan sencillo como en un sueño. Claro, que puede ser que él estuviera metido en el plan.

---

[17] Cabaña del Mayor (en noruego: Majorstua): barrio muy conocido de Oslo, cerca de la ciudad universitaria. *(N. de las T.)*

—¿Qué quieres decir con eso?

—Fue él quien arrancó el Mercedes blanco. Quizás se esforzó al máximo para perdernos de vista. Estaría completamente indignado por todo lo que había pasado...

La joven pareja ya sólo estaba a un par de metros de ellos. A Sofía le daba un poco de vergüenza estar sentada en la hierba con un hombre el doble de viejo que ella. Además tenía ganas de que alguien le confirmara lo que había dicho Alberto.

Se levantó y se acercó corriendo a ellos.

—Por favor, ¿podéis decirme cómo se llama este sitio? Pero ni contestaron ni le hicieron caso.

A Sofía esto le irritó tanto que insistió:

—No pasa nada por contestar a una pregunta, ¿no?

Aparentemente, el joven estaba explicando algo a la mujer.

—La forma de la composición de contrapunto funciona en dos dimensiones: horizontal o melódicamente, y vertical o armoniosamente. Se trata de dos o más melodías que suenan al mismo tiempo...

—Perdonad que os interrumpa, pero...

—Se simultanean melodías, cada una con valor propio, si bien todas ellas quedan subordinadas a un plan armónico biensonante. Es eso lo que llamamos contrapunto. En realidad significa «nota contra nota».

¡Qué poca vergüenza! Pues no eran ni sordos ni ciegos. Sofía intentó captar su atención por tercera vez, poniéndose en el camino para cerrarles el paso.

Simplemente la empujaron hacia un lado.

—Creo que se está levantando viento —dijo la joven.

Sofía volvió corriendo al lado de Alberto.

—¡No me escuchan! —dijo, y al decir esto, se acordó del sueño sobre Hilde y la cruz de oro.

—Ése es el precio que tenemos que pagar. Si nos hemos salido a escondidas de un libro, no podemos esperar tener exactamente los mismos privilegios que el autor del libro. Pero estamos aquí. A partir de ahora no tendremos ni un día más de los que teníamos cuando abandonamos la fiesta filosófica de tu jardín.

—¿Tampoco tendremos nunca un contacto real con la gente que nos rodea?

—Un auténtico filósofo jamás dice «nunca». ¿Tienes reloj?

—Son las ocho.

—Que es la hora que era cuando salimos de tu casa, sí.

—Es hoy cuando el padre de Hilde vuelve del Líbano.

—Por eso tenemos que darnos prisa.

—¿Por qué?

—¿No tienes interés en saber lo que pasará cuando el mayor llegue a Bjerkely?

—Claro, pero...

—¡Ven!

Empezaron a bajar hacia el centro. Se cruzaban con la gente, pero todo el mundo les pasaba como si fueran aire.

Caminaban al lado de los coches aparcados. De pronto Alberto se detuvo delante de un coche deportivo rojo, con la capota plegada.

—Creo que podemos utilizar éste —dijo—. Pero me tengo que asegurar de que es *nuestro* coche.

—No entiendo nada.

—Entonces tendré que explicártelo. No podemos coger sin más un coche que pertenezca a alguien de esta ciudad. ¿Cómo crees que reaccionaría la gente al descubrir que el coche va sin conductor? Y además, tampoco creo que lográramos arrancarlo.

—¿Y el deportivo rojo?

—Creo que lo reconozco de una vieja película.

—Perdona, pero para ser sincera tengo que decirte que todas esas misteriosas insinuaciones están empezando a molestarme.

—Es un coche imaginario, Sofía. Es exactamente como nosotros. La gente sólo ve aquí un lugar vacío. De eso es de lo que nos tenemos que asegurar, antes de ponernos en marcha.

Se pusieron a esperar. Al cabo de unos instantes, llegó un chico montado en bicicleta por la acera. De pronto, pasó a través del coche rojo.

—Ya ves. ¡Es como nosotros!

Alberto abrió la puerta delantera derecha.

—¡Adelante! —dijo, y Sofía se metió en el coche.

Alberto se sentó en el asiento del conductor, la llave estaba puesta, la giró y el coche arrancó.

Pronto se encontraban en la carretera hacia el sur. Poco a poco empezaron a ver grandes hogueras de San Juan.

—Estamos en la noche más larga del año, Sofía. Es maravilloso, ¿verdad?

—Y el viento sopla fuerte en los coches descapotables. ¿Es verdad que nadie nos ve?

—Sólo aquellos que son como nosotros. Quizás nos encontremos con alguno de ellos. ¿Qué hora es?

—Las ocho y media.

—Entonces tenemos que coger un atajo; no podemos seguir detrás de este camión.

Alberto se metió en un campo de trigo. Sofía miró hacia atrás y vio que dejaban tras ellos una ancha franja de mieses aplastadas.

—Mañana dirán que ha sido el viento, que ha pasado por el campo —dijo Alberto.

El mayor Albert Knag había aterrizado en Kastrup, el aeropuerto de Copenhague. Eran las cuatro y media del sábado 23 de junio. El día había sido muy largo. La penúltima etapa del viaje la había hecho en avión desde Roma.

Pasó el control de pasaportes vestido con ese uniforme de las Naciones Unidas del que siempre había estado tan orgulloso. No se representaba sólo a sí mismo, tampoco representaba sólo a su propio país. Albert Knag representaba un sistema de derecho internacional, y una tradición de siglos que ahora abarcaba todo el planeta.

Llevaba una pequeña bolsa en bandolera, el resto del equipaje lo había facturado desde Roma. Sólo tuvo que presentar su pasaporte rojo.

«Nada que declarar.»

El mayor Albert Knag tenía que pasar tres horas en Kastrup, a la espera de que saliera el avión para Kristiansand. Podría comprar algunos regalos para la familia. Hacía casi dos semanas había enviado a Hilde el regalo más grande que había hecho jamás. Marit lo había dejado sobre su mesilla para que lo tuviera al despertarse en su cumpleaños. Albert no había hablado con Hilde después de la llamada de aquella noche.

Albert se compró algunos periódicos noruegos. Pero sólo le había dado tiempo a echar un vistazo a los titulares cuando escuchó algo por los altavoces: «Comunicado personal para el señor Albert Knag. Se ruega al señor Albert Knag que se presente en el mostrador de la SAS.»

¿Qué sería? Alberto sintió que una oleada de miedo le subía por la espalda. ¿No le mandarían de nuevo al Líbano? ¿Habría sucedido algo en casa?

Se presentó en seguida en el mostrador de información.

—Soy Albert Knag.

—¡Tenga! Es urgente.

Abrió el sobre inmediatamente. Dentro había un sobre

más pequeño. Y en ese sobre ponía: «Mayor Albert Knag c/o Información de SAS, Aeropuerto de Kastrup, Copenhague».

Albert estaba nervioso. Abrió el pequeño sobre y encontró una notita:

Querido papá. Te doy la bienvenida. Como ves, no podía aguantar hasta que llegaras a casa. Perdona que te haya hecho llamar por los altavoces. Era lo más sencillo.

P. D. Desgraciadamente, ha llegado una demanda de indemnización del asesor fiscal Ingebrigtsen por el percance ocurrido a un Mercedes robado.

P. D. P. D. Quizás esté sentada en el jardín cuando llegues. Pero también puede ser que sepas algo más de mí antes.

P. D. P. D. P. D. Tengo miedo de quedarme demasiado tiempo en el jardín. En esos sitios es muy fácil hundirse en el suelo.

Un abrazo de Hilde, que ha tenido mucho tiempo para preparar tu regreso.

Albert Knag sonrió ligeramente, pero no le gustaba ser manipulado de esa manera. Siempre había apreciado llevar un buen control sobre su propia vida. Y ahora esa pequeña hija suya estaba dirigiendo desde su casa, en Lillesand, los movimientos de su padre en el aeropuerto de Copenhague. ¿Cómo lo había conseguido?

Metió el sobre en un bolsillo de la camisa y empezó a pasear por las galerías comerciales. Al entrar en la tienda donde vendían alimentos típicos de Dinamarca, vio un pequeño sobre que estaba pegado al cristal de la puerta. «MAYOR KNAG», ponía en el sobre, escrito con un rotulador gordo. Albert despegó el sobre y lo abrió:

Mensaje personal al mayor Albert Knag c/o Alimentos de Dinamarca. Aeropuerto de Kastrup.

Querido papá, me gustaría que nos compraras un salami danés grande, de dos kilos si puede ser. Y a mamá seguro que le gustará un fuet al coñac.

P. D. El caviar de Limfjord tampoco se despreciará.
Abrazos, Hilde.

Albert miró a su alrededor. ¿No estaría Hilde cerca? ¿No le habría regalado Marit un viaje a Copenhague para que se encontrara con él allí? Era la letra de Hilde...

De pronto, el observador de las Naciones Unidas empezó a sentirse él mismo observado. Tenía la sensación de que todo lo que hacía estaba dirigido por control remoto. Se sintió como un muñeco en manos de un niño.

Entró en la tienda y compró un salami de dos kilos, un fuet al coñac y tres frasquitos de caviar de Limfjord. Luego continuó su paseo por las galerías comerciales. Quería comprarle un buen regalo de cumpleaños a Hilde. ¿Estaría bien una calculadora? ¿O una pequeña radio? Sí, eso...

Al entrar en la tienda de electrónica, vio que también allí había un sobre pegado al cristal del escaparate. «Mayor Albert Knag c/o la tienda más interesante de Kastrup», ponía. En una notita dentro del sobre blanco, leyó el siguiente mensaje:

Querido papá. Muchos recuerdos para ti de Sofía, que también quiere darte las gracias por una radio con FM y con un mini-televisor que le regaló su generosísimo papá. Demasiado generoso, pero, por otra parte, una simple nimiedad. No obstante, tengo que admitir que comparto el interés de Sofía por las nimiedades.

P. D. Si no has estado aún, hay más instrucciones en la tienda de alimentación y en la tienda libre de impuestos, donde venden vinos y tabaco.

P. D. P. D. Me regalaron algo de dinero para mi cumpleaños, de modo que puedo contribuir con 350 coronas para el mini-televisor.

Abrazos de Hilde, que ya ha rellenado el pavo y hecho la ensalada Waldorf.

El mini-televisor costó 985 coronas danesas. Y sin embargo podría considerarse una nimiedad, en comparación con cómo se sentía Albert Knag por dentro, al ser dirigido a todas partes por los astutos caprichos de su hija. ¿Estaba ella allí o no?

Ahora miraba hacia todos los lados. Se sentía como un espía y como una marioneta a la vez. ¡Había perdido su libertad!

Entonces también tendría que ir a la tienda grande libre de impuestos. Allí había, en efecto, otro sobre blanco con su nombre. Era como si todo el aeropuerto se hubiera transformado en un juego de ordenador en el que él era la flecha. En la notita ponía:

Mayor Knag c/o la gran tienda libre de impuestos de Kastrup.

Todo lo que pido aquí es una bolsa de gominolas y un par de cajitas de mazapán de Anton Berg. ¡Recuerda que todas esas cosas son muy caras en Noruega! Si no recuerdo mal, a mamá le gusta mucho el Campari.

P. D. Ten tus sentidos bien abiertos durante todo el viaje de vuelta. Supongo que no querrás perderte ningún mensaje importante.

Abrazos de tu hija Hilde, que aprende con mucha rapidez.

Albert suspiró con resignación, pero entró en la tienda y cumplió con la lista de compras. Con tres bolsas de plástico y su bolsa en bandolera, se acercó a la puerta 28 para esperar el embarque. Si había más notitas, allí se quedarían.

Pero sobre una columna, en la puerta 28 había otro sobrecito blanco: «Al mayor Albert Knag, puerta 28, aeropuerto de Kastrup». También ésta era la letra de Hilde, pero el número de la puerta parecía añadido y escrito con otra letra. No era fácil hacer averiguaciones, porque no tenía ninguna otra letra con la que comparar, solo números contra letras.

Se sentó en un asiento con la espalda pegada a una ancha pared. El orgulloso mayor se quedó así sentado, mirando fijamente al aire como si fuera un niño pequeño que viajaba solo por primera vez en la vida. Si ella estuviera allí, al menos no tendría el gusto de encontrarle a él primero.

Miraba pusilánimemente a los pasajeros conforme iban llegando. A ratos se sentía como un enemigo de la seguridad del reino. Cuando empezaron a embarcar, suspiró aliviado; él fue el último en entrar en el avión.

En el momento de entregar la tarjeta de embarque, cogió otro sobre que había pegado al mostrador.

Sofía y Alberto habían pasado ya el puente de Brevik, y un poco más tarde la salida para Kragero.

—Vas a 180 —dijo Sofía.

—Son casi las nueve. Ya no falta mucho para que aterrice en el aeropuerto de Kjevik, y a nosotros no nos pararán en ningún control de tráfico.

—¿Y si chocamos?

—Si es con un coche normal no pasa nada. Pero si es con uno de los nuestros...

—¿Sí?

—Entonces tendríamos que tener cuidado.

—No es fácil adelantar a nadie por aquí, hay árboles por todas partes.

—No importa, Sofía. ¿Cuándo te vas a enterar?

Dicho esto, Alberto se salió de la carretera, se metió por el bosque y atravesó los espesos árboles.

Sofía suspiró aliviada.

—¡Qué susto me has dado!

—Ni siquiera nos enteraríamos si atravesáramos una pared de acero.

—Eso significa que somos simplemente unos ligeros espíritus respecto del entorno.

—No, lo estás viendo al revés. Es la realidad de nuestro entorno la que es para nosotros un ligero cuento.

—Me lo tendrás que explicar más a fondo.

—Entonces escúchame bien. Hay un extendido malentendido acerca de que el espíritu es algo más «ligero» que el vapor de agua. Pero es al contrario. El espíritu es más sólido que el hielo.

—Nunca se me había ocurrido.

—Entonces te contaré una historia. Érase una vez un hombre que no creía en los ángeles. No obstante, recibió un día la visita de un ángel, mientras estaba trabajando en el bosque.

—¿Sí?

—Caminaron juntos un trecho. Al final, el hombre se volvió hacia el ángel y dijo: «Bueno, he de admitir que los ángeles existen. Pero no existís de verdad como nosotros». «¿Qué quieres decir con eso?», preguntó el ángel. Y el hombre contestó: «Al llegar a una piedra grande yo he tenido que rodearla, pero me he dado cuenta de que tú simplemente la has atravesado. Y cuando nos encontramos con un gran tronco de árbol caído sobre el sendero, yo tuve que ponerme a gatas para pasarlo, pero tú lo atravesaste sin más». El ángel se quedó muy sorprendido al oír esto y dijo: «¿No te diste cuenta de que también pasamos por un pequeño pantano, y de que los dos nos deslizamos a través de la niebla? Eso es porque los dos tenemos una consistencia más sólida que la niebla».

—Ah...

—Lo mismo pasa con nosotros, Sofía. El espíritu puede atravesar puertas de acero. Ni tanques ni bombarderos pueden destrozar algo hecho de espíritu.

—Qué curioso.

—Pronto pasaremos Risor, y sólo hace una hora que salimos de Oslo. Me está apeteciendo un café.

Llegaron a Fiane y se encontraron a su izquierda con una cafetería que se llamaba Cinderella [18]. Alberto se salió de la carretera y aparcó el coche en el césped.

En la cafetería, Sofía intentó coger una botella de coca-cola del mostrador frigorífico, pero no pudo moverla. Estaba como pegada. Luego, Alberto intentó sacar café en un vaso de plástico que había encontrado en el coche; sólo tenía que bajar una palanquita, pero aunque se esforzó al máximo, no fue capaz de moverla.

Se enfadó tanto, que se dirigió a los demás clientes pidiendo ayuda. Como nadie reaccionaba, se puso a gritar tan fuerte que Sofía tuvo que taparse los oídos:

—¡Quiero café!

Su enfado no iba muy en serio, porque en seguida se estaba tronchando de risa.

—Ellos no pueden oírnos, y nosotros tampoco podemos servirnos en sus cafeterías, claro.

Estaban a punto de marcharse, cuando una anciana se levantó de una silla y se acercó a ellos. Llevaba una falda de un color rojo chillón, una chaqueta azul de punto, y un pañuelo blanco en la cabeza. Tanto sus colores como su figura eran, de alguna manera, más nítidos que todo lo demás en la pequeña cafetería.

La anciana se acercó a Alberto y dijo:

—Pero chico, sí que gritas.

---

[18] Cinderella: Cenicienta, en inglés. *(N. de las T.)*

—Perdone.

—¿Quieres café, no?

—Sí, pero...

—Tenemos un pequeño establecimiento aquí al lado.

Acompañaron a la mujer por un pequeño sendero detrás del café. Mientras iban andando, ella preguntó:

—¿Sois nuevos por aquí?

—Tendremos que admitir que sí —contestó Alberto.

—Bueno, bueno, bienvenidos a la eternidad, hijos míos.

—¿Y usted?

—Yo vengo de un cuento de la colección de los hermanos Grimm, de hace casi doscientos años. ¿Y de dónde proceden los recién llegados?

—Venimos de un libro de filosofía. Yo soy el profesor de filosofía, Sofía es mi alumna.

—Ji-ji, eso es una novedad.

Salieron a un claro en el bosque. Allí había varios edificios muy bonitos. En un patio abierto, entre dos casas, se había encendido una gran hoguera y alrededor de la hoguera había un montón de gente variopinta. Sofía reconoció a muchos de ellos. Allí estaba Blancanieves y algunos de los enanos, Ceniciento [19] y Sherlock Holmes, Peter Pan y Pipi Calzaslargas, y también Caperucita Roja y Cenicienta. Alrededor de la hoguera se habían congregado muchas figuras muy queridas pero que no tenían nombre: gnomos y elfos, faunos y brujas, ángeles y diablillos. Sofía también vio por allí a un auténtico troll.

—¡Qué lío! —exclamó Alberto.

—Bueno, es la noche de San Juan —contestó la ancia-

---

[19] Ceniciento: Personaje muy conocido de los cuentos del folklore noruego.

(N. de las T.)

na—. No hemos tenido un encuentro como éste desde la Noche de Walpurgis. La celebramos en Alemania. Yo estoy pasando aquí unos días para devolver la visita. Querías café, ¿no?

—Sí, por favor.

Ahora Sofía se dio cuenta de que todas las casas estaban hechas de masa de pastel, azúcar quemada y adornos pasteleros. Algunos de los personajes se servían directamente de las casas. Pero había por allí una pastelera que iba reparando los daños conforme se iban produciendo. Sofía cogió un trozo de tejado. Le supo mejor y más dulce que todo lo que había probado a lo largo de su vida.

La mujer volvió en seguida con una taza de café.

—Muchas gracias —dijo Alberto.

—¿Y qué queréis pagar por el café?

—¿Pagar?

—Solemos pagar con una historia. Por el café basta con un trocito.

—Podríamos contar toda la increíble historia de la humanidad —dijo Alberto—. Pero lo malo es que tenemos muchísima prisa. ¿Podemos volver y pagar en otra ocasión?

—Claro que sí. ¿Por qué tenéis tanta prisa?

Alberto explicó lo que tenían que hacer, y la mujer dijo al final:

—Bueno, ha sido agradable ver caras nuevas. Pero deberíais cortar pronto el cordón umbilical. Nosotros ya no dependemos de la carne y de la sangre de cristianos. Pertenecemos al «pueblo invisible».

Un poco más tarde, Sofía y Alberto estaban de vuelta en el césped, delante del café Cinderella. Justo al lado del pequeño deportivo rojo, había una madre muy nerviosa que estaba ayudando a su pequeño hijo a hacer pis.

Cogiendo un par de atajos espontáneos por sitios insólitos, no tardaron mucho en llegar a Lillesand.

El vuelo SK-876, procedente de Copenhague, aterrizó en Kjevik a las 21.35, como estaba previsto. Mientras el avión salía del aeropuerto de Copenhague, el mayor abrió el último sobre que había encontrado en el mostrador de embarque. En una notita dentro del sobre ponía:

Al comandante Knag, en el momento en que entrega la carta de embarque en Kastrup, la noche de San Juan de 1990.

Querido papá. A lo mejor pensabas que iba a aparecer en Copenhague. No, papá, mi control sobre ti es más complicado que eso. Te veo por todas partes, papá. He ido a ver a una familia gitana tradicional, que una vez, hace muchísimos años, vendió un espejo mágico de latón a mi bisabuela. Ahora también he conseguido una bola de cristal. En este momento estoy viendo que acabas de sentarte en el avión. Te recuerdo que te ajustes el cinturón de seguridad y que mantengas el respaldo del asiento recto, hasta que se haya apagado la señal de «abróchense los cinturones». En cuanto el avión esté en el aire, podrás reclinar el asiento y echarte un sueño. Debes estar descansado cuando llegues a casa. El tiempo aquí en Lillesand es inmejorable, pero la temperatura es algo más baja que en el Líbano. Te deseo un buen viaje.

Abrazos de tu hija bruja, la Reina del Espejo y la mayor protectora de la Ironía.

Albert no había podido determinar del todo si estaba enfadado o simplemente cansado y resignado. Pero de pronto se echó a reír. Se reía tan ruidosamente que los pasajeros se volvieron hacia él para mirarle. Entonces el avión despegó.

En realidad Hilde le había dado a probar su propia medicina. ¿Pero no había una diferencia importante? Su medicina había caído principalmente sobre Sofía y Alberto, y ellos no eran más que imaginación.

Hizo como Hilde le había sugerido. Echó el asiento hacia atrás y se dispuso a dormir un rato. No se volvió a despertar del todo hasta después de haber pasado el control de pasaportes. Fuera, en el gran vestíbulo del aeropuerto de Kjevik, se encontró con una manifestación.

Eran ocho o diez personas, la mayoría de la edad de Hilde. En sus pancartas ponía: «BIENVENIDO A CASA, PAPÁ», «HILDE TE ESPERA EN EL JARDÍN» y «LA IRONÍA EN MARCHA».

Lo peor era que no podía meterse en un taxi rápidamente, porque tenía que esperar al equipaje. Mientras tanto, los amigos de Hilde pasaban por delante de él, obligándole a leer los carteles una y otra vez. Pero se derritió cuando una de las chicas se acercó a él con un ramo de rosas. Albert buscó en una de las bolsas y dio una barra de mazapán a cada uno de los manifestantes. Sólo quedaban dos para Hilde. Cuando llegó el equipaje por la cinta, apareció un joven que le explicó que estaba bajo el mando de la Reina del Espejo y que tenía órdenes de llevarle a Bjerkely. Los demás manifestantes desaparecieron entre la multitud.

Cogieron la carretera E-18. En todos los puentes y entradas a túneles había carteles y banderitas con distintos textos: «¡Bienvenido a casa!», «El pavo espera», «Te veo, papá».

Albert Knag suspiró aliviado y dio al conductor un billete de cien coronas y tres botes de cerveza Elephant de Carlsberg, cuando el coche paró delante de la verja de Bjerkely.

Fue recibido por su mujer Marit delante de la casa. Tras un largo abrazo, preguntó:

—¿Dónde está?

—Está sentada en el muelle, Albert.

Alberto y Sofía aparcaron el deportivo rojo en la plaza de Lillesand, delante del Hotel Norge. Eran las diez y cuarto. Vieron una gran hoguera en uno de los islotes de la bahía.

—¿Cómo vamos a encontrar Bjerkely? —preguntó Sofía.

—Buscando. Supongo que recordarás la pintura de la Cabaña del Mayor.

—Pero tenemos que darnos prisa. Quiero estar allí antes de que él llegue.

Empezaron a dar vueltas por pequeñas carreteras, pero también pasaron por piedras y montículos. Lo que sí sabían es que Bjerkely estaba al lado del mar.

De pronto Sofía gritó.

—¡Allí está! Lo hemos encontrado.

—Creo que tienes razón, pero no grites tanto.

—Pero si nadie puede oírnos.

—Querida Sofía, después de ese largo curso de filosofía me decepciona que saques conclusiones tan apresuradamente.

—Pero...

—¿No creerás que este lugar está totalmente carente de gnomos, trolls y hadas buenas?

—Ah, perdona.

Atravesaron la verja y subieron por el caminito de grava delante de la casa. Alberto aparcó el coche en el césped, junto al balancín. Un poco más abajo había una mesa puesta para tres personas.

—¡La veo! —susurró Sofía—. Está sentada en el borde del muelle, igual que en el sueño.

—¿Ves cómo se parece este jardín al tuyo?

—Sí, es verdad. Con balancín y todo. ¿Puedo acercarme a ella?

—Claro que sí. Yo me quedo aquí...

Sofía bajó corriendo al muelle. Estuvo a punto de tropezar con Hilde, pero la esquivó y se sentó tranquilamente a su lado.

Hilde estaba manoseando una cuerda de la barca de remos, que estaba amarrada al muelle. En la mano izquierda tenía un papel con anotaciones. Era evidente que estaba esperando. Miró varias veces el reloj.

A Sofía le pareció muy hermosa. Tenía el pelo largo, rubio y rizado. Y sus ojos eran de un verde intenso. Llevaba puesto un vestido de verano amarillo. Le recordaba un poco a Jorunn.

Sofía intentó hablarle, aunque sabía que no serviría de nada.

—¡Hilde! ¡Soy Sofía!

Hilde no daba señales de haber oído nada.

Sofía se puso de rodillas y le gritó al oído:

—¿Me oyes, Hilde? ¿Estás ciega y sorda?

¿Se volvió interrogante la mirada de Hilde? ¿Era una pequeña señal de que había oído algo, por muy débil que fuese?

Luego se giró y miró directamente a los ojos de Sofía. No enfocó del todo la mirada, era como si mirase a través de ella.

—No tan alto, Sofía.

Era Alberto el que hablaba desde el deportivo.

—Prefiero el jardín lleno de sirenitas.

Sofía se quedó muy quieta. Se sentía bien estando tan cerca de Hilde.

De pronto se oyó una voz muy grave de hombre: «¡Hildecita!».

Era el mayor, en uniforme y con casco azul. Estaba arriba en el jardín.

Hilde se levantó rápidamente y fue corriendo hacia él. Se encontraron entre el balancín y el deportivo rojo. Él la cogió en brazos, y empezó a dar vueltas.

Hilde se había sentado en el muelle para esperar a su padre. Cada cuarto de hora que pasaba desde que él había aterrizado en Kastrup, ella había intentado imaginarse dónde estaría, lo que haría y cómo reaccionaría; tenía anotado todo el horario en un papelito que había llevado en la mano todo el día.

¿Se enfadaría? No podía pensar que todo volvería a ser como antes, después de haberle escrito un libro tan misterioso.

Volvió a mirar el reloj. Eran las diez y cuarto. Podía llegar en cualquier momento.

¿Pero qué era eso? ¿No oía como un débil rumor, exactamente igual que en el sueño de Sofía?

Se volvió bruscamente. Había *algo* allí, de eso estaba segura, pero no sabía qué.

¿Podría ser la noche de verano?

Durante unos instantes, tuvo miedo de ser vidente.

—¡Hildecita!

Tuvo que volverse en dirección contraria. Era papá. Estaba arriba en el jardín.

Hilde se levantó y fue corriendo hacia él. Se encontraron junto al balancín. Él la cogió en brazos y empezó a dar vueltas.

Hilde empezó a llorar, y también el mayor tuvo que tragarse las lágrimas.

—Pero si estás hecha una mujer, Hilde.

—Y tú estás hecho un inventor de historias.

Hilde se secó las lágrimas con las mangas del vestido amarillo.

—¿Podemos decir que estamos en paz? —preguntó ella.

—Estamos en paz.

Se sentaron a la mesa. Lo primero que pidió Hilde fue una descripción detallada de lo que había sucedido en Kastrup y durante el camino de vuelta. Todo fue recibido con grandes risas.

—¿No viste el sobre de la cafetería?

—No tuve ni tiempo para sentarme a tomar algo, pesada. Ahora estoy hambriento.

—Pobre papá.

—¿Era una broma lo del pavo?

—En absoluto. Yo lo he preparado, y mamá lo va a servir.

Luego hablaron detalladamente de la carpeta de anillas y de la historia sobre Alberto y Sofía. Pronto estuvieron sobre la mesa el pavo y la ensalada Waldorf, el vino rosado y el pan trenzado hecho por Hilde.

El padre estaba diciendo algo sobre Platón, cuando de pronto fue interrumpido por Hilde.

—¡Calla!

—¿Qué pasa?

—¿No has oído? Es como si alguien estuviera silbando...

—No...

—Estoy segura de haber oído algo. Bueno, será un ratón.

Lo último que dijo el padre antes de que la madre volviera con el vino fue:

—Pero el curso de filosofía no está totalmente acabado.

—¿Qué quieres decir con eso?

—Esta noche te hablaré del espacio.

Antes de empezar a comer, el padre dijo:

—Hilde ya está muy grande para estar sentada sobre mis rodillas. ¡Pero tú no!

Y dicho esto, capturó a Marit y la sentó sobre sus rodillas. Allí tenía que estar mucho tiempo antes de dejarle empezar a comer.

—Pensar que tienes ya casi cuarenta años...

Después de que Hilde se hubiera ido corriendo al encuentro de su padre, Sofía notó que las lágrimas estaban a punto de brotarle.

¡No la alcanzaría nunca!

Sofía sentía envidia de Hilde, que podía ser un ser humano de carne y hueso.

Cuando Hilde y el mayor se hubieron sentado a la mesa, Alberto tocó el claxon del coche.

Sofía levantó la cabeza. ¿No hizo Hilde lo mismo?

Subió al coche y se sentó al lado de Alberto.

—¿Nos quedamos un rato mirando lo que pasa? —dijo.

Sofía asintió con la cabeza.

—¿Has llorado?

Volvió a asentir con la cabeza.

—¿Pero qué pasa?

—Ella tiene mucha suerte de poder ser una persona «de verdad». Ahora crecerá y se hará una mujer «de verdad». Y seguro que también tendrá hijos «de verdad».

—Y nietos, Sofía. Pero todo tiene dos caras. Eso es algo que he procurado enseñarte desde el principio del curso de filosofía.

—¿En qué estás pensando?

—Yo opino, como tú, que ella es muy afortunada. Pero a quien le toca la lotería de la vida también le toca la de la muerte. Pues la condición humana es la muerte.

—¿Pero no es al fin y al cabo mejor haber vivido, que no vivir nunca de verdad?

—Nosotros no podemos vivir como Hilde... bueno, o como el mayor. En cambio no moriremos nunca. ¿No te acuerdas de lo que dijo la anciana en el bosque? Pertenecemos al «pueblo invisible». También dijo que tenía casi doscientos años. Pero en aquella fiesta de San Juan vi a algunos personajes que tienen más de tres mil...

—Quizás lo que más envidie de Hilde sea su... su vida en familia.

—Pero tú también tienes una familia. ¿No tienes un gato, un par de pájaros, una tortuga...?

—Pero ya abandonamos esa realidad.

—De ninguna manera. Sólo la ha abandonado el mayor. Ha puesto punto final, hija mía. Y nunca nos volverá a encontrar.

—¿Quieres decir que podemos volver?

—Todo lo que queramos. Pero también nos vamos a encontrar con nuevos amigos en el bosque, detrás del café Cinderella.

La familia Møller Knag se sentó a cenar. Por un instante, Sofía tuvo miedo de que la cena se desarrollara en la misma dirección que la fiesta filosófica en el jardín del Camino del Trébol, porque daba la impresión de que el mayor iba a tumbar a Marit en la mesa. Pero en lugar de eso, Marit cayó encima de las rodillas de su marido.

El coche estaba aparcado a cierta distancia de la familia, que en ese momento estaba cenando. Sólo a intervalos lograban oír lo que se decía. Sofía y Alberto se quedaron sentados mirando al jardín, y tuvieron tiempo para hacer un largo resumen de la infeliz fiesta filosófica.

Alrededor de medianoche, la familia se levantó de la mesa. Hilde y el mayor se dirigieron hacia el balancín. Hicieron señas a la madre, que se encaminaba a la casa blanca.

—Tú acuéstate, mamá. Tenemos mucho de qué hablar.

La gran explosión

...también nosotros somos polvo
de las estrellas...

Hilde se acomodó en el balancín muy pegada a su padre. Eran casi las doce. Se quedaron mirando la bahía, mientras alguna que otra estrella pálida se dibujaba en el cielo. Suaves olas golpeaban las piedras debajo del muelle.

El padre rompió el silencio:

—Resulta extraño pensar que vivimos en un pequeño planeta en el universo.

—Sí.

—La Tierra es uno de los muchos planetas que se mueven describiendo una órbita lrededor del sol. Pero sólo la Tierra es un planeta vivo.

—¿Y quizás el único en todo el universo?

—Sí, es posible. Pero también puede ser que el universo esté lleno de vida, porque el universo es inmenso. Y las distancias son tan enormes que las medimos en «minutos luz» y «años luz».

—¿Y eso qué significa en realidad?

—Un minuto luz es la distancia que recorre la luz en un minuto. Y eso es mucho, porque la luz viaja por el universo a 300.000 kilómetros en sólo un segundo. Un minuto luz es, en otras palabras, 300.000 por 60, o 18 millones de kilómetros. Un año luz es por tanto casi diez billones, con b, de kilómetros.

—¿A qué distancia está el sol?

—A un poco más de ocho minutos luz. Los rayos de sol que nos calientan las mejillas un cálido día de junio han viajado por el universo durante ocho minutos antes de llegar a nosotros.

—¡Sigue!

—La distancia a Plutón, que es el planeta más lejano de nuestro sistema solar, es de más de cinco horas luz desde nuestro propio planeta. Cuando un astrónomo mira a Plutón en su telescopio, en realidad ve cinco horas hacia atrás en el tiempo. También podríamos decir que la imagen de Plutón emplea cinco horas en llegar hasta aquí.

—Es un poco difícil imaginárselo, pero creo que entiendo lo que dices.

—Muy bien, Hilde. Pero sólo estamos empezando a orientarnos, ¿sabes? Nuestro propio sol es uno entre 400.000 millones de otros astros en una galaxia que llamamos Vía Láctea. Esta galaxia se parece a un gran disco en el que nuestro propio sol está situado en uno de sus varios brazos en espiral. Si miramos el cielo estrellado una noche despejada de invierno, vemos un ancho cinturón de estrellas. Eso se debe a que miramos hacia el centro de la Vía Láctea.

—Será por eso por lo que en sueco la Vía Láctea se llama «Calle del Invierno».

—La distancia a nuestra estrella más próxima de la Vía Láctea es de cuatro años luz. Tal vez es la que vemos sobre el islote allí enfrente. Imagínate que en este momento hay alguien allí arriba que mira por un potente telescopio hacia Bjerkely; entonces vería Bjerkely tal como era hace cuatro años. Quizás viera a una niña de once años sentada en este balancín balanceando las piernas.

—Me dejas atónita.

—Pero ésa es sólo la estrella vecina más cercana. Toda la galaxia, o la «nebulosa», como también la llamamos, tiene una dimensión de 90.000 años luz. Eso significa que la luz emplea ese número de años para llegar de un extremo de la galaxia a otro. Cuando dirigimos nuestra mirada a una estrella de la Vía Láctea que esté a 50.000 años luz de nuestro propio planeta, entonces miramos 50.000 años hacia atrás en el tiempo.

—Este pensamiento es demasiado grande para una cabecita tan pequeña como la mía.

—La única manera que tenemos de mirar hacia el universo es mirando hacia atrás en el tiempo. No sabremos nunca cómo *es* aquello en el universo. Sólo sabemos cómo *era*. Cuando miramos una estrella que está a miles de años luz, viajamos en realidad miles de años hacia atrás en la historia del universo.

—Es completamente inconcebible.

—Pero todo lo que vemos llega a nuestro ojo como ondas de luz. Y estas ondas emplean tiempo en viajar por el espacio. Podemos hacer una comparación con los truenos. Siempre escuchamos los truenos unos instantes después de ver el rayo. Eso se debe a que las ondas del sonido se mueven más lentamente que las ondas de luz. Cuando oigo un trueno, estoy oyendo el ruido de algo que ocurrió hace un rato. Lo mismo ocurre con las estrellas. Cuando miro una estrella que se encuentra a miles de años luz de nosotros, veo el «trueno» de un suceso que se encuentra miles de años hacia atrás en el tiempo.

—Entiendo.

—Hasta ahora sólo hemos hablado de nuestra propia galaxia. Los astrónomos piensan que hay aproximadamente cien mil millones de galaxias como ésta en el universo, y cada una de estas galaxias la componen unos cien mil millones de estrellas. La galaxia vecina más próxima a la Vía Láctea es la que llamamos Nebulosa de Andrómeda. Está a dos millones de años luz de nuestra propia galaxia. Como ya hemos visto, esto significa que la luz de esta galaxia necesita dos millones de años para llegar hasta nosotros, lo que a su vez significa que miramos dos millones de años hacia atrás en el tiempo cuando vemos la nebulosa de Andrómeda allí muy arriba en el firmamento. Si hubiera un astrónomo listo en esa nebulosa, y me imagino uno astuto que en este mismo momento está dirigiendo su telescopio hacia la Tierra, no nos vería a nosotros. En el mejor de los casos vería unos «prehombres» de frente plana.

—Sigo atónita.

—Las galaxias más lejanas cuya existencia se conoce hoy, se encuentran a unos *diez mil millones* de años luz de nosotros. Cuando captamos señales de esas galaxias, miramos diez mil millones de años hacia atrás en la historia del universo. Eso es más o menos el doble del tiempo que ha existido nuestro propio sistema solar.

—Me mareas.

—En sí es muy difícil concebir lo que quiere decir mirar tan atrás en el tiempo. Pero los astrónomos han encontrado algo que tiene aún más importancia para nuestra visión del mundo.

—¡Cuéntame!

—Resulta que ninguna de las galaxias del universo está quieta. Todas las galaxias del universo se van alejando las unas de las otras a una enorme velocidad. Cuanto más lejos se encuentran de nosotros, más rapido parece que se mueven. Esto significa que la distancia entre las galaxias se hace cada vez mayor.

—Intento imaginármelo.

—Si tienes un globo y pintas puntitos negros en él, los puntitos se irán alejando lentamente los unos de los otros conforme vayas hinchando el globo.

—¿A qué se debe eso?

—La mayoría de los astrónomos están de acuerdo en que la expansión del universo sólo puede tener una explicación. Una vez, hace aproximadamente 15 mil millones de años, toda la materia del universo estaba concentrada en una pequeña zona. La materia era tan compacta que la gravedad la calentó enormemente. Finalmente estaba tan caliente y era tan compacta que estalló. Este estallido lo llamamos *la gran explosión,* en inglés «big bang».

—Sólo pensar en ello me hace temblar.

—La gran explosión hizo que toda la materia del universo fuese lanzada en todas las direcciones, y conforme la materia se iba enfria̶n̶d̶o̶ ̶s̶e formaban estrellas y galaxias, lunas y planetas.

—¿Pero dijiste que el universo sigue ampliándose?

—Y eso se debe precisamente a aquella explosión que tuvo lugar hace miles de millones de años. Porque el universo no tiene una geografía eterna. El universo es un acontecimiento. El universo es una explosión. Las galaxias siguen alejándose las unas de las otras a una enorme velocidad.

—¿Y así continuarán eternamente?

—Es una posibilidad. Pero también existe otra posibilidad. A lo mejor recuerdas que Alberto le habló a Sofía de las dos fuerzas que hacen que los planetas se mantengan en órbitas constantes alrededor del sol.

—La gravedad y la inercia, ¿no?

—Así es también la relación entre las galaxias. Porque aunque el universo sigue expandiéndose, la gravedad actúa en sentido contrario. Y un día, tal vez dentro de unos miles de millones de años, quizás la gravedad haga que los astros se vuelvan a reunir, conforme las fuerzas de la gran explosión empiecen a menguar. Entonces tendremos una explosión inversa, llamada «implosión». Pero las distancias son tan enormes que ocurrirá a cámara lenta. Puedes compararlo con lo que pasa cuando soltamos el aire de un globo.

—¿Todas las galaxias volverán a ser absorbidas otra vez en un núcleo compacto?

—Sí, lo has entendido. ¿Pero qué pasará luego?

—Entonces tendrá que haber una nueva «explosión» que haga que el universo se vuelva a expandir. Porque las mismas leyes de la naturaleza seguirán en vigor. De esa manera se formarán nuevas estrellas y galaxias.

—Correcto. En cuanto al futuro del universo, los astrónomos se imaginan dos posibilidades: o bien el universo continuará expandiéndose para siempre, de modo que gradualmente habrá cada vez más distancia entre las galaxias, o bien el universo comenzará a encogerse de nuevo. Lo que es decisivo para lo que va a ocurrir es cuánto es el peso o la masa del universo. Y sobre este punto los astrónomos no tienen todavía conocimientos muy seguros.

—Pero *si* el universo es tan pesado que un día empieza a encogerse, ¿a lo mejor se ha expandido y encogido muchísimas veces ya?

—Ésa es una conclusión natural. Pero en este punto el pensamiento se divide en dos. También puede ocurrir que la expansión del universo sea algo que sólo ocurra una vez. Pero si el universo sigue expandiéndose eternamente, la pregunta de cómo empezó todo se hace más apremiante.

—¿Porque cómo surgió toda la materia que de repente estalló?

—Para un creyente puede resultar natural considerar «la gran explosión» como el propio momento de la Creación. En la Biblia pone que Dios dijo: «Hágase la luz». Recordarás que Alberto señaló que la religión cristiana tiene una visión «lineal» de la Historia. Desde una fe cristiana en la Creación, conviene más pensar que el universo se seguirá expandiendo.

—¿Sí?

—En Oriente han tenido una visión cíclica de la Historia. Es decir, que la historia se repite eternamente. En la India existe por ejemplo una vieja doctrina según la cual el mundo constantemente se desdobla para luego volverse a empaquetar. Así se alterna entre lo que los hindúes llaman «Día de Brahmán» y «Noche de Brahmán». Esta idea armoniza mejor, naturalmente, con que el universo se expanda y se encoja, para volver a expandirse después, en un eterno proceso «cíclico».

Me lo imagino como un gran corazón cósmico que late y late y late...

—A mí me parece que las dos teorías son igual de inconcebibles e igual de emocionantes.

—Y pueden compararse con la gran paradoja de la eternidad en la que Sofía una vez estuvo pensando sentada en su jardín: o el universo ha existido siempre, o ha nacido una vez de repente de la nada...

—¡Ay!

Hilde se echó mano a la frente.

—¿Qué ha sido eso?

—Creo que me ha picado un tábano.

—Habrá sido Sócrates que intentaba sacarte del letargo...

Sofía y Alberto habían estado sentados en el deportivo rojo escuchando al mayor hablar a Hilde sobre el universo.

—¿Te has dado cuenta de que los papeles han sido completamente cambiados? —preguntó Alberto después de un rato.

—¿Qué quieres decir?

—Antes eran ellos quienes nos escuchaban a nosotros, y nosotros no los podíamos ver. Ahora somos nosotros quienes los escuchamos a ellos, pero ahora ellos no nos pueden ver a nosotros.

—E incluso hay algo más.

—¿En qué estás pensando?

—Al principio no sabíamos que existía otra realidad, en la que vivían Hilde y el mayor. Ahora son ellos los que no saben nada de nuestra realidad.

—Ésa es la dulce venganza.

—Pero el mayor podría intervenir en nuestro mundo...

—Nuestro mundo no fue sino una intervención suya.

—No quiero perder la esperanza de que también nosotros podamos un día intervenir en su mundo.

—Pero sabes que eso es completamente imposible. ¿Te acuerdas de lo que pasó en el café Cinderella? Vi cómo te quedaste tirando de aquella botella de coca-cola.

Sofía se quedó mirando al jardín mientras el mayor hablaba de «la gran explosión». Esta expresión le hizo pensar en algo.

Empezó a hurgar en el coche.

—¿Qué pasa? —preguntó Alberto.

—Nada.

Abrió la guantera y encontró una llave inglesa. Con la llave en la mano se acercó al balancín y se puso justo delante de Hilde y su padre. Primero intentó captar la mirada de Hilde, pero le fue imposible. Al final levantó la llave inglesa muy alto por encima de su cabeza y golpeó con ella muy fuerte la frente de Hilde.

—¡Ay! —dijo Hilde.

Luego Sofía también golpeó con la llave inglesa la frente del mayor, pero él no reaccionó en absoluto.

—¿Qué ha sido eso? —preguntó él.

Hilde le miró:

—Creo que me ha picado un tábano.

—Habrá sido Sócrates que intentaba sacarte del letargo.

Sofía se tumbó en la hierba e intentó empujar el balancín. Pero no se movía ni un ápice. ¿O había conseguido que se moviera un milímetro?

—Sopla como un vientecillo fresco por el suelo —dijo Hilde.

—A mí me parece que tenemos una temperatura muy suave.

—Pero no es sólo eso. Aquí *hay* algo.

—Solamente tú y yo y la suave noche de verano.

—No, hay algo en el aire.

—¿Qué puede ser?

—¿Te acuerdas del plan secreto de Alberto?

—¿Cómo no me iba a acordar?

—Y desaparecieron de la fiesta en el jardín. Como si se los hubiera tragado la tierra.

—Pero...

—«como si se los hubiera tragado la tierra...»

—En algún punto la historia tiene que acabar. Sólo era algo que yo escribí.

—*Aquello* sí, pero no lo que ocurrió después. Fíjate, si estuvieran aquí...

—¿Crees que eso puede ser?

—Siento algo extraño, papá.

Sofía volvió corriendo al coche.

—Impresionante —tuvo que admitir Alberto, mientras ella se metía en el coche con la llave inglesa—. A lo mejor resulta que la chica tiene facultades especiales.

El mayor puso su brazo alrededor de Hilde.

—¿Has oído la maravillosa música de las olas que golpean las piedras?

—Sí.

—Mañana tendremos que llevar la barca al agua.

—¿Pero oyes los extraños susurros del viento? ¡Mira cómo tiemblan las hojas de los álamos!

—Es el planeta vivo...

—Escribiste que había algo «entre líneas».

—¿Sí?

—Quizás haya algo «entre líneas» también en este jardín.

—Desde luego la naturaleza está llena de enigmas. Y estamos hablando de las estrellas del firmamento.

—Pronto habrá estrellas en el agua también.

—Sí, eso que llamabas la fosforescencia del mar cuando eras pequeña. En cierta manera tenías razón, porque tanto la fosforescencia como todos los demás organismos están hechos de elementos químicos que algún día fueron mezclados y cocidos en una estrella.

—¿Nosotros también?

—Sí, también nosotros somos polvo de las estrellas.

—¡Qué bonito!

—Cuando los radiotelescopios captan luz de galaxias lejanas que se encuentran a miles de millones de años luz de distancia, registran el aspecto que tenía el espacio en el tiempo primigenio, justo después de «la gran explosión». Todo lo que los seres humanos vemos en el cielo son fósiles cósmicos de hace miles y millones de años. Lo único que puede hacer un astrólogo es predecir el pasado.

—¿Porque las estrellas de las constelaciones se han distanciado las unas de las otras antes de que la luz de las estrellas llegue hasta nosotros?

—Hace sólo un par de miles de años las constelaciones tenían un aspecto bastante diferente al que tienen hoy.

—No lo sabía.

—En una noche despejada vemos millones, por no decir miles de millones, de años hacia atrás en la historia del universo. De alguna manera emprendemos el viaje de vuelta a casa.

—Eso me lo tienes que explicar mejor.

—También tú y yo empezamos con «la gran explosión». Porque toda la materia del universo es una unidad orgánica. Una vez, en los tiempos primigenios, toda la materia estaba concentrada en una bola que era tan densa que la cabeza de un alfiler habría pesado muchos miles de millones de toneladas. Este «átomo primigenio» estalló debido a la enorme gravitación. Fue como si algo se rompiera. Pero al elevar la mirada hacia el cielo intentamos encontrar el camino de vuelta a nosotros mismos.

»Todas las estrellas y galaxias del universo están hechas de la misma materia. En algunas partes, algunas de ellas se han juntado. Puede haber millones de años luz entre una y otra galaxia. Pero todas tienen el mismo origen. Todas las estrellas y los planetas son de la misma estirpe.

—Comprendo.

—¿Qué es esa materia universal? ¿Qué *fue* aquello que hizo explosión hace miles de millones de años? ¿De dónde viene?

—Ése es el gran enigma.

—Pero es algo que nos atañe en lo más profundo. Porque nosotros mismos somos de esa materia. Somos una chispa de la gran hoguera que se encendió hace muchos miles de millones de años.

—Lo has expresado de una manera muy bonita.

—Ahora bien, no debemos exagerar el significado de las grandes cifras. Basta con tomar una piedra en la mano. El universo habría sido igual de inconcebible aunque sólo hubiese consistido en esta piedra del tamaño de una naranja. La pregunta habría seguido allí invariablemente: ¿de dónde viene esta piedra?

Sofía se levantó de pronto en el deportivo rojo y señaló hacia la bahía.

—Me entran ganas de probar el bote —exclamó.

—Está amarrado. Además no seríamos capaces de mover los remos.

—¿Lo intentamos? Estamos en la noche de San Juan...

—Por lo menos podemos bajar al agua.

Salieron del coche y bajaron corriendo por el jardín. En el muelle intentaron soltar la cuerda, que estaba atada a una anilla de acero; pero no lograron ni siquiera moverla.

—Como si estuviera clavada —dijo Alberto.

—Pero tenemos tiempo de sobra.

—Un auténtico filósofo no debe darse por vencido. Si al menos lográramos... soltar esta...

—Ahora hay todavía más estrellas en el cielo —dijo Hilde.

—Sí, éste es el momento más oscuro de la noche de verano.

—Pero en el invierno echan chispas. ¿Te acuerdas de aquella noche antes de irte al Líbano? Era el día de Año Nuevo.

—Fue cuando me decidí a escribir un libro de filosofía para ti. Estuve en una importante librería de Kristiansand y también en la biblioteca municipal; pero no había nada apropiado para jóvenes.

—Es como si estuviéramos sentados en la punta de uno de los finos pelos de la blanca piel del conejo.

—Me pregunto si hay alguien allí afuera, en la noche de los años luz.

—¡El bote se ha soltado!

—Es verdad...

—No lo entiendo. Bajé a comprobar el amarre justo antes de que tú llegaras.

—¿De veras?

—Me recuerda a Sofía, cuando tomó prestado el bote de Alberto. ¿Te acuerdas de que lo dejó a la deriva?

—A lo mejor es ella la que ha estado por aquí.

—Tú te lo tomas a broma, pero yo tengo la sensación de que ha habido alguien aquí durante toda la noche.

—Uno de los dos tiene que nadar hasta allí.

—Lo haremos los dos, papá.

Índice onomástico

Esta obra se terminó de imprimir en noviembre de 1996
en los talleres de LitoArte, S.A. de C.V.
San Andrés Atoto No. 21-A, Col. Industrial Atoto
Naucalpan, Edo. de México

La edición consta de   5,000   ejemplares más
sobrantes para reposición.